ROTATION
PLAN

EAST SUSSEX COUNTY COUNCIL

D0582802

HENNING MANKELL
EL RETORNO
DEL PROFESOR DE BAILE

Traducción del sueco de Carmen Montes Cano

MAXI
TUSQUETS
EDITORES

EAST SUSSEX   COUNTY LIBRARY

03329379

EURO 08\08   Inv 879963

863   £

30 Jul 08   STO
             FOR
             BAT HEA

Título original: *Danslärarens återkomst*

1.ª edición en colección Andanzas: noviembre de 2005
4.ª edición en colección Andanzas: enero de 2006
1.ª edición en colección Maxi: mayo de 2007
2.ª edición en colección Maxi: junio de 2007

© Henning Mankell, 2000. Publicado por acuerdo con Leopard Förlag AB,
Estocolmo, y Leonhardt & Høier Literary Agency aps., Copenhague

Ilustración de la cubierta: © Peter-Andreas Hassiepen, Munich

Fotografía del autor: © Matthias Horn

© de la traducción: Carmen Montes Cano, 2005

Diseño de la cubierta: FERRATERCAMPINSMORALES

Reservados todos los derechos de esta edición para
Tusquets Editores, S.A. - Cesare Cantù, 8 - 08023 Barcelona
www.tusquetseditores.com
ISBN: 978-84-8383-505-0
Depósito legal: B. 30.850-2007
Fotocomposición: Pacmer - Alcolea, 106-108 - 08014 Barcelona
Impresión y encuadernación: Liberdúplex, S.L.
Impreso en España

Índice

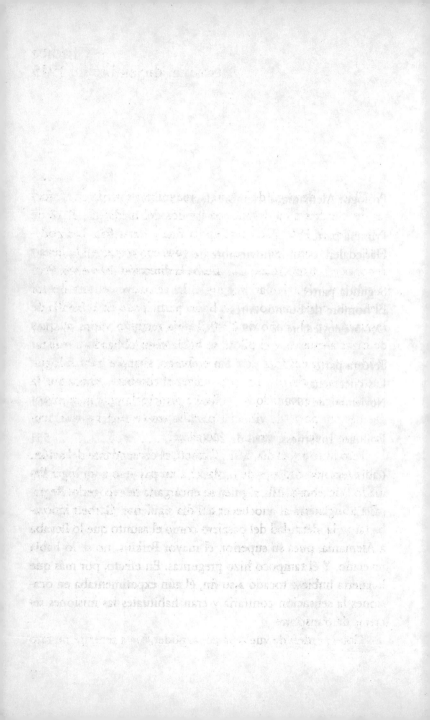

El avión despegó de la base aérea militar situada a las afueras de Londres algo después de las dos del mediodía, el 12 de diciembre de 1945. Caía una lluvia fina y hacía frío. Las poderosas ráfagas soplaban de vez en cuando, como queriendo llevarse consigo la banderola que indicaba la dirección del viento. Pero la calma volvía a reinar enseguida. La aeronave era una Bristol Blenheim de dos motores que había participado en la batalla de Inglaterra en el otoño de 1940. Había recibido varios ataques de cazas alemanes y el piloto se había visto obligado a realizar sendos aterrizajes forzosos. Sin embargo, siempre habían logrado repararla y dejarla lista para volver al combate. Ahora que la guerra había terminado, se utilizaba principalmente para misiones de transporte de vituallas para las tropas inglesas que ocupaban la vencida y arrasada Alemania.

Pero justo aquel día, Mike Garbett, el comandante del avión, había recibido órdenes de trasladar a un pasajero a un lugar llamado Bückeburg. Allí, alguien se encargaría de recogerlo. Regresaría a Inglaterra al anochecer del día siguiente. Garbett ignoraba tanto la identidad del pasajero como el asunto que lo llevaba a Alemania, pues su superior, el mayor Perkins, no se lo había revelado. Y él tampoco hizo preguntas. En efecto, por más que la guerra hubiese tocado a su fin, él aún experimentaba en ocasiones la sensación contraria y eran habituales las misiones secretas de transporte.

Con la orden de vuelo ya en su poder, fue a sentarse un rato en uno de los barracones de la base en compañía del segundo de a bordo, Peter Foster, y del piloto Chris Wiffin. Sobre la mesa, tenían extendidos varios mapas de Alemania. El aeropuerto en el que debían aterrizar se hallaba en una ciudad llamada Hamelin. Garbett no había estado allí jamás. En cambio, Peter Foster sí conocía el lugar. Puesto que no había elevaciones rocosas a su alrededor, no resultaría difícil el acceso. Lo único que podía causarles problemas era la niebla. Wiffin desapareció un instante para hablar con los meteorólogos y, cuando regresó, les hizo saber que el cielo estaría despejado durante la tarde y la noche en el norte y el centro de Alemania. Prepararon el plan de vuelo y antes de volver a enrollar los mapas calcularon la cantidad de combustible que iban a necesitar.

—Vamos a llevar a un solo pasajero —informó Garbett—. Pero no sé quién es.

Sus compañeros de vuelo no le hicieron preguntas, pero él tampoco se las esperaba. Llevaba tres meses volando con Foster y Wiffin. Los unía el hecho de haber sobrevivido. Muchos pilotos de las Fuerzas Aéreas habían caído durante la guerra. Ninguno de ellos sabía a cuántos amigos había perdido. Y haber sobrevivido les reportaba sólo un alivio inmenso; pero también les atormentaba estar disfrutando de una vida que los muertos pedían a gritos desde sus tumbas.

Poco antes de las dos, un coche blindado atravesó las puertas de la base. Foster y Wiffin se encontraban ya en la gran nave, entregados a los últimos preparativos para el despegue. Garbett aguardaba en la plataforma de hormigón resquebrajado. Al ver que su pasajero era un civil, frunció el entrecejo. El hombre que salió del asiento trasero del vehículo era de baja estatura y llevaba un cigarrillo apagado entre los labios. Sacó una pequeña maleta negra del maletero al tiempo que el mayor Perkins aparecía en su jeep. El hombre que iba a volar hasta Alemania llevaba el sombrero encajado hasta las cejas, de modo que Garbett fue incapaz de atisbar sus ojos. Por alguna razón que no era capaz de precisar, se sentía incómodo. Cuando el mayor Perkins los presentó, el hombre masculló su nombre, pero Garbett no lo entendió.

—Podéis despegar —anunció Perkins.

—¿No hay más equipaje? —inquirió Garbett.

El hombre negó con la cabeza.

—Será mejor que no fume durante el vuelo —advirtió Garbett—. Es un aparato viejo y puede haber fugas. Los vapores de combustible no suelen notarse hasta que no es demasiado tarde.

El hombre no respondió. Garbett le ayudó a subir a bordo. En el interior del avión había tres sillas de acero, bastante incómodas; por lo demás, estaba vacío. El hombre tomó asiento y se colocó la maleta entre las piernas. Garbett se preguntó qué preciados objetos estaba a punto de trasladar a Alemania.

Ya en el aire, Garbett hizo un giro a la izquierda con el avión hasta entrar en el curso que Wiffin le había indicado. Entonces, enderezó el aparato y, una vez que hubo alcanzado la altitud que se les había indicado, le dejó los mandos a Foster. Hecho esto, se volvió a mirar al pasajero. El hombre se había alzado el cuello del abrigo y se había encajado aún más el sombrero.

Garbett se preguntó si estaría dormido, pero algo le decía que no era así.

El aterrizaje en el aeropuerto de Bückeburg se produjo sin contratiempos, pese a que era noche cerrada y la pista de aterrizaje no contaba más que con una débil iluminación. Un vehículo fue guiando al avión hasta el exterior del largo edificio aeroportuario, donde aguardaban varios coches militares. Garbett ayudó al pasajero a descender del avión pero, cuando se agachó para asir la maleta, el hombre negó con un gesto vehemente y la recogió él mismo. Después, tomó asiento en uno de los coches y la hilera de vehículos partió enseguida. Wiffin y Foster también habían saltado del avión justo a tiempo de ver desaparecer las luces traseras del vehículo. Ambos tiritaban de frío.

—¿No te entra curiosidad? —comentó Wiffin.

—Sí, pero será mejor no indagar —repuso Garbett, al tiempo que señalaba el jeep que avanzaba en dirección al aparato.

—Esta noche dormiremos en un campamento militar —anunció—. Y supongo que ése es el coche que nos llevará hasta allí.

Cuando, después de cenar, les hubieron asignado las literas, unos mecánicos del aeropuerto les propusieron que los acompañasen a tomar unas cervezas en alguno de los locales que habían sobrevivido a la guerra en aquella ciudad. Wiffin y Foster aceptaron la sugerencia, pero Garbett adujo que estaba cansado y prefirió quedarse en el campamento. Ya en la cama, comprobó que le costaba conciliar el sueño, intrigado como estaba por la identidad del pasajero al que habían trasladado. Y, ¿qué llevaría en aquella maleta que nadie, más que él mismo, podía tocar siquiera? Garbett susurró unas palabras en la oscuridad. El pasajero iba en misión secreta. El único cometido de Garbett era llevarlo de regreso al día siguiente. Y nada más.

Miró su reloj. Era medianoche. Colocó bien el almohadón y, hacia la una, cuando Wiffin y Foster volvieron, él ya se había dormido.

*

Donald Davenport dejó la prisión británica para prisioneros de guerra alemanes poco después de las once de la noche. Lo habían alojado en un hotel que se había librado de los daños de la guerra y hacía las veces de cuartel para los oficiales británicos que, a la sazón, servían en Hamelin. Se sentía cansado y necesitaba dormir para poder llevar a cabo su misión al día siguiente sin cometer ningún error. Experimentaba cierta inquietud por el joven sargento MacManaman, que le habían asignado como ayudante. A Davenport no le gustaba trabajar con asistentes poco experimentados. Podían producirse muchos fallos, en especial en una misión de tanta envergadura.

Rechazó la taza de té de la sobremesa y se fue derecho a su habitación. Una vez allí, se sentó ante el escritorio y revisó las notas de la reunión que habían celebrado tan sólo media hora después de su llegada. El primer documento que leyó fue, no obstante, el formulario escrito a máquina que le había entregado un mayor, de nombre Stuckford, que era, además, el principal responsable.

Alisó el papel, enfocó el flexo y leyó los nombres. Kramer, Lehmann, Heider, Volkenrath, Grese... Doce en total, tres mujeres y nueve hombres. Estudió los datos de peso y estatura de todos ellos e introdujo las anotaciones precisas. Le llevó un buen rato, pues era hombre exhaustivo, y no dejó el bolígrafo hasta pasada la una y media. Ya se había forjado una idea clara. Había hecho sus cálculos y comprobado, por tres veces, que no había pasado por alto ningún detalle. Se levantó de la silla, se sentó en la cama y abrió la maleta. Aunque sabía que jamás olvidaba nada, comprobó una vez más que todo estaba en su lugar. Sacó una camisa limpia, cerró la maleta y se lavó con el agua fría que ofrecía el hotel.

Nunca tenía dificultades para conciliar el sueño. Y aquella noche no fue una excepción.

Cuando, poco después de las cinco, llamaron a la puerta, él ya estaba en pie y se había vestido. Tras un frugal desayuno, atravesaron el sórdido barrio hasta llegar a la cárcel. El sargento MacManaman ya se encontraba allí. Estaba muy pálido y Davenport se preguntó si sería capaz de cumplir con su cometido. Pero Stuckford, que se les había unido y que parecía intuir la inquietud de Davenport, se lo llevó a un lado y le dijo que MacManaman podía parecer afectado, pero que no les fallaría.

A las once, todos los preparativos estaban listos. Davenport había decidido empezar por las mujeres. Puesto que sus celdas eran las más próximas a la horca, no podrían evitar oír el ruido de la portezuela al abrirse. Y él quería ahorrarles ese sufrimiento. Davenport no tenía en cuenta el tipo de crímenes que había cometido cada uno de los presos. Era su decencia la que le imponía comenzar por las mujeres.

Todos aquellos que debían estar presentes ocupaban ya sus puestos. Davenport hizo una seña a Stuckford que, a su vez, le indicó a uno de los vigilantes penitenciarios que podían empezar. Se oyeron algunas órdenes, el tintineo de unas llaves, la puerta de una celda que se abría. Mientras tanto, Davenport esperaba.

La primera en aparecer fue Irma Grese. Por un instante, algo similar a la admiración penetró el frío corazón de Davenport. ¿Cómo era posible que aquella rubia y escuálida joven de veintidós años hubiese sido capaz de matar a latigazos a algunos presos del campo de concentración de Belsen? Si no era más que una adolescente. Sin embargo, cuando dictaron su sentencia de muerte, nadie vaciló. Aquella joven se había comportado como un monstruo y debía pagar con su vida. La muchacha le sostuvo la mirada y alzó después la vista hacia la horca. Los vigilantes penitenciarios la condujeron escaleras arriba. Davenport le colocó las piernas de modo que quedasen justo encima de la portezuela y le rodeó el cuello con la cuerda al tiempo que controlaba que MacManaman no vacilaba con la correa de piel que estaba ajustando a las piernas de la joven. Justo antes de cubrirle la cabeza con la capucha, Davenport oyó que, con voz apenas audible, la joven les apremió con una única palabra:

—Schnell!

MacManaman había dado un paso atrás y Davenport extendió el brazo para alcanzar la manivela que controlaba la portezuela. La joven cayó de forma limpia y Davenport supo que había calculado correctamente la longitud de la cuerda: la longitud suficiente como para partirle el cuello sin arrancarle la cabeza. Junto con MacManaman, se asomó bajo la estructura que sustentaba la horca y soltó el cuerpo una vez que el médico militar británico hubo constatado que su corazón no latía y que estaba muerta. El cadáver fue retirado. Davenport sabía que ya habían cavado una hilera de sepulturas en la apelmazada tierra del jardín de la prisión. Subió de nuevo al patíbulo y comprobó en sus notas la longitud que debía tener la cuerda para la próxima mujer. Cuando estuvo listo, volvió a dar la señal a Stuckford y Elisabeth Volkenrath no tardó en aparecer en el umbral de la puerta con las manos atadas a la espalda. Llevaba la misma indumentaria que Irma Grese, un vestido gris que le llegaba por encima de las rodillas.

Tres minutos más tarde, también ella caía muerta.

La ejecución completa duró dos horas y siete minutos. Davenport había calculado dos horas y quince minutos. MacManaman había cumplido y todo se había desarrollado según lo previsto. Habían ejecutado a doce criminales de guerra alemanes. Davenport recogió la cuerda y las correas y se despidió del sargento MacManaman.

—Tómate un coñac —le recomendó—. Has actuado como un buen ayudante.

—Se lo merecían —se limitó a responder MacManaman—. No necesito el coñac.

Davenport salió de la prisión en compañía del mayor Stuckford mientras se preguntaba si habría posibilidad de regresar a Inglaterra antes de lo planeado. En realidad, había sido él mismo quien había propuesto no regresar hasta la noche, ante la eventualidad de que se produjese algún contratiempo. En efecto, ni siquiera para Davenport, el más experto verdugo de toda Inglaterra, era habitual tener doce ejecuciones el mismo día. No obstante, al final pensó que era mejor no modificar el plan inicial.

Stuckford lo condujo al comedor del hotel y pidió el almuerzo antes de ir a sentarse a una habitación apartada. Stuckford había sufrido una herida de guerra que lo obligaba a arrastrar la pierna izquierda. Davenport sentía especial simpatía por él, sobre todo porque no hacía preguntas innecesarias. No había nada que lo irritase más que aquellas ocasiones en que le preguntaban cómo se sentía después de haber ejecutado a algún criminal que había alcanzado cierta celebridad por sus apariciones en la prensa.

Comieron e intercambiaron algunas frases insulsas sobre el tiempo y sobre si, ante la proximidad de las fiestas navideñas, cabía esperar algún envío extraordinario de té o de tabaco.

Después de la comida, mientras se tomaban el té, Stuckford comentó el suceso de la mañana.

—Hay algo que me preocupa —confesó—. El hecho de que la gente olvida que también podría haber sido al contrario.

Davenport no estaba seguro de haber comprendido bien a qué se refería el mayor. Sin embargo, no tuvo que preguntar, pues el propio Stuckford le dio la explicación.

—Un verdugo alemán que viajase hasta Inglaterra para ejecutar a criminales de guerra ingleses. Jóvenes muchachas inglesas que hubiesen matado a latigazos a la gente en un campo de concentración. El mal podría habernos invadido a nosotros del mismo modo que invadió a los alemanes en la persona de Hitler y bajo la forma del nazismo.

Davenport no se pronunció, sino que aguardó la continuación.

—No hay ningún pueblo que nazca con la maldad congénita. Dio la casualidad de que los nazis eran alemanes. Pero nadie puede hacerme creer que lo que sucedió aquí no podía haber sucedido igualmente en Inglaterra. O en Francia. O, ¿por qué no?, en Estados Unidos.

—Sí, comprendo su razonamiento —replicó Davenport—. Aunque no sabría decir si tiene o no razón.

Stuckford le sirvió otra taza de té.

—Estamos ejecutando a los peores delincuentes —continuó—. A los mayores criminales de guerra. Pero también sabemos que muchos de ellos logran escapar. Como el hermano de Josef Lehmann.

Lehmann había sido el último al que Davenport había colgado aquella mañana. Un hombre menudo que abrazó la muerte con total tranquilidad y como ausente.

—Su hermano dio unas muestras de brutalidad tremendas —prosiguió Stuckford—. Y ese hombre ha conseguido hacerse invisible. Tal vez, a estas alturas, haya logrado incluso utilizar alguna de las vías de escape de los nazis y se encuentre en Argentina o en Sudáfrica. Si es así, jamás daremos con él.

Ambos guardaron silencio. Al otro lado del cristal de la ventana, la lluvia no cesaba.

—Waldemar Lehmann era un hombre de sadismo incomprensible —sostuvo Stuckford—. No sólo por que tratase a los presos de forma inmisericorde. Además, hallaba un placer asesino en el hecho de enseñar a sus subordinados el arte de torturar a la gente. A él también deberíamos colgarlo, igual que a su hermano. Pero no lo hemos encontrado. Todavía.

Cuando dieron las cinco, Davenport regresó al aeropuerto. Tenía frío, pese a que llevaba un abrigo bastante grueso. El piloto lo aguardaba junto al aparato. Davenport se preguntaba qué estaría pensando. Una vez en el avión, ocupó su asiento en la fría cabina y levantó el cuello del abrigo para protegerse los oídos del ruido del motor.

Garbett puso en marcha los motores. El avión cobró velocidad y no tardó en desaparecer entre las nubes.

Davenport había cumplido su cometido. Y todo había ido bien. No en vano, se lo consideraba el mejor verdugo de toda Inglaterra.

El avión se tambaleó y se balanceó bruscamente al atravesar una zona de turbulencias. Davenport pensaba en lo que había dicho Stuckford sobre todos aquellos que lograban escapar. Y pensó también en Lehmann, el hombre que disfrutaba enseñando a otros cómo ejercer la tortura sobre sus semejantes.

Davenport se ajustó el abrigo más aún. Habían dejado atrás las turbulencias. El avión iba camino a casa, a Inglaterra. En fin, había sido un buen día. La misión se había cumplido sin contratiempos. Ninguno de los presos había opuesto resistencia cuando lo conducían a la horca. Y ninguna cabeza había caído separada de su cuerpo.

Se sentía satisfecho. Ahora podía pensar en los tres días libres que lo esperaban, antes de colgar a tres asesinos en Manchester.

Pese a que los motores retumbaban justamente al lado de donde él se encontraba sentado, se durmió.

Mientras tanto, Mike Garbett no podía dejar de preguntarse quién sería su pasajero.

Primera parte
Härjedalen, octubre-noviembre de 1999

1

Se despertaba por la noche, envuelto en sombras. Todo había comenzado cuando contaba veintidós años. Y ahora había cumplido setenta y seis. Durante cincuenta y cuatro años había pasado las noches insomne. Siempre rodeado de sombras. Tan sólo cuando tomaba dosis considerables de fuertes somníferos conocía periodos de sueño. Aun así, al despertar, sabía que las sombras habían estado allí, por más que él no se hubiese dado cuenta de su presencia.

Aquella noche que ya tocaba a su fin no había sido ninguna excepción. Por otro lado, no necesitaba esperar a que las sombras (o *los visitantes*, como él las llamaba en ocasiones) apareciesen a su alrededor. En efecto, solían presentarse pocas horas después de la irrupción de la noche. Allí estaban, de repente, muy cerca de él, con sus blancos rostros mudos. Tras todos aquellos años, había logrado habituarse a su presencia; pero sabía que no podía confiar en ellas. Un buen día, dejarían de guardar silencio. Ignoraba qué sucedería entonces. ¿Se lanzarían sobre él o se decidirían por descubrirlo? En alguna ocasión, él les había gritado y había manoteado en el aire intentando espantarlas. Y había conseguido mantenerlas a distancia durante unos minutos. Después regresaban para no retirarse hasta el amanecer. Pero entonces él había podido dormirse, aunque sólo unas horas, pues tenía un trabajo al que acudir.

Durante toda su existencia como adulto se había sentido cansado. No sabía cómo había podido aguantar. Cuando pasaba revista a su vida, no veía más que una interminable serie de días a través de los cuales había conseguido mantenerse en pie. De hecho, apenas si tenía algún recuerdo que no estuviese relacionado con su cansancio. Y, cuando pensaba en alguna de las fotografías que le habían tomado a lo largo de su vida, no podía por menos de admitir que presentaba, en todas ellas, el mismo aspecto estragado. Por otro lado, las sombras se habían vengado de él en las dos ocasiones en que había estado casado; las mujeres se habían cansado de su eterno estado de inquietud y de que, si no estaba trabajando, se dedicase a dormir. Y se habían cansado de que siempre estuviese despierto por las noches, y de que no fuese capaz de responder a la pregunta de por qué no dormía de noche, como la gente normal. Finalmente, lo habían abandonado dejándolo solo de nuevo.

Miró el reloj de pulsera. Eran las cuatro y cuarto de la mañana. Fue a la cocina y se sirvió un café del termo. El termómetro que tenía en la ventana marcaba dos grados bajo cero. Pensó que si no le cambiaba los tornillos, no tardaría en caerse de su soporte. El perro lanzó un ladrido cuando él descorrió la cortina. *Shaka* era lo único que le reportaba algo de seguridad. Había encontrado el nombre del pastor alemán en un libro cuyo título ya no recordaba, pero que trataba de un poderoso jefe zulú cuyo nombre le pareció apropiado para un perro guardián. Además, era corto y fácil de pronunciar. Con la taza de café en la mano, regresó a la sala de estar y echó una ojeada a las ventanas. Las gruesas cortinas estaban bien echadas y él lo sabía. Pero sentía la necesidad de comprobar que todo estaba en orden.

Después, volvió a sentarse a la mesa y observó las piezas del rompecabezas que tenía esparcidas ante sí. Era un buen rompecabezas. Tenía muchas piezas y la realización del motivo exigía imaginación y paciencia. Siempre que terminaba un rompecabezas, lo quemaba y comenzaba enseguida uno nuevo, de modo que procuraba tener una buena reserva de ellos. Él solía pensar que su relación con los rompecabezas era como la de un fumador con sus cigarrillos. Desde hacía muchos años, era miembro de una asociación internacional relacionada con esa afición y cuya sede se encontraba en Roma. Todos los meses, recibía información sobre qué fabricantes de rompecabezas habían abandonado el oficio y cuáles se iniciaban en él. Ya a mediados de los años setenta empezó a notar que resultaba cada vez más difícil dar con buenos juegos, como eran todos aquellos que habían sido cortados a mano. Los fabricados a máquina no le gustaban. En efecto, las piezas carecían de lógica y no guardaban relación alguna con el motivo. Era cierto que podían ser difíciles de componer, pero la dificultad que entrañaban era de naturaleza mecánica. En aquel momento trabajaba en uno cuyo motivo era *La conjura de los bátavos*, de Rembrandt. Constaba de tres mil piezas y era obra de un artista del rompecabezas natural de Ruán. Hacía unos años, él había emprendido un viaje en coche para visitarlo. Ambos convinieron en que los mejores rompecabezas eran aquellos que contenían débiles cambios de luz pues, precisamente como el del motivo de Rembrandt, exigían el máximo despliegue de paciencia e imaginación.

Sentado ante la mesa, sostenía en la mano una pieza que pertenecía al fondo del cuadro. Le llevó casi diez minutos hallar el lugar donde encajarla. Volvió a mirar el reloj y comprobó que eran algo más de las cuatro y media. Faltaban aún unas horas para el amanecer, el momento en que las sombras se retirarían y él podría por fin dormirse.

Pensó que, después de todo, la vida se había simplificado bastante desde que hubo cumplido los sesenta y cinco y pudo jubilarse. En efecto, ya no tenía por qué temer el cansancio ni la posibilidad de quedarse dormido en el trabajo.

Pero las sombras deberían haberlo dejado ya en paz hacía mucho tiempo. Ya había pagado su culpa. No había motivo alguno para que siguiesen vigilándolo. Su vida estaba destrozada. ¿Por qué no lo dejaban tranquilo?

Se levantó y avanzó hasta el reproductor de discos compactos que había sobre la estantería. Lo había comprado hacía unos meses, en uno de sus raros viajes a Östersund. Puso el disco que había dentro y que, para su sorpresa, había encontrado entre los discos de música pop en la misma tienda en la que había adquirido el aparato. Era un disco de tango argentino. Tango auténtico. Subió el volumen. El pastor alemán tenía buen oído y respondió a las notas con un ladrido, pero calló enseguida. Mientras escuchaba la música, rodeó la mesa despacio para observar el rompecabezas. Faltaba mucho por hacer. Aún tendría que trabajar otras tres noches en él hasta que pudiese darlo por terminado y quemarlo. Pero conservaba varios guardados en sus cajas y, además, pasados unos días, acudiría a la oficina de Correos de Sveg para recoger otro envío del viejo maestro de Ruán.

Se sentó en el sofá dispuesto a escuchar la música. Aquél había sido uno de los mayores sueños de su vida: poder viajar un día a Argentina, quedarse unos meses en Buenos Aires y pasar las noches bailando tango. Pero no había podido cumplirse; siempre había surgido algo que lo había hecho dudar. Cuando, hacía ya once años, había dejado Västergötland para instalarse en los bosques de Härjedalen, pensó que partiría de viaje una vez al año. Vivía sin grandes lujos y, pese a que su pensión no era muy cuantiosa, tendría suficiente para ello. Pero, finalmente, no le había dado más que para realizar algunos viajes en coche por Europa, a la búsqueda de nuevos rompecabezas.

Comprendió que jamás iría a Argentina. Que no bailaría tangos en Buenos Aires.

«Aun así, nada me impide bailar aquí», resolvió. «Tengo la música y tengo pareja.»

Se levantó del sofá. Eran las cinco de la mañana y aún tardaría en llegar el alba. Había llegado el momento de bailar. Se encaminó al dormitorio y sacó del armario el traje negro. Lo inspeccionó con cuidado antes de ponérselo. Se irritó al ver una pequeña mancha en la solapa que limpió con un pañuelo humedecido. Después, se vistió. Aquella madrugada, eligió una corbata color ocre para la camisa blanca.

Sin embargo, lo más importante eran los zapatos. Disponía de varios pares de zapatos de baile italianos entre los que elegir, muy costosos todos ellos. Para un hombre que se tomaba el baile en serio, los zapatos eran cruciales y debían ser perfectos.

Cuando estuvo listo, se colocó ante el espejo que había en el interior de la puerta del armario. Observó su rostro, el cabello cano y corto. Estaba escuálido y pensó que tal vez debería comer más, pero se sentía satisfecho con su aspecto: en realidad, aparentaba mucha menos edad de los setenta y seis años que tenía.

Después, regresó a la sala de estar y se detuvo ante la puerta del cuarto de invitados. Estaba cerrada. Dio unos golpecitos y se imaginó que alguien le respondía que entrase. Abrió la puerta y encendió la luz. Allí, sobre la cama, estaba su pareja de baile. Siempre lo sorprendía el que pareciese tan viva, pese a que no era más que una muñeca. Retiró la ropa de cama y la levantó. Ella vestía camisa blanca y falda negra. Él la llamaba Esmeralda. En la mesita de noche había varios frascos de perfume. La puso en pie, eligió uno discreto de Dior y le roció el cuello con cuidado. Cuando cerró los ojos, pensó que no había diferencia alguna entre la muñeca y una persona viva. Le pasó el brazo bajo el suyo y la escoltó hasta la sala de estar. Muchas veces había planeado retirar todos los muebles, colgar lámparas con la luz atenuada y dejar un cigarrillo encendido en un cenicero, para así recrear su propio salón de baile argentino. Pero jamás había llegado a hacerlo. De modo que el único espacio libre que había era el que quedaba entre la mesa y la estantería sobre la que se hallaba el reproductor de discos. Introdujo los zapatos por los pasadores de tela que Esmeralda tenía cosidos en la parte inferior de sus pies.

Y entonces, empezó a bailar. Cuando giraba al son de la música con Esmeralda entre sus brazos, sentía como si hubiese logrado borrar de un plumazo las sombras que poblaban la habitación. Se movía con gran ligereza. De todos los bailes que, a lo largo de su vida, había aprendido a bailar, el tango era el que mejor se le adaptaba. Y con nadie bailaba tan bien como con Esmeralda. Había conocido a una mujer de Borås, llamada Rosemarie, que tenía una tienda de sombreros. Con ella lo había bailado muchas veces y nadie lo había seguido tan bien hasta entonces. Un día, cuando ya estaba listo para acudir al club de baile donde habían acordado verse, lo llamaron para comunicarle que había fallecido en un accidente de tráfico. Desde entonces había bailado con muchas mujeres, pero no recuperó la sensación experimentada con Rosemarie hasta que no se fabricó a Esmeralda.

La idea se le había ocurrido hacía ya muchos años cuando, durante una de sus noches de vigilia, vio por casualidad un viejo musical que daban por televisión en el que un hombre, quizá Gene Kelly, bailaba con una muñeca. Él la miró fascinado y decidió que se confeccionaría una para sí.

Lo más difícil había sido el relleno. Había ido probando, metiendo distintos tipos de tela en el interior del forro; pero no logró sentirla entre sus brazos como una persona real hasta que no se le ocurrió rellenarla de goma espuma. Le había dado un busto generoso y un trasero abundante. Sus dos mujeres habían sido bastante delgadas, por lo que, cuando tuvo oportunidad, se proporcionó una a la que poder agarrarse. Cuando bailaba con ella y sentía el olor del perfume, podía llegar a excitarse. Pero no tan a menudo como antes, cinco o seis años atrás. Su deseo erótico había empezado a disminuir aunque pensaba que, en realidad, no lo echaba de menos. Estuvo bailando durante más de una hora. Cuando, por fin, llevó a Esmeralda al cuarto de invitados y la tendió en la cama, estaba empapado en sudor. Se quitó la ropa, colgó el traje en el armario y se dio una ducha. El día no tardaría en llegar y ya podría irse a dormir. Una noche más, había conseguido mantenerse despierto.

Se puso el albornoz y se sirvió otro café. El termómetro seguía indicando dos grados bajo cero. Rozó la cortina y *Shaka* dejó oír unos breves ladridos en la oscuridad. Pensó en el bosque que lo rodeaba. Y que era precisamente lo que él había soñado. Una finca aislada, muy moderna pero sin vecinos. Además, con la casa situada en el extremo de un camino. Finalmente halló lo que buscaba. Una vivienda amplia, de buena construcción y con una gran sala de estar que se ajustaba a sus necesidades de convertirla en una pista de baile. Se la había comprado a un ingeniero de montes jubilado que se había trasladado a vivir a España.

Se sentó a la mesa de la cocina a tomarse el café. El alba avanzaba despacio. No tardaría en poder tumbarse a dormir entre las sábanas. Y las sombras lo dejarían en paz.

Shaka lanzó un ladrido y él prestó atención. El ladrido se repitió, pero pronto volvió el silencio. Debió de ser un animal. Tal vez una liebre. *Shaka* tenía libertad de movimientos en su gran caseta. Él sabía que el animal velaba por él.

Fregó la taza y la colocó junto a la cocina pues, transcurridas siete horas, la utilizaría otra vez. A él no le gustaba cambiar de taza sin necesidad. Y podía utilizar la misma durante semanas. Así, se fue al dormitorio, se quitó el albornoz y se metió entre las sábanas. Aún no era de día, pero solía quedarse tumbado escuchando la radio mientras aguardaba el amanecer. Tan pronto como sospechara la presencia de los primeros, débiles rayos de sol al otro lado del muro de la casa, desconectaría la radio, apagaría la luz y se acomodaría para dormir.

Shaka comenzó a ladrar de nuevo, pero el sonido era distinto en esta ocasión. Él se sentó rápido sobre la cama. Lo cierto es que el animal ladraba fuera de sí, lo que sólo podía significar que un alce rondaba las proximidades. O quizás un oso. Todos los años mataban alguno por aquella zona, aunque él no los había llegado a ver jamás. *Shaka* no cesaba de ladrar encolerizada. Salió de la cama y se puso el albornoz. *Shaka* se calló de pronto. Él aguardó un instante, pero nada sucedió, así que volvió a quitarse el albornoz y a meterse entre las sábanas. Siempre dormía desnudo. La lámpara que tenía junto a la radio estaba encendida.

De repente, se levantó de nuevo como un rayo. Algo no iba bien, algo relacionado con el perro no encajaba. Contuvo la respiración y prestó atención. Todo estaba en silencio. Empezó a ponerse nervioso. Le daba la impresión de que las sombras que lo rodeaban empezaban a cambiar. Salió de la cama, inquieto por el último ladrido de *Shaka;* en efecto, su final no había sido natural, sino más bien como si lo hubiesen cortado. Fue a la sala de estar y descorrió una de las cortinas de la ventana que daba justo a la caseta del perro. *Shaka* no ladró y él notó que el corazón empezaba a latirle acelerado. Regresó al dormitorio y se puso unos pantalones y un jersey. Hecho esto, tomó la escopeta que siempre tenía guardada bajo la cama, una escopeta de perdigones con cargador para seis cartuchos. Salió al vestíbulo y enfundó los pies en un par de botas, sin dejar de prestar atención. Pensaba que no eran más que figuraciones suyas, que todo estaba en orden. Pronto llegaría el alba. Eran las sombras las que lo inquietaban, sólo eso. Abrió las tres cerraduras de la puerta y dio un leve empujón con el pie. *Shaka* seguía sin reaccionar. Y esto lo convenció de que algo fallaba. Tomó la linterna que tenía en una estantería y enfocó la luz hacia la oscuridad del exterior. No se veía a *Shaka* por la caseta. Iluminó el soto con la linterna mientras llamaba al perro, pero no se produjo reacción alguna. Con un movimiento nervioso, empapado en sudor, cerró la puerta de nuevo. Tras haberle quitado el seguro a la escopeta, volvió a abrir. Y, con suma cautela, salió a la escalinata. La calma era absoluta. Avanzó hasta la caseta del animal y, una vez allí, se detuvo en seco. *Shaka* yacía en el suelo, los ojos abiertos y la piel grisácea cubierta de sangre. Raudo, se dio la vuelta, corrió hacia la casa y, una vez dentro, cerró la puerta. Algo estaba ocurriendo y él ignoraba qué. Pero alguien había matado a *Shaka*. Encendió todas las luces de la casa y se sentó en el dormitorio, sobre la cama. Le temblaba todo el cuerpo. Las sombras lo habían burlado. Él había presentido el peligro a tiempo. Pero siempre había estado persuadido de que las sombras cambiarían, de que serían ellas las que lo atacasen. Mas lo habían engañado. La amenaza procedía del exterior. Las sombras habían logrado alterar su capacidad de visión. Se había dejado engañar durante cincuenta y cuatro años. Creía que había logrado escapar, pero ahora comprendía que estaba en un error. Las imágenes de aquella ocasión, del año terrible de 1945, le sobrevinieron como una oleada. No podría escapar.

Sin dejar de negar con la cabeza, pensó que, pese a todo, no debía entregarse voluntariamente. Ignoraba quién sería la persona que estaba allí fuera y que había matado a su perro. Pero *Shaka* había conseguido advertirlo del peligro. Y no tenía intención de entregarse sin oponer resistencia. Se quitó las botas, se puso unos calcetines y buscó el par de zapatillas de deporte que tenía bajo la cama, siempre atento a cualquier sonido. Pero ¿dónde estaría el amanecer? Con tal de que se hiciese la luz allí fuera, fracasarían en su intento de atraparlo. Se enjugó el sudor de las manos en la colcha. La escopeta le infundía una sensación de seguridad. Sabía que era un buen tirador y no estaba dispuesto a dejarse atropellar.

En aquel preciso momento, la casa entera se desplomó. O, al menos, así lo sintió él. El estrépito lo hizo arrojarse al suelo. Puesto que tenía el dedo en el gatillo, disparó al mismo tiempo un proyectil que fue a estrellarse contra el espejo de la puerta del armario. Muy despacio, avanzó hasta la puerta de la habitación y echó una ojeada a la sala de estar. Entonces comprendió qué había ocurrido. Alguien había disparado, quizá lanzado una granada, contra la ventana que daba al sur y la habitación estaba llena de cristales.

No había tenido tiempo de razonar mucho más, cuando también la ventana norte estalló en mil pedazos. Se apretó contra el suelo, mientras se decía: «Vienen de todas partes. La casa está rodeada y están disparando contra las ventanas para poder entrar». Desesperado, intentaba dar con una salida.

«El amanecer», reconoció, «es lo único que puede salvarme. En cuanto la maldita noche llegue a su fin...»

Después, le tocó el turno a la ventana de la cocina. Él estaba tumbado boca abajo, muy pegado al suelo y con las manos sobre la cabeza. Cuando se produjo el siguiente estallido, supo que se trataba de la ventana del cuarto de baño. Sintió que el aire frío entraba a raudales por las ventanas rotas.

Oyó un silbido. Algo cayó de golpe junto a él. Cuando alzó la cabeza, comprendió que era una bomba de gas lacrimógeno. Giró la cabeza, pero era demasiado tarde. El humo había alcanzado ya sus ojos y sus pulmones. Sin poder ver nada, oyó que nuevas bombas lacrimógenas atravesaban las ventanas sin cristales. Ya no podía soportar el intenso dolor de los ojos. Aún tenía la escopeta entre las manos. No le quedaba otra salida que abandonar la casa. Tal vez fuese la oscuridad su salvación, en lugar de la luz, como él creía. Con los ojos doloridos, avanzó hasta la puerta principal. Los ataques de tos le rasgaban los pulmones. Abrió la puerta de un empellón y echó a correr hacia fuera. Al mismo tiempo, lanzó un disparo. Sabía que había unos treinta metros hasta el soto y, pese a que estaba cegado por los gases, corría con todas sus fuerzas sin dejar de temer que el disparo mortal lo alcanzase en cualquier momento. Durante la breve carrera hasta el soto, tuvo tiempo de pensar que moriría sin saber a manos de quién. Sabía por qué, pero no quién. La sola idea le causó un dolor tan intenso como el de los ojos.

Se golpeó contra el tronco de un árbol y estuvo a punto de caer; aún cegado por los gases, seguía avanzando a tientas por entre los árboles. Las ramas le arañaban el rostro sin cesar, pero era consciente de que no podía detenerse. La persona o las personas que lo perseguían darían con él enseguida a menos que se adentrase lo suficiente en el bosque.

De pronto, tropezó con una protuberancia del terreno y cayó de bruces. Cuando se disponía a levantarse, sintió algo en el cuello. Al instante supo de qué se trataba: alguien le presionaba la nuca con el pie. Entonces comprendió que no había nada que hacer. Las sombras lo habían vencido. Se habían desprovisto de sus negras vestiduras para mostrar su auténtica naturaleza.

Pese a todo, él deseaba saber quién iba a matarlo, de modo que intentó volver la cabeza; pero el pie se lo impedía.

Después, alguien lo puso en pie. Aunque seguía sin ver nada, le pusieron una venda en los ojos. Durante un segundo, sintió en el cuello el aliento de la persona que le ataba la venda. Intentó decir algo pero de su boca no surgían palabras, sólo un nuevo ataque de tos. Después, un par de manos se aferraron vigorosas a su garganta. Intentó oponer resistencia, pero no le quedaban fuerzas. Y sintió que la vida se le escapaba.

Sin embargo, aún tardaría cerca de dos horas en morir. Como en una frontera de horror entre el dolor desesperante y la voluntad inútil por sobrevivir, su mente volvió al pasado, al tiempo en que abrazó un destino que ahora le pedía cuentas. Lo arrojaron al suelo. Alguien le quitó el jersey y los pantalones. Y sintió la frialdad del suelo contra su piel antes de que los latigazos lo alcanzasen y lo transformasen todo en un infierno. Ignoraba cuántos golpes recibió. De vez en cuando, perdía la conciencia. Pero lo hacían despertar con agua fría. Entonces, volvían a lloverle los golpes. Se oyó a sí mismo gritar, pero nadie podía ayudarle. Y menos aún *Shaka*, que yacía muerta en la caseta.

Lo último que notó fue cómo lo arrastraban por el jardín hasta el interior de la casa, donde lo golpearon en las plantas de los pies. Todo quedó a oscuras a su alrededor. Y murió.

Tampoco supo que, cuando todo hubo terminado, lo llevaron, desnudo, hasta el soto, donde lo abandonaron con el rostro contra la fría tierra.

Para entonces, ya había amanecido.

Era el 19 de octubre de 1999. Escasas horas después, empezó a caer una fina lluvia que, muy despacio, de forma casi imperceptible, se transformó en aguanieve.

2

Stefan Lindman era policía. Una vez al año, como mínimo, se veía en situaciones en las que experimentaba un miedo intenso. En una ocasión se había visto atacado por un psicópata de más de cien kilos. Con el hombre sentado a horcajadas sobre su vientre, tuvo que luchar desesperado para que no le arrancase la cabeza con sus enormes manos. Y, de no haber sido porque uno de sus colegas abatió al individuo propinándole un tremendo golpe en la cabeza, aquél habría conseguido su propósito. En otra ocasión, llamó a una puerta para mediar en un enfrentamiento familiar y recibió un disparo. El proyectil le rozó la pierna. Sin embargo, jamás había sentido tanto miedo como aquella mañana del 25 de octubre, tendido en su cama y mirando fijamente el techo.

No había pegado ojo en toda la noche. De vez en cuando, daba una cabezada, para después despertar sobresaltado por las pesadillas que lo abordaban tan pronto como caía vencido por el sueño. Presa de la mayor impotencia, terminó por levantarse y sentarse ante el televisor hasta dar con un canal donde pasaban una película porno. Poco después, no obstante, lo apagó asqueado y regresó a la cama.

A las siete de la mañana se levantó definitivamente. Durante aquella noche, había elaborado un plan que era, además, un propósito. No subiría derecho la cuesta hasta el hospital.

Adaptaría el tiempo de modo que pudiese no sólo dar un rodeo, sino incluso dar dos vueltas enteras al edificio del hospital. Pensaba recorrer el camino en busca de alguna señal de que el diagnóstico sería positivo. Con el fin de administrarse una última inyección de entereza, se tomaría un café en la cafetería del hospital y se obligaría a leer tranquilamente el periódico local.

También decidió ponerse su mejor traje. En condiciones normales, si no vestía el uniforme u otra ropa de trabajo, solía llevar vaqueros y un jersey. Pero aquella mañana le parecía que el traje era lo más apropiado. Mientras se anudaba la corbata, observó su rostro en el espejo del cuarto de baño. Era evidente que no había dormido ni comido bien durante las últimas semanas. Las mejillas aparecían sumidas en los pómulos y comprobó que debería haber ido a cortarse el pelo: no le gustaba que sobresaliese por encima de las orejas.

En realidad, no le gustaba lo más mínimo el rostro que le devolvió el espejo aquella mañana. Era una sensación extraña. Él era hombre vanidoso y se miraba al espejo con frecuencia. En condiciones normales, se encontraba satisfecho con su aspecto y la imagen que hallaba en el espejo solía ponerlo de buen humor. Pero aquel día era distinto.

Ya vestido, se tomó una taza de café. Había puesto pan y embutidos sobre la mesa, pero no tenía ganas de comer y no probó bocado.

Tenía cita con la doctora a las nueve menos cuarto y no eran más que las siete y veintisiete, de modo que le quedaba una hora y dieciocho minutos que invertir en su paseo hasta el hospital.

Cuando salió a la calle, notó que lloviznaba.

Stefan Lindman residía en el centro de Borås, en la calle de Allégatan. Tres años atrás, había vivido en la zona de Sjömarken, a las afueras de la ciudad. Pero, de modo fortuito, se le había presentado la oportunidad de alquilar aquel apartamento de tres habitaciones y no dudó en firmar el contrato. Al otro lado de la calle se alzaba el hotel Vävaren. Y a la comisaría podía ir a pie. Incluso al estadio de Ryavallen iba caminando cuando el equipo del Elfsborg jugaba en casa. El fútbol era, aparte de su trabajo, su gran pasión. Aunque lo mantenía en secreto, seguía coleccionando en un archivador fotografías y recortes de prensa dedicados al Elfsborg. Hasta solía soñar despierto con verse convertido en profesional en algún equipo italiano, en lugar de ser policía. Aquellos sueños lo hacían ruborizarse. Pero no lograba deshacerse de ellos.

Subió la escalinata que lo conduciría hasta la calle de Stengärdsgatan y continuó en dirección al teatro municipal y al instituto de secundaria. Un coche de policía pasó ante él, pero no pudo ver quiénes ocupaban su interior. El miedo lo atenazó de pronto. Era como si ya hubiese desaparecido, como si ya estuviese muerto. Se arropó mejor con la cazadora. En realidad, nada indicaba que debiese esperar un diagnóstico negativo. Apretó el paso, pero los pensamientos no le daban tregua y las gotas de lluvia que le rozaban el rostro se le antojaban avisos de una vida, la suya, que pasaba sin remedio.

Tenía treinta y siete años. Desde que salió de la Escuela Superior de Policía, siempre había trabajado en Borås. Y allí era adonde quería que lo destinasen, en verdad. Había nacido en Kinna en el seno de una familia con tres hijos. El padre trabajaba en la venta de coches usados y la madre en una panadería. Él era el más pequeño de los tres hermanos, casi un hijo inesperado, pues sus dos hermanas tenían siete y nueve años más, respectivamente.

Cuando pensaba en su niñez, le parecía un episodio aburrido y extrañamente vacío de acontecimientos. Su vida había sido segura y disciplinada. Tanto su madre como su padre detestaban los viajes y el más largo que se lanzaban a emprender era hasta Borås o Varberg. Pero Gotemburgo, por ejemplo, les parecía demasiado grande y lejano y aterrador. Sus hermanas se rebelaron pronto contra aquel tipo de vida y se marcharon la una a Estocolmo y la otra a Helsinki. Sus padres lo interpretaron como un fracaso y Stefan comprendió que a él prácticamente se le exigía que permaneciese en Kinna o, al menos, que regresase allí una vez que hubiese decidido a qué iba a dedicarse en la vida. Fue un adolescente nervioso e inquieto que no tenía la menor idea de qué dirección tomar.

Después, y de forma casual, conoció a un joven que se dedicaba a las carreras de *motocross*. Él se convirtió en su ayudante y estuvo dando tumbos por las pistas del centro de Suecia durante varios años. Finalmente, se cansó y regresó a Kinna, donde los padres lo acogieron como un triunfo, como al hijo perdido que había regresado. Comprendió que no sabía a qué deseaba dedicar su vida. Pero, también por casualidad, conoció a un policía de Malmö que había ido a Kinna a visitar a unos conocidos comunes. Y la idea fue tomando forma en su mente: ¿no sería aquélla su profesión? Estuvo meditando durante varios días, hasta que decidió al menos intentarlo.

Sus padres acogieron la noticia con temor contenido, pero Stefan argumentó que incluso en Kinna había policías y que no tendría por qué ir a vivir a otra ciudad.

Enseguida comenzó a poner en práctica su decisión. Lo primero que hizo fue volver al instituto para terminar los estudios de bachillerato, tarea que le resultó más fácil de lo que esperaba, dado su alto grado de motivación. Para costearse sus gastos, hizo algunas sustituciones como conserje del colegio.

Para su asombro, fue admitido en la Escuela Superior de Policía al primer intento. Y los estudios no le supusieron ningún problema. No fue un alumno sobresaliente, pero siempre estuvo entre los mejores de su promoción. De modo que volvió a Kinna luciendo su uniforme con la noticia de que lo destinarían a Borås, que no estaba más que a cuarenta kilómetros de distancia.

Los primeros años iba y venía entre Kinna y su destino. Pero, cuando se enamoró de una administrativa de la comisaría, decidió trasladarse a Borås. Estuvieron viviendo juntos tres años hasta que, un buen día, ella le anunció que había conocido a un hombre de Trondheim y que tenía pensamiento de mudarse a vivir allí.

Stefan se tomó la noticia sin perder la compostura. Por otro lado, ya había notado que aquella relación empezaba a aburrirlo. Había sido como recrear la experiencia de la niñez. Sin embargo, meditó bastante sobre cómo habría podido ella conocer a otro hombre e iniciar una relación sin que él se hubiese percatado de ello.

Así, había cumplido los treinta sin apercibirse de ello realmente. Después, su padre falleció de un repentino ataque al corazón y, unos meses más tarde, murió también su madre. Celebrado el entierro, al día siguiente puso un anuncio en la sección de contactos del diario *Borås Tidning*. Recibió cuatro respuestas y se vio con las mujeres en riguroso orden de recepción de las mismas. Una de ellas era una polaca que llevaba viviendo en Borås muchos años. Tenía dos hijos mayores y trabajaba en la cafetería del instituto. Era casi diez años mayor que él, pero apenas si se notaba la diferencia. Al principio, no entendía qué había sido lo que lo hizo enamorarse y quedar prendado de ella. Después comprendió que se debía a que aquella mujer era completamente normal. Se tomaba la vida en serio pero sin complicar las cosas de forma innecesaria. Comenzaron, pues, su relación, en la que Stefan experimentó por primera vez en su vida que, en verdad, tenía capacidad para sentir por una mujer algo más que un deseo apasionado. Se llamaba Elena y vivía en Norrby. Él solía pasar allí la noche varias veces por semana.

Y allí fue, por cierto, en el cuarto de baño, donde una mañana descubrió que tenía un bulto muy extraño en la lengua.

Aquí interrumpió su evocación. El hospital se alzaba ante él. Aún seguía lloviznando y eran las siete y cincuenta y seis minutos. Pasó de largo ante el edificio y se apresuró. Había decidido dar la vuelta a la manzana dos veces; y así lo haría.

A las ocho y media se sentó a una mesa de la cafetería con una taza de café y el periódico local. Sin embargo, no llegó a leerlo, como tampoco alcanzó a tocar el café.

Cuando se vio ante la puerta de la consulta, estaba muerto de miedo. Dio unos golpecitos antes de entrar en la sala donde lo aguardaba una doctora. Él intentó leer en su rostro lo que podía esperar: una sentencia de muerte o el perdón. Ella le sonrió, consiguiendo así desconcertarlo por completo: ¿sería indicio de inseguridad, de compasión o, simplemente, de alivio al no tener que comunicarle a un paciente que padecía cáncer?

Él tomó asiento y ella alisó algunos documentos que tenía sobre el escritorio.

Después, él comprendió lo que le había agradecido que fuese derecha al grano.

—Por desgracia, las pruebas han demostrado que el bulto que tiene en la lengua es un tumor.

Él asintió y tragó saliva. En realidad, lo sabía desde el principio, desde aquella mañana en que lo descubrió en Norrby, en el apartamento de Elena. Sabía que tenía cáncer.

—No parece que se haya extendido, y puesto que lo hemos

advertido a tiempo, podemos tomar de inmediato las medidas necesarias.

—¿Qué significa eso? ¿Van a cortarme la lengua?

—No, no. Primero administraremos radioterapia. Después, habrá que operar.

—¿Voy a morir?

Aquella pregunta no la había preparado, sino que surgió de su garganta sin que él pudiese hacer nada por detenerla.

—El cáncer es siempre una enfermedad grave —replicó la doctora—. Pero hoy disponemos de los medios adecuados. Hace ya muchos años que un diagnóstico de cáncer dejó de equivaler a una sentencia de muerte.

Permaneció en la consulta más de una hora. Cuando dejó la sala, estaba empapado en sudor. En lo más hondo de su estómago, se había definido un punto que había quedado totalmente frío. Un dolor que no quemaba, pero que le producía la misma sensación que los puños del psicópata en torno a su garganta. Se obligó a mantener la calma. Ahora ya podía tomarse el café y leer el periódico. Después decidiría si estaba moribundo o no.

Pero el periódico local ya no estaba, de modo que, en su lugar, echó mano de uno de los diarios vespertinos. Aquel nudo tan frío seguía en su interior. Tomaba café mientras hojeaba el periódico, pero olvidaba tanto las palabras como las imágenes tan pronto como pasaba la hoja.

Sin embargo, algo llamó su atención de improviso. Un nombre bajo una imagen y un titular que refería un brutal asesinato. Miró fijamente tanto la fotografía como el nombre. «Herbert Molin, setenta y seis años, ex policía.»

Dejó el diario y fue por otro café. Sabía que costaba dos coronas repetir, pero no se molestó en pagarlas. Puesto que tenía cáncer, podía tomarse ciertas libertades. Un hombre que se había arrastrado hasta la barra estaba sirviéndose un café. Temblaba tanto que la mayor parte del café cayó fuera de la taza. Stefan le ayudó y el hombre lo miró agradecido.

De nuevo junto a la mesa, volvió a tomar el periódico, pero sin comprender verdaderamente lo que leía.

Cuando llegó como ayudante a la comisaría de Borås, fue presentado ante el inspector de más edad, y también el más experto, Herbert Molin. Y llegaron a trabajar juntos en la brigada judicial durante dos años, antes de que Molin se jubilase. Stefan solía recordar su búsqueda infatigable de conexiones y pistas. Eran muchos los que lo criticaban a sus espaldas. Pero para Stefan, aquel hombre había constituido una fuente inagotable de conocimiento. Por ejemplo, Molin solía propagar la idea de que la intuición era el verdadero recurso de los inspectores de homicidios, aunque también el más menospreciado. Y la experiencia le había ido demostrando a Stefan que su maestro tenía razón.

Herbert Molin había sido hombre solitario. Que Stefan supiese, nadie había estado jamás en su chalet de la calle de Brämhultsvägen, justo enfrente de los juzgados. Pocos años después de su jubilación, se extendió el rumor de que se había marchado de la ciudad, pero nadie sabía adónde se había mudado.

Stefan apartó el periódico.

Ahora salía a la luz que Herbert Molin se había trasladado a Härjedalen. Según la información que ofrecía el diario, se había instalado en una finca muy apartada y situada en medio del bosque, en la que había resultado brutalmente asesinado. No parecía existir ningún móvil evidente, como tampoco había rastro alguno del autor del crimen. El asesinato se había cometido hacía ya algunos días, pero el desasosiego en que la visita a la doctora había sumido a Stefan lo había llevado a aislarse del mundo exterior hasta el punto de no haberse hecho eco de la noticia hasta aquella mañana, al hojear el manoseado diario vespertino.

Se levantó raudo de la mesa. En aquellos momentos, se sentía hastiado de su propia mortalidad. Salió del hospital. La fina lluvia persistía en la calle. Se cerró la cazadora y echó a andar hacia el centro. Herbert Molin estaba muerto. Y a él acababan de comunicarle que, con toda probabilidad, también sus días estaban contados. Tenía treinta y siete años y, en realidad, no había pensado mucho en su vejez. Pero ahora se sentía como si le hubiesen arrebatado toda perspectiva. Como si se hubiese hallado en un barco en alta mar y, de repente, lo hubiesen arrojado a un golfo estrecho en el que se viese rodeado de ingentes acantilados. Se detuvo en medio de la acera y respiró hondo. Constató que, de hecho, no era sólo miedo lo que sentía, sino que lo embargaba además la sensación de estar siendo engañado; por algo que, invisible e imperceptible había invadido su cuerpo y se aplicaba a destruirlo paulatinamente.

Asimismo, se le antojaba por completo ridículo tener que explicarle a la gente que tenía cáncer precisamente en la lengua.

Cierto que no era infrecuente oír que éste o aquél padecía cáncer. Pero ¿en la lengua?

Prosiguió su marcha. Con la idea de concederse a sí mismo una tregua, decidió dejar la mente totalmente en blanco hasta que llegase al edificio del instituto. Entonces resolvería qué hacer. La doctora le había dado cita para el día siguiente, a fin de hacerle nuevos análisis. Por otro lado, le había prolongado la baja por otro mes. El tratamiento comenzaría en un plazo de algo más de tres semanas.

Ante la puerta del teatro, vio a varios actores que, vestidos para la representación y tocados con pelucas, se dejaban fotografiar. Eran muy jóvenes y lanzaban sonoras carcajadas. Stefan Lindman no había pisado jamás el teatro de Borås. En realidad, no había ido jamás al teatro. Al oír las risotadas de los actores, apretó el paso.

Entró en la biblioteca municipal y se sentó en la sala de prensa. Un hombre de edad hojeaba un periódico escrito en alfabeto cirílico. Stefan tomó al azar una revista sobre carreras de motos antes de ir a sentarse. Su intención era utilizarlo para ocultarse tras él. Con la mirada clavada en una de las motocicletas, intentaba tomar una decisión.

La doctora le había dicho que no iba a morir. Al menos, no de inmediato.

Al mismo tiempo, era consciente de que existía el riesgo de que el tumor estuviese creciendo y el cáncer extendiéndose. Aquello se convertiría en un combate singular, en el que no cabía más que vencer o sucumbir. No podía darse la situación de empate.

Sin dejar de mirar con fijeza la motocicleta pensó que, por primera vez en muchos años, echaba de menos a su madre. En efecto, con ella habría podido hablar, al menos. Pero no tenía a nadie. La idea de sincerarse con Elena le resultó, de pronto, extraña. ¿Por qué? No alcanzaba a entenderlo. Si había alguien con quien, de hecho, debía hablar, alguien que pudiese darle el apoyo que necesitaba, era ella, sin duda. Pese a todo, no fue capaz de llamarla. Se diría que se avergonzaba ante la idea de tener que contarle que padecía cáncer. Ni siquiera le había contado que pensaba acudir al hospital aquella mañana.

Hojeó despacio la revista llena de fotografías de motocicletas. A cada página, se afianzaba en una determinación.

Media hora más tarde, ya lo tenía resuelto. Hablaría con su jefe, el intendente Olausson, que acababa de regresar de una semana de vacaciones dedicada a la caza del alce. Le diría que estaba de baja por enfermedad, pero sin revelarle cuál. Simplemente, que necesitaba someterse a un examen exhaustivo, porque sufría de constante dolor de garganta. Que no sería, con seguridad, nada grave. Él mismo enviaría el parte de baja a la sección de personal de la comisaría; lo que le daría, como mínimo, una semana de margen antes de que Olausson supiese el motivo de su baja.

Después, iría a casa, llamaría a Elena y le diría que pensaba partir de viaje y que estaría fuera unos días. Podría decirle que iba a Helsinki, a visitar a su hermana, pues no sería la primera vez y a ella no le resultaría extraño. Después, iría al Systembolaget* para comprar un par de botellas de vino. Y a lo largo de la tarde y la noche, terminaría de adoptar el resto de las decisiones necesarias. En especial, si se veía capaz de combatir un cáncer que podía resultar una amenaza para su vida o si, por el contrario, debía rendirse.

Devolvió la revista a su lugar, atravesó la sala de lectura y se detuvo ante una estantería llena de enciclopedias de terminología médica. Extrajo un volumen sobre el cáncer, pero lo dejó enseguida, sin haberlo abierto siquiera.

El intendente Olausson de la policía de Borås tenía siempre una sonrisa en la boca. Nunca cerraba la puerta de su despacho. Cuando Stefan entró en su despacho, habían dado las doce del mediodía. Olausson estaba a punto de concluir una conversación telefónica, y Stefan se dispuso a aguardar. Cuando colgó el auricular, su superior sacó un pañuelo y se sonó la nariz.

—Me han pedido que dé una conferencia —aclaró antes de soltar una carcajada—. Nada menos que los Rotarios. Quieren que hable sobre la mafia rusa, pero resulta que en Borås no te-

* Únicos comercios con autorización estatal para la venta de bebidas alcohólicas en Suecia. *(N. de la T.)*

nemos mafia rusa. En realidad, no tenemos ninguna mafia en absoluto. Así que he tenido que decirles que no.

Dicho esto, le hizo una seña a Stefan invitándolo a tomar asiento.

—Sólo venía a avisar de que sigo de baja.

Olausson lo miró sorprendido.

—¡Pero si tú nunca te pones enfermo!

—Pues ahora sí. Me duele la garganta. Y estaré de baja un mes, como mínimo.

Olausson se retrepó en la silla y cruzó las manos sobre la barriga.

—Un mes parece mucho, por un simple dolor de garganta.

—Bueno, fue la doctora quien expidió la baja, no yo.

Olausson asintió.

—Sí, en fin. Los policías suelen resfriarse en otoño —comentó pensativo—. Pero yo tengo la sensación de que los delincuentes nunca contraen la gripe. ¿A qué crees tú que se debe eso?

—¿Tal vez su sistema inmune sea mejor?

—Sí, es muy posible. Deberíamos informar al director nacional de la policía de esa circunstancia, ¿no te parece?

A Olausson no le gustaba el director nacional de la policía. Como tampoco el ministro de Justicia era de su agrado. En general, le disgustaban todos los superiores. El recuerdo de aquella ocasión en que un ministro de Justicia socialdemócrata, que había visitado la ciudad para inaugurar los nuevos juzgados, bebió tanto durante la cena posterior al acto que Olausson tuvo que llevarlo a la habitación del hotel, constituía una fuente inagotable de regocijo entre los policías de Borås.

Stefan se puso de pie pero, en el umbral de la puerta, se detuvo un instante.

—Esta mañana leí en un periódico que Molin había sido asesinado hace unos días.

Olausson lo miró inquisitivo.

—¿Molin asesinado?

—Así es, en Härjedalen. Al parecer, vivía allí. Lo vi en un periódico de la tarde.

—¿Cuál?

—Pues, no lo recuerdo.

Olausson se levantó y lo acompañó por el pasillo hasta la recepción, donde estaba la prensa vespertina. Olausson hojeó varios ejemplares hasta encontrar la noticia, y la leyó con atención.

—Me pregunto qué habrá ocurrido —dijo Stefan.

—Voy a averiguarlo. Llamaré a los colegas de Östersund.

Stefan salió de la comisaría. La lluvia parecía dispuesta a eternizarse. Guardó la correspondiente cola hasta conseguir sus dos botellas de un costoso vino italiano en el Systembolaget y se marchó a casa. Sin siquiera quitarse la chaqueta, abrió una de las botellas y se sirvió una copa que apuró de un solo trago. Se quitó los zapatos y arrojó la cazadora sobre una de las sillas de la cocina. El diodo del contestador automático que tenía en el vestíbulo parpadeaba. Elena lo había llamado para preguntarle si iría para la cena. Se llevó la copa y la botella al dormitorio. El tráfico de la calle le llegaba como un vago rumor. Con la botella de vino en la mano, se tendió sobre la cama. Había una mancha en el techo. La misma que había estado contemplando la noche anterior. A la luz del día, la mancha tenía un aspecto diferente. Tras otra copa de vino, se tumbó de lado y no tardó en caer vencido por el sueño.

Cuando despertó, eran cerca de las doce de la noche. Había estado durmiendo durante casi once horas. Tenía la camisa empapada en sudor; los ojos abiertos de par en par en la oscuridad, pues la cortina no dejaba entrar la luz de la calle.

Su primer pensamiento fue que iba a morir.

Después, resolvió plantarle cara a su enfermedad. Una vez que le hubiesen tomado las muestras para los análisis, dispondría de tres semanas que podría dedicar a lo que él quisiese. Y decidió que las emplearía en averiguar cuanto pudiese acerca del cáncer. Con el fin de estar preparado para combatirlo.

Se levantó, se quitó la camisa y la dejó en el cesto de la ropa sucia que tenía en el cuarto de baño. Después, se colocó ante la ventana que daba a la calle de Allégatan. Ante la entrada del hotel Vävaren, discutían unos borrachos. La calle relucía por la lluvia.

De improviso, la imagen de Herbert Molin acudió de nuevo a su mente. Una idea imprecisa lo había estado importunando desde que leyó la noticia en el periódico. Y ahora sabía por qué.

En una ocasión, habían salido los dos juntos a la caza de un asesino fugitivo que se había adentrado en el bosque de Borås. También entonces, como ahora, era otoño. Stefan y Herbert Molin iban juntos pero, en la espesura del bosque, se perdieron el uno al otro. Cuando por fin dio con él, Stefan se le acercó con tal cautela que el otro se asustó. Molin quedó petrificado, mirándolo fijamente con una expresión de terror en los ojos.

—No era mi intención asustarte —se disculpó Stefan.

Molin asintió, se encogió de hombros y repuso:

—Creí que era otra persona.

Sólo eso. Nada más. *«Creí que era otra persona.»*

Stefan permanecía junto a la ventana. Los borrachos se habían marchado. Se pasó la lengua por los dientes de la mandíbula superior. En la lengua estaba la muerte. Pero, en algún lugar, también estaba Herbert Molin. *«Creí que era otra persona.»*

Stefan tomó conciencia de algo que siempre había sabido: Herbert Molin tenía miedo. Durante los años en que trabajaron juntos, el miedo había estado siempre presente. Por lo general, Molin conseguía ocultarlo. Pero no siempre lo lograba.

Stefan frunció el entrecejo.

Herbert Molin había sido asesinado en las profundidades de los bosques del norte de Suecia, después de haber pasado mucho miedo toda su vida.

La cuestión era: ¿a quién temía?

3

Adiestrado por la experiencia, Giuseppe Larsson nunca daba nada por supuesto. Aquella mañana del 26 de octubre se despertó al sonido del despertador que tenía como reserva. Cuando miró el despertador principal, comprobó que se había detenido en las tres y cuatro minutos: uno no podía confiar ni en el despertador. De ahí que él siempre pusiese dos. Se levantó y subió el estor de un golpe. La noche anterior, el meteorólogo de la televisión había advertido del riesgo de leves nevadas en Jämtland. Pero Giuseppe no vio un solo copo. Y el cielo estaba aún ensombrecido, pero despejado.

Se tomó un desayuno ligero que su mujer le había preparado. Su hija de diecinueve años, que aún vivía en casa, seguía durmiendo. La joven tenía un trabajo extra en el hospital y, aquella misma noche, comenzaría una semana de guardias nocturnas. Algo después de las siete, Giuseppe se enfundó un par de botas, se encajó bien el gorro, le dio a su esposa una palmadita en la mejilla y salió de su casa.

Un trayecto de ciento noventa kilómetros en coche lo aguardaba aquella mañana. La semana anterior, había cubierto aquel trayecto, ida y vuelta, en varias ocasiones, excepción hecha de aquella vez que se sentía tan cansado que decidió pasar la noche en un hotel de Sveg.

Y hacia allí se dirigía aquella mañana. Por el camino, debía mantenerse atento a los alces que pudieran aparecer en la calzada, al tiempo que elaboraba una síntesis mental de la investigación de asesinato en la que estaba inmerso. Dejó atrás Östersund, tomó el desvío más próximo hacia Svenstavik y puso el regulador automático de velocidad a ochenta y cinco kilómetros por hora. En efecto, no podía dar por supuesto que él, por sí mismo, se mantuviese por debajo de los noventa. En cualquier caso, si conducía a ochenta y cinco, llegaría con tiempo más que suficiente a la cita que tenía concertada a las nueve con los técnicos de la policía.

Fuera del coche, la oscuridad era compacta. El profundo invierno norteño se aproximaba. Giuseppe, que había nacido en Östersund hacía cuarenta y tres años, no comprendía a las personas que se quejaban del frío y la oscuridad. Durante los seis meses de invierno, él sentía un gran sosiego aposentarse sobre su existencia. Sin duda, de vez en cuando, alguien, desesperado por el invierno, se suicidaba o asesinaba a algún pariente. Pero eso había sucedido siempre. Ni siquiera las autoridades policiales podían remediarlo.

Sin embargo, lo acontecido a las afueras de Sveg no podía adscribirse a los sucesos habituales. Giuseppe comenzó a revisar mentalmente los hechos, una vez más.

Entrada la tarde del 19 de octubre, sonó la alarma en la comisaría de policía de Östersund. Hacía, pues, siete días de aquello. Giuseppe estaba a punto de salir de la comisaría para ir a cortarse el pelo cuando le pasaron una llamada. La mujer que hablaba al otro lado del hilo telefónico lo hacía a gritos, de modo que, para comprender lo que le decía, Giuseppe se vio obligado a mantener el auricular a cierta distancia de la oreja. Enseguida comprendió dos cosas: en primer lugar, que la mujer estaba excitadísima; en segundo lugar, que estaba sobria. Se sentó, pues, ante el escritorio y se hizo con un bloc. Transcurridos varios minutos, logró reunir una serie de anotaciones con las que poder configurar algo parecido a una imagen de lo que la señora se esforzaba por hacerle entender. La mujer se llamaba Hanna Tunberg. Dos veces por semana, hacía la limpieza en casa de un hombre llamado Herbert Molin que vivía a varias decenas de kilómetros de Sveg, en una finca llamada Rätmyren. Cuando, aquella mañana, llegó a su lugar de trabajo, descubrió que el pastor alemán estaba muerto en el jardín y que todas las ventanas de la casa estaban destrozadas. Ante semejante espectáculo, no se atrevió a permanecer allí ni un minuto, pues quedó convencida de que el hombre que habitaba la villa había perdido el juicio. Así, regresó a su casa con la intención de pedirle a su marido, jubilado por enfermedad, que la acompañase y ambos volvieron a la finca. A aquellas alturas, habían dado las cuatro de la tarde, aproximadamente. Ya durante el trayecto, hablaron de la necesidad de llamar a la policía, pero resolvieron que no lo harían hasta estar seguros de lo que había sucedido, una decisión que ambos llegarían a lamentar profundamente. En efecto, el hombre entró en la casa para salir de inmediato gritando a su mujer, que lo aguardaba en el coche, que el interior estaba lleno de sangre. Acto seguido, al ver algo que llamó su atención en el soto, se acercó y, tras lanzar un grito, echó a correr hacia el coche donde, convulso, empezó a vomitar. Cuando se hubo recuperado, regresaron a Sveg. El hombre padecía del corazón y se tumbó a descansar en el sofá mientras su mujer llamaba a la policía de Sveg, que tenía las llamadas desviadas a la centralita de la comisaría de Östersund. Giuseppe tomó nota del nombre y número de teléfono de la mujer. Cuando la mujer colgó, él marcó el número para comprobar que era correcto y aprovechó para cerciorarse de que había tomado bien el nombre del fallecido, Herbert Molin. Cuando colgó el auricular por segunda vez, ya había olvidado por completo toda idea de ir a cortarse el pelo.

Se dirigió enseguida al despacho del jefe de guardia, Rundström, y le explicó la situación. Veinte minutos más tarde, iba camino de Sveg en un coche de policía con las luces de emergencia encendidas. Entretanto, también los técnicos criminalistas se preparaban para acudir al lugar.

Llegaron a la finca poco después de las seis y media. Hanna Tunberg los aguardaba en su coche junto al desvío, acompañada del inspector Erik Johansson, que estaba destinado en Sveg y acababa de llegar de otro servicio, un camión cargado de vigas de madera que había volcado a las afueras de Ytterhogdal. Para entonces, ya había oscurecido. Giuseppe supo leer en los ojos de la mujer que no les aguardaba, ciertamente, un espectáculo agradable. Primero, se dirigieron al lugar del soto que les había descrito Hanna Tunberg. Mientras enfocaban el cadáver con las linternas, contuvieron la respiración. Giuseppe comprendía a la mujer. Él pensaba que ya no le quedaba nada por ver. En varias ocasiones había visto el aspecto que presentaban los suicidas tras haberse pegado un tiro en la cara con una escopeta de perdigones. Pero la visión del hombre que yacía en el suelo era mucho peor que cuanto se había visto obligado a presenciar hasta el momento. En realidad, no tenía ante sí a una persona, sino un bulto sangriento. El rostro estaba despellejado, los pies eran sanguinolentos muñones y la espalda presentaba tantos latigazos que se entreveían los huesos.

Se aproximaron a la casa con sus linternas y las armas preparadas. Entonces pudieron constatar que, en efecto, un perro yacía muerto en las inmediaciones de la caseta. Una vez en el interior de la casa, comprobaron asimismo que la relación que Hanna había hecho de lo que su marido había presenciado no era, en modo alguno, exagerada. El suelo estaba cubierto de huellas de sangre y de fragmentos de vidrio. Con objeto de no entorpecer el trabajo de los técnicos, se detuvieron en la entrada.

Hanna se había quedado sentada en el coche con las manos aferradas al volante en gesto convulso. Giuseppe la compadecía. Sabía que siempre llevaría consigo la vivencia de aquel día, bajo la forma de un miedo solapado, de una eterna pesadilla.

Giuseppe envió a Erik para que esperase a los técnicos junto al desvío. Además, le dio orden de tomar buena nota de cuanta información pudiese procurarles Hanna Tunberg. En especial, las indicaciones horarias.

Después, se quedó solo pensando que, en realidad, no tenía capacidad para enfrentarse al caso que se le había presentado; sabía, no obstante que, en todo el distrito policial de Jämtland, tampoco hallaría a nadie más apto que él mismo para dirigir aquella investigación. Decidió, pues, hablar con el jefe de policía aquel mismo día para convencerlo de que, con toda probabilidad, necesitarían refuerzos de los expertos de la capital.

Se aproximaba ya a Stenstavik en una mañana de octubre aún oscura. Durante los días transcurridos, el asesinato de aquel hombre cuyo cadáver hallaron en el bosque no había avanzado hacia su resolución.

Sin embargo, existía otro problema añadido.

Resultó que el muerto era un policía jubilado que se había trasladado a Härjedalen tras una larga carrera de agente de homicidios en Borås. Sentado en el sofá de la sala de estar, Giuseppe había estado leyendo la noche anterior los documentos que, vía fax, le habían llegado de aquella ciudad. A aquellas alturas, ya se había forjado una idea de los datos fundamentales que pueden considerarse constitutivos de la descripción de una persona. Aun así, tenía la sensación de haberse asomado a un inmenso vacío. No existía, en efecto, ningún móvil evidente, ni huellas, ni testigos. Se diría que una maldad incomprensible había surgido del bosque para atacar a Herbert Molin con toda su fuerza antes de desaparecer sin dejar rastro.

Dejó Stenstavik tras de sí y continuó hacia Sveg. Ya clareaba: un tono azulado reposaba sobre las colinas boscosas y comenzaba a rodearlo. Pensó en el informe preliminar que le hicieron llegar los forenses de Umeå que se habían encargado del cuerpo. Cierto que en dicho informe quedaba claro el modo en que se habían producido las heridas, pero ello no le proporcionó pista alguna sobre a manos de quién o por qué había tenido lugar un ataque tan violento. El forense describía con todo lujo de detalles el grado de violencia al que había sido sometido Molin. Las heridas de la espalda parecían proceder de un látigo; puesto que la piel estaba totalmente desgarrada, no pudieron llegar a tal conclusión hasta que no hallaron un fragmento del látigo. El forense pudo concluir asimismo, tras un análisis al microscopio, que dicho látigo estaba confeccionado con piel de animal, aunque aún no podía determinar de qué animal se trataba, pues no parecía formar parte de la fauna sueca. Las heridas que presentaba en las plantas de los pies las había originado, con total probabilidad, el mismo instrumento. Sin embargo, no le habían golpeado el rostro. Según los facultativos, los arañazos se los habían producido al arrastrarlo por el suelo, pues las heridas estaban llenas de tierra. Finalmente, según el mismo informe, los moratones del cuello indicaban que alguien había intentado estrangular a Molin. El participio «intentado» había de ser interpretado, a decir del forense, en sentido estricto, pues Molin no había fallecido por ahogamiento, como tampoco a causa de los restos de gas lacrimógeno que hallaron en sus ojos, su garganta y sus pulmones. Molin había muerto por agotamiento. Literalmente, le habían arrancado la vida del cuerpo a latigazos.

Giuseppe se dirigió al arcén, donde se detuvo, salió del coche, apagó el motor y aguardó hasta que un camión que se acercaba por la carretera hubo pasado de largo en dirección al norte. Entonces, se bajó la cremallera y orinó. Entre todo aquello que, a su entender, hacía la vida agradable, la posibilidad de detenerse a la orilla de una carretera y mear a gusto era una de las mejores. Pero, de nuevo al volante, no puso en marcha el motor de inmediato, sino que se concentró en analizar con algo de perspectiva todo lo que había averiguado sobre la muerte de Molin. Muy despacio, dejó que todo aquello que había visto y leído en los distintos informes vagase por su cerebro para colocarse en diversos compartimentos de su pensamiento.

Había algo que se le presentaba como una posibilidad.

No habían encontrado pista alguna del móvil. Por otro lado, era evidente que Molin había sido víctima de una violencia prolongada y brutal.

«Ira», se dijo Giuseppe. «De eso se trata. Y es posible que precisamente la ira constituya el móvil.»

«Ira y deseo de venganza.»

Existía además otra razón que indicaba que podría estar orientando su razonar por el buen camino. Todo daba la impresión de responder a un plan bien elaborado. El perro guardián había sido degollado. El autor del crimen iba equipado con látigos y con escopetas de gases lacrimógenos. Aquello no podían ser casualidades. Todo obedecía a un plan; un plan impregnado de ira.

«Ira», reiteró Giuseppe para sí. «Ira y sed de venganza. Un plan.» Aquello significaba que, con total probabilidad, el asesino de Molin había visitado la finca con anterioridad, quizás incluso en varias ocasiones. Y alguien debería haber notado la presencia de desconocidos que hubiesen estado rondando las inmediaciones del jardín. O quizás al contrario, tal vez nadie hubiese visto nada. En tal caso, habría que localizar al asesino, o a los asesinos, entre los conocidos de Molin.

Pero Molin no tenía conocidos. Hanna Tunberg había despejado cualquier duda sobre este extremo. Herbert Molin no se relacionaba con nadie. Era un alma solitaria.

Revisó el curso de los acontecimientos una vez más. Sin saber por qué, le daba la impresión de que el autor del crimen había actuado en solitario. Alguien había acudido solo a la apartada finca, provisto de un látigo confeccionado con la piel de un animal aún desconocido para ellos y de una escopeta de gases lacrimógenos. Y a continuación, Herbert Molin había sido asesinado con crueldad premeditada y con arreglo a un plan, antes de ser abandonado desnudo en el soto.

La cuestión era si Herbert Molin había sido simplemente asesinado o si no se trataría más bien de una ejecución en toda regla.

Era necesario llamar al distrito central y solicitar la ayuda de expertos. No se trataba de un asesinato cualquiera. Giuseppe se afianzaba en el convencimiento de que se enfrentaba a una ejecución premeditada.

Giuseppe entraba en el jardín de la casa de Herbert Molin a las diez menos veinte. Los precintos de la policía seguían colocados, pero no había en el lugar ningún coche de la policía. Giuseppe salió de su vehículo. Había empezado a soplar el viento y el rumor del bosque cundía como una sordina por la mañana otoñal. Permaneció inmóvil observando despacio a su alrededor. Los técnicos habían detectado huellas de neumáticos justo en el lugar donde él se había detenido; unas huellas que no se correspondían con los neumáticos del viejo Volvo de Molin. Cada vez que Giuseppe acudía al escenario de un crimen, intentaba imaginarse cómo se habrían desarrollado los acontecimientos. ¿Quién habría salido del coche? ¿Y cuándo? Tuvo que ser durante la noche. Pero el forense no había podido establecer aún la hora exacta de la muerte. No obstante, en los prudentes términos de su informe preliminar, dio a entender que la tortura a la que había sido sometido Molin pudo haber sido muy prolongada. Resultaba imposible averiguar cuántos latigazos había recibido; pero podían haberse sucedido, con alguna pausa, durante varias horas.

Mentalmente, Giuseppe volvió a considerar las ideas que le habían cruzado la cabeza durante el trayecto en coche desde Östersund.

La ira y la sed de venganza.

El criminal solitario.

Todos los cabos bien atados. Aquello no era un crimen sin premeditación.

En ese momento, sonó el teléfono móvil. El agente se sobresaltó. Aún no se había acostumbrado a la idea de que lo pudiesen localizar incluso en medio del bosque. Sacó el aparato del bolsillo y atendió la llamada.

—Giuseppe —dijo.

En innumerables ocasiones había maldecido a su madre por haberle dado el nombre de un cantante italiano del género melódico al que la mujer había escuchado cantar una noche de verano en un parque de Östersund. En la escuela siempre se burlaron de él y cada vez que contestaba al teléfono diciendo su nombre, sembraba la duda en la persona que se encontraba al otro lado del hilo telefónico.

—¿Giuseppe Larsson?

—Así es.

El hombre que lo llamaba se presentó como Stefan Lindman y aseguró que era policía de Borås. Stefan Lindman le contó que había trabajado con Molin y que deseaba saber algo acerca de lo ocurrido. Giuseppe le preguntó si le importaba que lo llamase él. En efecto, alguna que otra vez algún periodista lo había llamado haciéndose pasar por policía. Y no quería arriesgarse. Stefan Lindman lo comprendía a la perfección. Giuseppe no encontró ningún bolígrafo en sus bolsillos, por lo que escribió los números sobre la gravilla con la punta del pie. Marcó el número y Lindman contestó enseguida. Claro que, aun así, podía ser un periodista. En realidad, tendría que haber llamado a la comisaría de Borås para preguntar si había allí un agente llamado Stefan Lindman. No obstante, el vocabulario y la forma en que el hombre se expresaba convencieron a Giuseppe, que intentó responder a las preguntas de Lindman. Pero no resultaba fácil por teléfono, tanto más cuanto que no había cobertura. En la distancia, oyó que se aproximaba la furgoneta de los técnicos.

—Verás, yo tengo tu número —interrumpió Giuseppe—. Y tú también puedes llamarme más tarde, tanto a este número como al de la comisaría de Östersund. Pero, quizá tú puedas decirme algo, ¿no? ¿Sabes si Herbert Molin se sentía amenazado? Cualquier dato puede ser importante. La investigación está bastante floja. No hay testigos, no hay móvil. Nada de peso sobre lo que trabajar. La brújula anda loca.

Lo escuchó en silencio hasta que oyó que la furgoneta de los técnicos criminalistas giraba antes de detenerse en el jardín. Giuseppe concluyó la conversación y con la punta del pie borró el número de teléfono que había en la gravilla.

El policía que lo había llamado de Borås había hecho un comentario importante. Herbert Molin tenía miedo. Nunca había explicado el origen de su desasosiego, pero Lindman estaba seguro de lo que decía. Molin se pasó la vida presa de un temor constante.

Los técnicos criminalistas eran dos. Ambos bastante jóvenes. Y a Giuseppe le gustaba trabajar con ellos. Eran enérgicos, eficaces y exhaustivos. Entraron juntos en la casa para continuar con la inspección. Giuseppe se movía con cautela por las dependencias mientras observaba los restos de sangre en suelos y paredes. Mientras los técnicos se ponían los monos de trabajo, él intentó, una vez más, figurarse lo que habría sucedido en realidad.

Ya tenía claro el curso externo de los acontecimientos: el perro había muerto, después, el autor del crimen hizo añicos todas las ventanas y arrojó gases lacrimógenos al interior de la casa; pero no habían sido las bombas de gas las que habían destrozado los cristales de las ventanas pues, en el jardín, había hallado una serie de casquillos de bala procedentes de una escopeta de caza. El hombre en cuestión se había conducido con método. Cuando todo empezó, Herbert Molin estaba durmiendo. O, al menos, debía de estar en la cama. Lo habían hallado desnudo en el soto, pero encontraron su jersey y sus pantalones ensangrentados en la gravilla, debajo de la escalinata. A juzgar por la gran cantidad de bombas de gas lacrimógeno, la casa estaría llena de humo, y Molin debió de salir al jardín armado de su escopeta. De hecho, había lanzado varios disparos. Pero no pasó de ahí. La escopeta estaba en el suelo. Giuseppe tenía la certeza de que Herbert Molin estaba prácticamente ciego cuando salió al jardín y de que no podría respirar más que con suma dificultad.

Lo habían obligado a abandonar su casa y el autor del crimen lo vio salir trastabillando indefenso.

Giuseppe avanzó con extrema precaución hasta la habitación contigua a la sala de estar. En ella se hallaba, en efecto, el mayor misterio. Una cama con una muñeca del tamaño de una persona, toda cubierta de sangre. En un principio pensaron que se trataría de algún tipo de trampa sexual en la que Molin cayó sin problemas debido a su soledad. Pero no había orificio alguno en el maniquí. De los pasadores de los pies dedujeron, por otro lado, que se trataba de una muñeca que utilizaría para bailar. Lo más importante era, no obstante, averiguar por qué razón estaba cubierta de sangre. ¿No se habría refugiado Molin en la habitación antes de que el gas le impidiese permanecer en la casa? Pero ¿por qué aparecía ensangrentada? Giuseppe y los demás agentes de homicidios que habían inspeccionado el lugar del crimen durante los seis primeros días no habían llegado aún a ninguna conclusión verosímil. Giuseppe había tomado la determinación de atajar en serio esta cuestión aquel día y hacerse una idea de por qué estaba llena de sangre la muñeca. De hecho, había algo en el maniquí que lo tenía preocupado, persuadido como estaba de que ocultaba algún dato importante que, hasta la fecha, se le había escapado.

Abandonó la casa y salió al jardín a respirar algo de aire fresco. El teléfono volvió a sonar. Era el jefe de policía de Östersund. Giuseppe no le ocultó la verdad, le aseguró que seguían trabajando en ello pero que el análisis del lugar del crimen no les había proporcionado ningún dato novedoso. Hanna Tunberg estaba siendo interrogada en Östersund por el agente de homicidios Artur Nyman, el más asiduo colaborador de Giuseppe. El superior le comunicó que la hija de Molin, que vivía en Alemania, iba ya camino de Suecia y que asimismo se habían puesto en contacto con su hijo, que trabajaba de camarero en una embarcación dedicada a realizar cruceros por el Caribe.

—¿Y qué hay de la segunda esposa? —inquirió Giuseppe.

La primera esposa, la madre de los dos hijos, había fallecido hacía unos años. Giuseppe había invertido varias horas en comprobar las causas de la muerte, que resultaron ser naturales. Por otro lado, Molin llevaba diecinueve años separado de su primera mujer cuando ésta murió. La segunda mujer, con la que Molin había estado casado durante los últimos años que vivió en Borås, había resultado más difícil de localizar.

Giuseppe regresó al interior de la casa. Junto a la puerta, observó con atención los restos de sangre reseca en el suelo. Después, se apartó unos pasos y los observó de nuevo. Frunció el entrecejo. En efecto, había algo en aquellos restos de sangre que no acababa de comprender. Tomó su bloc de notas y le pidió prestado un bolígrafo a uno de los técnicos para garabatear un esquema de las pisadas. Diecinueve huellas de pisadas, diez con el pie derecho y nueve con el izquierdo era cuanto tenían. Salió de nuevo al jardín, donde una urraca levantó el vuelo en ruidoso aleteo. Observó el esquema una vez más, y a continuación se dirigió al trastero en busca de un rastrillo que recordaba haber visto allí. Alisó la tierra que se extendía ante la casa. Observó el resultado y presionó fuertemente con sus pies en la gravilla describiendo el mismo recorrido que había dibujado sobre el papel. Tras colocarse a un lado, comenzó a estudiar el conjunto de huellas; dio una vuelta para contemplarlo desde distintos ángulos. Después, colocó sus pies, con mucho cuidado, en las huellas y empezó a moverse despacio. Repitió los movimientos algo más rápido, con las rodillas ligeramente flexionadas.

Entonces comprendió qué era lo que tenía ante sí.

Uno de los técnicos salió a la escalinata y encendió un cigarrillo. Al ver las huellas en la gravilla, preguntó:

—¿Puede saberse qué estás haciendo?

—Estaba comprobando una hipótesis. Dime, ¿qué ves tú ahí?

—Huellas de zapato en la gravilla. Una copia de lo que tenemos en el interior de la casa.

—¿Sólo eso?

—Sí.

Giuseppe asintió. En ese momento, salió el otro técnico, con un termo en la mano.

—Oye, ¿no había un disco en el reproductor? —quiso saber Giuseppe.

—Pues sí —confirmó el técnico que llevaba el termo.

—¿Qué tipo de música era?

El técnico le dejó el termo a su colega y volvió al interior de la casa, para salir de nuevo al minuto.

—Música argentina. Una orquesta. Pero no sabría pronunciar el nombre.

Giuseppe volvió a rodear el terreno marcado por las huellas en la gravilla. Los dos técnicos fumaban y bebían café sin dejar de observarlo.

—¿Alguno de vosotros sabe bailar el tango? —inquirió al cabo.

—Pues no. ¿Por qué? —preguntó a su vez el técnico del termo.

—Porque nos hallamos ante una serie de pasos de tango. Ya sabes, algo así como cuando, de niños, acudíamos a la escuela de baile. La profesora marcaba los pasos en el suelo con cinta de colores para que los siguiéramos, ¿lo recordáis? Pues esto son pasos de tango.

Para demostrar su tesis, Giuseppe entonó un tango, cuyo nombre ignoraba, al tiempo que seguía las huellas de la gravilla. Los pasos coincidían.

—Es decir, que lo que tenemos ahí dentro son pasos de tango. Alguien se dedicó a bailar arrastrando a Molin por el suelo con los pies ensangrentados, como en una clase de baile.

Los técnicos lo observaban incrédulos, pero no pudieron por menos de admitir que tenía razón. Los tres colegas entraron una vez más en la casa.

—Un tango —declaró Giuseppe—. Ni más ni menos. Quien asesinó a Molin lo sacó a bailar un tango.

En silencio, observaron las sangrientas pisadas del suelo.

—La cuestión es quién —intervino Giuseppe finalmente—. ¿Quién sería capaz de sacar a bailar a un cadáver?

4

Stefan Lindman tenía la creciente sensación de que su cuerpo estaba, simplemente, vaciándose de sangre. Pese a que las enfermeras del laboratorio lo trataban con la mayor delicadeza, cada vez se sentía más exhausto. A diario pasaba no pocas horas en el hospital para dejar muestras de sangre. Además, habló con la doctora dos veces más. Siempre pensaba que tenía muchas preguntas que hacerle pero, llegado el momento, no se atrevía a formular ninguna. En el fondo sabía que sólo deseaba obtener respuesta a una pregunta: si sobreviviría o no a la enfermedad. Y, si aquella pregunta no podía ser respondida con certeza, cuánto tiempo de vida podían garantizarle. Había leído en algún lugar que la muerte era como un sastre que, inadvertido y en silencio, tomaba las medidas del último traje de cada uno. En cualquier caso, aunque sobreviviese, él se sentía como si tuviese los días contados de forma prematura.

La segunda noche, fue a la calle de Dalbogatan, a casa de Elena. En contra de su costumbre, no la había llamado con antelación. Tan pronto como ella lo vio al abrir la puerta, intuyó que algo había ocurrido. Stefan había intentado adoptar una determinación sobre si contárselo o no. Sin embargo, estuvo indeciso hasta el momento en que llamó a la puerta. Apenas si había llegado a quitarse la cazadora cuando ella ya estaba preguntándole qué había sucedido.

—Estoy enfermo —aclaró él lacónico.

—¿Enfermo?

—Tengo cáncer.

Ahora las cosas estaban claras. Ya podía decirle la verdad pues, pensaba, tenía que poder confiarse a alguien y, salvo Elena, no contaba con nadie más. Aquella noche, estuvieron despiertos hasta bien tarde, pero ella fue lo suficientemente inteligente como para no tratar de consolarlo. Lo que necesitaba era valor. Ella fue a buscar un espejo, lo obligó a mirarse y lo animó diciéndole que lo que allí veía no era la imagen de un muerto, sino de una persona viva; y como tal debía pensar. Stefan se quedó allí aquella noche y permaneció despierto largo rato después de que ella se hubo dormido.

Se levantó al alba, con gran sigilo para no despertarla, y abandonó silencioso el apartamento. Pero no fue derecho a la calle de Allégatan, sino que dio un gran rodeo por el lago de Ramnasjön y no puso rumbo a casa hasta que no avistó Druvefors. La doctora le había dicho que aquel día finalizarían todas las pruebas. Él le había preguntado si podía irse de viaje, quizás al extranjero, antes de que comenzase el tratamiento, a lo que ella respondió que podía hacer lo que quisiera. Cuando llegó a casa, se tomó una taza de café y escuchó el contestador. Elena se preocupó al despertar y ver que se había marchado.

Poco después de las diez, acudió a una agencia de viajes situada en la calle de Västerlånggatan. Se sentó en el sofá y empezó a hojear varios catálogos. Cuando estaba a punto de decantarse por Mallorca, el recuerdo de Herbert Molin lo asaltó de pronto. De repente, supo cuál sería el destino de su viaje. No era a Mallorca adonde debía viajar. Lo único que podría hacer allí sería deambular, sin conocer a nadie, sumido en negros pensamientos sobre lo que había sucedido o habría de suceder. Sin embargo, si emprendía un viaje a Härjedalen no se sentiría, ciertamente, menos aislado, pues tampoco allí tenía conocidos, pero podría al menos dedicarse a algo que no fuese su propia persona. Fue incapaz de aclararse acerca de lo que haría con exactitud, pero salió resuelto de la agencia de viajes y se dirigió a la librería de la plaza de Storatorget y compró un mapa de la región de Jämtland. Cuando llegó a casa, lo extendió sobre la mesa de la cocina. Calculó que, en coche, tardaría entre doce y quince horas en llegar a Härjedalen. Si se cansaba, siempre podía detenerse a pasar la noche por el camino.

A primera hora de la tarde, volvió a acudir al hospital para hacerse las últimas pruebas. La doctora le había dado ya la hora y la fecha de la próxima visita, en la que comenzaría el tratamiento, y él las había anotado en su agenda, con su habitual letra desigual, como si hubiese anotado la fecha de sus vacaciones o la del cumpleaños de alguien. «Viernes 19 de noviembre, a las 08:15 horas.»

Cuando llegó a casa, hizo la maleta. Buscó la página del tiempo en el teletexto y vio que, al día siguiente, la temperatura en Östersund oscilaría entre los cinco y los diez grados. Supuso, por tanto, que no habría mayor diferencia entre el tiempo que tenían en Borås y el de su destino. Antes de irse a la cama, pensó que debería contarle a Elena que pensaba emprender aquel viaje, pues sabía que iba a preocuparse si desaparecía sin más. Pero lo dejó. Él llevaría su móvil y ella tenía el número. En realidad, ¿no quería que ella se preocupase por él, como si quisiese vengarse de su enfermedad en un inocente?

Al día siguiente, viernes 29 de octubre, se levantó temprano y, a las ocho de la mañana, ya había dejado atrás Borås. Sin embargo, antes de partir, pasó por la calle de Brämhultsvägen, donde Herbert Molin había tenido su domicilio. Allí había vivido el compañero, con su esposa, y también solo, y de allí se había trasladado al norte cuando se jubiló.

Stefan evocó la fiesta de despedida que celebraron en el comedor de la comisaría, situado en la última planta del edificio, cuando Molin se jubiló. El homenajeado no había bebido demasiado, hasta el punto de que era, probablemente, el más sobrio de todos. El inspector Nylund, que se jubiló un año después que Molin, pronunció un discurso del que Stefan no recordaba una sola palabra. La fiesta resultó algo sosa y terminó pronto. Más tarde, Molin no invitó a su casa a ninguno de sus colegas, tal y como dictaba la inveterada costumbre, para agradecerles el homenaje, sino que dejó la comisaría y, semanas después, se mudó de la ciudad.

Stefan pensó que él estaba haciendo el mismo recorrido que Molin, que seguía sus pasos sin tener la menor idea de por qué se había trasladado o quién sabe si huido, a la región de Norrland.

Llegó a Orsa a la caída de la noche. Se detuvo para cenar en un restaurante de camioneros, donde tomó un magnífico bistec, tras de lo cual se enroscó a descansar en el asiento trasero del coche. Estaba agotado y no tardó en quedarse dormido. Los apósitos que llevaba en el brazo tras las extracciones de sangre le molestaban. Soñó que corría a través de un sinfín de habitaciones oscuras.

Despertó antes del alba con el cuerpo entumecido y un dolor de cabeza colosal. Cuando, con no poco esfuerzo, logró salir del coche y se puso a orinar en el aparcamiento notó que el aliento se le convertía en vaho. La gravilla rechinaba bajo sus pies. Dedujo que estarían a cero grados, si no a menos. La noche anterior había preparado un termo con café que se había llevado para el viaje. Sentado ante el volante, se tomó una taza. El motor del camión que tenía aparcado a su lado arrancó de pronto y el vehículo desapareció en la oscuridad. Puso la radio del coche para escuchar el primer informativo matinal. Y se puso nervioso: estar muerto significaría no poder escuchar la radio nunca más. La muerte implica muchas cosas. También la radio quedaría en silencio.

Dejó el termo en el asiento trasero y puso el coche en marcha. Sabía que le quedaban unos cien kilómetros hasta Sveg, a través de la extensa región de Orsa Finnmark. Giró para salir a la carretera y se recordó a sí mismo que debía permanecer atento ante la eventualidad de que se le cruzase algún alce.

Poco a poco, el día empezó a clarear. Stefan conducía sin dejar de pensar en Herbert Molin. Intentaba repasar cuanto recordaba de su persona, todas las conversaciones, todas las reuniones, todos los momentos en que no había sucedido nada especial. ¿Cuáles eran sus costumbres, si es que las tenía? ¿Qué lo hacía reír? ¿Qué lo indignaba? No le resultaba fácil recordar. La imagen de Herbert Molin se presentaba muy escurridiza. Tan sólo de una circunstancia estaba seguro: Herbert Molin tenía miedo.

El bosque se abrió por fin y, una vez que dejó atrás Ljusnan, no tardó en avistar Sveg. Era una población tan pequeña que estuvo a punto de dejarla atrás sin darse cuenta. A la altura de la iglesia, giró hacia la izquierda y enseguida divisó el indicador de un hotel. Había supuesto que no sería necesario reservar habitación pero, una vez en la recepción, la joven empleada le advirtió que había tenido suerte, pues no les quedaba más que una habitación libre cuya reserva, por si fuera poco, acababan de cancelar.

—Pero ¿quiénes se alojan en un hotel de Sveg? —preguntó lleno de asombro.

—Pues pilotos de pruebas —repuso la joven—. Vienen aquí a probar nuevos modelos de coches. Y también informáticos.

—¿Informáticos?

—Sí, tenemos muchos últimamente —aseguró la muchacha—. Sobre todo de empresas de nueva creación. Y como aquí no hay vivienda... El Ayuntamiento ha pensado hasta en levantar barracones.

La recepcionista le preguntó cuánto tiempo pensaba quedarse.

—Una semana, quizá más, si puede ser —respondió Stefan.

La joven hojeó la agenda.

—Bueno, no es seguro —replicó ella—. Está todo lleno, la verdad.

Stefan dejó su maleta en la habitación y bajó al comedor, donde halló servido el desayuno. Las mesas estaban ocupadas por gente joven que vestía una especie de monos de pilotos. Cuando hubo desayunado, subió de nuevo a la habitación, se quitó la ropa y, tras haber retirado los apósitos del brazo, se dio una ducha. Después, se metió en la cama. «Pero ¿qué pinto yo aquí?», se preguntó. «Podría haberme ido a Mallorca y, en cambio, me encuentro aquí, en Sveg. En lugar de estar paseando por una playa y contemplando el azul del mar, me veo aquí rodeado de una cantidad infinita de árboles.»

Cuando despertó, tardó un instante en recordar dónde se encontraba. Permaneció un rato tumbado en la cama con la intención de elaborar algo parecido a un plan. Pero no había ningún plan posible hasta que no hubiese visto el lugar en que había sido asesinado Herbert Molin. Lo más sencillo sería ponerse en contacto con el agente de homicidios de Östersund, Giuseppe Larsson. Pero algo lo movía a preferir realizar aquella primera visita del lugar sin que nadie lo supiese. Después podría hablar con Giuseppe y quizás incluso ir a verlo a Östersund. Por otro lado, durante el largo viaje en coche, había reflexionado acerca de si en verdad habría servicios policiales en Sveg: ¿recorrerían ciento noventa kilómetros para investigar el menor delito?

Finalmente, se levantó. Eran muchas las preguntas, pero lo más crucial era la inspección del lugar del crimen.

Se vistió y bajó a recepción. La joven que lo había recibido estaba hablando por teléfono. Stefan desplegó su mapa y se dispuso a aguardar. Oyó que hablaba con un niño, con toda probabilidad su propio hijo, al que le prometía que no tardarían en sustituirla en el trabajo y podría irse a casa.

—¿Te gusta la habitación?* —quiso saber la joven una vez concluida la conversación telefónica.

—Sí, todo en orden, gracias —replicó Stefan—. Pero quería hacerte una pregunta. Lo cierto es que no he venido hasta aquí para probar la resistencia de prototipos automovilísticos ni tampoco como turista, para pescar o algo parecido; sino porque un amigo mío murió asesinado cerca de aquí la semana pasada.

La muchacha adoptó enseguida un gesto grave.

—El que vivía por Linsell, ¿no? ¿El ex policía?

—Exacto.

Él le mostró su placa antes de señalar el mapa.

—¿Podrías indicarme dónde vivía?

La joven giró el mapa y buscó con la mirada, antes de colocar el dedo sobre un punto.

—Has de llegar a Linsell —aclaró—. Una vez allí, tomas el desvío hacia Lofsdalen, dejas atrás Ljusnan hasta divisar el indicador de Linkvarnen, que también debes pasar. Él vivía a unos diez kilómetros de allí, a la derecha. Pero esa carretera no tiene indicador.

La muchacha lo observó. Tras una pausa, prosiguió:

—Yo no soy muy curiosa. Sé de muchos que han acudido allí para husmear. Pero el caso es que hemos tenido aquí alojados a varios policías de Östersund. Y oí cómo le describían el camino a alguien que, según entendí, vendría en helicóptero.

---

* El tuteo entre desconocidos es habitual en Suecia. Mantenemos este rasgo en la traducción aunque pueda resultar inusual al lector de lengua española. *(N. del E.)*

—Me imagino que no tendréis muchos asesinatos por la zona, ¿no? —comentó Stefan.

—Yo jamás había oído hablar de nada semejante. Y eso que nací aquí en Sveg. Cuando todavía teníamos un hospital materno.

Stefan intentó doblar de nuevo el mapa, sin éxito.

—Déjame, yo te ayudaré —se ofreció la joven al tiempo que tomaba el mapa y lo doblaba no sin antes haberlo alisado bien sobre el mostrador.

Cuando salió al jardín del hotel, Stefan notó que el tiempo había cambiado. El cielo estaba totalmente despejado y la capa de nubes de las primeras horas de la mañana había desaparecido. Respiró hondo para llenar los pulmones de aire fresco.

Después, pensó que estaba muerto.

Y se preguntaba quién acudiría a su entierro.

Llegó a Linsell poco después de las dos. Ante su asombro, descubrió que había allí una cafetería cuyo letrero indicaba que se trataba de un cibercafé. En el pueblo existía, además, una estación de servicio y una tienda de comestibles. Giró a la izquierda, cruzó el puente y prosiguió su camino. Entre Sveg y Linsell no se había topado con más de tres turismos. Conducía despacio. La muchacha le había dicho que hallaría la casa a unos diez kilómetros de Linsell y, en efecto, tras recorrer unos siete kilómetros, descubrió un desvío casi invisible hacia una carretera de gravilla que se perdía en el bosque hacia la derecha. Giró, pues, por el camino salpicado de baches hasta que, medio kilómetro más tarde, éste se terminó. Algunos indicadores de fabricación casera señalaban los senderos circundantes como vías invernales para escúteres. De modo que dio la vuelta y regresó a la carretera principal. Tras otro kilómetro, halló la siguiente salida, apenas practicable, que terminaba un par de kilómetros después, en un almacén de maderas. La parte baja del coche había rozado varias veces con las piedras que sobresalían de la descuidada calzada.

Cuando llegó a Dravagen, comprendió que había dejado atrás su objetivo, de modo que dio la vuelta. En esta ocasión se cruzó con un camión y dos turismos pero, aparte de esto, la carretera estaba desierta. Iba conduciendo muy despacio, con la ventanilla abierta. De vez en cuando lo asaltaba el recuerdo de su enfermedad. Se preguntaba entonces qué habría ocurrido si hubiese viajado a Mallorca; allí no habría tenido ningún camino que buscar y, ¿qué habría hecho entonces? Se habría sentado a emborracharse en la penumbra de cualquier bar.

Entonces, divisó la carretera que buscaba. Arrancaba justo después de una curva y, tan pronto como la vio, supo que era la correcta. Giró sin dejar de avanzar muy despacio. La carretera se extendía pendiente arriba en tres curvas sucesivas y el piso estaba bien cuidado y cubierto de una capa de gravilla. Después de dos kilómetros distinguió las casas entre los árboles. Entró en el jardín y detuvo el coche. Los cordones policiales aún seguían allí, pero el lugar estaba desierto. Stefan salió del coche.

El bosque rezumaba una intensa calma. Se mantuvo inmóvil y echó una ojeada a su alrededor. Herbert Molin había cambiado su casa de la calle de Brämhultsvägen, en Borås, por este lugar en medio de la espesura. Y alguien se había tomado la molestia de venir hasta aquí para matarlo. Stefan contempló la casa, las ventanas destrozadas. Se acercó hasta la entrada y tanteó la manivela, pero estaba cerrada con llave. Entonces rodeó la casa. Todas las ventanas estaban rotas. Desde la parte posterior, vio cómo el agua arrancaba destellos a los árboles. Comprobó también el picaporte del trastero, que estaba abierto. Ya dentro, percibió en la penumbra el olor a patatas y vio una carretilla y algunas herramientas de jardinería. Volvió afuera.

«Soledad», resolvió. «Aquí, Herbert Molin estaba solo. Y eso era, sin duda, lo que él perseguía. De hecho, ya se comportaba así en Borås. Claro, ahora lo entiendo. Quería estar solo y eso fue lo que lo trajo hasta aquí.»

Se preguntaba cómo habría sabido Herbert Molin de aquella casa; a quién se la habría comprado; y, sobre todo, por qué allí, en lo más recóndito de los bosques de Härjedalen.

Se acercó a una de las ventanas de un lateral. Junto al muro, había un trineo de silla. Lo desplazó para poder apoyarse sobre él de modo que alcanzase a abrir la ventana rota desde el interior. Con sumo cuidado, retiró con la mano los restos de cristales y trepó hasta el interior de la casa. «En las casas de los policías siempre huele de un modo particular», reflexionó. «Todos los oficios dejan huellas de un aroma especial. También nosotros.»

La habitación a la que había accedido era un dormitorio pequeño. La cama estaba hecha, pero había huellas de sangre reseca en el suelo. Pese a que sabía que la inspección técnica del lugar del crimen había concluido ya, no quiso tocar nada, aunque sí ver exactamente lo mismo que los técnicos criminalistas. Tenía decidido comenzar en el punto en que ellos habían terminado.

Pero ¿qué era lo que deseaba comenzar? ¿Qué esperaba encontrar allí? Intentó convencerse a sí mismo de que se encontraba en casa de Herbert Molin en calidad de ciudadano normal, no como policía o como investigador privado, sino como una persona que tenía cáncer y que deseaba pensar en algo distinto de su enfermedad.

Fue a la sala de estar. Los muebles estaban revueltos y había manchas de sangre tanto en las paredes como en el suelo. Y entonces comprendió de verdad hasta qué punto debió de ser terrible la muerte de Herbert Molin. No lo habían apuñalado ni le habían disparado de modo que hubiese caído muerto en el mismo lugar en que le llegaron los disparos, sino que se había visto expuesto a una violenta agresión y, a juzgar por el espectáculo, él había opuesto resistencia y había sido perseguido.

Recorrió la habitación, siempre con gran cautela. Se detuvo junto al reproductor de discos, cuya bandeja estaba abierta, aunque no había en ella ningún disco. Sin embargo, sí halló junto al aparato una funda vacía de un disco de tango argentino. Prosiguió inspeccionando la habitación. «Herbert Molin no era hombre de adornos superfluos», se dijo. «Ni cuadros, ni jarrones. Y ni una sola fotografía familiar.»

De pronto, una idea acudió a su mente. Regresó al dormitorio y abrió el armario. Entre la ropa que aparecía colgada en su interior, no encontró el uniforme, de lo que dedujo que Molin se habría deshecho de él, por más que lo habitual era que los policías jubilados los conservasen como recuerdo.

De nuevo volvió a la sala de estar, de donde pasó a la cocina, sin dejar de imaginarse a su lado la persona de Herbert Molin, un anciano solitario de setenta y seis años que se levantaba por las mañanas, cocinaba, veía pasar los días...

«Las personas siempre hacen algo», sostuvo para sí. «También Herbert Molin debía de hacer algo. Nadie pasa la vida inactivo sentado en una silla. Hasta el ser más pasivo *hace* algo. Pero ¿qué hacía Herbert Molin? ¿A qué dedicaba sus días?» Regresó a la sala de estar y se agachó para ver de cerca el suelo. Ante sí, justo al lado de una de las huellas de sangre, halló una pieza de rompecabezas. Entonces comprobó que las había por todo el suelo. Cuando se puso de pie, sintió un intenso dolor en la espalda. «Eso es la enfermedad», concluyó. «¿O será por haber dormido tan mal en el coche?» Aguardó hasta que el dolor hubo pasado.

Después, se acercó hasta el gran mueble sobre el que descansaba el reproductor de discos. Se inclinó ante él y abrió una de las puertas, tras la que halló un montón de cajas. En un principio creyó que se trataba de diversos juegos pero, cuando sacó la primera de ellas, comprobó que contenía un rompecabezas. Observó la cubierta, que representaba un cuadro de un pintor llamado Matisse. Creyó recordar que le sonaba el nombre, pero no estaba seguro. El cuadro representaba un gran jardín con dos mujeres vestidas de blanco al fondo. Siguió buscando entre las cajas de rompecabezas, la mayoría de los cuales reproducían alguna obra de arte. Se trataba de grandes rompecabezas con un número considerable de piezas. Abrió la puerta contigua, que también ocultaba un montón de rompecabezas, todos ellos sin abrir. Se levantó con cuidado, temeroso de que el dolor volviese a aparecer. «Es decir, que Herbert Molin dedicaba parte de su tiempo a componer rompecabezas», concluyó. Aquello resultaba desconcertante, aunque quizá no más extraño que su propia colección de absurdos recortes del equipo de fútbol del Elfsborg.

Volvió a revisar la habitación. El silencio era tan intenso que podía oír incluso su propio pulso retumbándole en los oídos. Decidió que se pondría en contacto con el policía de Östersund, aquel que tenía ese nombre tan raro. Se preguntaba si no debería ir hasta allí y hablar con él el lunes pero, eso sí, dejando muy claro desde el principio que él no tenía nada que ver con la investigación. Él no había viajado hasta Härjedalen para llevar a cabo investigaciones particulares sobre quién habría asesinado a Herbert Molin. Lo más probable era que existiese una explicación sencilla para su muerte, como solía suceder. El móvil de un asesinato era, casi siempre, cuestión de dinero o de venganza. Por otro lado, el alcohol solía tener algún protagonismo. Y era habitual que el autor del crimen perteneciese al círculo próximo a la víctima, a sus familiares o amigos.

Tal vez Giuseppe y sus colegas hubiesen localizado ya el móvil y tuviesen un sospechoso que presentar al fiscal. No sería, de hecho, nada extraño.

Stefan echó una última ojeada al tiempo que se preguntaba qué le revelaba aquella habitación acerca de lo sucedido. Pero

no halló respuesta alguna. Después, estudió las huellas de pisadas dibujadas por la sangre reseca y plasmadas en medio del suelo. Notó que describían una imagen. Le extrañó que estuviesen
tan bien definidas, como si las hubiesen plasmado allí a propósito en lugar de haberse producido durante un enfrentamiento o
por alguien que estuviese muriendo. Meditó sobre las conclusiones que acerca de las huellas habrían sacado Giuseppe y los
técnicos criminalistas.

Después, se acercó a la más grande de las ventanas de la sala
de estar.

De pronto, se agachó presa del mayor sobresalto.

Allá fuera, en el jardín, un hombre sostenía entre sus manos una escopeta mientras, inmóvil, miraba fijamente hacia la
ventana.

5

Stefan no tuvo tiempo de sentir miedo. Cuando descubrió al hombre que, escopeta en mano, apareció en el jardín, dio un paso atrás y se agazapó junto a la ventana. Enseguida oyó cómo alguien introducía una llave en la cerradura de la casa. Si bien había pensado por un instante que el hombre que había aparecido en el jardín podía ser el autor del crimen, desechó la idea enseguida, convencido de que la persona que había asesinado a Herbert Molin no tendría, con total seguridad, las llaves de la casa.

La puerta se abrió y el hombre se detuvo un instante en el umbral de la puerta de la sala de estar. Mantenía el arma pegada al cuerpo y Stefan vio que se trataba de una escopeta de perdigones.

—Se supone que no debería haber nadie aquí dentro. Pero no es así.

El hombre hablaba despacio y con voz clara, aunque no como la joven de la recepción del hotel. Su dialecto era otro, pero Stefan no pudo determinar cuál.

—Yo conocía al muerto.

El hombre asintió.

—Te creo —aseguró—. Pero ¿quién eres?

—Herbert Molin y yo trabajamos juntos durante varios años. Él era policía. Yo aún lo soy.

—Sí, eso es más o menos lo que yo sé de Herbert Molin: que había sido policía —comentó el desconocido

—¿Quién eres tú?

Antes de responder, le hizo seña a Stefan de que saliese y, una vez en el jardín, señaló la caseta vacía del perro.

—En realidad, creo que a quien mejor conocía era a *Shaka* —añadió—. Mucho mejor que a Herbert. A él no lo conocía nadie.

Stefan miró la caseta y observó al hombre que tenía a su lado. Era calvo, de unos sesenta años y muy delgado; vestía un peto vaquero y una cazadora y calzaba un par de botas de goma. Apartó la vista de la caseta para concentrarla en Stefan.

—Te preguntarás quién soy y por qué tengo llave y he venido con la escopeta.

Stefan asintió.

—En esta parte del país, las distancias son enormes —continuó—. Supongo que no te encontrarías con muchos coches por el camino. Como tampoco habrás visto a mucha gente. Aunque vivo a diez kilómetros de aquí, puede decirse que yo era uno de los vecinos más cercanos de Herbert.

—¿A qué te dedicas?

El otro sonrió.

—A la gente suele preguntársele cómo se llama, antes de preguntarle en qué trabaja —observó.

—Yo me llamo Stefan Lindman. Soy policía en Borås, donde trabajaba Herbert.

—Yo soy Abraham Andersson, pero aquí me llaman Dunkärr, porque vivo en una finca llamada Dunkärret.

—¿Eres agricultor?

El hombre lanzó una carcajada y escupió sobre la gravilla.

—¡No, no! —exclamó—. Nada de cultivos, ni de trabajo en el bosque. Bueno, en el bosque sí, pero no cortando madera. Yo toco el violín. Trabajé durante veinte años en una orquesta de Helsingborg. Y un día, de pronto, me cansé y me trasladé aquí. A veces toco, pero sólo para mantener los dedos en forma. Los violinistas suelen tener dolor en los dedos si lo dejan de forma repentina. Y así nos conocimos Herbert y yo.

—¿Qué quieres decir?

—Resulta que yo solía llevarme el violín al bosque. A veces me pongo a tocar allí donde los árboles son más espesos. Entonces, el violín suena de otro modo. En otras ocasiones, me voy a tocar a la cima de una montaña o junto a un lago. El sonido es tan distinto... Tras tantos años interpretando música en auditorios, me siento como si tuviese en las manos un instrumento nuevo.

Extendió el brazo señalando el lago que se avistaba entre los árboles.

—Un día estaba yo tocando allá abajo, el segundo movimiento del concierto para violín de Mendelssohn, creo. Y entonces apareció Herbert con su perro y me preguntó qué demonios era aquello. La verdad es que yo lo comprendía pues ¿quién espera encontrarse con un viejo tocando el violín en medio del bosque? Además se enfadó, pues yo me encontraba en su terreno. Pero tiempo después nos hicimos amigos. O algo parecido.

—¿Qué quieres decir?

—Pues que no creo que nadie pudiese ser amigo de Herbert.

—¿Y eso por qué?

—Porque él se había comprado esta casa para que lo dejasen en paz. Pero, claro, uno no puede prescindir de las personas totalmente. Después de transcurrido un año, más o menos, me reveló que tenía una llave de reserva colgada en el trastero. Aunque no sé por qué lo hizo.

—Pero ¿os veíais?

—No, pero me permitía tocar junto al lago siempre que quería. Si quieres que te sea sincero, jamás puse un pie dentro de la casa. Y él tampoco vino jamás a la mía.

—¿Y tampoco recibía visitas de ninguna otra persona?

La reacción del hombre fue casi imperceptible, pero a Stefan no le pasó inadvertida la fugaz vacilación previa a su respuesta.

—No que yo sepa.

«Es decir, que alguien vino de visita en alguna ocasión», concluyó Stefan.

—En otras palabras, tú también estás jubilado —comentó cambiando de tema—. Y, como Herbert, te has retirado a la paz del bosque.

El hombre volvió a reír.

—¡Qué va! Ni soy jubilado ni me he retirado a la paz del bosque. Me dedico a escribir para grupos de baile.

—¿Grupos de baile?

—Sí, alguna canción de vez en cuando, de esas de amor. La mayoría son una auténtica porquería. Pero mis canciones han estado entre las más populares de Suecia muchas veces aunque, claro está, no como Abraham Andersson, sino bajo eso que llaman seudónimo.

—¿Y cuál es?

—Siv Nilsson.

—¿Un nombre de mujer?

—Pues sí. En la escuela tenía una compañera de clase que se llamaba así. Se me ocurrió que podría ser una hermosa declaración de amor utilizar su nombre como seudónimo.

Stefan se preguntaba si aquel hombre no estaría de broma, pero decidió creer que todo cuanto le había dicho era cierto. Observó sus manos, los dedos largos y delgados, y decidió que bien podía ser violinista.

—Lo que ha sucedido aquí es muy extraño —comentó el hombre de pronto—. ¿Quién vendría hasta estos parajes para quitarle la vida a Herbert? Hasta ayer, esto estuvo lleno de policías. Llegaban en helicópteros y recorrían los alrededores con perros policía. Han ido de finca en finca haciendo preguntas. Pero nadie sabe nada.

—¿Nadie?

—Nadie. Herbert Molin vino hasta aquí para que lo dejasen en paz. Pero había alguien que no deseaba darle esa paz. Y ahora resulta que está muerto.

—¿Cuándo fue la última vez que lo viste?

—Haces las mismas preguntas que la policía.

—Es que soy policía.

Andersson lo miró inquisitivo.

—Ya, pero no eres de aquí. Por tanto, no es posible que estés involucrado en la investigación del caso.

—Yo conocía a Herbert. Estoy de vacaciones y me vine aquí.

Andersson asintió. Pero Stefan estaba persuadido de que no lo había creído.

—Yo suelo pasar fuera una semana cada mes. Voy a Helsingborg a ver a mi mujer. Lo extraño es que todo esto sucediese justo cuando yo no estaba.

—¿Por qué?

—Porque nunca me voy la misma semana. Puede que salga a mitad de mes, de un domingo al sábado siguiente, pero también puedo irme un miércoles hasta el otro martes. Nunca repito. Y justo cuando no estoy, ocurre esto.

Stefan reflexionó un instante.

—¿Quieres decir que alguien aprovechó tu ausencia?

—No quiero decir nada. Sólo que me resulta extraño. Por lo que yo sé, soy el único que vive por aquí, aparte de Herbert.

—¿Qué crees que pasó?

—No lo sé. Y lo cierto es que tengo que irme ya.

Stefan lo acompañó hasta el coche que el hombre había dejado al final de la pendiente. En el asiento trasero, había una funda de violín.

—¿Cómo se llama la finca donde vives? ¿Dunkärret?

—Sí, justo antes de Glöte. No tienes más que seguir la carretera unos seis kilómetros más. Hay un indicador que señala a la izquierda: «Dunkärret dos».

Andersson se sentó al volante.

—Tenéis que atrapar al que hizo esto —opinó—. Herbert era un hombre raro, pero pacífico. El que lo ha asesinado debe de estar loco.

Stefan siguió el coche con la mirada hasta verlo desaparecer, pero permaneció en el mismo lugar hasta que también el ruido se extinguió. Pensó que los sonidos duran más cuando se producen en un bosque. Después, emprendió la subida hacia la casa antes de bajar por el sendero que conducía hasta el lago. No dejaba de pensar en las palabras de Abraham Andersson. Al parecer, nadie conocía a Herbert Molin y, pese a todo, alguien lo había obsequiado con su visita. Por más que Andersson no hubiese querido decirle quién. Pensó además en aquel detalle por el que Andersson había mostrado cierta preocupación: el hecho de que el asesinato se hubiese producido mientras él no estaba cerca, si es que podía considerarse que Dunkärret estuviese cerca. Stefan se detuvo a reflexionar en medio del sendero. Aquello tan sólo podía significar una cosa; que Abraham Andersson sospechaba que la persona que había asesinado a Herbert Molin sabía que Andersson estaría ausente. Lo que, a su vez, solamente podía significar dos cosas: o bien el autor del crimen era de por allí o bien había estado vigilando a Herbert durante largo tiempo, como mínimo un mes, quizá más.

Llegó a la orilla del lago, que era más grande de lo que pensaba. El agua tenía un color pardusco y no se movía más que a pequeños remolinos. Se agachó, introdujo una mano y comprobó que estaba fría. Al ponerse de pie, vio de repente ante sí el hospital de Borås. Hacía ya varias horas que no dedicaba un solo pensamiento a lo que lo esperaba. Sentado sobre una roca, contempló la inmensidad del agua. Al otro lado del lago ondeaban las boscosas colinas y en la distancia se oía una motosierra. «No tengo nada que hacer aquí», se recriminó. «Es posible que Herbert Molin tuviese una razón para ocultarse aquí entre los bosques y el silencio. Pero yo no la tengo. Antes al contrario, lo que debería hacer es prepararme para lo que me espera. Mi médico me ha dado grandes esperanzas de supervivencia. Aún soy joven y fuerte. Pero nadie puede determinar en realidad si me salvaré o no.»

Se puso de pie y comenzó a caminar siguiendo la orilla del agua. Cuando se dio la vuelta, la casa había desaparecido. Estaba totalmente solo. Prosiguió avanzando por la playa pedregosa hasta que, tras unos pasos, se topó con un bote carcomido que habían arrastrado a la orilla. En el interior de los restos de la embarcación había un hormiguero. Continuó sin saber a ciencia cierta adónde se dirigía y, cuando llegó a una abertura en medio de los árboles, volvió a sentarse, aunque en esta ocasión lo hizo sobre un tronco caído. La tierra presentaba huellas de pisadas. Sobre el tronco se apreciaban arañazos que alguien había hecho con un cuchillo. «Tal vez Herbert acudiese a este lugar», se dijo ausente. «Entre un rompecabezas y otro. Quién sabe si no traería aquí al perro. ¿Cómo se llamaba, *Shaka*? ¡Vaya nombre extraño para un perro!»

De su mente había huido todo pensamiento y, de pronto, lo único que podía ver era el camino que tenía ante sí, el largo camino recorrido desde Borås hasta alcanzar este destino.

Después, algo entorpeció la imagen. Algo sobre lo que debería reflexionar. Poco a poco, cayó en la cuenta de qué era aquello en lo que acababa de pensar: que Herbert tal vez visitase aquel lugar con el perro.

«Pero también pudo ser otra persona», continuó en silencio. «Alguna otra persona pudo haberse sentado aquí.» Empezó a mirar a su alrededor, con más atención esta vez. Y comprendió que alguien había limpiado aquel lugar, alguien había alla-

nado el suelo. Se levantó del tronco que ocupaba a modo de silla y se sentó en cuclillas en el centro de la superficie allanada.
No era muy grande, poco más de veinte metros cuadrados, pero
quedaba bien oculta a la vista. Las raíces arrancadas y los grandes bloques de rocas que lo rodeaban impedían el acceso por
otra vía que la orilla del lago. Inspeccionó el terreno; al entre-
cerrar los ojos creyó poder distinguir una débil línea en el musgo, que describía un cuadrilátero. Tanteó con los dedos en las
esquinas y comprobó que había agujeros en ellas. Se incorporó de nuevo. «Una tienda», concluyó. «O mucho me equivoco,
o aquí han levantado una tienda. Ignoro durante cuánto tiempo, o cuándo la instalaron o la retiraron. Pero ha tenido que ser
este año pues, de lo contrario, la nieve habría borrado todas las
huellas.»

Volvió a mirar a su alrededor, muy despacio, como si cada
impresión sensorial pudiese resultar decisiva. En su cabeza rondaba sin cesar la idea de que aquello que hacía era absurdo. Pero
no tenía ninguna otra cosa que hacer en aquel momento; ninguna otra cosa que pudiese distraerlo. No logró hallar huellas
de hogueras, pero aquello no tenía por qué significar nada. Hacía ya tiempo que la gente solía usar cocinas de gas cuando
acampaba en el bosque. Observó el terreno que había alrededor
del tronco una vez más, sin hallar nada.

Después, bajó de nuevo hasta la orilla. Justo al borde de la
playa, había una gran piedra. De modo que fue allí y se sentó
sobre ella. Miró al fondo del agua y después detrás de la piedra.
Tanteó con los dedos y el musgo se soltó. Al retirarlo, vio que
había restos de colillas apagadas. El papel estaba marrón, pero
era de cigarrillos pues, aunque estuviese mojado, halló residuos
de tabaco. Siguió excavando con las manos y entonces comprobó que había montones de colillas por todas partes. Quien
hubiese estado sentado sobre aquella roca debió de fumar mucho. Entre el montón de colillas halló una que, pese a tener el

papel quemado, conservaba algo del color blanco. Lo tomó con sumo cuidado y rebuscó en los bolsillos algo en lo que guardarlo. Lo único que encontró fue un recibo: «Cafetería del Hospital de Borås», rezaba. Puso la colilla en el recibo, que dobló hasta convertirlo en un pequeño paquete. Continuó buscando al tiempo que intentaba imaginarse qué habría hecho él mismo si hubiese levantado una tienda en aquel lugar. «Hace falta un retrete», pensó. Podía accederse al bosque por el lateral de uno de los grandes bloques de rocas. El musgo también parecía haber sido retirado en uno de sus bordes. Inspeccionó el suelo que había justo detrás, pero no halló nada. Después, procedió a adentrarse en el bosque, metro a metro. Pensó en los perros policía de los que le había hablado Abraham. Si ellos no hubieran olfateado ningún resto putrefacto, no habrían llevado su búsqueda hasta aquel punto. Habrían encontrado una pista olfativa. O tal vez no.

De pronto se detuvo. Justo frente a él, junto a un tronco de árbol, había excrementos humanos. Excrementos y papel higiénico. El corazón empezó a latirle con violencia. Ahora ya estaba seguro de tener razón. Alguien había levantado una tienda junto al lago. Una persona que fumaba y que había hecho sus necesidades allí.

Pese a todo, aún le faltaba lo más importante, a saber, algo que relacionase al campista con la persona de Herbert Molin. Regresó al lugar donde había estado la tienda. En realidad, debería ir buscando hacia la carretera principal o hacia algún desvío en el que el campista hubiese podido tener aparcado su coche.

Sin embargo, comprendió enseguida las carencias de su razonamiento. El lugar de acampada podía haber servido como un bien organizado escondite. Y aquello no encajaba con la idea de un coche aparcado en las proximidades de la carretera principal. ¿Qué alternativas le quedaban? Una motocicleta o una bicicleta normal y corriente habrían sido mucho más fáciles de ocultar. A menos que alguien hubiese llevado en su vehículo y dejado allí al campista.

Contempló el lago. Sin duda cabía otra posibilidad: que el campista hubiese llegado por aquella vía. En tal caso, la cuestión sería dónde había estado la embarcación.

«Tengo que hablar con Giuseppe», se dijo. «No hay razón alguna para que lleve una investigación privada y secreta. Quienes tienen que resolver este asunto son los policías de Jämtland y de Härjedalen.»

Se sentó de nuevo sobre el tronco de árbol. Había refrescado pues el sol estaba ocultándose. Un aleteo surgió de entre los árboles; pero cuando se volvió a mirar, el ave ya había desaparecido. Se levantó y regresó. En torno a la casa de Herbert Molin, un concentrado y desértico silencio extendía su manto. Notó que tenía frío. La frialdad de los hechos que allí se habían desarrollado penetraba su cuerpo.

Ya en el coche, emprendió el regreso a Sveg. Al llegar a Linsell, se detuvo ante un supermercado ICA y compró un periódico local, *Härjedalen*, que se publicaba todos los jueves no festivos. El hombre de la caja asintió amable. Stefan notó que había despertado su curiosidad.

—No solemos recibir a muchos forasteros por aquí en otoño —aseguró el cajero que, según la tarjeta que llevaba en la camisa, se llamaba Torbjörn Lundell. Stefan pensó que bien podía decirle la verdad.

—Yo conocía a Herbert Molin —declaró—. Éramos amigos y trabajamos juntos hasta que se jubiló.

Lundell lo miró con interés.

—Un policía, vamos —dedujo—. ¿Acaso no pueden nuestros propios agentes aclarar este caso?

—Bueno, yo no tengo nada que ver con la investigación.

—Ya, pero has venido hasta aquí desde..., a ver, ¿Halland?

—No, Västergötland. Estoy de vacaciones, pero ¿quieres decir que Herbert te contó que venía de Borås?

Lundell negó con un gesto.

—No, eso lo dijeron los policías. Pero él solía hacer su compra aquí. Dos veces al mes, siempre los jueves. Jamás decía una palabra de más. Y siempre compraba lo mismo. Aunque era algo delicado con el café. Debía encargárselo a él especialmente. Tenía que ser café francés.

—¿Cuándo lo viste por última vez?

—El jueves de la semana anterior a su muerte.

—¿Notaste algo extraño en él?

—¿Como qué?

—Que se comportase de un modo distinto, por ejemplo.

—No, estaba tan poco hablador como siempre.

Stefan reflexionó un instante. No debía caer en su papel de policía con tanta facilidad pues, de seguir así, empezaría a correr el rumor de que un policía curioso había venido desde muy lejos. Sin embargo, había una pregunta que no podía resistirse a formular.

—No habrás visto a otros clientes nuevos por aquí últimamente, ¿verdad?

—Los de Östersund me preguntaron lo mismo. Y también un policía de Sveg. Y les dije la verdad, que salvo unos noruegos y un recolector de bayas belga que vino la semana pasada, no había visto a ningún desconocido en mi tienda.

Stefan le dio las gracias, salió del comercio y prosiguió el viaje de regreso a Sveg. Ya había anochecido y empezaba a sentir hambre.

En cualquier caso, había obtenido respuesta a una de sus dudas: ahora sabía que, aunque la investigación se dirigiese desde Östersund, en Sveg también había policía.

Justo antes de llegar a Glissjöberg, un alce se cruzó en su camino, pero lo avistó con los focos y pudo frenar a tiempo. El alce se perdió de vista entre los árboles que flanqueaban la carretera. Aguardó por si aparecía algún otro animal, pero la calzada estaba desierta. Continuó, pues, hasta llegar a Sveg y aparcó ante la puerta del hotel. En la recepción, algunos hombres vestidos con monos de trabajo charlaban sentados. Subió a su habitación y se sentó sobre la cama. Enseguida lo invadió el recuerdo de su enfermedad. Se veía tendido en una cama, con el cuerpo y el rostro llenos de tubos. Elena lloraba sentada a su lado.

Se levantó raudo y dio un puñetazo a la pared. Casi al mismo tiempo, alguien llamó a la puerta. Cuando abrió, vio a uno de los pilotos de pruebas.

—¿Querías algo? —inquirió el joven.

—¿Y qué iba a querer?

—No sé, como has dado un golpe en la pared...

—Habrá venido de fuera.

Stefan cerró la puerta en las narices del piloto. «Acabo de agenciarme mi primer enemigo en Härjedalen», se recriminó. «Cuando lo que debería hacer sería procurarme algún amigo.»

La pregunta retumbó en su cabeza: ¿por qué tenía tan pocos amigos? ¿Por qué no se mudaba a casa de Elena y empezaba a llevar la vida que deseaba llevar? ¿Por qué se empecinaba en arrastrar una existencia que lo había abocado a verse solo cuando le había sobrevenido una enfermedad grave? No sabía qué responder.

Sopesó la posibilidad de llamar a Elena, pero decidió que era mejor comer primero. En el comedor, eligió una mesa solitaria situada en un rincón junto a la ventana. Era el único comensal. Desde el interior del bar se oían voces procedentes de un televisor. Para su sorpresa, la chica de la recepción lo atendía ahora como camarera. Pidió un filete y una cerveza. Mientras comía, hojeó el periódico que había comprado en Linsell.

Leyó las necrológicas con atención intentando imaginarse la suya propia. Después de la cena, se tomó un café mientras observaba la oscuridad.

Cuando hubo terminado, se detuvo un instante en la recepción dudando entre dar un paseo o volver a la habitación. Al final, se decidió por esto último y, una vez arriba, se sentó en la cama y llamó a Elena, que respondió enseguida. A Stefan le dio la sensación de que la mujer llevaba horas sentada junto al teléfono esperando su llamada.

—¿Dónde estás?

—En Sveg.

—¿Y qué tal es? —inquirió ella con cautela.

—Solitario y frío.

—La verdad, no comprendo por qué te has ido.

—Yo tampoco.

—Pues vuelve a casa.

—Si pudiera, me marcharía esta misma noche. Pero debo quedarme aún unos días.

—¿Y no puedes decirme que me echas de menos?

—Ya sabes que sí.

Tras indicarle el número del hotel, se despidió de ella. Ninguno de los dos disfrutaba con las conversaciones telefónicas. De hecho, las que mantenían solían ser muy breves. Pero Stefan la sentía cerca, pese a todo.

Notó que estaba cansado. Había sido un día largo. Comenzó a desatarse los zapatos y se los quitó lanzándolos lejos de la cama. Después, se tumbó y se puso a mirar fijamente el techo. «Tengo que tomar una determinación acerca de qué hago aquí en realidad», se conminó. «Vine aquí para intentar comprender qué había sucedido y para averiguar por qué Herbert Molin padecía aquel miedo constante. Ahora ya he visto la casa en la que fue asesinado y he encontrado un lugar de acampada que bien pudo ser un escondite.»

Meditó sobre la posible continuación y resolvió que lo natural sería viajar hasta Östersund y verse con Giuseppe Larsson.

Pero ¿qué haría después?

De nuevo consideró el viaje como absurdo. Debería haberse decidido por Mallorca. La policía de Jämtland haría su trabajo y algún día él se enteraría de lo que había sucedido. En algún lugar, había un criminal que no tardaría en ser atrapado.

Se tumbó de lado y contempló la negra pantalla del televisor. Desde la calle se oían las risas de unos jóvenes. Y él, ¿había reído en alguna ocasión aquel día? Rebuscó en su memoria sin hallar una sonrisa siquiera. «En estos momentos no soy el de siempre», se dijo. «El hombre risueño que suelo ser. Ahora soy un hombre con un tumor en la lengua, atemorizado por lo que pueda suceder.»

Después, miró sus zapatos. Descubrió que en uno de ellos había algo incrustado en el dibujo de la suela. «Será una piedra del camino de grava», resolvió al tiempo que alargaba el brazo para retirarla.

Pero no se trataba de ninguna piedra, sino de una pieza de rompecabezas. Se sentó en la cama e hizo girar la lámpara de la mesita de noche. La pieza estaba reblandecida y manchada de tierra. Estaba seguro de no haber pisado ninguna pieza en el interior de la casa. De modo que la pieza podría haber estado fuera. A pesar de todo, su intuición le indicaba que no era así; que la pieza se había encajado en la suela del zapato cuando estuvo en la zona donde había estado la tienda.

El asesino de Herbert Molin había vivido, pues, durante más o menos tiempo, en una tienda de campaña junto al lago.

6

El descubrimiento de la pieza de rompecabezas rota lo hizo despabilar de nuevo. Se sentó ante la mesa y comenzó a plasmar en un bloc unas notas acerca de todo lo que había averiguado a lo largo del día. Sus anotaciones adquirieron la forma epistolar. Al principio no supo decir a quién iba dirigida la singular misiva, pero más tarde cayó en la cuenta de que su destinatario no era otro que la doctora que lo aguardaba en Borås el 19 de noviembre. Ahora bien, ignoraba por qué le escribía aquella carta. ¿Acaso no tenía a nadie más a quien remitírsela? ¿Pensaba tal vez que Elena no lo comprendería? Al principio de la hoja escribió: «El miedo de Herbert Molin», palabras que subrayó con un fuerte trazo. Después, escribió punto por punto las observaciones que había ido haciendo tanto en la casa como en los alrededores y en el lugar de acampada. Cuando hubo concluido, intentó extraer alguna conclusión. Pero nada, salvo la circunstancia de que el asesinato de Herbert Molin había sido bien premeditado, le parecía seguro.

Eran ya las diez de la noche. Vaciló un instante pero resolvió al fin llamar a casa de Giuseppe y avisarle de que pensaba ir a Östersund al día siguiente. Buscó el número de teléfono en la guía. Había muchos abonados apellidados Larsson aunque, como era lógico, sólo figuraba uno llamado Giuseppe y que, además, fuese policía. Fue su mujer quien atendió la llamada. Stefan se presentó y la mujer le respondió amable que Giuseppe estaba en el garaje entretenido en su pasatiempo favorito. Mientras esperaba, Stefan se preguntó cuál podría ser el pasatiempo de Giuseppe. Y, sobre todo, por qué no tendría él ninguno, salvo el fútbol, claro. No logró darse ninguna respuesta satisfactoria cuando la voz de Giuseppe se dejó oír en el auricular.

—Stefan Lindman —volvió a presentarse—. De Borås. Espero no haber llamado demasiado tarde.

—Casi —precisó Giuseppe—. Dentro de media hora, me habrías pillado durmiendo. ¿Dónde estás?

—En Sveg.

—O sea, aquí mismo. —Giuseppe soltó una risotada—. Para nosotros, ciento noventa kilómetros es poca cosa. ¿Hasta dónde llegas tú desde Borås si te alejas ciento noventa kilómetros?

—Casi a Malmö.

—¡Vaya, vaya!

—El caso es que había pensado salir mañana para Östersund.

—Serás bien venido. Yo suelo estar allí desde muy temprano. La comisaría está en la parte posterior de la Dirección General de Ordenación Rural. Es una ciudad pequeña, así que no te resultará muy difícil encontrarnos. ¿Cuándo habías pensado venir?

—Me adaptaré a tu horario. Cuando tengas tiempo.

—A las once está bien. A las nueve tenemos una reunión de nuestra pequeña y cómoda comisión de investigación del asesinato.

—¿Tenéis algún sospechoso?

—No tenemos nada —sostuvo Giuseppe sin perder el ánimo—. Pero resolveremos este caso como los demás, espero. Mañana discutiremos la necesidad de pedir refuerzos a Estocolmo. Al menos, alguien que sepa bosquejar el perfil del tipo al que andamos buscando. Eso sería interesante. Son cosas que jamás hemos hecho aquí.

—Sí, ellos son muy buenos —convino Stefan—. En Borås recurrimos a ellos de vez en cuando.

—Bien, nos vemos a las once, pues.

Tras la conversación, salió al pasillo, desde donde se oían los ronquidos del piloto de pruebas que se alojaba en la habitación contigua. Stefan bajó tan en silencio como pudo hasta la planta baja. La llave de la habitación también servía para abrir la puerta de entrada al hotel. La recepción estaba a oscuras y la puerta del comedor cerrada. Eran las diez y media. Cuando salió, notó que había empezado a soplar el viento. Se abrigó bien con la cazadora y echó a andar por las calles desiertas. Llegó a la estación de tren, también a oscuras y cerrada a cal y canto. Tras haber leído los horarios, comprendió que ya no había ningún tren que pasase por Sveg. Creyó recordar que esa línea antes se llamaba Inlandsbanan. «Ahora las vías no se utilizan para nada», pensó. Continuó con su paseo nocturno, pasó ante un parque con columpios y pistas de tenis hasta que llegó a la iglesia. La puerta estaba cerrada. Frente a la escuela se alzaba la estatua de un leñador. Al resplandor de la farola, intentó interpretar la expresión de su rostro. Pero era un rostro mudo. Hasta el momento, no se había topado con nadie en absoluto. Siguió andando hasta que llegó a una estación de servicio donde había un quiosco de perritos calientes aún abierto. Se tomó uno antes de regresar al hotel. Una vez en la cama, permaneció un instante viendo la televisión con el volumen al mínimo. Los ronquidos del piloto de pruebas se oían a través de las paredes.

Cerca de las cinco, logró dar una cabezada. Un inmenso vacío ocupaba su mente.

Cuando dieron las siete de la mañana, se levantó de nuevo con la cabeza atormentada por el agotamiento y por un sinfín de ideas. Se sentó en el comedor, atestado de alegres pilotos. La chica de la recepción volvía a desempeñar su papel de camarera.

—¿Has dormido bien? —preguntó solícita.

—Sí, gracias —mintió él dudando de que ella lo hubiese creído.

Cuando llegó a Östersund, había empezado a llover. Deambuló por la ciudad hasta que llegó a un lúgubre edificio adornado con un letrero que, en letras rojas, anunciaba «Dirección General de Ordenación Rural». Se preguntaba si la función de una institución como aquélla no sería más bien la de facilitar la desaparición de la agricultura sueca.

En una perpendicular al edificio encontró un aparcamiento y, una vez estacionado el coche, permaneció sentado en el interior, pues faltaban aún cuarenta y cinco minutos para su cita con Giuseppe. Echó hacia atrás el respaldo del asiento y cerró los ojos. «Llevo la muerte en el cuerpo», reconoció. «Y debería tomármelo en serio. Pero no lo consigo. La muerte es inaprensible; al menos, la propia. Puedo comprender la de Herbert Molin. Y he visto las huellas de su lucha por la vida. Pero ¿mi propia muerte? No soy capaz de imaginármela. Es como el alce que se me cruzó en la carretera a las afueras de Linsell. No estoy seguro de si existía en la realidad o si fue algo que yo imaginé.»

A las once en punto, Stefan atravesaba las puertas de la comisaría. La mujer de la recepción tenía un parecido asombroso con una de las recepcionistas de Borås, circunstancia que lo movió a preguntarse si la Dirección Nacional de la Policía no habría establecido las características externas que debían presentar las recepcionistas de las comisarías.

Se acercó al mostrador, se presentó y preguntó por el colega.

—Sí, Giuseppe avisó de tu visita —dijo la mujer al mismo

tiempo que señalaba el pasillo más próximo–. Su despacho es el segundo de la izquierda.

Stefan se detuvo ante la puerta indicada, sobre la que había fijada una placa con el nombre de Giuseppe Larsson, y llamó con unos golpecitos.

El hombre que le abrió la puerta era alto y muy robusto y llevaba unas gafas de vista cansada encajadas en la frente.

–Llegas puntual –constató mientras casi lo empujaba al interior de la sala antes de cerrar la puerta.

Stefan se sentó en la silla para las visitas. El mobiliario le resultaba familiar, pues era muy similar al de la comisaría de Borås. «Nosotros no llevamos uniforme, pero nuestros despachos sí están uniformados», constató.

Giuseppe había tomado asiento y tenía las manos cruzadas sobre el estómago.

–¿Habías estado por aquí con anterioridad? –preguntó.

–Jamás. Lo más al norte ha sido Upsala, en una ocasión, cuando era niño. Pero eso es todo.

–Pero hombre, Upsala es el sur de Suecia. Aquí, en Östersund, la mitad del país aún te queda al norte. Antaño, Estocolmo quedaba lejos. Pero ahora es distinto: con el avión, estamos a dos horas de cualquier punto del país. Es decir, que en unos cuantos siglos, Suecia se ha transformado de un país grande, en un país pequeño.

Stefan señaló el gran mapa que había fijado a la pared.

–¿Cuál es el ámbito de vuestro distrito?

–Mayor de lo que quisiéramos.

–Pero ¿cuántos agentes tenéis en Härjedalen?

Giuseppe reflexionó un instante.

–Cinco o seis en Sveg, un par en Hede y algunos más repartidos por ahí, en Funäsdalen, por ejemplo. En total, unos quince, según cuántos estén trabajando.

Vinieron a interrumpir la conversación unos golpes en la

puerta, que se abrió antes de que Giuseppe hubiese tenido tiempo de reaccionar. El hombre que apareció en el umbral tenía un aspecto totalmente opuesto al de Giuseppe, pues era de baja estatura y muy delgado.

—Pensé que sería bueno que nos acompañase Nisse, ya que él es el responsable de la investigación —explicó Giuseppe.

Stefan se puso de pie y saludó al recién llegado, un hombre reservado y de expresión grave que hablaba tan bajo que a Stefan le costó entender que se apellidaba Rundström. Por otro lado, a Giuseppe parecía afectarle su presencia, pues se irguió en la silla con la sonrisa ya borrada del rostro. Stefan comprendió que el ambiente que allí había reinado hasta entonces había cambiado de improviso.

—Bien, habíamos pensado aclarar alguna que otra cosa —comenzó Giuseppe con embarazo.

Rundström no se había sentado, pese a que había una silla libre, sino que, apoyado contra el marco de la puerta, evitaba la mirada de Stefan.

—Esta mañana recibimos la llamada de un hombre —comenzó Rundström—. Nos dijo que un policía de Borås andaba haciendo indagaciones en la zona de Linsell. Estaba muy alterado y se preguntaba si la policía del distrito había renunciado a la investigación.

Hizo una pausa para mirarse las manos, antes de proseguir.

—El señor estaba, en verdad, muy nervioso —insistió Rundström—. Y lo cierto es que también a nosotros nos inquietó.

Stefan había empezado a transpirar.

—Se me ocurren dos posibilidades —intervino—. Que fuese Abraham Andersson, que vive en una finca llamada Dunkärret, o el dueño del supermercado ICA de Linsell.

—Bueno, fue Lundell —aclaró Rundström—. Pero el caso es que no nos gusta que vengan policías de fuera para meter las narices en nuestros asuntos.

Stefan empezaba a indignarse.

—Yo no estoy investigando por mi cuenta —declaró—. Me puse en contacto con Giuseppe. Y le expliqué que estuve trabajando con Molin durante varios años. Estoy de vacaciones y vine a pasarlas aquí. No creo que sea nada extraño el que haya visitado el lugar del crimen.

—Verás, es algo que crea confusión —observó Rundström con su voz apenas perceptible.

—Pero lo único que hice fue comprar un periódico local —objetó Stefan ya sin disimular su enojo—. No oculté mi identidad y tan sólo pregunté si Molin solía hacer allí la compra.

Al oír esto, Rundström sacó un papel que había estado ocultando a su espalda.

—Al parecer, hiciste alguna que otra pregunta más —reveló—. Lundell tomó nota de vuestra conversación. Y me leyó por teléfono lo que tenía escrito.

«Esto no es normal», resolvió Stefan al tiempo que miraba a Giuseppe. Pero éste había bajado la mirada, que ahora fijaba en su estómago.

Por primera vez, Rundström lo miró a los ojos.

—Bien, ¿podrías decirme qué es lo que quieres saber exactamente? —quiso saber entonces.

—Quién asesinó a mi colega Herbert Molin.

—Como nosotros. Comprenderás que le hemos dado prioridad absoluta a la investigación. Hacía mucho tiempo que no organizábamos un grupo de investigación tan amplio y compacto como el que hemos dispuesto con motivo de este caso. Pero no es la primera vez que tenemos este tipo de delitos graves en la zona, así que no puede decirse que no estemos preparados.

Stefan notó que Rundström no se esforzaba por ocultar lo desagradable que le resultaba su presencia allí. Pero, por otro lado, no le pasó inadvertida la circunstancia de que a Giuseppe le disgustaba la actitud de Rundström. Y decidió aferrarse a esta posibilidad.

—Comprenderás que no estoy cuestionando vuestro trabajo.

—¿Puedes proporcionarnos alguna información relevante para la investigación del caso?

—No —mintió Stefan, que no deseaba hacer partícipe a Rundström antes que a Giuseppe de sus hallazgos en el lugar de acampada—. No tengo nada que aportar. En realidad, no conocía a Herbert Molin tanto como para poder pronunciarme sobre el tipo de vida que llevaba, ni en Borås ni mucho menos aquí. Sin duda que habrá otras personas que conozcan mejor ese aspecto. Por otro lado, me iré de aquí muy pronto.

Rundström asintió y abrió la puerta.

—¿Han llamado ya de Umeå?

Giuseppe negó con un gesto.

—No, nada, hasta el momento.

Rundström le hizo una breve seña a Stefan a modo de despedida antes de cerrar la puerta tras de sí. Giuseppe describió un gesto de impotencia con el brazo.

—Rundström puede ser muy difícil a veces. Pero no es tan malintencionado como puede parecer.

—Claro, bueno, pero tiene razón: yo no tengo por qué venir a meterme en vuestros asuntos.

Giuseppe se echó de nuevo hacia atrás en la silla y lo observó inquisitivo.

—¿Acaso es eso lo que estás haciendo?

—Bueno, tan sólo en la medida en que uno no puede evitar dar con ciertas cosas por casualidad.

Giuseppe miró el reloj.

—¿Cuánto tiempo piensas quedarte en Östersund? ¿Pasarás aquí la noche?

—Aún no he tomado ninguna decisión.

—Pues quédate. Yo trabajo esta noche también. Vente a partir de las siete. Para entonces, esto estará tranquilo, espero. Tengo que quedarme de guardia, porque hay muchos compañeros enfermos; podrás estar aquí, en mi despacho.

Giuseppe señaló unos archivadores que había en la estantería que tenía a sus espaldas.

—Entonces podrás leer el material de que disponemos y después hablaremos.

—¿Qué hay de Rundström?

—Vive en Brunflo. Te aseguro que no andará por aquí esta noche. Y nadie hará preguntas.

Giuseppe se puso de pie y Stefan comprendió que deseaba dar por concluida la conversación.

—Han convertido el viejo teatro en un hotel, un buen hotel. Y no creo que esté completo ahora en octubre.

Stefan se abrochó la cazadora.

—¿Qué pasa en Umeå?

—Es allí adonde enviamos nuestros cadáveres.

—¡Ah! Yo creía que era a Upsala o a Estocolmo.

Giuseppe sonrió.

—Recuerda, ahora estás en Östersund. Umeå nos queda más cerca.

Giuseppe lo acompañó hasta la recepción. Stefan se percató de que renqueaba ligeramente de un pie. Giuseppe se dio cuenta.

—Sí, resbalé en el cuarto de baño. Nada grave.

Giuseppe abrió la puerta y salió con él a la calle.

—El invierno está en el aire —auguró al tiempo que escrutaba el cielo.

—Herbert Molin tuvo que comprarle la casa a alguien —comentó Stefan—. De forma privada o a través de una agencia.

—Sí, claro, ya lo hemos investigado —afirmó Giuseppe—. Se la compró a una agencia independiente, ni a Svensk Fastighetsförmedling ni a la inmobiliaria rural de las cajas de ahorro. El agente se llama Hans Marklund y es autónomo.

—¿Y qué dijo?

—Por ahora, no ha dicho nada. Estuvo de vacaciones en España hasta ayer mismo. Al parecer, tiene allí una casa. Lo tengo en la lista de tareas pendientes para mañana.

—Es decir, que ya está de vuelta, ¿no es así?

—Sí, regresó ayer.

Giuseppe meditó un instante.

—En realidad, podría decirles a mis colegas que no me haré responsable de su interrogatorio, lo que a su vez implica que no habrá nada que te impida hablar con él tú mismo. —Giuseppe soltó una risotada—. Rundström puede ser algo difícil —repitió—. Pero, por otro lado, ¿quién coño no lo es alguna vez? Pero es bueno.

—Así que Hans Marklund, ¿no?

—Exacto. Tiene la oficina en Krokom, en su casa. Continúa hacia el norte, hasta llegar al pueblo. Verás un letrero en el que se indica «Agente Inmobiliario Rural». Llámame a las siete y cuarto e iré a buscarte.

Giuseppe desapareció por la puerta hacia el interior de la comisaría. La actitud de Rundström había irritado a Stefan, pero también había renovado sus energías. Por otro lado, Giuseppe deseaba ayudarle, permitiéndole revisar el material de la investigación. Suponía que, con ello, se exponía al riesgo de buscarse problemas, por más que no pudiese considerarse una irregularidad dejar que un colega de otro distrito participase en una investigación.

Stefan no tuvo la menor dificultad en dar con el hotel que Giuseppe le había propuesto. Le asignaron una habitación abuhardillada en la que dejó su maleta. Regresó al coche y llamó al hotel de Sveg, donde habló con la chica de la recepción.

—No te preocupes, no le daremos tu habitación a nadie —lo tranquilizó ella.

—Estaré de vuelta mañana.

—Puedes volver cuando quieras.

Stefan buscó la salida de Östersund. Hasta Krokom no había más de veinte kilómetros y, una vez allí, no tardó en encontrar la agencia inmobiliaria, que se hallaba en un chalet amarillo rodeado de un gran jardín, donde un hombre recogía con una máquina las hojas que cubrían el césped. Cuando vio a Stefan, paró el motor. El hombre estaba bronceado y parecía tener la misma edad de Stefan. Además, estaba en buena forma física y lucía un tatuaje en una muñeca.

—¿Estás buscando casa? —preguntó enseguida.

—No, no exactamente. ¿Eres Hans Marklund?

—Así es.

Entonces, adoptó un tono grave, antes de preguntar con cautela:

—¿Eres de la agencia tributaria?

—No, no, en absoluto. Giuseppe Larsson me dijo dónde podía encontrarte.

Hans Marklund frunció el entrecejo, pero enseguida recordó de quién se trataba.

—¡Ah, sí! El policía. Pues yo acabo de llegar de España y allí hay mucha gente que se llama Giuseppe..., o algo parecido. Aquí en Östersund, sólo lo tenemos a él. ¿Tú también eres policía?

Stefan vaciló antes de responder.

—Sí —reveló por fin—. Soy policía. Tú le vendiste una casa a un hombre llamado Herbert Molin que, como sabes, está muerto.

—Creo que será mejor que pasemos adentro —propuso Hans Marklund—. Me llamaron a España y me lo dijeron. Pensaba que la policía no me interrogaría hasta mañana.

—Sí, sí, te llamarán mañana.

Una de las habitaciones del sótano estaba acondicionada como oficina. Las paredes aparecían recubiertas de mapas y fotografías en color de distintas propiedades que estaban a la venta. Stefan observó que los precios de las casas eran mucho más bajos que en Borås.

—Ahora estoy solo —aclaró Hans Marklund—. Mi mujer y mis hijos se quedan en España una semana más. Tenemos una casita en Marbella que heredé de mis padres. Y los niños tienen vacaciones de otoño, o como quiera que las llamen.

Hans Marklund fue a buscar unos cafés y se sentó ante una mesa donde tenía varios archivadores.

—El año pasado tuve problemas con la autoridad fiscal, por eso te pregunté antes... —explicó a modo de excusa—. Como la economía del Ayuntamiento es tan ruinosa, supongo que necesitan recaudar todas las coronas que puedan.

—Hace unos once años le vendiste a Herbert Molin una casa a las afueras de Linsell —atajó Stefan—. Él y yo trabajamos juntos en Borås. Después, él se jubiló y se trasladó aquí. Y ahora resulta que está muerto.

—¿Qué sucedió?

—Pues, lo asesinaron.

—Pero ¿por qué?, ¿quién lo hizo?

—Aún no lo sabemos.

Hans Marklund movió la cabeza con gesto abatido.

—Vaya, suena bastante desagradable. Aquí solemos pensar que vivimos en una zona más o menos pacífica. Pero tal vez ya no queden espacios pacíficos en ninguna parte.

—Tal vez no. ¿Puedes decirme qué recuerdas de aquella ocasión de once años atrás?

Hans Marklund se levantó y pasó a la habitación contigua, de la que regresó con un archivador en el que no tardó en hallar la información que buscaba.

—El 18 de marzo de 1988 —leyó en voz alta—. Ese día se cerró el trato, aquí en mi oficina. El vendedor era un viejo ingeniero de montes. El precio fue de ciento noventa y ocho mil coronas suecas. Sin hipoteca. Pagó con un giro postal.

—¿Qué recuerdas de Herbert Molin?

La respuesta le resultó sorprendente.

—Nada.

—¿Cómo que nada?

—Yo jamás lo vi.

Stefan lo miró lleno de curiosidad.

—A ver, a ver. No te entiendo.

—Es muy sencillo. No fue él quien se encargó de todo el proceso. Fue otra persona la que se puso en contacto conmigo, vio varias casas y eligió una. Por lo que yo sé, Molin no estuvo aquí jamás. Al menos que yo sepa.

—¿Y con quién trataste?

—Con una mujer llamada Elsa Berggren. Con domicilio en Sveg.

Hans Marklund le dio la vuelta al archivador y se lo tendió a Stefan.

—Ahí tienes el poder notarial, que la autorizaba a tomar decisiones y cerrar el trato en nombre de Molin.

Stefan observó la firma, que recordaba haber visto en Borås en algún que otro informe. En efecto, era Herbert Molin quien había autorizado la cesión de poderes. Stefan dejó a un lado el archivador.

—En otras palabras, tú no llegaste a conocer a Herbert Molin, ¿no es cierto?

—Ni siquiera hablé con él por teléfono.

—¿Cómo te pusiste en contacto con esa mujer?

—Como es habitual en este negocio, ella llamó por teléfono. —Hans Marklund hojeó el archivador hasta hallar la página que buscaba—. Aquí tienes su dirección y su teléfono —explicó—. Supongo que es con ella con quien debes hablar, y no conmigo. Por otro lado, no tengo otra cosa que contarle a Giuseppe Larsson. Me pregunto, además, si podré contener mis deseos de preguntarle de dónde le viene el nombre. Aunque, quizá tú lo sepas...

—No.

Hans Marklund cerró el archivador.

—¿No es un poco inusual no llegar a conocer a la persona con la que uno cierra un trato?

—Bueno, yo cerré el trato con Elsa Berggren. Y a ella sí que la conocí. Pero jamás vi a Herbert Molin. En fin, no es tan extraño, la verdad. Yo vendo también participaciones en casas de veraneo en las montañas a compradores alemanes y holandeses. Y ellos tienen representantes legales que son los que se encargan del trato.

Stefan asintió.

—Es decir, que no hubo nada anómalo en aquella transacción.

—Pues no, nada.

Hans Marklund lo acompañó hasta la verja.

—Bueno, quizá sí, después de todo... —se arrepintió cuando Stefan ya había salido del jardín.

—¿Sí?

—Lo cierto es que recuerdo que Elsa Berggren comentó en alguna ocasión que su cliente no deseaba dirigirse a ninguna de las grandes agencias inmobiliarias. Y recuerdo que me resultó extraño.

—Y eso, ¿por qué?

—Pues porque si uno está buscando vivienda no es muy lógico que acuda en primer lugar a una agencia pequeña, creo yo.

—¿Y cómo lo interpretaste tú?

—No lo interpreté en absoluto. Simplemente, recuerdo que me extrañó.

Stefan puso rumbo de regreso a Östersund. Tras haber recorrido unos diez kilómetros, se desvió por un camino que conducía al bosque y apagó el motor.

Quienquiera que fuese Elsa Berggren, Herbert Molin le había recomendado que evitase las grandes agencias inmobiliarias, pero ¿por qué?

A Stefan no se le ocurría más que una respuesta.

Herbert Molin quiso adquirir su vivienda con la mayor discreción posible.

Estaba, pues, justificada aquella primera impresión suya. La casa en que Herbert Molin había vivido los últimos años de su vida no era, en realidad, una casa.

Era un escondite.

7

Aquella noche, Stefan emprendió un recorrido por la vida de Herbert Molin. Entre todas las notas e informes, declaraciones y protocolos técnicos que habían ido a parar a los archivadores de Giuseppe Larsson, pese a que la investigación no llevaba en curso mucho tiempo, entre las líneas de todos aquellos escritos se perfilaba una imagen de Herbert Molin que él ignoraba. Por ejemplo, descubrió circunstancias que lo llenaron de asombro y cavilaciones. En efecto, el hombre al que él creía haber conocido, resultó ser uno bien distinto, un auténtico extraño.

Había pasado ya la medianoche cuando cerró el último archivador. De vez en cuando, por la tarde, Giuseppe entraba en el despacho. Apenas si pudieron mantener ninguna conversación y el tiempo no les alcanzaba más que para tomarse un café o hacer algún comentario acerca de cómo estaba desarrollándose la tarde de guardia en Östersund. Durante las primeras horas, todo estuvo tranquilo. Pero poco después de las nueve, Giuseppe tuvo que salir para atender un robo perpetrado en Häggenås. Estuvo fuera varias horas y cuando regresó, Stefan ya había terminado la lectura del último informe.

¿Qué había encontrado?

«Un mapa», se dijo. «Un mapa con grandes manchas blancas. Un ser con una historia que, de vez en cuando, dejaba al descubierto grandes lagunas. Una persona que, a veces, se apartaba del camino dictado y desaparecía para, de forma inesperada, surgir de nuevo.» La historia de Herbert Molin se presentaba escurridiza y en parte difícil de seguir.

Durante la noche, Stefan estuvo haciendo anotaciones. Cuando por fin cerró y dejó a un lado el último archivador, echó un vistazo a su bloc de notas y repasó cuanto había podido entender de su lectura.

El dato que más lo había sorprendido fue descubrir que, antaño, Herbert Molin se había llamado de otro modo muy distinto. De los duplicados de la agencia tributaria que la policía de Östersund había solicitado se desprendía que, al nacer, le habían puesto otro nombre. El 10 de marzo de 1923 vio la luz, en el hospital de Kalmar, August Gustaf Herbert. Su apellido no era, pues, Molin, pues sus padres eran el caballero Axel Mattson-Herzén y su esposa Marianne. Pero aquel nombre había desaparecido en junio de 1951, año en el que el Registro le concedió el cambio de nombre y apellido.

Stefan quedó largo rato observando los nombres. Dos dudas le surgieron enseguida. Dos cuestiones que se le antojaron decisivas. ¿Por qué razón habría reemplazado el apellido Mattson-Herzén al tiempo que elegía uno solo de sus nombres de pila como el único? ¿Qué lo había movido a hacer tal cosa? Y, por otro lado, ¿por qué habría elegido un apellido como Molin, no menos corriente, sin duda, que el original Mattson? La mayoría de las personas que se cambiaban el apellido lo hacían bien para llevar uno del que fuesen portadores únicos, bien para evitar confusiones con otros parecidos.

Stefan había tomado buena nota de los datos biográficos de Herbert Molin. En el año 1951, August Mattson-Herzén tenía veintiocho años. Había servido como militar, con el grado de teniente, en el regimiento de infantería de Boden. «Después, debió de suceder algo», se decía Stefan mientras seguía indagando en la historia del colega asesinado. Los primeros años de la década de los cincuenta fueron importantes en su vida, pues se produjeron muchos cambios significativos. En 1951 se cambió de nombre y, el año siguiente, en marzo de 1952, se despidió del ejército por voluntad propia, no sin recibir palabras de alabanza. Sin embargo, Stefan no logró hallar una sola línea en que se indicase de qué empezó a vivir a partir de entonces. En cambio, el mismo año en que puso punto final a su carrera militar contrajo matrimonio. En 1953 tuvo un hijo, llamado Herman, y más tarde, en 1955, una hija, Veronica. Se marcha de Boden junto con su esposa Jeanette y, según la información de que disponían, ya en 1952, cuando dejó el ejército y solicitó el traslado de Boden, residía en Solna, a las afueras de Estocolmo, en la calle de Råsundavägen, número 132. Y habrían de transcurrir cinco años para que, en octubre de 1957, apareciese de nuevo como profesional en activo. En ese año, en efecto, se le conoce un empleo en la delegación del Gobierno Civil, con sede en Alingsås. De allí se trasladó a Borås, donde se convirtió en policía tras la unificación estatal de los cuerpos policiales en los años sesenta. En 1980, su mujer le pidió el divorcio y, un año más tarde, se casó con Kristina Cedergren, un matrimonio que también terminó roto poco después, en 1986.

Stefan estudió sus notas. Entre marzo de 1952 y octubre de 1957, Herbert Molin vive de algo que no queda reflejado en el material de la investigación. Se trata de un periodo de tiempo relativamente prolongado, algo más de cinco años. Y, por si fuera poco, acababa de cambiarse de nombre. ¿Por qué?

Cuando Giuseppe regresó de su intervención en Häggenås y entró en su despacho, halló a Stefan de pie, contemplando la calle desierta a través de la ventana. Giuseppe le sintetizó el robo, en realidad, poca cosa, un garaje abierto con uso de fuerza y dos motosierras desaparecidas.

—Los pillaremos —profetizó—. Tenemos unos hermanos en Järpen que suelen dedicarse a estos menesteres. Los pillaremos, ya verás. Y tú, ¿qué tal te va a ti? ¿Has encontrado algo en nuestros archivadores?

—Pues es muy curioso —aseguró Stefan—. He estado leyendo cosas acerca de un ser humano al que creía conocer, pero que ha resultado ser otro muy distinto.

—¿En qué sentido?

—Verás, lo del cambio de apellido. ¿Por qué lo hizo? Y ese sorprendente vacío de información sobre su vida entre 1952 y 1957...

—Sí, claro, a mí también me ha llamado la atención lo del cambio de apellido —convino Giuseppe—. Pero aún no hemos llegado a ese punto en la investigación, ya me entiendes...

Stefan lo entendía a la perfección. Las investigaciones de asesinato seguían ciertos patrones. Al principio existe siempre la esperanza de poder identificar al autor del crimen en un estadio inicial. Si aquello fracasaba, comenzaba la larga y por lo general pesada recopilación y examen del material.

Giuseppe dejó escapar un bostezo.

—Hoy ha sido un día agotador —comentó—. Necesito dormir algo, pues mañana no va a ser mucho mejor. ¿Cuándo tienes pensado regresar a Västergötland?

—Aún no lo sé.

Giuseppe volvió a bostezar.

—Me dio la impresión de que tenías algo que contarme —confesó—. Te lo noté cuando Rundström estuvo aquí. Me pregunto si es algo que puede esperar a mañana.

—Sí, puede esperar.

—Vamos, que no tienes al asesino, ¿no es eso?

—Pues no.

Giuseppe se levantó de la silla.

—Bien, en ese caso, mañana iré al hotel. Podríamos desayunar juntos, ¿te parece bien a las siete y media?

Stefan asintió. Giuseppe devolvió los archivadores a su lugar y apagó el flexo del escritorio. Salieron juntos y dejaron atrás la recepción, ya a oscuras. En una oficina interior, un agente solitario recibía las llamadas de alarma.

—El problema es siempre el móvil —afirmó Giuseppe una vez en la calle—. Alguien quería matar a Herbert Molin. Eso es incuestionable. Fue una víctima predeterminada. Es decir, que alguien tenía motivos suficientes para asesinarlo.

Dicho esto, volvió a lanzar un silencioso bostezo.

—Pero ya hablaremos mañana, ¿no?

Giuseppe subió a su coche, estacionado en la calle a unos metros de la entrada. Stefan le hizo una seña a modo de despedida cuando se marchó. Después, subió la cuesta y giró a la izquierda. La ciudad estaba desierta.

Sentía frío.

Y la enfermedad volvió a ocupar su mente.

Cuando Stefan bajó al comedor a las siete y media en punto, Giuseppe ya estaba sentado a una mesa esperándolo. Había elegido una algo apartada en un rincón, donde podrían hablar sin que los molestasen. Mientras comían, Stefan le refirió su encuentro con Abraham Andersson y el paseo por la orilla del lago que lo condujo al hallazgo del lugar de acampada. En este punto, Giuseppe apartó la tortilla que tenía a medio comer y trató de escuchar con atención. Stefan sacó el paquete diminuto en que había envuelto los restos de tabaco y la pieza del rompecabezas.

—Supongo que los perros nunca llegaron tan lejos en su batida —concluyó—. La cuestión es si valdrá la pena volver a mandar una patrulla.

—No teníamos nada sobre lo que buscar —repuso Giuseppe—. Un helicóptero nos trajo tres perros; fue al día siguiente del hallazgo del cadáver. Pero no dieron con ninguna pista.

Después, tomó su maletín, que había dejado en el suelo, y sacó una fotocopia del mapa que mostraba la zona circundante a la casa de Herbert Molin. Stefan tomó un mondadientes para localizar el lugar que suponía debía de ser el correcto. Giuseppe se colocó sus gafas y examinó el mapa.

—Hay señaladas algunas vías para escúteres —advirtió—. Pero ninguna carretera para coches que conduzca hasta allí. Quien haya acampado en aquel lugar, debe de haber ido caminando dos kilómetros como mínimo, a través de un terreno escabroso. A menos que utilizase la carretera que conduce hasta la casa de Molin. Pero esta última alternativa no es muy verosímil.

—¿Y qué me dices del lago?

Giuseppe asintió.

—Sí, es una posibilidad. Al otro lado hay un par de senderos que conducen al bosque, con cambios de sentido junto al lago. Con un bote de goma o una canoa puede cruzarse, claro está.

Estudió el mapa unos minutos más, mientras Stefan aguardaba.

—Puede que tengas razón —concedió al fin apartando el mapa.

—No estuve investigando, ¿sabes? Simplemente, llegué al lugar por casualidad.

—Bueno, los policías no suelen hallar nada «por casualidad». Pero es posible que anduvieses buscando algo sin ser consciente de ello —objetó Giuseppe mientras examinaba los restos de tabaco y la pieza de rompecabezas—. Se lo llevaré a los técnicos —prosiguió—. Y, como es natural, también hemos de inspeccionar el lugar de acampada que descubriste.

—¿Y qué crees que dirá Rundström?

Giuseppe exhibió una sonrisa.

—Nada nos impide decir que fui yo quien dio con el posible lugar de acampada.

Ambos fueron a buscar más café. Stefan notó que Giuseppe todavía cojeaba.

—¿Qué te dijo el agente inmobiliario?

Stefan le refirió la conversación mientras Giuseppe escuchaba con gran atención.

—¿Elsa Berggren?

—Sí, aquí tengo su dirección y su número de teléfono.

Giuseppe entornó los ojos lleno de curiosidad.

—¿Has hablado ya con ella?

—No.

—Pues tal vez sea mejor que lo haga yo, ¿no crees?

—Por supuesto.

—Tus observaciones han sido muy certeras —celebró Giuseppe—. Pero Rundström tiene razón: debemos llevar este asunto nosotros mismos. Yo quería brindarte la posibilidad de ver por ti mismo hasta dónde habíamos llegado. Pero me temo que, a partir de aquí, no debo permitirte el acceso al caso.

—Tampoco contaba con ello.

Giuseppe apuró despacio su taza.

—Dime la verdad: ¿por qué viniste a Sveg? —inquirió una vez que hubo dejado sobre la mesa la taza vacía.

—Estoy de baja. No tenía nada que hacer. Y, después de todo, yo conocía bastante bien a Herbert Molin.

—Sí, bueno, al menos eso creías tú.

Stefan era consciente de que, desde luego, el hombre al que tenía ante sí era un completo desconocido para él. Aun así, sentía la necesidad ineludible de hablarle de su enfermedad; como si, de pronto, no fuese capaz de llevar él solo su desgracia por más tiempo.

—Me he ido de Borås porque estoy enfermo —declaró—. Tengo cáncer y estoy a la espera de comenzar el tratamiento. Podía elegir entre Mallorca y Sveg, y me decanté por esto porque sentía gran curiosidad por saber qué le habría ocurrido a Herbert Molin. Pero ahora empiezo a dudar de haber optado por la alternativa más adecuada.

Giuseppe asintió. Durante unos minutos, ambos guardaron silencio.

—La gente suele preguntarme por mi nombre. Pero tú no lo has hecho, pues tu mente estaba ocupada en otros temas. Y yo sí que estaba preguntándome qué sería lo que te preocupaba. ¿Quieres hablar de ello?

—No lo sé. En realidad, no quiero hacerlo. Pero quería que tú lo supieras.

—Bien, en ese caso, no te haré preguntas al respecto.

Giuseppe se inclinó de nuevo en busca de su maletín y sacó un bloc de notas. Lo hojeó hasta hallar la página que buscaba y se lo tendió a Stefan. Aquella página contenía el boceto de los pasos que había hallado en la casa de Molin y que respondían a un modelo concreto. Stefan no tuvo la menor dificultad en reconocer en ellos las huellas de sangre que él mismo vio en la casa de la víctima. Ya había tenido ocasión de refrescar su memoria la noche anterior, al ver las fotografías que Giuseppe tenía en los archivadores. Al mismo tiempo, cayó en la cuenta de que no le había revelado a Giuseppe que había estado en el interior de la casa y de que habría sido absurdo ocultárselo. Abraham Andersson lo había visto y lo más probable era que la policía volviese a interrogarlo.

De modo que se lo reveló todo. Giuseppe no pareció sorprendido, sino que echó mano enseguida de su bloc de notas.

—Verás, estas huellas representan los pasos básicos de ese baile fascinante llamado tango.

Stefan lo miró interrogante.

—¿Tango?

—Sí, no nos cabe la menor duda de ello. Lo que significa, pues, que alguien arrastró el cuerpo de Molin con la intención de dejar grabadas las huellas de sangre de sus pies según ese modelo. Supongo que leíste el informe preliminar del forense, ¿no? La víctima presentaba la espalda destrozada a latigazos por correas confeccionadas con piel de aún no sabemos qué animal. Pero también los pies presentaban las mismas heridas.

Stefan había leído, en efecto, el informe del forense, que le había resultado en extremo desagradable. Las fotografías se le antojaron horrendas.

—Es algo muy extraño, ¿no crees? ¿Quién se dedicaría a arrastrarlo así por el suelo? Y, ¿por qué? Y, sobre todo, ¿para quién dejó ese alguien aquellas huellas sangrientas?

—Sí, claro, puede tratarse de un mensaje para la policía.

—Cierto. Pero aún hay que averiguar por qué.

—Supongo que estás pensando en la posibilidad de que hayan sido fotografiados o filmados, ¿no es eso?

Giuseppe volvió a guardar el bloc en el maletín.

—Sí, y ello nos conduce sin remedio a la conclusión de que no estamos ante un asesinato cualquiera, de esos normales y corrientes. Intuyo que aquí se ha producido la intervención de fuerzas muy singulares.

—¿Estás pensando en un loco?

—En un sádico. ¿De qué, exactamente, fue víctima Molin?

—¿Te refieres a una tortura?

Giuseppe asintió.

—Así es, no creo que pueda calificarse con otros términos. Y eso es algo que me preocupa.

Giuseppe cerró el maletín.

—¿Sabes si Herbert Molin solía bailar el tango cuando vivía en Borås?

—No, que yo sepa.

—En fin, como es lógico, es algo que averiguaremos tarde o temprano.

Desde algún lugar del comedor, un niño empezó a lloriquear. Stefan miró a su alrededor.

—Éste era el vestíbulo del teatro —explicó Giuseppe—. Y tras la barra estaban las gradas.

—¿Sabes? En Borås teníamos un antiguo teatro de madera, pero no lo convirtieron en hotel, sino que lo derribaron sin más. Hubo muchas protestas pero nadie pudo evitar el derribo.

El niño seguía gritando. Stefan acompañó a Giuseppe hasta la recepción.

—Tal vez deberías emprender ese viaje a Mallorca, después de todo —sugirió Giuseppe—. Si quieres, yo puedo mantenerte informado del desarrollo de la investigación.

Stefan no respondió. Pero comprendió que Giuseppe tenía razón. En realidad, no había ya motivo alguno por el que permanecer en Härjedalen.

Ya en la calle, se despidieron. Stefan subió a su habitación, recogió su maleta, pagó y se marchó de Östersund. En los tramos sin curvas que se extendían hacia Svenstavik pisó el acelerador y condujo a demasiada velocidad. Después, aminoró la marcha. Intentaba tomar una decisión. Si regresaba a Borås enseguida, aún tendría tiempo de iniciar el viaje al sur, a Mallorca o a cualquier otro lugar. Disponía de dos semanas enteras. Si permanecía en Sveg, su desasosiego no haría más que aumentar. Además, le había prometido a Giuseppe que no se mezclaría en la investigación del asesinato más de lo que ya lo había hecho. Giuseppe le había permitido acceder al material de la investigación, pero ya no podía seguir moviéndose a espaldas de los colegas, escurriéndose bajo los cordones policiales. Esclarecer el móvil del asesinato de Herbert Molin era competencia de la policía de Östersund. A ellos correspondía dar con el asesino.

De modo que la decisión estaba clara. Regresaría a Borås al día siguiente. La excursión a Sveg había tocado a su fin.

Su reflexión terminó en ese punto. Se le agotaron las ideas. Se detuvo en Ytterhogdal para repostar antes de proseguir hasta Sveg y, una vez allí, aparcó el coche ante el hotel. Ya en el interior, el recepcionista, al que no había visto con anterioridad, lo saludó amable al tiempo que le tendía su llave. Stefan subió a su habitación, se quitó los zapatos y se tendió en la cama. El ruido de una aspiradora penetraba en la suya desde la habitación contigua. Inquieto, se sentó en la cama. ¿Por qué no partir en aquel preciso momento? No llegaría a Borås, pero podría hacer noche en algún lugar a mitad de trayecto. Se tumbó de nuevo. De pronto, tomó conciencia de que sería incapaz de generar la energía necesaria para organizar un viaje a Mallorca. La sola idea de regresar al apartamento de la calle de Allégatan lo abatía. En efecto, allí se dedicaría a permanecer sentado, nervioso y pensando en lo que lo aguardaba.

Quedó tumbado en la cama, sin fuerzas para decantarse por ninguna de las opciones. La aspiradora enmudeció. Cuando dio la una de la tarde, resolvió que, pese a que no se sentía hambriento, bajaría a almorzar. Pensó que debía de existir una biblioteca en algún lugar del pueblo. Y allí podría sentarse a leer todo cuanto pudiese encontrar sobre las consecuencias de la radioterapia. La doctora de Borås se lo había explicado, pero tenía la impresión de haberlo olvidado todo. ¿O sería más bien que no le había prestado atención mientras hablaba, o quizá no pudo asimilar lo que implicaba la radioterapia?

Volvió a calzarse los zapatos y pensó que debía cambiar de camisa. Abrió la maleta que tenía sobre una mesa pequeña e inestable situada junto a la puerta del cuarto de baño. A punto estaba de tomar la camisa que tenía sobre el resto de la ropa cuando, perplejo, interrumpió el movimiento del brazo. En un principio, no supo muy bien qué lo había hecho detenerse. Pero algo había cambiado. Pensó que no serían más que figuraciones suyas pero, en el fondo, sabía que no era así. Él había aprendido de su madre cómo hacer una maleta. Era capaz de doblar las camisas de modo que no se arrugasen lo más mínimo y había adquirido la meticulosa costumbre de organizar con sumo cuidado su equipaje.

Una vez más, se dijo que no podía ser verdad.

Sin embargo, se rindió finalmente a la evidencia: alguien había estado husmeando en el contenido de su maleta. No demasiado, pero sí lo suficiente como para que él lo notase.

Muy despacio, revisó sus pertenencias. No faltaba nada, pero estaba convencido. Alguien había revisado su maleta mientras él estaba en Östersund.

Cierto que bien podía haber sido una limpiadora curiosa y entrometida. Pero él no se inclinaba por esta posibilidad.

Alguien había entrado en su habitación para inspeccionar su equipaje.

8

Stefan bajó indignado a recepción. Pero cuando la chica, que había vuelto a su puesto, lo recibió con una sonrisa, cambió de actitud. Tenía que haber sido la mujer de la limpieza. Le habría dado un golpe a la maleta de forma involuntaria de modo que cayese al suelo. Sería absurdo pensar otra cosa. Por otro lado, no echaba nada en falta. Así, asintió a modo de saludo, dejó la llave en el mostrador y salió a la escalinata. Una vez allí, quedó inmóvil un instante, sin saber qué hacer. Era como si hubiese perdido por completo la capacidad de adoptar la más simple decisión. Se pasó la lengua por los dientes. Allí estaba el bulto. «Llevo la muerte en la boca», se dijo. «Si sobrevivo a este trance, me prometo a mí mismo que mantendré mi lengua vigilada.» Movió la cabeza, insatisfecho con lo absurdo de su idea al tiempo que resolvía averiguar el domicilio de Elsa Berggren. Era cierto que le había prometido a Giuseppe que se abstendría de hablar con ella, pero nada le impedía dedicar algo de tiempo a localizar la casa donde vivía. Regresó, pues, a la recepción, donde la joven empleada estaba ocupada al teléfono, de modo que él se puso a estudiar un mapa que había fijado a la pared. Halló la calle al otro lado de un riachuelo a su paso por un lugar llamado Ulvkälla. Existía, además, según pudo comprobar, un viejo puente ferroviario que podía utilizar para atravesarlo.

Dejó el hotel. Un grueso manto de nubes pendía sobre Sveg. Cruzó la calle y se detuvo un instante junto a la ventana de la redacción del periódico local para leer las noticias acerca del asesinato de Herbert Molin. Tras haber recorrido unos cien metros de la calle de Fjällvägen, llegó al cruce del puente y giró a la izquierda. El puente que se alzaba ante él tenía la armazón arqueada. Antes de proseguir, interrumpió su caminar unos minutos para contemplar las turbias aguas. Ya en la otra orilla del río, comprobó que la casa de Elsa Berggren se hallaba a la izquierda. Se trataba de una casa de madera pintada de blanco situada en el centro de un cuidado jardín. Junto a la casa, había un garaje. Las puertas estaban abiertas pero no había ningún coche en el interior. Mientras se paseaba por delante observando la casa, creyó percibir un leve movimiento en una de las cortinas de la planta baja, pero él prosiguió su paseo. En medio de la calle, un hombre miraba el cielo fijamente. De pronto, giró la cabeza y saludó a Stefan, antes de preguntar:

—¿Nevará?

A Stefan le gustó el dialecto. Tenía un eco amable, casi inocente.

—Es posible —aventuró Stefan—. Pero ¿no es algo pronto? Aún estamos en octubre...

El hombre negó con un gesto.

—Aquí puede nevar en septiembre —aseguró—. Y hasta en junio.

Era un hombre de edad. Tenía el rostro marcado por las arrugas y mal afeitado.

—¿Estás buscando a alguien? —inquirió sin esforzarse lo más mínimo por ocultar su curiosidad.

—No, estoy aquí de paso. Y salí a caminar un poco.

Stefan se decidió sobre la marcha. Le había prometido a Giuseppe que no hablaría con Elsa Berggren, pero en absoluto se había comprometido a no hablar *sobre* ella.

—Es una bonita casa —comentó al tiempo que señalaba la villa blanca que acababa de dejar atrás.

El hombre asintió.

—Sí, Elsa la tiene muy cuidada. Y el jardín también. ¿La conoces?

—No.

El hombre lo observó, como a la espera de una continuación. Luego se presentó:

—Me llamo Björn Wigren. El viaje más largo que he emprendido en mi vida es el que una vez hice a Hede, aquí al lado. Todo el mundo viaja hoy en día. Pero yo no. De niño, vivía al otro lado del río. Pero después me trasladé aquí. Aunque, claro está, algún día tendré que volver a mudarme al otro lado, al cementerio.

—Yo soy Stefan Lindman.

—¿Y dices que estás aquí de visita?

—Así es.

—¿Acaso tienes familia por aquí?

—No. En realidad, voy de paso.

—Y has salido a dar un paseo, ¿no es así?

—Exacto.

La conversación se agotó. La curiosidad de Wigren era solícita, en absoluto maliciosa. Stefan se esforzaba por dar con un modo de orientar la conversación hacia la persona de Elsa Berggren.

—Llevo viviendo en esta casa desde 1959 —reveló el hombre de pronto—. Pero, que yo sepa, ésta es la primera vez que un forastero viene por aquí a dar un paseo. Al menos, en el mes de octubre.

—Bueno, alguna vez tiene que ser la primera, ¿no?

—Si quieres, te invito a un café —se ofreció el hombre—. Si quieres. Mi mujer murió y los hijos viven en otras ciudades, fuera de aquí.

—Un café no estaría mal.

Atravesaron la verja. A Stefan se le ocurrió que tal vez Björn

Wigren hubiese estado fuera por si encontraba a alguien con quien compartir su soledad.

La casa en la que entraron se componía de una sola planta. Dos figuras adornaban el vestíbulo: una representaba a una gitana con el pecho descubierto y la otra, a un pescador. Sin embargo, también había trofeos y recuerdos de caza, entre otros, la cornamenta de un alce. Stefan contó hasta catorce garras y se preguntó fugazmente si, para un experto, serían muchas o pocas. Sobre la mesa de la cocina había un termo y una bandeja con bollos cubiertos por un paño. Wigren sacó otra taza y lo invitó a sentarse.

—No tenemos por qué hablar —declaró para sorpresa de su interlocutor—. Uno puede tomarse un café con un desconocido y guardar silencio.

De modo que ambos empezaron a beber café y se comieron un bollo de canela cada uno. De la pared de la cocina pendía un reloj que dio un cuarto. Stefan se preguntaba qué harían las personas cuando se reunían antes de que el café hubiese llegado al país.

—Supongo que eres jubilado —comentó Stefan, que se arrepintió en el acto de observación tan absurda.

—Trabajé en el bosque durante treinta años —repuso Björn Wigren—. A veces me da por pensar en lo duro que era aquel trabajo. Los taladores eran esclavos de las compañías madereras. Y no creo que la gente comprenda hasta qué punto supuso una bendición el que aparecieran las motosierras. Después, empezó a dolerme la espalda y lo dejé. Los últimos años, estuve trabajando para el Servicio Nacional de Carreteras. Ignoro si fui de alguna utilidad. Lo único que hacía era afilar las cuchillas de los patines de los escolares todo el día. Pero te aseguro que al menos una cosa sensata sí que hice durante aquellos años: aprendí inglés. Me sentaba por las noches a trastear libros y casetes. Lo cierto es que muchas veces estuve tentado de dejarlo, pero me empeñé en conseguirlo. Después, me jubilé. Y a los dos días de haber trabajado mi última jornada, murió mi mujer. Me levanté por la mañana y me la encontré fría. De esto hace hoy diecisiete años. Cumplí los ochenta y dos en agosto.

Stefan frunció el entrecejo. Le costaba creer que Björn Wigren ya hubiese alcanzado los ochenta años.

—No estoy mintiéndote —negó adivinándole el pensamiento—. Tengo ochenta y dos años y tan buena salud, que creo que podré cumplir los noventa y más aun. Aunque cualquiera sabe para qué ha de servir.

—Pues yo tengo cáncer —se sinceró Stefan—. Y no sé si pasaré de los cuarenta.

Las palabras surgieron de su garganta casi sin querer. Wigren alzó las cejas.

—No resulta muy común que una persona le cuente a otra que tiene cáncer, cuando no se conocen de nada.

—Sí, bueno, no sé por qué lo he dicho.

Björn Wigren le acercó la bandeja de los bollos.

—Pues lo habrás dicho porque necesitabas decirlo. Si quieres hablar de ello, estoy dispuesto a escucharte.

—Mejor no.

—Bien, pues en ese caso no lo haremos. Si quieres guardar silencio, a mí no me importa. Y si quieres hablar, también me va bien.

De pronto, Stefan cayó en la cuenta de cómo podría hacer que empezasen a hablar de Elsa Berggren.

—Si quisiera comprar una casa en esta zona, una como la de tu vecina, por ejemplo, ¿cuánto tendría que pagar por ella?

—¿Como la casa de Elsa? La vivienda está barata por aquí. Yo suelo leer las páginas de anuncios, no de los periódicos, sino de Internet. Pensé que sería lamentable no poder aprender a manejarlo, ¿sabes? Me lleva bastante tiempo, pero eso es lo que me sobra. Tengo una hija en Gävle que trabaja en la Administración. Un buen día, se vino con un ordenador y me enseñó. Últimamente, he empezado a chatear con un viejo de noventa y seis años que se llama Jim y vive en Canadá. Él también trabajaba en el bosque. En ese ordenador hay de todo. Ahora estamos formando un foro para viejos taladores, para que puedan hablar de sus cosas. ¿Cuáles son tus sitios favoritos en la Web?

—Pues es que yo no sé nada de eso. Ni siquiera tengo ordenador.

El hombre que tenía frente a sí lo miró con sincera preocupación.

—Pues deberías buscarte uno. Sobre todo si estás enfermo. Hay un montón de gente en el mundo que tiene cáncer. Lo he visto yo mismo. Una vez, introduje las palabras «cáncer de huesos», fíjate qué ocurrencia, y obtuve doscientos cincuenta mil resultados. —De pronto, se interrumpió—. Vaya, lo siento. Se supone que no debo hablar del cáncer. Ya me lo has advertido.

—No importa. Además, yo no tengo cáncer de huesos. Al menos, que yo sepa.

—No me di cuenta...

Stefan volvió a la pregunta sobre los precios de las casas.

—Entonces, ¿qué puede costar una casa como la de Elsa?

—Doscientas o trescientas mil. Dudo mucho que cueste más. Pero tampoco creo que Elsa tenga la menor intención de venderla.

—¿Vive sola?

—A mí me da la impresión de que nunca ha estado casada. A veces es un tanto huraña. Hubo un tiempo, después de la muerte de mi mujer, en que pensé que tal vez sería buena idea cortejar a Elsa. Pero ella no quiso saber nada.

—¿Cuántos años tiene?

—Setenta y tres, creo.

«O sea, más o menos de la misma edad que Herbert Molin», concluyó Stefan.

—¿Y siempre ha vivido aquí?

—Cuando nosotros construimos la casa, ella ya estaba aquí. Y eso fue a finales de los cincuenta, así que seguro que lleva viviendo en esa casa unos cuarenta años, como mínimo.

—¿En qué trabajaba?

—Ella decía que, antes de trasladarse aquí, era maestra. Pero yo no me lo creo.

—¿Y eso por qué?

—¿Quién se jubila antes de los treinta? Y ella no está enferma...

—Bueno, pero, de algo viviría, ¿no?

—Por lo visto, heredó bastante de sus padres. Y después se mudó aquí. Vamos, eso dice ella.

Stefan intentó reflexionar sobre lo que acababa de oír.

—Es decir, que no es natural de aquí, ¿no es eso?, sino que se trasladó aquí de algún otro lugar.

—Creo que de Escania. Eslöv, quizá, que estará más o menos donde termina Suecia, ¿no?

—Así es. Y entonces se trasladó aquí, pero ¿por qué? ¿Acaso tenía familia en la zona?

Björn Wigren lo miró divertido.

—¡Vaya! Hablas como un policía. Casi me dan ganas de creer que estás interrogándome.

—No, lo que sucede es que yo soy tan curioso como todo el mundo. Y me pregunto por qué alguien querría mudarse de Escania aquí, si no es para casarse o por que haya encontrado el trabajo de su vida —explicó Stefan, consciente de estar cometiendo una estupidez al no decir la verdad.

—Sí, a mí también me resultaba extraño. Y a mi mujer. Pero uno no va por ahí haciendo preguntas innecesarias. Elsa es amable y solícita. Y cuidaba de mis hijos cuando a mi mujer le hacía falta. Pero no tengo ni idea de por qué se vino a vivir aquí. Que yo sepa, no tiene parientes en los alrededores.

Björn Wigren calló de pronto. Stefan aguardaba, con la sospecha de que el hombre tenía intención de añadir algo más.

—Desde luego, es muy curioso —prosiguió rompiendo su silencio—. He sido vecino de Elsa durante cuarenta años. Una generación entera. Y no sé por qué compró una casa aquí, en Ulvkälla. Pero hay algo más extraño aún.

—¡Ajá! ¿Y qué es?

—Durante todos esos años, jamás puse un pie en su casa. Ni tampoco mi mujer ni los niños, cuando aún vivían con nosotros. En realidad, no conozco a nadie que haya entrado en su casa. Y yo creo que eso es bastante raro, ¿no?

Stefan asintió despacio. «Bien, está claro que hay algo en la vida de Elsa Berggren que recuerda a la de Herbert Molin», se dijo. «Ambos procedían de otro lugar y llevan vidas solitarias. La cuestión es si lo que yo creo que Herbert Molin pretendía, es decir, esconderse, también puede aplicarse a Elsa Berggren. Ella le hizo las gestiones de compra de la casa, pero ¿por qué? ¿En qué circunstancias se habían conocido? ¿Tendrían algo más en común?»

La siguiente pregunta venía dada por el comentario anterior.

—¿Nunca recibe visitas?

—Jamás.

—Pues eso no parece lógico.

—Ya, quizá no lo sea. Pero nosotros no vimos nunca a nadie entrar en su casa. Ni salir tampoco, claro.

Stefan resolvió que era el momento de concluir la conversación, de modo que miró el reloj, antes de excusarse:

—Lo siento, pero tengo que irme. Gracias por el café.

Los dos hombres se pusieron de pie y salieron de la cocina. Stefan señaló el alce que había en la pared de la sala de estar.

—Sí, lo maté cuando pertenecía a una peña de caza, por la zona de Lillhärdal.

—¿Era grande?

Björn Wigren rompió a reír.

—El más grande de cuantos he matado. De no ser así, no lo habría puesto en la pared. Pero cuando yo muera, irá a parar a la basura: ninguno de mis hijos quiere conservarlo.

Björn Wigren lo acompañó hasta la calle.

—Puede que nieve esta noche —pronosticó tras haber echado una ojeada al cielo. Después, miró a Stefan—. No sé por qué me has hecho todas esas preguntas sobre Elsa. Y no creas, no diré nada. Pero a lo mejor un día vuelves a pasar por aquí y me lo cuentas.

Stefan asintió. Había tenido razón al no subestimar a Björn Wigren.

—Y suerte con el cáncer —le deseó para despedirse—. Quiero decir que deseo que te cures.

Stefan volvió por el mismo camino por donde había llegado. Aún no se veía ningún coche en el jardín de Elsa Berggren. El garaje permanecía vacío. Echó un vistazo a las ventanas. Las cortinas permanecían inmóviles. Cuando llegó al puente, volvió a detenerse a observar el agua. El terror que le causaba su enfermedad aparecía y desaparecía, como en oleadas. Ya no podía rehuir la realidad que lo aguardaba. Aquella tarea en la que estaba empleándose, aquel vagar por las inmediaciones del asesinato de Herbert Molin, era una terapia de efecto limitado.

Siguió avanzando hacia el centro, donde caminó hasta dar con la biblioteca, que estaba en la casa de los ciudadanos.* En el vestíbulo, un oso disecado clavaba en él su mirada. Le entraron unas ganas repentinas de lanzarse sobre el animal y me-

---

* Edificio público construido a cargo de una ciudad para su representación y para la celebración de eventos de carácter social, cultural y similares. Suele incluir una serie de servicios públicos que las autoridades municipales ponen a disposición de los ciudadanos. *(N. de la T.)*

dir con él sus fuerzas. La sola idea lo hizo soltar una carcajada. Un hombre que pasaba con unos documentos en la mano lo miró con curiosidad.

Stefan entró y se dirigió a la sección de medicina pero, ya sentado ante el libro elegido, uno que contenía información sobre distintos tipos de cáncer, no se sintió capaz de abrirlo. «Es demasiado pronto», se dijo. «Otro día aún. Pero ni uno más. Después, tendré que enfrentarme a la situación en lugar de eludirla refugiándome en estas pesquisas absurdas sobre lo que le sucedió a Herbert Molin.»

Cuando salió del edificio, volvió a sentirse indeciso. Enfurecido consigo mismo, emprendió el camino de regreso al hotel pero decidió detenerse un momento para entrar en el Systembolaget, pues no había recibido contraindicaciones al respecto por parte de la doctora de Borås. Beber alcohol no debía de ser lo más adecuado, pero en aquellos momentos, lo traía sin cuidado. Así, compró dos botellas de vino italiano, como de costumbre. Acababa de salir de nuevo a la calle cuando sonó el teléfono. Respondió, tras haber dejado la bolsa en el suelo. Era Elena.

—Me preguntaba por qué no llamas...

Stefan sintió un repentino cargo de conciencia pues, por el tono de su voz, notó que la mujer estaba triste y se sentía herida.

—No me encuentro bien —se excusó.

—¿Sigues en Sveg?

—¿Dónde iba a estar si no?

—¿Puede saberse qué has ido a hacer allí, en realidad?

—No lo sé. Tal vez esté esperando para poder asistir al entierro de Herbert Molin.

—¿Quieres que vaya? Puedo tomarme unos días libres.

Stefan estuvo a punto de responder que sí. Y, ciertamente, sí, quería que ella se presentase allí.

—No —rechazó en cambio—. Creo que es mejor para mí que esté solo.

Ella no insistió. La conversación prosiguió un instante, insulsa. Después, él se preguntaría por qué no le había dicho la verdad. ¿Por qué no le decía que la echaba de menos y que estar solo no le sentaba, en el fondo, nada bien? Cada vez se comprendía menos a sí mismo. Y todo por culpa de aquel maldito bulto que le había salido en la lengua.

Tomó su bolsa y se fue al hotel. La joven estaba fuera de la recepción, regando las plantas.

—¿Está todo en orden? ¿Necesitas algo? —inquirió solícita.

—No, gracias —repuso él.

La muchacha fue a buscar su llave para dársela, siempre con la regadera en la mano.

—Fíjate que ya empieza a estar todo gris —se lamentó—. Y no es más que octubre. Aún nos queda lo peor, todo el maldito y largo invierno.

Dicho esto, volvió a las plantas en tanto que Stefan se dirigía a su habitación. La maleta seguía tal y como él la había dejado. Dejó la bolsa con las botellas sobre la mesa. Pasaban unos minutos de las tres. «Es demasiado pronto», se dijo. «No puedo sentarme a beber vino tan temprano.»

Se quedó inmóvil mirando por la ventana, hasta que tomó una rápida decisión. Le daría tiempo de ir al lugar próximo al lago donde había hallado los restos de la tienda. Pero iría a la otra orilla, a los senderos de que le había hablado Giuseppe. No esperaba encontrar nada pero, al menos, mataría el tiempo.

Más de una hora le llevó dar con uno de aquellos senderos. En el mapa pudo comprobar que el lago se llamaba Stångvattnet. Era de forma estrecha y alargada y se ensanchaba justo allí donde el sendero tenía su cambio de sentido, muy cerca de la orilla. Cuando salió del coche y bajó hasta la orilla, ya había empezado a oscurecer. Permaneció estático y atento a cualquier sonido, pero lo único que se oía era el rumor de los árboles. Se esforzó por recordar si, en el material de la investigación al que había tenido acceso en Östersund, había leído algo acerca del tiempo que hizo durante el día en que Herbert Molin había sido asesinado, pero llegó a la conclusión de que nada se mencionaba allí al respecto. En su opinión, aunque hubiese soplado un fuerte viento, el estrépito de los disparos debió de propagarse hasta el extremo donde él se encontraba en aquel momento.

Sin embargo, ¿por qué pensaba que iba a haber alguien allí el día del asesinato?

No tenía motivo alguno para creer que hubiese sido así.

Permaneció junto a la orilla hasta que hubo anochecido. Las ráfagas de viento peinaron la superficie del agua durante unos minutos. Después, la calma reinó de nuevo. Se le ocurrió que, en realidad, jamás había estado solo en un bosque hasta aquel día. Excepción hecha de aquella ocasión en que Molin y él habían perseguido al asesino fugado a las afueras de Borås, cuando él descubrió el miedo del colega.

«¿Por qué se mudaría Herbert Molin a este lugar?», se preguntó nuevamente. «¿Acaso buscaba un refugio, una guarida en la que cobijarse y esconderse? ¿O era otra la razón?»

Pensó en lo que Björn Wigren le había contado sobre el hecho de que Elsa Berggren jamás recibía visitas. Sin embargo, aquello no implicaba que ella no hubiese ido a visitar a Herbert Molin.

Cayó en la cuenta de que, de haber sido más perspicaz, le habría hecho a Wigren un par de preguntas muy importantes.

¿Solía salir por las noches Elsa Berggren? ¿Le gustaba bailar?

Dos preguntas muy sencillas que podrían haberle proporcionado no pocas respuestas.

Se le ocurrió que, en efecto, había sido Molin quien, hacía

ya tiempo, le había enseñado aquella sencilla verdad policial. Si uno formulaba la pregunta correcta en el momento oportuno, obtendría muchas respuestas de un solo golpe.

De improviso, oyó un crujido a su espalda que lo sobresaltó; pero enseguida se hizo de nuevo el silencio. «Una rama que se ha quebrado», se tranquilizó. «O un animal.»

Después, de pronto, se sintió hastiado de tanto pensar en Herbert Molin y Elsa Berggren. Era absurdo. A partir del día siguiente, concentraría sus fuerzas en procurar comprender qué le estaba ocurriendo a él. Y se marcharía de Härjedalen. En verdad, no tenía nada que hacer allí. La responsabilidad de penetrar la maraña y de dar con un móvil y un asesino recaía sobre Giuseppe Larsson. Él, por su parte, invertiría sus energías en prepararse para la radioterapia.

Todavía se demoró unos minutos en la oscuridad. Los árboles se alzaban a su alrededor como soldados defensores; el agua, como un foso. Por un instante, se sintió invulnerable.

Tras el regreso a Sveg, estuvo descansando en su habitación durante una hora, se tomó un par de copas de vino y no bajó al comedor hasta las siete. No había ni rastro de los pilotos de pruebas. La chica de la recepción vestía nuevamente el uniforme de camarera. «Esta joven representa todos los papeles», concluyó. «¿Será el único medio de que el hotel sea rentable?»

Se sentó a la misma mesa que las noches anteriores. Cuando leyó la carta, descubrió decepcionado que habían modificado el menú. Cerró los ojos y dejó que el dedo índice recayese sobre la escueta columna de primeros platos. El resultado de la elección fue el mismo filete de alce que en ocasiones anteriores. Acababa de empezar a comer, cuando oyó el ruido de alguien que, a sus espaldas, entraba en el comedor. Giró la cabeza y vio que se trataba de una mujer que se dirigía a su mesa. Ella se detuvo y se quedó observándolo. Stefan pensó que era una mujer muy hermosa.

—No es mi intención molestar —se disculpó—. Pero un policía de Östersund me dijo que un antiguo colega de mi padre estaba aquí de visita.

Al principio, Stefan quedó desconcertado, pero comprendió enseguida el significado de lo que acababa de oír.

La mujer que tenía delante era la hija de Herbert Molin.

9

Más tarde, Stefan pensaría en Veronica Molin como una de las mujeres más hermosas que había conocido jamás. Antes de que ella hubiese tomado asiento y aun antes de que él se hubiese presentado, ya la había desnudado con la mirada. Por otro lado, volvió mentalmente al material de investigación que había hojeado, hasta llegar a la página donde se decía que, en el año 1955, Herbert Molin había tenido una hija bautizada con el nombre de Veronica. La mujer que tenía ante sí y que despedía un discreto y elegante perfume tenía, pues, cuarenta y cuatro años, es decir, siete más que él mismo. Pero, de no haberlo sabido, él habría pensado que eran de la misma edad.

Stefan se presentó, le tendió la mano y le manifestó sus condolencias.

La voz de la mujer era sorprendentemente inexpresiva y poco acorde con su belleza.

«Se parece a alguien», se dijo. «Alguna de esas mujeres que siempre aparecen en las revistas y la televisión.» Pero no logró recordar quién era.

La invitó a sentarse cuando la chica de la recepción apareció junto a su mesa.

—Bueno, parece que esta vez te librarás de comer solo —le comentó.

Stefan estuvo a punto de pedirle que se fuera al infierno, pero consiguió controlar el estallido de furia.

—Si prefieres comer solo, por mí no hay problema —aseguró Veronica Molin.

Él se dio cuenta de que llevaba una alianza y, por un instante, se sintió abatido, pero fue una reacción carente de lógica que pasó enseguida.

—En absoluto —se apresuró a contestar.

Ella alzó las cejas expectante.

—En absoluto, ¿qué?

—Que no quiero comer solo.

La mujer tomó asiento, ojeó la carta y la dejó de nuevo sobre la mesa.

—¿Podrías traerme una ensalada? —pidió—. Y una tortilla, si puede ser. Eso es todo.

—Por supuesto —aseguró la chica de la recepción.

A Stefan se le ocurrió que tal vez fuese también ella quien cocinase.

Veronica Molin pidió agua mineral mientras Stefan aún rebuscaba en su memoria a la persona a la que se parecía.

—Ha sido un malentendido —explicó ella—. Creí que debía entrevistarme con los policías aquí en Sveg. Pero resulta que me esperan en Östersund, así que viajaré hasta allí mañana.

—¿De dónde has venido?

—De Colonia. Allí estaba cuando recibí la noticia.

—O sea, que vives en Alemania, ¿no es eso?

Ella negó con un gesto.

—En Barcelona. O en Boston. Depende. Pero estaba en Colonia. Fue curioso y aterrador al mismo tiempo. Acababa de entrar en la habitación del hotel, Dom Hotel, creo que se llama, junto a la gran catedral. Las campanas empezaron a tañer al tiempo que sonó el teléfono; y la voz lejana de un hombre me comunicó que mi padre había sido asesinado. Después, me preguntó si quería hablar con un sacerdote. Esta mañana, tomé un vuelo a Estocolmo, desde donde emprendí el viaje hasta aquí. Pero ahora me entero de que debería haber ido a Östersund.

Guardó silencio al ver que le traían el agua mineral. En la barra del bar, alguien lanzó una risotada, chillona y estentórea. A Stefan le dio la impresión de que intentaban imitar a un perro.

Entonces, cayó en la cuenta de a quién se parecía la mujer: a una de las actrices de aquellas series interminables de la televisión. Pero, por más que lo intentó, no consiguió recordar su nombre.

Veronica Molin presentaba un aspecto grave y tenso. Stefan se preguntó fugazmente cómo habría reaccionado él si le hubiesen comunicado por teléfono el asesinato de su padre mientras se encontraba en un hotel de cualquier ciudad del mundo.

—Lo único que puedo decir es que lo siento —comentó—. Un auténtico sinsentido, este asesinato.

—¿No son absurdos todos los asesinatos?

—Por supuesto. Pero suelen tener un móvil que, pese a todo, uno puede comprender.

Ella asintió.

—Nadie puede haber tenido motivo alguno para matar a mi padre. No tenía enemigos y no era un hombre rico.

«Pero tenía miedo», objetó mentalmente Stefan. «Y ese miedo bien pudo ser el origen de lo sucedido.»

En aquel momento, le sirvieron la cena. Stefan experimentaba una vaga sensación de inferioridad ante la mujer que tenía delante. En efecto, ella hacía gala de una seguridad de la que él carecía.

—Según me dijeron, mi padre y tú trabajasteis juntos un tiempo. ¿Tú también eres policía?

—Así es, en Borås. Llegué allí como policía recién salido de la academia. Tu padre me ayudó a orientarme y, cuando se jubiló, dejó un gran vacío.

«Estoy dando la impresión de que éramos amigos, pero no es cierto. Jamás fuimos amigos, sólo colegas», se recriminó.

—Como comprenderás, me extrañó que se mudase aquí, a Härjedalen —reveló tras un instante.

Ella vio enseguida sus intenciones.

—Dudo mucho que él le contase nunca a nadie adónde pensaba mudarse —dijo.

—Bueno, quizá no recuerdo bien si me lo dijo o no. Pero no deja de despertar mi curiosidad. ¿Por qué lo hizo?

—Quería que lo dejaran en paz. Mi padre era una persona solitaria. Igual que yo.

«¡Ajá! ¿Y qué puede decir uno después de semejante declaración?», se preguntó Stefan. «Eso no ha sido sólo una respuesta, sino el punto final a la conversación. ¿Por qué se ha sentado a mi mesa, si no desea hablar conmigo?»

Notó que empezaba a indignarse.

—Yo no tengo nada que ver con la investigación del asesinato —aseguró—. Vine hasta aquí porque estaba de vacaciones.

Ella dejó el tenedor y lo miró fijamente.

—¿Para qué?

—Quizá para asistir al entierro, si es que se celebra aquí, cuando los forenses terminen con el cuerpo.

Él se dio cuenta de que la mujer no lo creía, lo que incrementó su enojo.

—¿Solías tener contacto con él?

—Apenas. Soy asesora de una empresa de informática que opera en todo el mundo. Estoy de viaje de forma casi permanente. De vez en cuando, le enviaba una postal; y lo llamaba por Navidad. Pero poco más.

—¡Vaya! No parece que tuvieseis muy buena relación.

Había pronunciado aquellas palabras mirándola fijamente a los ojos. Si bien seguía pareciéndole muy hermosa, irradiaba una frialdad y un rechazo inusuales.

—La relación que pudiéramos tener mi padre y yo no es, en modo alguno, asunto de nadie más. Él quería vivir tranquilo. Y yo lo respetaba. Al igual que él respetaba que yo fuese de la misma condición.

—Ya. Creo que tienes un hermano, ¿no?

Su respuesta fue resuelta y sincera.

—Mi hermano y yo evitamos hablar el uno con el otro a menos que sea absolutamente necesario. La mejor forma de describir nuestra relación es decir que nos hallamos en el límite de una franca enemistad. Los motivos son sólo de nuestra incumbencia. Me puse en contacto con una funeraria que se encargará de todo. El entierro de mi padre se celebrará aquí, en Sveg.

Ahí concluyó la conversación.

Stefan se pasó la lengua por los dientes. El bulto permanecía allí.

Después de la cena, tomaron café. Ella le preguntó si le molestaba que fumase y, ante su negativa, encendió un cigarrillo y dio varias caladas echando el humo hacia el techo. Después, de pronto, le preguntó mirándolo a los ojos:

—De verdad, ¿por qué viniste aquí?

Stefan le respondió con una parte de la verdad.

—Estoy de baja. No tenía otra cosa que hacer.

—El policía de Östersund me dijo que te habías involucrado en la investigación.

—Bueno, es natural que uno se implique cuando un colega resulta asesinado. Pero mi visita aquí no tiene ningún significado profesional. He estado hablando con algunas personas; eso es todo.

—¿Quiénes?

—Sobre todo, con el policía con el que te entrevistarás mañana en Östersund, Giuseppe Larsson. Y también con Abraham Andersson.

—¿Y quién es?

—El vecino más próximo de Herbert. Aunque vive bastante lejos.

—¿Y te contó algo interesante?

—No, pero si alguien hubiese visto algo, nadie mejor que él. Tú misma puedes hablar con él, si quieres.

La mujer apagó el cigarrillo y aplastó la colilla como si de un insecto se hubiese tratado.

—Tu padre cambió de nombre hace tiempo —prosiguió Stefan—. De Mattson-Herzén a Molin. Eso sucedió unos años antes de que tú nacieses. Y, más o menos al mismo tiempo, presentó su dimisión del cargo militar que ocupaba y se trasladó a Estocolmo. Cuando tú cumpliste los dos años, volvió a trasladarse a Alingsås. Es imposible que tú recuerdes nada de lo ocurrido en Estocolmo. Una niña de dos años no puede conservar recuerdos conscientes, pero hay algo que me extraña mucho: ¿a qué se dedicó el tiempo que estuvo allí?

—Tenía una tienda de música. —Ella vio que Stefan quedaba estupefacto—. Y estás en lo cierto, no recuerdo nada de aquello. Pero lo supe después. Había intentado regentar una tienda y abrió una en Solna. Los primeros años, el negocio marchó bien. Después, abrió otra en Sollentuna. Entonces, no tardó en irse todo al traste. Mis primeros recuerdos son de la vida en Alingsås. Vivíamos a las afueras, en una casa vieja donde jamás funcionaba la calefacción en invierno.

La mujer hizo una pausa que aprovechó para encender otro cigarrillo.

—Y yo me pregunto, claro está, por qué quieres saber todo esto.

—Verás, tu padre ha muerto asesinado. Todas las preguntas son importantes.

—¿Acaso iban a haberlo matado por haber sido propietario de una tienda de música hace muchos años?

Stefan no respondió, sino que pasó a formular la siguiente pregunta:

—¿Por qué razón se cambió el apellido?

—No lo sé.

—¿Por qué se cambia uno el apellido, de Herzén a Molin?

—Te digo que no lo sé.

De repente, Stefan tuvo la sensación de que debía andarse con cuidado. Ignoraba de dónde procedía aquella intuición, pero allí estaba. Él hacía preguntas y ella las contestaba. Pero, al mismo tiempo, se producía otro fenómeno: Veronica Molin se informaba de todo lo que él sabía acerca de su padre.

Él tomó la cafetera y le preguntó si quería más café, pero ella lo rechazó.

—Cuando trabajábamos juntos, experimenté la sensación de que tu padre estaba nervioso. De que tenía miedo. Nunca supe por qué. Pero recuerdo aquel temor, pese a que hace ya más de diez años que nos separamos.

Ella arrugó la frente con un gesto inquisitivo.

—¿Y de qué había de tener miedo?

—No sé. En realidad, era una pregunta.

Ella negó con la cabeza.

—Mi padre no era una persona temerosa. Al contrario, era un valiente.

—¿En qué sentido?

—Jamás se asustaba por tener que intervenir. O por disentir.

En aquel momento, sonó el teléfono móvil. Ella se disculpó antes de atender la llamada. La conversación se desarrolló en una lengua extranjera. Stefan dudaba de si era español o francés. Una vez concluida, la mujer llamó a la chica de la recepción y le pidió la cuenta.

—¿Has ido a ver la casa? —quiso saber Stefan.

Ella lo miró largo rato, antes de responder:

—Yo tengo un buen recuerdo de mi padre. Nunca mantuvimos una relación muy íntima, pero he vivido lo suficiente como para saber qué tipo de relación pueden tener los niños con sus padres. Y no tengo el menor interés en destruir esa imagen positiva visitando el lugar en que fue asesinado.

Stefan la comprendió. O, al menos, eso creía.

—Se ve que a tu padre le gustaba mucho bailar —comentó.

—¿Cómo que le gustaba bailar?

Su sorpresa parecía sincera.

—No sé, alguien me lo dijo —repuso Stefan evasivo.

La chica de la recepción acudió a la mesa con dos notas. Stefan intentó pagar las dos, pero ella se empeñó en tomar la suya.

—Prefiero pagar lo mío.

La chica fue a buscar el cambio.

—¿Qué hace exactamente una asesora informática?

Ella sonrió sin responder.

Ya en la recepción, se despidieron. La habitación de ella estaba en la planta baja.

—¿Cómo piensas ir a Östersund? —preguntó Stefan.

—Sveg no es muy grande, pero aun así pude alquilar un coche. Gracias por la compañía.

Se quedó observándola mientras se marchaba. Su ropa y su calzado parecían caros y exclusivos.

La conversación con Veronica Molin le había restituido parte de la energía perdida. La cuestión era qué debía hacer con esa energía. Pensó divertido que la vida nocturna de Sveg sería, sin duda, inexistente.

De modo que decidió dar un paseo. Lo que le había revelado Björn Wigren lo había puesto a cavilar. Entre Elsa Berggren y Herbert Molin existía una relación acerca de la que él deseaba saber más.

La cortina había empezado a descorrerse. Estaba seguro de ello.

Fue a buscar su cazadora antes de abandonar el hotel.

Hacía más frío que la noche anterior.

Siguió el mismo camino que durante el día. Se detuvo sobre el puente para escuchar cómo discurría el agua bajo sus pies. Se topó con un hombre que había salido a pasear al perro. Fue como encontrarse con una embarcación con las linternas apagadas en un mar de oscuridad. Una vez ante la casa, se detuvo en un lugar protegido por la sombra, fuera del haz de luz de la farola. Ahora sí había un coche aparcado en el jardín, pero estaba demasiado oscuro para distinguir la marca. En la planta superior se veía luz tras una cortina echada. Permaneció inmóvil, sin saber muy bien qué esperaba. Pero allí se quedó.

El hombre que se le acercaba por detrás avanzaba con movimientos silenciosos.

Había estado largo rato observando a Stefan, hasta decidir que ya había visto bastante. Se le aproximó por detrás, en diagonal, siempre fuera del haz de luz de la farola. Cuando la sombra estuvo a escasos metros de él, Stefan reaccionó sobresaltado.

Erik Johansson no sabía quién era el hombre que tenía delante. Él, por su parte, tenía algo más de cincuenta años pero estaba en buena forma física. Con las manos a los lados y sin dejar de observar al extraño, inquirió:

—Hola. Estaba preguntándome qué haces aquí.

Stefan se asustó. El hombre se había movido tan en silencio que él no había oído el menor ruido.

—¿Y quién pregunta?

—Erik Johansson. Soy policía. Y quiero saber qué haces aquí.

—Estoy mirando una casa —repuso Stefan—. Me encuentro en un lugar público, estoy sobrio, no estoy alborotando, ni siquiera estoy meando. ¿Acaso está prohibido detenerse a admirar una casa si es bonita?

—En absoluto. Pero resulta que la mujer que la habita se ha puesto un tanto nerviosa y ha llamado. Y cuando la gente se pone nerviosa aquí, me llaman a mí. Pensé que podría averiguar quién eres, simplemente. Las gentes de por aquí no están acostumbradas a que nadie se pare en la calle a mirar hacia sus casas. Al menos, no por la noche.

Stefan sacó su cartera y le mostró su placa. Se había desplazado unos metros, de modo que ahora estaba bajo la luz de la farola. Erik Johansson asintió.

—Así que eres tú —declaró, como si conociese a Stefan y acabase de caer en la cuenta de quién era.

—Stefan Lindman.

Erik Johansson se rascó la frente. Stefan vio que, bajo el chaquetón, no llevaba más que una camiseta bastante fina.

—Bueno, pues no parece sino que los dos seamos policías. Giuseppe mencionó que estabas aquí. Pero ¿cómo iba yo a saber que eras tú quien husmeaba en los alrededores de la casa de Elsa?

—Fue Elsa quien compró la casa de Molin, en su nombre —aclaró Stefan—. Pero supongo que tú ya lo sabías.

—Pues no, no tenía ni idea.

—Nos enteramos a través de un agente inmobiliario de Krokom al que visité. Creí que Giuseppe te lo habría contado.

—Lo único que me dijo fue que estabas aquí de visita y que habías trabajado con Herbert Molin. Desde luego, no me ha contado que ibas a venir a vigilar a Elsa.

—No estoy vigilando a nadie —opuso Stefan—. Estaba dando un paseo. No sé por qué me detuve justo aquí.

Enseguida comprendió lo absurdo de su excusa, pues llevaba ya bastante rato observando desde el mismo lugar.

—Será mejor que nos vayamos de aquí. De lo contrario, Elsa empezará a preguntarse qué ocurre —advirtió Erik Johansson.

Erik Johansson tenía el coche aparcado en una perpendicular. No era un coche azul y blanco, como los de la policía, sino un Toyota con rejilla para perros entre los asientos y el maletero.

—Entonces, saliste a dar un paseo y fuiste a parar por casualidad a la casa de Elsa, ¿no es eso?

—Pues sí.

Erik Johansson parecía preocupado. Antes de proseguir, reflexionó un instante.

—Lo mejor será, creo yo, que no le digamos nada a Giuseppe —resolvió—. Tengo el presentimiento de que se pondría nervioso. No creo que a los de Östersund les haga mucha ilusión que te dediques a vigilar a la gente.

—No estoy vigilando a nadie.

—No, ya, eso dices tú. Pero es algo extraño que te hayas detenido a observar la casa de Elsa. Por más que fuese ella quien compró la casa para Herbert Molin.

—¿La conoces?

—Vive aquí desde siempre. Amable y solícita. Le gustan los niños.

—¿Cómo que le gustan los niños?

—Tiene una escuela de baile en la casa de los ciudadanos. O al menos, la tenía. Los niños iban allí a dar clases de baile. Pero no sé si sigue con ello.

Stefan asintió, pero no hizo más preguntas.

—¿Te alojas en el hotel? Si quieres, te llevo en el coche.

—No, prefiero ir paseando —aseguró Stefan—. Pero gracias de todos modos. Por cierto, no he visto ninguna comisaría de policía en Sveg.

—Tenemos las oficinas en la casa de los ciudadanos.

Stefan reflexionó un instante.

—¿Podría haceros una visita mañana? Sólo para ver las oficinas y charlar un rato.

—Claro, no hay ningún problema.

Erik Johansson abrió la puerta del coche.

—Creo que llamaré a Elsa cuanto antes para decirle que todo está en orden.

Se sentó en el coche, se despidió y cerró la puerta. Stefan aguardó hasta que el coche hubo desaparecido. Después, se marchó de allí.

Por cuarta vez aquel día, se detuvo sobre el puente. «La conexión», se dijo. «No se trata sólo de que Herbert Molin y Elsa Berggren se conociesen. Había algo más. Pero ¿qué?»

Comenzó a caminar despacio, como para dar tiempo a los pensamientos a encadenarse unos a otros. Herbert Molin había designado a Elsa Berggren para que eligiese una casa para él. Es decir, que se conocían de antes. ¿Tal vez Molin se había trasladado a Härjedalen para estar cerca de ella?

Había llegado al estribo del puente cuando se detuvo de nuevo. Otra idea había asaltado su mente. Debería haber caído en la cuenta con anterioridad. Elsa Berggren había descubierto su presencia en la calle, ante su casa, pese a que él se había mantenido fuera de la luz de la farola. Y aquello sólo podía tener una explicación: que ella misma vigilaba la calle; que tal vez esperase o temiese que alguien apareciera por allí.

Estaba convencido de ello. Era imposible que la mujer lo hubiese avistado por casualidad.

Reemprendió el camino, más aprisa ahora. Pensaba que tampoco el interés común por la danza que parecía haber unido a Elsa Berggren y a Herbert Molin podía ser fortuito.

Cuando llegó al hotel, la recepción estaba cerrada. Subió la escalera preguntándose si Veronica Molin estaría dormida. Si es que seguía llamándose Molin.

Cerró la puerta con llave y encendió la luz. En el suelo, halló un mensaje de una llamada telefónica que habían pasado por debajo de la puerta. Tomó el papel y lo leyó:

«Llama a Giuseppe Larsson de Östersund. Es urgente».

10

Fue el propio Giuseppe quien respondió.

—No encontraba tu número de móvil —explicó—. Debí de dejármelo en el despacho. Por eso te llamé al hotel. Pero me dijeron que habías salido.

Stefan se preguntó si Erik Johansson no lo habría llamado, pese a todo, para contarle su encuentro.

—Sí, fui a dar un paseo. No hay mucho más que hacer por aquí.

Giuseppe se rió de buena gana al teléfono.

—Bueno, si no me equivoco, en la casa de los ciudadanos dan alguna que otra película, ¿no?

—Ya, pero yo necesito moverme, no pasar el rato sentado en una sala de cine.

Stefan oyó a Giuseppe hablar con alguien antes de que el volumen del televisor descendiese sensiblemente.

—Pues yo pensé que podía procurarte algo de entretenimiento con las noticias que hemos recibido hoy de Umeå. Un documento, firmado por el doctor Hollander. La verdad, cabe preguntarse cómo es que no mencionó una palabra de esto en el informe preliminar que nos envió. Pero los forenses siguen sus propios derroteros. ¿Tienes tiempo para escuchar?

—Tengo todo el tiempo del mundo.

—Pues aquí dice que ha encontrado tres orificios de bala antiguos.

—¿Qué quiere decir eso exactamente?

—Simple y llanamente, que Herbert Molin recibió disparos de bala en alguna ocasión a lo largo de su vida. ¿Tú sabes algo de eso?

—No.

—No es un disparo, sino tres. Y el doctor Hollander se permite desviarse del protocolo estricto y añade que, en su opinión, Molin tuvo una suerte extraordinaria al no morir. Te aseguro que utilizó ese término, «extraordinaria». Dos de los proyectiles le alcanzaron el pecho, justo bajo el corazón; el tercero le dio en el brazo izquierdo. De la formación de las cicatrices y otros criterios que yo no acabo de entender se deduce, según Hollander, que Molin recibió esos disparos en su juventud. No puede determinar si se produjeron todos en la misma ocasión, pero es lo más verosímil.

Giuseppe empezó a estornudar de repente. Stefan aguardó.

—El vino tinto me sienta mal —aclaró a modo de excusa—. Pero esta noche no pude resistir la tentación. Y las debilidades se pagan.

—En el material de la investigación no se decía nada de heridas de bala, ¿no es cierto?

—No, nada. Pero llamé a Borås y hablé con un hombre muy amable que no hacía más que reír.

—El intendente Olausson.

—El mismo. No le dije que estabas aquí, sólo le pregunté si tenía noticia de que Herbert Molin hubiese sufrido heridas de bala en alguna ocasión. Me aseguró que no. Por lo tanto, hay como mínimo una conclusión que resulta muy sencillo extraer.

—Que esos disparos los recibió antes de hacerse policía.

—Puede que mucho antes. Aún no era empleado del Gobierno Civil. Cuando la delegación del Gobierno Civil desapareció, la policía se hizo cargo de sus archivos y sus cometidos. Y esos datos debían de seguir existiendo cuando el ente policial se estatalizó y Herbert Molin pasó a ser servidor de Su Majestad.

—Es decir, que ocurrió cuando aún era militar.

—Sí, eso es lo que yo me figuro. Pero nos llevará bastante tiempo acceder a los archivos militares. Por otro lado, deberíamos ir preparando la pregunta de qué pudo ocurrir, si resulta que tampoco recibió las heridas durante sus años en el ejército.

Giuseppe guardó silencio.

—¿En qué cambiaría eso la imagen que ahora tenemos? —inquirió Stefan.

—Todo cambiaría. O, mejor dicho, no tenemos ninguna imagen de la situación. No creo que lleguemos a atrapar al autor del crimen. La experiencia que tengo me dice que será una investigación larga, y que vamos a tener que escarbar muy hondo. Y a ti, ¿qué te dice tu experiencia?

—Que puede que tengas razón.

Giuseppe comenzó a estornudar de nuevo. Stefan esperaba paciente.

—Pensé que te interesaría saberlo —explicó Giuseppe de nuevo al teléfono—. Por cierto que mañana tengo una cita con la hija de Molin.

—Sí, se aloja en este hotel.

—Ya, yo imaginaba que llegaríais a conoceros ahí. ¿Qué tal es?

—Bastante reservada. Pero es muy hermosa.

—Bien, en ese caso, tengo algo agradable a la vista. ¿Has hablado con ella?

—Cenamos juntos. Y me reveló un dato que yo, al menos, desconocía acerca de los años oscuros de mediados de los cincuenta. Según ella, Herbert Molin fue propietario de dos tiendas de música en la región de Estocolmo, pero quebró y se vio obligado a cerrar.

—Supongo que no tiene motivo alguno para mentir al respecto.

—Claro que no. Pero, en fin, tú vas a verla mañana.

—Pues le preguntaré sobre las heridas de bala; eso es seguro. ¿Has decidido ya hasta cuándo te quedarás?

—Quizá me quede mañana también. Pero después me marcho. De todos modos, te llamaré.

—Eso espero.

Concluida la conversación, Stefan se dejó caer pesadamente sobre la cama. Notó que estaba cansado. Sin siquiera quitarse los zapatos, se tumbó y se quedó dormido enseguida.

Se despertó sobresaltado y miró el reloj. Las cinco menos cuarto. Había tenido un sueño en el que alguien lo perseguía. Después, se vio rodeado por una jauría de perros que mordían sus ropas y le arrancaban a mordiscos grandes porciones del cuerpo. También su padre aparecía en el sueño, en algún lugar. Y Elena. Fue al cuarto de baño y se refrescó la cara. La ensoñación no le parecía difícil de interpretar. «La enfermedad que padezco, las células que se multiplican de forma incontrolada son como una jauría de perros salvajes que se agitan en mi interior.» Se quitó la ropa y se acurrucó entre las sábanas, pero no logró volver a conciliar el sueño.

Era siempre a aquellas horas de la madrugada, antes del amanecer, cuando se sentía más desprotegido. Pensaba que tenía treinta y siete años y que era un policía que intentaba llevar una vida decente. Nada extraordinario, una vida que no se saliese de lo normal. Pero ¿qué era, en el fondo, lo normal? Ya empezaba a tener una edad respetable y ni siquiera tenía hijos. Y ahora se veía obligado a luchar contra una enfermedad que tal vez resultase más fuerte que él. Y, en ese caso, su existencia no llegaría a ser normal siquiera. Aquella enfermedad era una prueba sin valor.

Cuando dieron las seis, se levantó de la cama. El desayuno no empezaría a servirse hasta media hora después. Sacó una muda de ropa de la maleta y pensó que debería afeitarse, pero no lo hizo. A las seis y media, ya había bajado a la recepción. Las puertas del comedor estaban entreabiertas. Cuando echó un vistazo al interior, descubrió con sorpresa que la joven que trajinaba entre la recepción y el servicio del comedor se enjugaba los ojos con una servilleta sentada en una silla. Retrocedió enseguida y, cuando volvió a mirar, se convenció de la evidencia: la muchacha había estado llorando. Regresó con gran sigilo hasta la mitad de la escalera que conducía al comedor y aguardó un instante. Las puertas se abrieron y dieron paso a la joven, que ahora sonreía.

—¡Vaya! ¡Qué madrugador! —comentó.

Ya en el comedor y mientras desayunaba, se preguntó por qué habría estado llorando la chica. Sin embargo, resolvió que no era asunto suyo; cada uno llevaba su cruz, se decía, sus jaurías que combatir.

Al concluir el desayuno había adoptado una decisión. Volvería a visitar la casa de Herbert Molin, aunque no porque creyese que iba a encontrar alguna pista nueva, sino para revisar una vez más y mentalmente cuanto hasta ahora sabía. O ignoraba. Después, lo dejaría todo. No permanecería en Sveg aguardando un entierro al que, en realidad, no deseaba acudir. En aquellos momentos, ciertamente, no le apetecía asistir a ningún entierro. Regresaría, pues, a Borås, y volvería a hacer su maleta con la esperanza de poder hallar un billete barato para Mallorca.

«Necesito un plan», decidió mientras comía. «Sin un plan, seré incapaz de mantener el tipo ante lo que me espera.»

A las siete y cuarto, abandonó el hotel. Veronica Molin no se había presentado a desayunar. La chica de la recepción no le sonrió como solía cuando le dejó la llave. «Ha debido de ocurrirle algo», consideró. «Pero no creo que le hayan anunciado que padece cáncer.»

A través del silencio otoñal, puso rumbo al oeste. De vez en cuando, una nube salpicaba las ventanillas del coche. Sin prestar demasiada atención, iba escuchando las noticias de la radio. La bolsa de Nueva York había subido, o quizá bajado, no estaba seguro. Cuando pasaba a la altura de Linsell, vio a unos niños que, con sus mochilas a la espalda, aguardaban la llegada del autobús escolar. Los tejados de las casas encaraban al cielo sus antenas parabólicas. Entonces, pensó en su propia niñez en la localidad de Kinna. De repente, el pasado se le antojó muy próximo. Mientras contemplaba la calzada, rememoró todos aquellos viajes desconsolados que había realizado por el centro de Suecia durante sus años de ayudante de aquel corredor de *motocross* que apenas si ganó alguna carrera. Tan sumido estaba en sus recuerdos, que dejó atrás el desvío hacia Rätmyren, de modo que dio la vuelta y aparcó en el mismo lugar que la vez anterior.

Comprobó enseguida que alguien había estado allí. Había nuevas huellas de neumático en la gravilla. Tal vez Veronica Molin hubiese cambiado de opinión. Salió del coche e inspiró hasta llenar sus pulmones de aire helado. Un viento racheado discurría por entre las copas de los árboles. «Así es Suecia», sentenció para sí. «Árboles, viento, frío. Gravilla y musgo. Una persona sola en el corazón del bosque. Aunque lo normal es que esa persona no tenga un tumor maligno en la lengua.»

Caminó rodeando la casa despacio mientras reflexionaba sobre la información que había recabado acerca de las circunstancias de la muerte de Herbert Molin. En su mente, elaboró una lista con los datos. En primer lugar, la zona donde habían levantado la tienda de campaña, los restos de un lugar de acampada al que alguien había acudido a remo antes de abandonarlo por completo. Los datos que Giuseppe le había proporcionado sobre las heridas de bala... Stefan detuvo su marcha. ¿Qué era lo que le había dicho Giuseppe exactamente? Dos orificios por debajo de la localización del corazón y uno en el brazo izquierdo. Lo que indicaba que Herbert Molin había sido atacado de frente. Tres disparos. Stefan se esforzaba por recrear lo sucedido, aunque sin éxito.

No había que olvidar, además, a Elsa Berggren, como una sombra oculta tras la cortina. Si no andaba muy descaminado, la mujer estaba alerta, pero ¿por qué motivo? Erik Johansson la había descrito como una persona amable que se hacía cargo de una escuela de danza infantil. Y ahí tenía otro vínculo, la danza. Pero ¿qué significado tendría aquello, en realidad? ¿Acaso significaba algo en absoluto? Prosiguió su deambular en torno a la casa cuyas ventanas habían sido acribilladas y se preguntó por qué razón la policía no habría cubierto los vanos algo mejor. En efecto, los plásticos desgarrados colgaban dejando al descubierto las ventanas como bocas abiertas. Por otro lado, y de forma imprevista, apareció Veronica Molin. Una hermosa mujer que había recibido la notificación del asesinato mientras se hallaba en un hotel de Colonia, durante un alto en su constante andar por el mundo. En aquel punto de su revisión mental, Stefan ya había completado un primer rodeo en torno a la casa. Volvió entonces a evocar el recuerdo de aquella ocasión en que, junto con Herbert Molin, había perseguido al criminal fugado de la prisión de Tidaholm. Y el miedo de su colega. *Creí que era otra persona.* Stefan volvió a pararse. A menos que Herbert Molin hubiese caído en manos de un loco, aquello debía de constituir el punto de partida decisivo: el miedo. La huida al norte, a los bosques de Härjedalen. Un refugio en el extremo de un desvío que el propio Stefan había tenido dificultades para encontrar.

Pero no pasó de ahí en sus conclusiones. La muerte de Molin se presentaba como un misterio; si bien había conseguido aclarar algún cabo suelto, el núcleo al que lo conducían permanecía inaccesible. Regresó al coche y, justo cuando estaba a punto de abrir la puerta, lo asaltó la sensación de estar siendo observado. Echó una rápida ojeada a su alrededor, pero el bosque aparecía desierto. La zona del perro, abandonada. El plástico rasgado golpeaba los marcos de las ventanas. Finalmente, se sentó al volante, se marchó de allí y se dijo que no pensaba regresar jamás.

Tras haber aparcado ante la fachada de la casa de los ciudadanos, entró en el edificio. Allí seguía el oso, sin desviar de él la insistente mirada. Buscó hasta hallar las dependencias de la policía y, en la misma puerta, se topó con Erik Johansson, que estaba a punto de salir.

—Iba a tomarme un café con la gente de la biblioteca —explicó—. Pero eso puede esperar, claro. Tengo algunas novedades que comunicarte.

Ya en el despacho del colega, Stefan tomó asiento en la silla para las visitas. Erik Johansson había animado la triste decoración de la sala con una máscara del diablo que había colgado en medio de la pared.

—La compré en Nueva Orleans, hace ya tiempo. Estaba borracho y seguro que pagué demasiado por ella. Se me ocurrió que aquí estaría en su sitio, como un recordatorio de todos los poderes malignos que les hacen la vida imposible a los policías.

—¿Y sólo estás tú hoy en la comisaría? —quiso saber Stefan.

—Pues sí —confirmó Erik Johansson ufano—. En realidad, deberíamos ser cuatro o cinco. Pero la gente está de baja o en ciclos de formación o de vacaciones porque han sido padres... Así que hoy estoy yo solo. Es imposible conseguir un sustituto.

—¿Y cómo funciona todo?

—Pues no funciona en absoluto. Pero así, al menos, la gente que llama aquí durante el día no tiene que vérselas con un contestador automático.

—Ya, pero Elsa Berggren te llamó ayer noche, ¿no?

—Bueno, es que hay un teléfono de alarmas provisional que mucha gente conoce aquí en la ciudad —aclaró Erik Johansson.

—¿Has dicho la ciudad?

—Bueno, sí, yo suelo referirme así a Sveg. De ese modo, parece más grande.

En ese momento, sonó el teléfono. Stefan miró la máscara mientras se preguntaba cuáles serían las novedades que Erik Johansson le había prometido participarle. El motivo de la llamada era una rueda de tractor que alguien había encontrado en medio de una carretera. Erik Johansson parecía hombre dotado de una buena dosis de paciencia. Finalmente, colgó el auricular.

—Elsa Berggren llamó esta mañana. Intenté localizarte en el hotel.

—¿Qué quería?

—Pues quería invitarte a un café.

—¡Pues sí que es extraño!

—No mucho más que el hecho de que tú te pongas a vigilar su casa. —Erik Johansson se levantó de un salto—. Ahora está en casa —le advirtió—. Así que será mejor que vayas enseguida. Me dijo que después saldría a hacer algunos recados. Luego puedes venir a contarme si te dijo algo interesante. Pero no vengas por la tarde o por la noche, porque pienso ir a Funäsdalen. Tengo algún asunto de trabajo que resolver allí pero, además, voy a jugar unas partidas de póquer con unos amigos. Pese a estar envuelto en una investigación de asesinato, uno debe procurar llevar una vida normal.

Erik Johansson se marchó a tomarse el suspendido café. Al salir, Stefan volvió a mirar el oso disecado.

Tras unos minutos, se marchó a Ulvkälla y aparcó el coche ante la puerta de la casa de color blanco. Cuando giró con el coche, vio que Björn Wigren estaba en la calle, tal vez en busca de alguien a quien convencer para que entrase a tomarse un café en su cocina.

La mujer le abrió la puerta antes de que él hubiese llamado. Stefan no se había forjado ninguna idea concreta de lo que esperaba encontrar pero, desde luego, no se había imaginado que lo recibiría una señora tan elegante como la que ahora tenía ante sí. Llevaba el pelo largo y de color negro, teñido, según pudo observar, y los ojos muy maquillados.

—Se me ocurrió que sería mejor invitarte a venir, en lugar de dejarte mirar desde la calle.

Una vez que hubo accedido al vestíbulo, pensó que acababa de llegar más lejos de lo que Björn Wigren había logrado en cuarenta años. Ella lo condujo hasta la sala de estar, que daba al jardín que se extendía ante la parte trasera de la casa. En la distancia, Stefan divisó las colinas que se alzaban hacia la región de Orsa Finnmark.

Había accedido a una habitación de decoración cara. A diferencia de lo que había visto en casa de Wigren, no había en la casa de Elsa Berggren gitanas de pecho descubierto. Antes al contrario, sus paredes estaban cubiertas de pinturas al óleo que, en opinión de Stefan, denotaban buen gusto. La mujer se disculpó y fue a la cocina mientras Stefan se sentaba en el sofá.

Pero se levantó enseguida. Sobre una estantería había una serie de fotografías enmarcadas. Una de ellas representaba a dos niñas sentadas en el banco de un parque. Se notaba que había sido tomada hacía varias décadas. En el fondo de la fotografía había una casa de la que colgaba un cartel. Stefan se acercó para intentar descifrar el texto, pero comprobó que no estaba escrito en sueco. Y las letras estaban desvaídas. En el mismo momento, oyó el tintineo de tazas en una bandeja y se sentó de nuevo en el sofá.

La mujer preparó la mesa y sirvió el café.

—Un individuo se pone a observar mi casa desde la calle —comenzó—. Es normal que me sorprenda y me preocupe. Después de lo que le ocurrió a Herbert, esto jamás volverá a ser lo que era.

—Puedo explicar por qué me quedé mirando tu casa —la tranquilizó Stefan—. Hubo un tiempo en que Herbert Molin y yo fuimos colegas y compañeros. Yo también soy policía.

—Sí, Erik me lo dijo.

—Estoy de baja por enfermedad y tenía tiempo, así que me vine aquí y, por casualidad, tuve ocasión de hablar con Hans Marklund, el agente inmobiliario de Krokum, que me contó que tú compraste la casa para Herbert.

—Así es. Él me lo pidió. Me llamó poco antes de jubilarse y me pidió que le ayudara a encontrar y comprar la casa.

—Es decir, que os conocíais, ¿no es así?

Ella lo miró con rechazo.

—¿Por qué, si no, iba a pedirme que le ayudase?

—Claro. Lo que yo estoy intentando es averiguar quién era. Me he dado cuenta de que el hombre con el que yo trabajaba antes no es quien yo creía.

—¿En qué sentido?

—En muchos sentidos.

La mujer se levantó de su silla para arreglar el pliegue de una de las cortinas.

—Yo conocía a la primera mujer de Herbert —explicó—. Éramos compañeras del colegio. A través de ella, conocí a Herbert. Después, cuando se separaron, perdí el contacto con ella, pero no con Herbert.

Se interrumpió para volver a sentarse.

—Es así de simple. Ahora él está muerto. Y yo lo lamento profundamente.

—Sabrás que su hija Veronica está aquí, ¿no?

La mujer movió la cabeza en gesto negativo.

—Pues no lo sabía. Pero tampoco cuento con que venga a visitarme. Yo conocía a Herbert, no a sus hijos.

—¿Fue por ti por quien se mudó aquí?

Ella le lanzó una mirada llena de agresividad.

—Eso no nos concernía más que a él y a mí. Y, ahora, sólo a mí.

—Por supuesto.

Stefan se tomó el café. Algo lo hacía inclinarse a pensar que Elsa Berggren no estaba diciéndole la verdad. Sin duda, la historia de la primera mujer resultaba verosímil. Pero Stefan presentía que algo de lo que le había dicho no encajaba. Algo que él debería haber detectado.

Dejó sobre la mesa la taza de café, que era azul con un filo de oro.

—¿Tienes alguna idea de quién podría haberlo matado?

—No. ¿Y tú?

Stefan negó con un gesto.

—Un hombre de edad que deseaba vivir en paz —prosiguió ella—. ¿Quién querría matarlo?

Stefan se miró las manos.

—Bueno, es evidente que había alguien que sí quería —apuntó con cautela. Entonces pensó que, en realidad, no le quedaba más que una pregunta por hacer—. Me extraña mucho que no te hayas puesto en contacto con la policía de Östersund, con los que llevan la investigación del asesinato.

—Esperaba que ellos lo hicieran.

De pronto, Stefan tuvo la certeza de que la mujer que tenía sentada frente a él no le había dicho toda la verdad. Sin embargo, no era capaz de señalar en qué punto.

—Me resulta de lo más intrigante que Herbert Molin se trasladara a vivir aquí —insistió Stefan—. ¿Por qué elige alguien un lugar tan solitario para vivir?

—Esto no es solitario —opuso Elsa Berggren—. Si uno lo desea, hay muchas cosas que hacer. Por ejemplo, yo voy a ir esta noche a un concierto que se celebrará en la iglesia. Viene un organista de Sundsvall.

—Según me dijo Erik, tú llevas una escuela de danza, ¿no es cierto?

—Los niños deben aprender a bailar. Si no hay nadie que les enseñe, lo haré yo, mientras pueda, que no sé hasta cuándo será.

Stefan decidió no indagar acerca del interés que Herbert Molin pudiese tener por la danza. Y, en realidad, no tenía más preguntas que hacer. Por otro lado, era Giuseppe y sólo él quien debía interrogarla.

Desde algún lugar de la casa se oyó el timbre del teléfono. Ella se disculpó y salió de la habitación. Stefan se levantó de su asiento y eligió raudo entre la cristalera del balcón y una ventana, y dejó esta última entreabierta procurando que no se notara; luego volvió a sentarse a toda prisa. Minutos después, ella reapareció en la sala de estar.

—No te molesto más —aseguró Stefan al tiempo que se ponía de pie—. Y gracias por el café. No es fácil tomar uno tan fuerte como éste.

—¿Por qué ha de ser todo tan débil? —opinó ella—. Todo lo es en nuestros días. Tanto el café como las personas.

Stefan había dejado su cazadora colgada en el vestíbulo. Mientras se la ponía, observó si había indicios de que la casa tuviese instalado algún sistema de alarma, pero no halló nada.

Regresó al hotel sin dejar de pensar en lo que Elsa Berggren le había dicho acerca de la debilidad del café y de las personas.

La chica de la recepción parecía más animada cuando llegó.

Junto al mostrador, había un tablón de anuncios. En él se comunicaba que, aquella misma noche, se celebraría en la iglesia un concierto de órgano que daría comienzo a las siete y media. El programa se componía de forma exclusiva de piezas de Johann Sebastian Bach.

Poco después de las siete de la tarde, Stefan se encaminó a la iglesia. Se colocó junto al muro dispuesto a esperar. Desde el interior del templo, se oía ensayar al organista. Cuando dieron las siete y veinticinco, se adentró algo más en la oscuridad. Elsa Berggren venía a pie y se dirigió al interior de la iglesia.

Entonces, Stefan se apresuró a regresar al hotel, se metió en el coche y puso rumbo al río. Dejó el coche aparcado en un solar vacío que se extendía junto al estribo del puente. Después, se acercó hasta la casa de Elsa Berggren desde la parte posterior. Contaba con que el concierto durase una hora como mínimo. Miró el reloj y comprobó que eran las ocho menos veinte minutos. Ante la fachada posterior de la casa discurría un angosto sendero. Como no llevaba linterna, no le quedaba más remedio que avanzar a tientas en la penumbra. En la habitación donde aquella misma mañana había estado tomando café, había luz. Ya junto a la valla, se detuvo a escuchar. Después, la saltó y echó a correr agazapado hasta que alcanzó el muro de la casa. Siguió adelante con sumo sigilo, de puntillas, hasta poder tocar la parte inferior de los cristales de la ventana. Elsa Berggren no había descubierto los pestillos abiertos. Empujó la hoja con cuidado y se apoyó para subir, procurando no derribar el jarrón que había sobre el alféizar de la ventana.

Se le ocurrió que, en aquellos momentos, estaba entrando en la casa de Elsa Berggren del mismo modo en que, días antes, se había procurado el acceso a la de Herbert Molin. Echó un vistazo a la habitación. Ignoraba qué había ido a buscar allí.

Tal vez un indicio que corroborase que tenía razón, que Elsa Berggren no le había dicho la verdad. Sabía por experiencia que un objeto podía desvelar una mentira. Dejó la sala de estar, echó un vistazo a la cocina y continuó hacia lo que parecía un despacho. «Aquí es donde debo terminar de buscar», se dijo. Pero, en primer lugar, deseaba ver la planta superior. Subió, pues, los escalones, a toda prisa. La primera habitación con que se encontró parecía un cuarto de invitados. Pasó entonces a la habitación que era, sin duda, el dormitorio de Elsa Berggren. La mujer dormía en una cama bien ancha. El suelo estaba enmoquetado. Echó un vistazo también al cuarto de baño, donde varias hileras de diversos frascos y botes aparecían ordenados sobre una balda que había bajo el espejo.

A punto estaba de regresar al despacho de la planta baja cuando, por una especie de inspiración, decidió abrir las puertas del ropero del dormitorio. Aparecían allí colgadas muchas prendas de ropa. Pasó la mano por los tejidos, que le parecieron todos de buena calidad.

Bien disimulado en el fondo del armario, había colgado algo que llamó su atención. Apartó algunos de los vestidos para ver mejor qué era.

Se trataba de un uniforme.

Le llevó varios segundos comprender qué era exactamente lo que tenía ante sí. Al final, comprendió que aquello era un uniforme del ejército alemán.

Sobre una balda de la parte superior del interior del ropero, halló una gorra de uniforme.

La tomó para observarla y vio la calavera.

Lo que colgaba en aquel armario era un uniforme de las SS.

11

Stefan ya no se molestó en rebuscar en el despacho de Elsa Berggren. Abandonó la casa de Ulvkälla por el mismo lugar por donde había entrado y cerró con cuidado la ventana. Cuando se apresuraba de regreso al coche, notó que había empezado a caer abundante aguanieve. Puso rumbo directamente al hotel, se sirvió una copa de vino e intentó tomar una determinación acerca de si llamar o no a Giuseppe Larsson aquella misma noche. Pero estaba indeciso. Le había prometido que no se pondría en contacto con Elsa Berggren y ahora resultaba que no sólo había hablado con ella sino que, además, se había metido en su casa. «Esto no es nada que le pueda contar por teléfono», resolvió. «Giuseppe me comprenderá, sin duda. Pero es preciso que nos veamos y que dispongamos de tiempo para hablar.»

Encendió el televisor y fue cambiando de canal, hasta que se detuvo en una antigua película del Oeste de colores apagados. En ella, un hombre se arrastraba, escopeta en mano, por entre unas rocas empotradas en una maqueta e intentaba evitar a otros que se aproximaban a caballo. Stefan bajó el volumen y fue a buscar su bloc de notas. Después, intentó elaborar una síntesis de lo acontecido desde su llegada a Sveg. ¿Qué era lo que sabía ahora que antes ignoraba? Trató de bosquejar una hipótesis provisional sobre lo que podría haber motivado la muerte de Herbert Molin. Lo hizo de forma sencilla, como si estuviese refiriendo, para sí mismo, una historia ya escrita.

En un momento de su vida, un hombre llamado Herbert Molin recibe tres disparos. Pero sobrevive.

En otro momento, ese mismo hombre regenta una tienda de música.

De algún modo, mantiene una relación especial con el baile. ¿Podría ser, simplemente, que el baile haya sido una pasión secreta en su vida? Igual que otras personas se dedican a recoger setas o a pescar truchas en los ríos noruegos.

Hay en su vida una mujer llamada Elsa Berggren. Cuando él se jubila, le pide que le busque una casa que esté apartada y situada en lo más hondo de los bosques de Härjedalen, no muy lejos del lugar donde ella vive. Pero él jamás va a visitarla. Para confirmar este extremo, disponemos del mejor testigo con que se puede contar: un vecino curioso. En el ropero de Elsa Berggren, disimulado en el fondo, hay un uniforme alemán de las SS.

Por otro lado, alguien debió de atravesar ese lago de negras aguas en un bote de remos para acampar en las proximidades de la casa de Herbert Molin y, después, quitarle la vida.

El relato que Stefan elaboraba en su mente concluyó justo en aquel punto: con un hombre que cruzó el lago en un bote para luego desaparecer.

Pero existían, además, otros listones sobre los que seguir levantando la cerca que constituía el relato. Las huellas de pies impresas en sangre que describían los pasos básicos del tango. El miedo de Herbert Molin. Y el hecho de que, en una ocasión, él hubiese cambiado de nombre. «Un claro descenso en el escalafón», opinó Stefan para sí. «No es probable que existan muchos Mattson-Herzén en Suecia. Al contrario de Molin, tan frecuente.» Pensó que no había para ello más que una explicación. También el cambio de nombre era un escondite. Herbert Molin borró su rastro, pero ¿qué rastro? Y ¿por qué? De haber sido porque considerase que Mattson-Herzén resultaba largo y engorroso, bien podía haberlo dejado en Mattson.

Leyó lo que había escrito, pasó la página y anotó dos fechas: «Nacido en 1923, muerto en 1999». Después, volvió a las anotaciones que había hecho la noche que pasó en el despacho de Giuseppe Larsson. En 1941, a la edad de dieciocho años, Molin hizo el servicio militar en plena guerra. Y se le asignó un destino en la defensa costera. Las notas de Stefan no eran muy completas, pero recordaba que Herbert había prestado su servicio en algún islote del archipiélago de Östergötland, con el cometido de vigilar una de las vías marítimas suecas. Stefan suponía que habría permanecido en la defensa costera hasta el final de la guerra y, para entonces, había tenido tiempo de ascender a oficial. Siete años más tarde, rompe con aquello y prueba suerte como propietario de una tienda de música antes de ser empleado del Gobierno Civil y pasar después a formar parte del Cuerpo de Policía.

Procedía de una familia militar, según tenía anotado. El padre, oficial de caballería en Kalmar; la madre, ama de casa. Es decir, que Herbert Molin no se había apartado demasiado del sello familiar. E intentó hacer carrera como oficial pero, de improviso, se desvió del camino prescrito.

Stefan dejó a un lado el bloc de notas y se sirvió más vino. El hombre que en la televisión se arrastraba por las rocas en algún lugar a las afueras de Hollywood había sido atrapado por los jinetes, que tenían la intención de ahorcarlo y ya le habían puesto la soga al cuello. La imagen seguía siendo muy pálida.

Pensó que si alguien hubiese llevado a la pantalla los sucesos relacionados con la muerte de Herbert Molin, ahora era el momento de que ocurriese algo. «De lo contrario, el público comenzaría a aburrirse. También los policías pueden aburrirse. Aunque eso no signifique que desistamos de la búsqueda en pos de una explicación y de un asesino.»

De nuevo echó mano del bloc de notas. Entretanto, el hombre de la película había logrado escapar de un modo inverosímil. Stefan se esforzó por bosquejar algunas hipótesis posibles. Una de ellas, la más probable, era pensar que Molin, pese a todo, hubiese sido víctima de un loco. Ahora bien, era evidente que resultaba imposible explicar de dónde había salido y por qué iba equipado con tienda de campaña y gases lacrimógenos. Por pésima que fuese, no cabía desdeñar del todo la hipótesis del loco.

La segunda hipótesis se sustentaba sobre un vínculo impreciso existente entre el asesinato de Herbert Molin y algo que se hallaba oculto en el pasado. Tal y como Veronica Molin había señalado, Herbert Molin no poseía ninguna fortuna. De modo que el dinero no podía ser la causa de que lo matasen, por más que su hija quisiese dar a entender que aquélla era la única razón imaginable para matar a alguien. «Ahora bien, los policías se crean enemigos», razonó Stefan. «En la actualidad es más habitual que antes que recibamos amenazas de muerte, que coloquen una bomba bajo los coches de los fiscales o que se provoquen incendios. Una persona con auténtica sed de venganza es, seguramente, capaz de esperar el tiempo necesario para vengarse. Lo que significa que habrá que emprender una larga y paciente búsqueda en los archivos.»

Había, finalmente, una tercera posibilidad. Algo que tuviese relación con la persona de Elsa Berggren. ¿Tendría algo que ver el uniforme de su ropero con Herbert Molin? ¿Habría algo en el pasado de la mujer que pudiese relacionarse con la Alemania de Hitler?

Stefan hizo un cálculo mental. Según Björn Wigren, Elsa Berggren y Herbert Molin eran más o menos de la misma edad. Si él había nacido en 1923, ella lo habría hecho un año después, en 1924 o 1925. En ese caso, ella tenía quince años cuando estalló la guerra y veintiuno cuando terminó. Stefan hizo una mueca. Aquello no encajaba. Pero Elsa Berggren tenía un padre, se decía; y tal vez también un hermano mayor. Mientras hacía todas aquellas cábalas, no dejaba de tomar notas. «Elsa Berggren vive sola, percibe unos ingresos de origen desconocido y está alerta.» Volvió a anotar: Herbert y Elsa. Según su propia declaración, conocía a Herbert desde el primer matrimonio de éste. Sin embargo, mientras ella se lo contaba, Stefan había experimentado la intensa sensación de que estaba mintiéndole. Claro que podía estar equivocado. Y lo que ella le había contado, podía ser totalmente cierto.

Viendo que no avanzaría más, dejó a un lado el bloc de notas. Hablaría con Giuseppe al día siguiente. Lo que significaba que tendría que volver a Östersund. Cuando hubiese terminado, regresaría a Borås. Mientras se quitaba la ropa, sopesó la posibilidad de preguntarle a Elena si no podría tomarse una semana libre para irse con él al sur. Aunque no estaba seguro de tener ganas. La elección entre ir acompañado de ella o ir solo no le resultaría nada fácil.

Entró en el cuarto de baño, abrió la boca y sacó la lengua. El bulto no se notaba, pero allí estaba. Observó su rostro y vio su palidez. Después, dirigió su pensamiento hacia la gorra del uniforme que había encontrado en la estantería del armario de Elsa Berggren. Intentó recordar los grados que habían existido en las SS: *Rottenführer* Lindman. *Unterscharführer* Lindman.

Se quitó la invisible gorra militar y se lavó la cara. Cuando salió del cuarto de baño, la película del Oeste estaba terminando. El hombre que, hacía poco, había tenido la soga al cuello, estaba sentado a una mesa en una cabaña de madera junto con una mujer de busto generoso. Stefan alargó el brazo en busca del mando a distancia y apagó el televisor.

Después, llamó a Elena, que respondió casi en el acto.

—Me marcho de aquí mañana. Es posible que me dé tiempo de llegar mañana noche.

—Bueno, pero no vayas demasiado rápido.

—Sólo quería que lo supieras. Estoy cansado. Ya hablaremos cuando llegue a casa.

—¿Qué tal eso?

—¿Qué es eso?

—Pues tú.

Le dijo que no se sentía con fuerzas para hablar de ello. Elena lo comprendió.

Se tomó otra copa de vino antes de meterse en la cama. Al otro lado de los cristales, el aguanieve no dejaba de caer sobre el suelo, ya blanco.

«Aún me queda una visita por hacer», se recordó antes de dormirse. «He de ver a otra persona antes de hablar con Giuseppe y dejar todo este asunto a mis espaldas.»

Un intenso dolor en la mejilla lo despertó justo antes del alba. Además, tenía fiebre. Permaneció inmóvil en la habitación oscura e intentó abstraerse del dolor. Pero era imposible. Cuando se levantó de la cama, un latigazo de dolor le sacudió la mejilla. Buscó el tubo de analgésicos y disolvió dos en un vaso de agua. Se preguntaba si no habría adoptado una mala postura durante la noche. Pero él sabía que los dolores procedían del interior. La doctora ya se lo había advertido: cabía la posibilidad de que el dolor le sobreviniese de pronto. Apuró el contenido del vaso y se tumbó dispuesto a esperar que el dolor remitiese, pero en nada mejoró su estado. Dieron las siete sin que él fuese capaz de bajar a desayunar.

Una hora más tarde ya no podía más. Buscó el teléfono del hospital de Borås y tuvo suerte pues su médico respondió tan pronto como lo pasaron con su consulta. Le explicó los dolores que sufría y ella le prometió que llamaría a la farmacia de Sveg para que le dispensaran el medicamento que pensaba prescribirle. Si el dolor no remitía, debía llamarla de nuevo. Stefan

160

volvió a tumbarse en la cama. La doctora le había prometido que llamaría enseguida. Decidió que haría lo posible por intentar resistir una hora más. Después, acudiría a la farmacia que había visto a la entrada del pueblo. Se quedó en la cama, sin moverse. El dolor era lo único en lo que podía concentrarse. A las nueve, se levantó, se vistió con no poco esfuerzo y bajó la escalera. La chica de la recepción lo saludó. Él dejó la llave sobre el mostrador y asintió a modo de saludo.

Ya en la farmacia, le entregaron las pastillas y se tomó la primera dosis de inmediato. Después, regresó al hotel. La chica le dio la llave.

—¿No te encuentras bien? —preguntó con sincera preocupación.

—No —respondió él—. Me duele la cabeza, pero se me pasará.

—No has desayunado. ¿Quieres que te suba algo a la habitación?

—Sólo un café, gracias. Y otro par de almohadones.

Esperó hasta que la joven subió con el café y los almohadones.

—Si necesitas algo, llámame.

—Ayer por la mañana estabas triste —observó él—. Espero que ya estés mejor.

Ella no pareció sorprendida ante su comentario.

—Sí, ya vi que estabas detrás de la puerta. Pero no fue más que una debilidad transitoria. Sólo eso.

La chica se marchó y Stefan se tumbó en la cama mientras se preguntaba cuál sería el significado exacto de la expresión «debilidad transitoria». De pronto, cayó en la cuenta de que no sabía cómo se llamaba la joven. Se tomó otra pastilla.

Al cabo de un rato, el dolor comenzó a desaparecer. Leyó en el envase el nombre de lo que había ingerido: «Doleron». En una de las caras, había un triángulo rojo de advertencia. Empezó a sentirse adormilado, pero pensó que no podía haber mayor alegría en la vida que la que se experimenta cuando un fuerte dolor empieza a atenuarse.

Pasó el resto del día tumbado. Los dolores iban y venían mientras él dormitaba y volvía a soñar con la jauría de perros salvajes. Hasta bien entrada la tarde, no empezó a notar que el dolor iba camino de desaparecer de verdad y no sólo verse mitigado por el efecto de las pastillas que estaba tomando. Pese a que no había comido nada en todo el día, no se sentía hambriento en absoluto. Poco después de las cuatro, sonó su móvil. Era Erik Johansson.

—¿Qué tal va la cosa? —quiso saber Stefan.

—¿Qué cosa?

—La partida de póquer en Funäsdalen.

Erik Johansson rió de buena gana.

—Gané diecinueve coronas. Tras cuatro horas de juego. Pero pensaba que ibas a llamarme.

—Es que hoy me encuentro mal.

—¿Algo grave?

—No, un poco de dolor. Pero fui a ver a Elsa Berggren.

—¿Te dijo algo?

—Pues, la verdad es que no. Según ella, conocía a Herbert Molin desde hacía mucho tiempo.

—¿Te hizo alguna sugerencia sobre por qué lo mataron?

—No, no consigue explicárselo.

—Ya lo imaginaba. ¿Te pasarás por aquí mañana? Se me olvidó preguntarte cuánto tiempo piensas quedarte.

—Me marcho mañana mismo, pero antes pasaré por ahí.

—A eso de las nueve es buena hora.

Se despidió y cortó la comunicación. El dolor había remitido casi por completo.

Se vistió y bajó a la recepción. Dejó la llave sobre el mostrador y abrió la puerta del hotel. La nieve había desaparecido. Dio un paseo por el pueblo y entró en el comercio de pintura

Agardhs Färghandel para comprar unas cuchillas de afeitar de un solo uso.

La noche anterior, había decidido hacerle una visita a Abraham Andersson. Pero ahora se preguntaba si tendría fuerzas para ello. Estaba oscuro y lo asaltó la duda de si daría con el lugar. Pero Abraham le había dicho que había una señal que indicaba dónde se encontraba Dunkärret. Regresó al hotel y se sentó en el coche. «Me marcho», resolvió. «Mañana le haré una corta visita a Erik Johansson, después pongo rumbo a Östersund para hablar con Giuseppe Larsson y por la noche salgo para Borås.»

Antes de salir de Sveg, se detuvo en una estación de servicio para repostar. Cuando iba a pagar, vio un expositor con linternas junto al mostrador y compró una, que dejó en la guantera.

Después, se puso en marcha hacia Linsell, pendiente de si el dolor volvía a atacar. Pero, al parecer, había decidido dejarlo en paz por ahora. Conducía despacio sin dejar de prestar atención por si algún animal surgía de los arcenes. Aminoró aún más cuando pasó el desvío que conducía a la casa de Herbert Molin. Durante un instante, sopesó la posibilidad de acercarse hasta allí. Pero, en realidad, no tenía nada que hacer en aquel lugar. Prosiguió, pues, su marcha mientras se preguntaba qué habrían planeado hacer con el inmueble Veronica Molin y su hermano. ¿Quién estaría dispuesto a comprar una casa donde un hombre había sido brutalmente asesinado? Los rumores sobre el crimen pervivirían muchos años en el pueblo.

Dejó atrás Dravagen, prosiguió hacia Glöte y volvió a aminorar la marcha. Después, vio el indicador, «Dunkärret 2». La carretera era angosta y escarpada. Tras haber recorrido un kilómetro, aproximadamente, la vía se bifurcó. Stefan se mantuvo en la de la izquierda, pues la otra parecía fuera de uso. Otro kilómetro más y ya había llegado. Abraham Andersson había puesto su propio indicador con la leyenda «Dunkärr». Había luz en la casa, de modo que Stefan apagó el motor y salió del coche. Un perro empezó a ladrar. Stefan subió la pendiente que conducía hasta la casa, envuelta en la oscuridad. Se preguntaba qué movería a las personas a instalarse a vivir en lugares tan solitarios. ¿Qué hallarían entre tan espesas sombras, salvo un escondite? Desde donde estaba, ya podía ver al perro. El animal corría de un lado a otro a lo largo de una cuerda a la que estaba sujeto y cuyos extremos estaban atados a un árbol y a una argolla fijada a la fachada de la casa. El perro tenía su caseta junto al árbol. Era un pastor alemán, como el que había tenido Herbert Molin. A Stefan se le ocurrió de pronto pensar quién habría enterrado al animal muerto; ¿la policía, tal vez? Subió la escalinata que ascendía hasta la puerta y llamó. El perro empezó a ladrar de nuevo. Transcurridos unos minutos, volvió a llamar, con más energía en esta ocasión. Tanteó la puerta, que no estaba cerrada con llave. La abrió y llamó al propietario. Supuso que Abraham Andersson podía tener la costumbre de acostarse temprano. Miró el reloj, pero no eran más que las ocho y cuarto. Era demasiado temprano. Accedió al vestíbulo y gritó una vez más.

De repente, se puso en guardia. Ignoraba por qué, pero tenía la sensación de que allí había algo raro. Entró en la cocina, donde halló una taza de café vacía sobre la mesa, junto a un ejemplar del programa de la orquesta sinfónica de Helsingborg. Llamó de nuevo, pero no obtuvo respuesta. Desde la cocina, continuó hacia la sala de estar. Al lado del televisor había un atril para partituras y, sobre el sofá, un violín. Lleno de extrañeza, frunció el entrecejo. Subió después la escalera hasta el piso superior sin hallar el menor rastro de Abraham Andersson. La sensación se intensificaba: decididamente, algo raro había sucedido.

Stefan salió de nuevo al jardín y volvió a gritar el nombre. El perro continuaba ladrando y corriendo de un extremo a otro de la cuerda. Stefan se le acercó. El animal guardó silencio y empezó a mover el rabo. Con sumo cuidado, Stefan lo acarició. «¡Vaya, como perro guardián, no eres ningún portento!», exclamó para sí. Después, regresó al coche y sacó la linterna que acababa de comprar. La enfocó hacia el jardín sin que lo abandonase el presentimiento de que allí había sucedido algo. El coche de Abraham Andersson estaba aparcado junto a un cobertizo. Stefan comprobó que no estaba cerrado con llave. Cuando observó el asiento del conductor, vio que las llaves estaban puestas en el contacto. El perro lanzó unos ladridos entrecortados antes de enmudecer de nuevo. El viento murmuraba en la negrura. Aplicó el oído y volvió a gritar. El animal respondió con un ladrido. Stefan regresó al interior de la casa. En la cocina, comprobó que los fogones eléctricos estaban fríos. Entonces, sonó el teléfono. Stefan dio un respingo, sobresaltado. El aparato estaba sobre una mesa que había en la sala de estar. Fue a contestar, pero comprendió que alguien intentaba enviar un fax, de modo que pulsó el botón correspondiente a esa opción y, poco después, un papel empezó a deslizarse del aparato. Una mujer llamada Katarina le enviaba un saludo manuscrito anunciándole que había llegado la partitura de Monteverdi.

Stefan volvió a salir a la escalinata. Para entonces, ya estaba seguro de que algo había sucedido.

«El perro», se dijo. «Él lo sabe.» Regresó a la casa y tomó la correa que colgaba de la pared.

El perro tensó la cuerda cuando lo vio acercarse, pero permaneció inmóvil mientras le ponía la correa y lo soltaba de la cuerda. El animal empezó enseguida a tirar de él en dirección al bosque que se extendía a espaldas de la casa. Stefan iluminaba el camino con la linterna. El perro se dirigió hacia un sendero que conducía al corazón de un pinar. Stefan intentaba detener su carrera. «No debería hacer esto», se dijo. «Sobre todo, si anda un loco suelto por el bosque.»

De repente, el perro se desvió del sendero. Stefan lo seguía sin dejar de retenerlo con la correa. El terreno era muy desigual y se enredó en un matorral que lo hizo tropezar. El animal no dejaba de tironear.

Hasta que, de pronto, se detuvo, levantó una pata y se puso a olfatear. La luz de la linterna bañaba los árboles.

El perro bajó la pata. Stefan tiró de la correa pero el animal opuso resistencia.

La correa tenía la longitud suficiente como para que pudiese amarrarla alrededor del tronco de un árbol.

El perro miraba pertinaz y excitado hacia unas rocas que quedaban casi ocultas por un grupo de abetos.

Stefan dio unos pasos hacia los árboles y continuó, rodeándolos. Entonces descubrió que los árboles se aclaraban en una abertura hacia las rocas.

De pronto, se paró en seco.

En un primer momento, no supo decir qué era lo que tenía ante sus ojos. Algo blanco que resplandecía entre los árboles.

Después comprendió, con horror, que se trataba de Abraham Andersson. Estaba desnudo, amarrado a un árbol. Tenía el pecho cubierto de sangre. Los ojos, desorbitados, lo miraban fijamente.

Pero la mirada estaba tan muerta como el propio Abraham Andersson.

Segunda parte
El hombre de Buenos Aires
Octubre-noviembre de 1999

12

Cuando Aron Silberstein despertó, no habría sabido decir quién era. Entre el sueño y la realidad, se había interpuesto una barrera de bruma que debía atravesar para saber si, en aquel preciso momento, él era Aron Silberstein o Fernando Hereira. En sus sueños, sus dos nombres solían intercambiarse. Y así, cada despertar implicaba unos instantes de profundo desconcierto. Aquella mañana, cuando abrió los ojos y vio cómo la luz penetraba por el tejido de la tienda, no constituyó excepción alguna. Sacó el brazo del saco de dormir y miró el reloj. Eran las nueve y unos minutos. Prestó atención. Fuera, el silencio era absoluto. La noche anterior se había desviado de la carretera principal poco después de haber dejado atrás Falköping. Cruzó enseguida un pequeño pueblo que, creía recordar, se llamaba Gudhem, y no tardó en hallar la vía de servicio que conducía al corazón del bosque, donde había podido montar su tienda.

Y allí despertaba ahora con la sensación de tener que arrancarse a sí mismo de sus sueños para liberarse. Notó que estaba lloviendo. No una lluvia intensa ni pertinaz, sino una llovizna dispersa cuyas gotas repiqueteaban contra la tela de la tienda. Volvió a meter el brazo en el saco para mantener el calor. Todas las mañanas lo invadía la misma necesidad de calor. Suecia era un país frío en otoño, hacía ya días que lo había podido comprobar.

Pero todo aquello no tardaría en acabarse. Aquel día tenía pensado ir a Malmö, donde dejaría el coche, se desharía de la tienda y pasaría la noche en un hotel. Al día siguiente, por la mañana, viajaría a Copenhague para, a primera hora de la tarde, tomar un avión que, vía Frankfurt y São Paulo, lo llevaría a su casa en Buenos Aires.

Se acomodó en el saco y cerró los ojos. Aún no tenía por qué levantarse. Tenía la boca seca y le dolía la cabeza. «Anoche me pasé de la raya», se dijo. «Bebí demasiado, más de lo necesario para conciliar el sueño.»

Se le hacía irresistible la tentación de abrir el saco y extraer una de las botellas. Pero no podía permitirse correr el riesgo de que lo sometiesen a un control policial. Antes de abandonar Argentina, había visitado la embajada sueca en Buenos Aires para informarse sobre las normas de tráfico en Suecia. Allí se enteró de que la tolerancia con respecto a la conducción tras haber ingerido alcohol era nula. Aquello lo había sorprendido en gran medida puesto que, en alguna ocasión, había leído un artículo que trataba precisamente de lo mucho que bebían los suecos, que, además, solían exhibirse ebrios. Pero logró vencer el deseo de alcohol. Desde luego, estaba decidido a no oler a alcohol si la policía lo detenía.

La luz se filtraba a través del tejido de la tienda. Pensó en el sueño que le había sobrevenido durante la noche y en el que volvió a ser Aron Silberstein. Era niño y su padre, Lukas, aparecía cerca de él. El padre era profesor de baile y recibía a sus alumnos en el apartamento que habitaban en Berlín. Era durante el último y terrible año; lo sabía, puesto que el padre, en su sueño, tenía el bigote afeitado, cosa que no había hecho hasta pocos meses antes de que se produjese la catástrofe. Estaban sentados en la única habitación cuyas ventanas permanecían enteras. Sólo estaban Aron y su padre; el resto de la familia había desaparecido. Y lo que hacían era esperar. Guardaban silencio y esperaban; sólo eso. Cincuenta y cinco años más tarde, todavía pensaba que su niñez no había sido más que una única y prolongada espera. Espera y terror. Todo el horror que se desarrollaba en las calles durante la noche cuando las alarmas aéreas sonaban y se precipitaban hacia el sótano no lo había marcado a él lo más mínimo, en realidad. No así aquella espera que acabó gobernando su vida.

Se deslizó para salir del saco, buscó un analgésico y la botella de agua. Se miró las manos, temblorosas. Se puso la píldora en la boca y se la tragó con un poco de agua. Después, salió de la tienda y orinó. Sentía bajo sus pies el suelo húmedo y frío. «Dentro de veinticuatro horas me habré largado de aquí», se animó. «Todo este frío, las largas noches...» Volvió a meterse en la tienda y en el saco de dormir, y se lo subió hasta la barbilla. La tentación de echar un trago de una de las botellas no le daba tregua. Pero estaba decidido a esperar. Puesto que había llegado tan lejos, no estaba dispuesto a correr ningún riesgo innecesario.

De repente, oyó que la lluvia empezaba a arreciar fuera de la tienda. «Todo fue como tenía que ir», reflexionó para sí. «Estuve esperando durante más de cincuenta años a que llegase el momento oportuno. Ya estaba a punto, a punto de perder la esperanza de hallar la explicación y la solución a todo lo que había destrozado mi vida. Y, entonces, sucedió algo totalmente inesperado para mí. Por una casualidad inexplicable, una persona se cruzó en mi camino, alguien capaz de darme la pieza fundamental para comprender lo que había sucedido. Una coincidencia que, en el fondo, debería haber sido imposible.»

Resolvió que, tan pronto como llegase a Buenos Aires, visitaría el cementerio en el que descansaba Höllner para poner unas flores en su tumba. Sin él, le habría resultado imposible llevar a cabo su misión. En algún lugar debía de existir, pese a todo, una especie de justicia misteriosa, tal vez divina, que le permitió conocer a Höllner antes de que éste muriese y obtener de él las respuestas a las preguntas que había estado formulándose. La intuición de lo que en verdad había sucedido en aquella ocasión, cuando él aún era niño, lo había abocado a un estado de conmoción. Jamás, en toda su vida, había bebido tanto durante el tiempo inmediatamente posterior a su encuentro con él. Pero después, cuando Höllner murió, se obligó a mantenerse sobrio de nuevo, a reducir el consumo de alcohol de modo que estuviese en condiciones de retomar su trabajo para después empezar a conformar su plan.

Y, ahora, ya había pasado todo.

Mientras la lluvia azotaba la tienda, volvió a revisar mentalmente lo acontecido. En primer lugar, había conocido a Höllner en el restaurante La Cabaña. Ya hacía de eso más de dos años. Höllner estaba ya entonces marcado por el cáncer de estómago que padecía y que, más tarde, acabaría con su vida. Sucedió que, una noche en que el restaurante tenía mucho público, Filip Monteiro, el viejo camarero del ojo de cristal, le preguntó si no le importaría compartir su mesa. Y fue a colocarlo en la misma que a Höllner.

Enseguida constataron que los dos eran inmigrantes de Alemania, pues tenían el mismo acento. Él pensó en la eventualidad de que Höllner perteneciese al nutrido grupo de alemanes que habían llegado a Argentina a través de las bien organizadas vías de escape que ayudaban a los nazis a huir del desolado reino milenario; de modo que, de entrada, Aron no le había dicho su verdadero nombre. Höllner podía haber entrado de forma ilegal, con documentación falsa; tal vez hubiese sido depositado en tierra por alguno de los submarinos que rondaban las costas argentinas durante la primavera de 1945. Además, también podía haber recibido ayuda de alguna de las organizaciones nazis que operaban desde Suecia, Noruega y Dinamarca. O, finalmente, podía haber entrado más tarde, cuando Juan Domingo

Perón ofreció su regazo político a los inmigrantes alemanes sin hacer jamás la menor pregunta sobre su pasado. Aron sabía que Argentina estaba llena de nazis que habían vivido bajo cuerda, desertores que vivían con el terror de ser atrapados. Hombres que nunca se habían retractado, que aún conservaban un busto de Hitler en algún lugar de honor de sus hogares. Pero Höllner no era así, sino que se refirió a la guerra como la catástrofe que en verdad había sido. Pronto comprendió que el padre de Höllner había sido, ciertamente, un alto mando nazi, pero el propio Höllner no era sino uno de tantos emigrantes alemanes que se habían dirigido a Argentina con la esperanza de hallar un futuro mejor que el que creían poder esperar de una Europa arrasada.

Aquella noche, en La Cabaña, compartieron mesa. Aron aún era capaz de recordar que ambos habían pedido la misma cena, un guiso de carne que los cocineros del local sabían preparar mejor que los de ningún otro restaurante. Después atravesaron juntos la ciudad dando un paseo, pues ambos iban en la misma dirección: él hacia la avenida de Corrientes y Höllner unas manzanas más allá. Habían acordado verse de nuevo. Höllner le contó que era viudo y que sus hijos habían regresado a Europa. Hasta hacía muy poco, él había tenido una imprenta que acababa de vender. Aron lo invitó a visitar su taller de restauración de muebles. Höllner aceptó y, a partir de entonces, sus visitas matinales se convirtieron en un hábito. El hombre no parecía cansarse nunca de observar cómo Aron, muy despacio, tapizaba alguna vieja silla que algún miembro de la rica clase alta argentina le dejaba en el taller. De vez en cuando, salían al jardín a tomarse un café y fumarse un cigarrillo.

Tal y como es habitual en la gente mayor, se dedicaron a comparar sus vidas. Y fue así, en una frase suelta o en un paréntesis, como Höllner llegó a preguntar si Aron no sería, por casualidad, pariente de cierto Herr Jacob Silberstein, de Berlín, que había evitado las deportaciones de judíos durante los años treinta y todos los tipos de persecuciones que se produjeron en los años de la guerra, por ser el único capaz de dar a Hermann Göring el masaje que necesitaba contra sus recurrentes dolores de espalda. En aquel momento, como si la Historia le hubiese dado alcance de improviso, Aron respondió que el masajista Jacob Silberstein era su tío. Y que, gracias a la protección de que gozaba su tío Jacob, también su hermano Lukas, el padre de Aron, había conseguido librarse de la deportación. Höllner lo miró inquisitivo y le explicó que él había conocido a Jacob Silberstein, puesto que su propio padre había recibido sus benéficos masajes.

Aquel día, Aron cerró su taller y puso un cartel en el que anunciaba que no estaría de vuelta hasta el día siguiente. Después, acompañó a Höllner a su casa, que se hallaba cerca del puerto, en un bloque de alquiler bastante descuidado. Höllner tenía un pequeño apartamento que daba al jardín trasero. Aron recordaba el intenso olor a lavanda que despedía la vivienda, así como la gran cantidad de pésimas acuarelas de la pampa que su mujer había pintado. Así, estuvieron sentados hasta bien entrada la noche hablando de lo extraordinario que era el hecho de que sus historias se hubiesen cruzado en un Berlín que se hallaba tan lejano en el tiempo. Höllner era tres años más joven que Aron, de modo que en 1945 no contaba más que nueve y sus recuerdos eran bastante difusos. Sin embargo, recordaba con total claridad a aquel hombre al que, una vez a la semana, recogían en coche para que le diese un masaje a su padre. Recordaba, además, la sensación de que había algo extraño, extraño y un tanto peligroso en el hecho de que un judío cuyo nombre ignoraba entonces siguiese aún en Berlín. Y que, por si fuera poco, se trataba de un hombre que vivía bajo la protección del temido mariscal Göring. Pero cuando describió lo que recordaba del aspecto y la manera de moverse de Jacob Silberstein, Aron supo que no podía haber malentendido alguno y que Höllner hablaba, en efecto, de su tío.

En especial, por una de sus orejas, la izquierda, que Jacob Silberstein tenía deformada desde que una vez, siendo niño, se la cortó con el cristal roto de una ventana. Aron notó entonces que empezaba a transpirar cuando Höllner evocaba los detalles de aquella oreja que él recordaba tan bien. No cabía la menor duda y Aron quedó tan conmovido que se abrazó a Höllner.

Ahora, tendido en la tienda, evocaba todo aquello como si hubiese ocurrido el día anterior. Jamás llegaría a comprender del todo cómo el azar había puesto a Höllner en su camino. Y cómo aquello lo había conducido a comprender, finalmente, lo que había sucedido.

Aron miró el reloj. Eran las diez y cuarto. En su mente, cambió de nuevo de identidad. Ya era Fernando Hereira. Ése fue el nombre con el que aterrizó en Suecia. Sin más; no era el Aron Silberstein que llegó a Buenos Aires un día laborable de 1953 y que nunca regresó a Europa. Nunca, hasta ahora, cuando se le presentó por fin la oportunidad de llevar a cabo aquello que tantos años había estado esperando.

Se vistió, recogió la tienda y volvió a la carretera principal. A las afueras de Varberg, se detuvo a almorzar. El dolor de cabeza había desaparecido. Antes de dos horas, estaría en Malmö. La compañía de alquiler de coches estaba junto a la estación de ferrocarril. Allí había recogido el coche hacía cuarenta días; y allí mismo debía dejarlo. Estaba seguro de que encontraría algún hotel cerca de allí pero, antes, debía deshacerse de la tienda y el saco de dormir. La cocina de cámping, las cacerolas y los platos ya los había arrojado a la papelera de un área de descanso en Dalarna. Los cubiertos, los lanzó a la corriente de un río que había cruzado. Y ahora debía estar atento hasta hallar otra zona de descanso donde abandonar el resto, antes de llegar a Malmö.

Al norte de Helsingborg, encontró lo que buscaba. Un contenedor colocado tras una estación de servicio en la que se había detenido para repostar por última vez. Enterró la tienda y el saco de dormir bajo las cajas vacías y los bidones de plástico que llenaban el contenedor y sacó una bolsa de plástico que llevaba en la mochila. Había en ella una camisa manchada de sangre. Pese a que llevaba un mono que lo cubría por completo y que había quemado en el interior del bosque, Herbert Molin había logrado ensangrentar su camisa. Un misterio del mismo calibre que el que suponía el hecho de que no hubiese quemado también la camisa cuando se deshizo del mono.

Pero él conocía la respuesta. La había conservado para poder mirarla y convencerse a sí mismo de que lo que había sucedido no era un sueño. Ahora, ya no la necesitaba. El tiempo de recordar pertenecía al pasado. Enterró la bolsa tan hondo como pudo en el contenedor. Mientras lo hacía, acudió de nuevo a su mente la figura de Höllner, aquel hombre pálido y marcado por la muerte que había conocido en La Cabaña. Sin él, jamás habría llegado hasta allí, ni estaría zafándose de las últimas pruebas físicas de un viaje a Suecia en el que le había quitado la vida a una persona; ni habría podido enviar un último saludo cruel al no menos cruel pasado al dejar una serie de huellas de sangre plasmadas sobre un suelo de madera.

A partir de ese momento, las huellas sólo quedarían grabadas en su cerebro.

Regresó al coche y se sentó al volante, pero sin poner en marcha el motor. Una pregunta corroía su mente. Se la había planteado desde la noche en que emprendió el ataque contra Herbert Molin. Una pregunta que se le antojaba un descubrimiento inesperado sobre sí mismo. Durante el viaje a Suecia, había sentido miedo. Durante todo aquel largo viaje en avión, había estado preguntándose cómo lograría poner en práctica la misión que se había impuesto. Una misión cuyo único objetivo era matar a una persona. Nunca antes, en toda su vida, había siquiera intentado lastimar a nadie. Él odiaba la violencia y la sola idea de que lo golpeasen lo aterraba. Pero entonces iba camino de otro continente para, de forma totalmente premeditada, matar a una persona. A un hombre al que había visto en seis o siete ocasiones, cuando él tenía doce años.

Después, resultó que no era tan difícil.

Y aquello le resultaba incomprensible. Lo aterraba y lo hacía retrotraerse a lo que había sucedido cincuenta años atrás, a las fuentes mismas de la acción que ahora había llevado a término.

¿Por qué sería tan sencillo? Quitarle la vida a otro ser humano debería ser lo más difícil del mundo.

Aquella idea lo llenaba de abatimiento.

Él había deseado que resultase difícil matar a Herbert Molin. Todo el tiempo había estado pensando que, en el momento clave, vacilaría y que después sería víctima de una gran angustia por la acción cometida. Pero su conciencia estaba muda.

Permaneció largo rato sentado en el coche, intentando comprender. Al final, cuando la sed de alcohol empezaba a hostigarlo demasiado, puso el motor en marcha y salió de la gasolinera.

Prosiguió rumbo a Malmö. A su derecha pudo ver, tras unos kilómetros, un puente gigantesco que se extendía sobre el agua uniendo Suecia con Dinamarca. Entró en la ciudad y halló la compañía de alquiler de coches sin dificultad. Cuando pagó la factura, quedó sorprendido ante el precio tan elevado. Por supuesto que nada dijo sobre el asunto, sino que pagó al contado pese a que había mostrado su tarjeta de crédito cuando alquiló el vehículo. Lo único que ahora esperaba era que todos los documentos que testimoniaban que Fernando Hereira había alquilado un coche en Suecia desapareciesen en lo más profundo de cualquier archivo.

Cuando salió a la calle, soplaba un gélido viento procedente del mar, pero la lluvia había cesado. Se adentró en la ciudad y se detuvo ante un hotel situado en una perpendicular a la primera plaza a la que había llegado. Tan pronto como estuvo en su habitación, se quitó la ropa y se dio una ducha. Durante el tiempo que había pasado en el bosque se obligó, una vez por semana, a sumergirse en las heladas aguas del lago para lavarse. Pero ahora, en Malmö, bajo la ducha del hotel, sintió como si, por fin, estuviese desprendiéndose de toda la suciedad incrustada.

Después, se sentó envuelto en una toalla y abrió la última botella que le quedaba en la mochila. Aquélla era la mayor liberación posible. Bebió de la botella tres grandes tragos y enseguida notó cómo el calor se extendía por todo su cuerpo. La noche anterior, había bebido demasiado. Y aquello lo había irritado sobremanera. Pero esta noche no tenía que imponerse más límite que el de llegar al aeropuerto al día siguiente.

Se tumbó en la cama. Ahora que el coñac se había mezclado con su sangre, los pensamientos fluían más ligeros. Y lo acontecido iba quedando reducido a un recuerdo. Ahora empezaba a añorar el regreso a casa y a su taller, que constituía el centro de su vida. Aquel angosto taller situado en la parte posterior de su casa de la avenida de Corrientes era la catedral a la que acudía a diario, cada mañana. Además, tenía su familia, naturalmente. Los hijos, ya adultos. Su hija Dolores, que se había trasladado a vivir a Montevideo y que pronto le daría su primer nieto. Rakel, que aún estudiaba en la universidad y que quería ser médico. Y Marcus, el buscador inquieto de la familia, que soñaba con ser poeta pero que vivía de investigar para los reporteros de un programa de crítica social de la televisión argentina. Amaba a su esposa, María, y a sus hijos. Y, aun así, era el taller lo que constituía el núcleo mismo de su vida. Pronto estaría allí. Herbert Molin estaba muerto. Y los sucesos que lo habían perseguido desde 1945 tal vez lo dejasen vivir en paz a partir de ahora.

Permaneció un rato tumbado. De vez en cuando, extendía el brazo en busca de la botella de coñac. Cada vez que tomaba un trago, brindaba en silencio por Höllner. Sin él, jamás habría sabido la verdad acerca de quién había matado a su padre. Se levantó de la cama y puso la mochila boca abajo. El contenido cayó al suelo y él se inclinó para rescatar el diario que había estado escribiendo durante los cuarenta y tres días que había pasado en Suecia: una página por día. Sin embargo, en el diario, él ya había llegado a la página cuarenta y cinco. En efecto, había empezado a escribir en el avión que lo llevó a Frankfurt y después a Copenhague. Regresó a la cama, encendió la lámpara y hojeó el libro despacio. Allí estaba toda la historia. La había escrito para, tal vez, entregársela a sus hijos; pero no antes de que él hubiese muerto. Lo que él había escrito allí era la historia de su familia pero, además, intentaba explicar por qué había hecho lo que había hecho. A su mujer le había explicado que el objetivo de aquel viaje a Europa era visitar a una serie de ebanistas que pudiesen enseñarle algunas técnicas nuevas. Pero aquel viaje había sido, en realidad, algo muy distinto, un viaje al pasado, a su pasado. En el diario, lo había descrito como una puerta que tenía que cerrarse.

Ahora, mientras se encontraba allí tendido y hojeando el diario, se encontró, de repente, menos seguro. Era probable que sus hijos no comprendiesen por qué su padre había emprendido aquel largo viaje para quitarle la vida a un anciano que vivía solo en el bosque.

Dejó el libro en el suelo y tomó otro trago de coñac. El último antes de vestirse para salir a comer. También pediría algo de beber con la cena. Lo que quedaba en la botella, lo reservaba para el resto de la noche y la mañana siguiente.

Notó que ya estaba ebrio. De haber estado en Buenos Aires, María lo habría mirado con ojos mudos y acusadores. Pero allí no tenía por qué preocuparse de eso. Al día siguiente, comenzaría el viaje de regreso a casa. Aquella noche le pertenecía sólo a él y a sus pensamientos.

Cuando dieron las seis y media, se levantó, se vistió y abandonó el hotel. El viento soplaba crudo y gélido cuando salió a la calle. En realidad, había pensado dar un paseo, pero el tiempo le quitó las ganas. Echó una ojeada a su alrededor. En la misma calle, algo más abajo, el cartel de un restaurante se mecía al viento. Se dirigió, pues, hacia allá, pero una vez dentro del establecimiento vaciló un instante. En una esquina había un televisor en el que daban un partido de hockey sobre hielo a todo volumen. En torno a una de las mesas que había ante el aparato, unos hombres bebían cerveza mientras seguían el juego. Sospechaba que, en un lugar como aquél, la comida no sería exquisita pero, por otro lado, no tenía el menor interés en salir al frío de la calle otra vez. De modo que se sentó ante una mesa vacía. En la mesa contigua, un hombre solo miraba fijamente su vaso de cerveza casi vacío. La camarera se acercó con el menú, del que él seleccionó un bistec con salsa *béarnaise* y patatas fritas, que acompañaría de una botella de vino. Vino tinto y coñac eran sus bebidas. Jamás probaba la cerveza ni ningún otro licor.

—*I hear you speak English** —lo sorprendió el hombre de la cerveza.

Aron asintió en silencio. En lo más hondo de su corazón, deseaba que aquel hombre no se pusiese a conversar con él, pues

* «Veo que hablas inglés.» *(N. de la T.)*

180

no sería capaz de soportarlo. Lo único que quería era que lo dejasen en paz con sus pensamientos.

—*Where do you come from?** —continuó el hombre.

—Argentina —respondió Aron.

El hombre no dejaba de observarlo con los ojos brillantes por el alcohol.

—Entonces, debes de hablar español** —comentó el otro en esta lengua.

Su pronunciación del español era prácticamente perfecta y Aron lo miró atónito.

—He sido marino —explicó el hombre, aún en español—. Estuve viviendo en Suramérica durante algunos años. Ya hace mucho de eso, claro, pero cuando uno aprende bien un idioma, tarda en olvidarlo. —Aron asintió de nuevo y el otro prosiguió—: Ya veo que quieres estar solo. Y a mí me viene de perlas. Yo también quiero que me dejen en paz.

Dicho esto, pidió otra cerveza. Aron saboreó el vino. Había pedido lo que en el menú se denominaba «vino de la casa». Y ahora comprendía que no debía haberlo hecho, pero no soportaba la idea de cambiar. Lo único que le interesaba en realidad era que el estado de embriaguez no remitiese.

De pronto, un alarido inundó el local. Algo había sucedido en el partido de hockey. Los jugadores que vestían los colores azul y amarillo se abrazaban unos a otros. En aquel momento, le sirvieron su cena. Para su sorpresa, su sabor era bastante bueno. Pidió más vino. En su interior reinaba la paz. La tensión había empezado a ceder ante un gran vacío liberador.

Herbert Molin estaba muerto. Y él había llevado a cabo su cometido.

Estaba a punto de terminar la comida cuando, por casuali-

* «¿De dónde eres?» *(N. de la T.)*
** En español en el original. *(N. de la T.)*

dad, echó un vistazo al televisor. Al parecer, estaban en la pausa del partido. Una mujer leía las noticias. Cuando el rostro de Herbert Molin apareció en la pantalla, estuvo a punto de dejar caer la copa de vino que tenía entre las manos. Él no comprendía lo que decía la mujer. Se quedó allí, sentado, totalmente inmóvil y con el corazón latiéndole acelerado. Por un instante, se figuró que también su rostro aparecería en la pantalla.

Sin embargo, no fue a sí mismo a quien vio, sino a otro hombre, también anciano. Un rostro que le resultó familiar.

Se volvió al hombre que ocupaba la mesa contigua y que estaba sumido en sus pensamientos.

—¿Qué dicen las noticias? —le preguntó.

El hombre miró el televisor y prestó atención.

—Han asesinado a dos personas —explicó el hombre—. Primero a una y después a la otra. Allá en el norte, en Norrland. Uno era policía, el otro tocaba el violín. La policía cree que se trata del mismo asesino.

La imagen desapareció de la pantalla. Pero ahora sabía que lo que había visto era cierto. En primer lugar, había aparecido el rostro de Molin. Después, el de aquel otro hombre al que él vio acudir a la casa de Molin en una ocasión.

También él había sido asesinado.

Aron dejó la copa sobre la mesa sin dejar de reflexionar. *El mismo asesino*. Pero no era así. Él había matado a Herbert Molin. Pero no al otro.

Era incapaz de moverse.

El partido de hockey comenzó de nuevo.

Le resultaba imposible comprender lo que había ocurrido.

13

La noche del 4 de noviembre de 1999 fue una de las más largas en la vida de Stefan Lindman. Cuando el alba se presentó por fin, con su vaga luz sobre las colinas del bosque, se sintió como si, etéreo, se hallase en el vacío. Hacía ya largo rato que había dejado de pensar. Todo cuanto sucedía a su alrededor se le antojaba como una pesadilla extraña. Una pesadilla que había comenzado cuando, mientras recorría las rocas, encontró el cuerpo sin vida de Abraham Andersson amarrado a un árbol. Y ahora, cuando por fin empezaba a clarear el día, no conservaba ningún recuerdo claro de lo que había acontecido durante la noche.

Se había obligado a acercarse al cadáver y había buscado indicios de un pulso que él sabía detenido para siempre. Pero el cuerpo de Abraham Andersson aún estaba caliente o, al menos, la rigidez de la muerte no se había adueñado de él todavía. Y eso podía significar que el hombre que le había disparado seguía por los alrededores. No cabía, de hecho, la menor duda de que al hombre que colgaba de las cuerdas le habían disparado. Al resplandor de la linterna, había podido ver el orificio de bala justo encima del corazón. Poco le había faltado para desmayarse o, como mínimo, empezar a vomitar. El agujero era enorme. Andersson había sido ejecutado a muy corta distancia con una escopeta de perdigones.

De repente, el perro empezó a aullar desde el lugar en que él lo había amarrado. Al principio, pensó que el animal habría detectado la pista del asesino, que estaría por allí. Stefan corrió hacia el perro arañándose la cara con las ramas secas que sobresalían a su paso. En algún lugar del camino perdió, además, el teléfono móvil, que se le cayó del bolsillo de la camisa. A rastras, logró llevar al perro de vuelta a la casa, desde donde llamó por teléfono y dio la alarma. El hombre que atendió la llamada comprendió enseguida la gravedad de la situación. Stefan había mencionado el nombre de Giuseppe Larsson y al oírlo, el otro comprendió que no tenía sentido formular un montón de preguntas innecesarias. Le preguntó a Stefan si tenía móvil, pero éste le contestó que se le había caído durante su carrera hacia la casa, de modo que el hombre de Östersund le prometió que lo llamaría para ayudarle a encontrarlo en la oscuridad. Sin embargo, empezaba a clarear el día y el teléfono seguía sin aparecer, pues no llegó a oír la señal de llamada. Y después, ¿qué sucedió? La sensación de que el asesino andaba por allí cerca no lo abandonaba. Corrió agazapado en dirección al coche y, una vez en el interior, chocó contra un contenedor de basura al recorrer unos metros marcha atrás para girar y salir a la carretera general, donde pensaba aguardar la llegada de los primeros policías. El hombre de Östersund le había asegurado que serían agentes de Sveg.

Erik Johansson fue el primero en llegar, en compañía de un colega llamado Sune Hodell. Stefan los llevó hasta el lugar donde había hallado el cadáver y tanto Erik Johansson como el otro agente retrocedieron horrorizados ante el espectáculo. Después, sufrieron el penoso discurrir del tiempo en espera del alba. Habían establecido su cuartel general en la casa de Abraham Andersson. Erik Johansson estuvo en contacto telefónico constante con Östersund. En un momento dado, se acercó a Stefan, que había empezado a sangrar por la nariz y se había tumbado en el sofá de la sala de estar, para comunicarle que Giuseppe Larsson había salido de Östersund y estaba en camino. Los coches de Jämtland habían llegado pasada la media noche y, poco después, también se presentó el médico, al que Erik Johansson había localizado, con no poca dificultad, en una cabaña de cazadores en algún lugar al norte de Funäsdalen. Había estado intentando localizar a los colegas de Hälsingland y de Dalarna para informarlos de lo sucedido. En algún momento de la noche, Stefan lo oyó hablar con la policía noruega de Röros. Los técnicos criminalistas habían instalado unos focos en el interior del bosque, pero la investigación había quedado suspendida a la espera de que amaneciese.

Hacia las cuatro de la mañana, Giuseppe y Stefan quedaron solos en la cocina.

—Rundström vendrá en cuanto amanezca —advirtió Giuseppe—. Llegará con tres agentes del grupo canino; los que traeremos en helicóptero, pues es la manera más fácil. Vendrá y se preguntará qué estabas haciendo tú aquí. Y yo tendré que darle una buena respuesta.

—No, *tú* no —rechazó Stefan—. *Yo* soy quien ha de preparar una respuesta.

—¿Y cuál es?

Stefan reflexionó un instante antes de contestar.

—Pues no lo sé —admitió—. Tal vez podría decirle simplemente que vine para preguntarle si había recordado algo más acerca de Herbert Molin.

—Ya, y que te topaste con el pastel del asesinato, ¿no es eso? En fin, creo que Rundström entenderá lo que digas, pero seguro que pensará que es un tanto extraño.

—Bien, me iré de aquí.

Giuseppe asintió.

—Pero no antes de que hayamos hablado y dejado claro lo que ha ocurrido.

Su conversación nocturna terminó, pues en aquel momento uno de los colegas de Giuseppe entró para avisarle de que la policía de Helsingborg había dado parte del fallecimiento a la esposa de Abraham Andersson. Giuseppe salió para hablar con alguien, tal vez con la mujer, en uno de los teléfonos móviles que no cesaban de sonar. Stefan se preguntó cómo se habrían llevado las investigaciones de asesinato cuando no existían los móviles. Aquella noche, se preguntó también cuáles serían, en general, los mecanismos que entraban en funcionamiento cuando se trataba de poner en marcha una investigación de asesinato. Existía, ciertamente, una serie de procedimientos rutinarios que había que seguir y que nadie se cuestionaba. Pero, aparte de todas esas rutinas, ¿qué sucedía, en realidad? Stefan creía adivinar lo que pasaba por la mente de Giuseppe y sospechaba que se asemejaba bastante a lo que él mismo pensaba. O intentaba pensar. Sin embargo, aquella imagen que se presentaba a su mente sin cesar lo paralizaba: no podía erradicar de su memoria la figura de Abraham Andersson colgando del árbol al que había sido amarrado con una cuerda; el enorme agujero que había causado el proyectil, consecuencia de uno o varios disparos que habían efectuado desde una distancia muy, muy corta.

Abraham Andersson había sido ejecutado. Desde algún lugar aún desconocido para ellos, un pelotón de ejecución había surgido de entre las sombras, había dictado una sentencia y, tras haberla ejecutado, había desaparecido de forma tan invisible como se presentó.

«Tampoco éste es un crimen corriente», se dijo Stefan más de una vez aquella noche. «Pero, si no lo es, ¿qué es, entonces? Entre Herbert Molin y Abraham Andersson debe de haber existido una conexión. Ellos constituyen la base de un triángulo. En el ángulo que falta, tiene que haber alguien que aparece en la oscuridad no sólo una vez, sino dos, y mata a dos hombres de avanzada edad que, en apariencia, nada tienen en común.»

Y allí se le cerraban todas las puertas en sus propias narices. «Y ése es el núcleo de una investigación de asesinato», resolvió. «De repente, surge una conexión inexplicable entre dos personas, un vínculo de tal profundidad que alguien decide matarlos a los dos. Y eso es lo que ocupa la mente de Giuseppe mientras sigue todas las rutinas y espera el alba que tanto se hace de rogar. Está intentando ver lo que se oculta tras las apariencias.»

Stefan se había mantenido cerca de Giuseppe durante toda la noche. Lo había ido siguiendo mientras él, con paso presuroso, iba y venía entre el lugar del crimen y la casa, convertida en su centro de operaciones, y Stefan no pudo por menos de sorprenderse ante la habilidad con que Giuseppe iba dando los pasos necesarios. Pese a lo tremendo de la imagen de aquel hombre que colgaba de un árbol con el pecho destrozado por uno o varios disparos, lo había oído reír en varias ocasiones durante la noche. No había el menor atisbo de crueldad ni de cinismo en el colega de Östersund, tan sólo aquella risa liberadora que le ayudaba a soportar tanto horror.

Por fin llegó el alba y un helicóptero se posó sobre el césped que había en la parte posterior de la casa. De él salieron Rundström y los tres agentes del grupo canino con sendos pastores alemanes, tan excitados que no dejaban de tironear de sus correas. El helicóptero despegó de nuevo enseguida y desapareció.

Con la luz del amanecer se modificó el ritmo lento de las tareas a las que se habían dedicado durante la noche. Pese a que los policías, que habían trabajado sin interrupción desde que llegaran al lugar de los hechos, estaban cansados y sus rostros aparecían tan grises como el romper del día, aceleraron el ritmo de trabajo. Tras haberle ofrecido a Rundström una síntesis de lo sucedido, Giuseppe reunió a los agentes de la sección canina en torno a un mapa para definir los parámetros de la búsqueda. Los tres agentes se dirigieron después hacia el lugar en el que ya habían empezado a descolgar el cadáver del árbol.

El primer perro halló enseguida el teléfono móvil de Stefan. Alguien lo había pisado durante la noche y la batería estaba aplastada. Stefan se lo guardó en el bolsillo mientras se preguntaba quién lo heredaría si no conseguía sobrevivir al cáncer que padecía.

Tras una hora de trabajo realizado en el mayor silencio y concentración, Rundström congregó a todos los policías para que emprendiesen una inspección a fondo de la casa. Para entonces, habían llegado otros dos coches de Östersund con material suplementario para los técnicos. El helicóptero regresó para llevarse el cuerpo sin vida de Abraham Andersson, que trasladarían de Östersund a la unidad forense de Umeå.

Justo antes de que comenzase la inspección, Rundström se acercó a Stefan, que se había sentado en el coche, para pedirle que participase en el examen de la casa, sin haber indagado, hasta entonces, en la cuestión de cómo era que Stefan había encontrado el cuerpo de Abraham Andersson.

Los policías que se habían concentrado en la amplia cocina estaban cansados y ateridos. Giuseppe se arrancaba los pelos de la nariz apoyado contra una pared. Stefan pensó que aparentaba más de cuarenta y tres años. Tenía el rostro hundido, los párpados superiores abatidos. A veces, daba la impresión de estar totalmente ausente. Sin embargo, Stefan intuía que aquella apariencia más bien respondía al torbellino de cuestiones que el agente se planteaba acerca de lo sucedido. Su grado de concentración era indicio de introspección y Stefan se figuraba que estaba planteándose aquella cuestión a la que todos los policías se enfrentaban una y otra vez: ¿qué es lo que me pasa inadvertido?

Rundström empezó hablando de los controles de carreteras que habían establecido en las vías más importantes. Antes de que la policía de Särna hubiese organizado su control, les habían llegado informes acerca de un coche que había pasado a gran velocidad hacia el sur, en dirección a Idre. Aquella información revestía gran importancia, por lo que Rundström le pidió a Erik Johansson que se pusiese al habla con los colegas de Dalarna.

Después, volvió la mirada a Stefan y comenzó:

—No sé si todos los presentes te conocen, así que te presentaré: aquí tenemos a un colega de Borås que trabajó hace tiempo con Herbert Molin. En fin, creo que lo más sencillo será que tú mismo nos cuentes cómo encontraste el cadáver de Abraham Andersson.

Stefan les refirió lo que había sucedido después de que llegase a Dunkärret desde Sveg. Una vez que hubo concluido su relato, Rundström le hizo algunas preguntas. Lo que más le interesaba conocer eran los detalles de las indicaciones horarias. Stefan había tenido la suficiente presencia de ánimo y profesionalidad como para mirar el reloj, tanto cuando llegó a la finca como cuando descubrió el cadáver.

La reunión fue muy breve. Los técnicos querían retomar el trabajo tan pronto como fuese posible, pues las previsiones meteorológicas habían anunciado el riesgo de aguanieve según avanzase el día. Stefan salió al jardín con Giuseppe.

—Aquí hay algo que no encaja —sentenció Giuseppe tras un rato de silencio—. Tú has apuntado la idea de que la causa de la muerte de Herbert Molin bien podía hallarse en algún punto de su pasado. Y a mí me pareció una suposición razonable. Pero ¿cómo hemos de interpretar lo que tenemos ahora? Abraham Andersson no era policía. Era violinista de una orquesta sinfónica. Podemos estar seguros de que él y Herbert Molin no se conocieron hasta que ambos se vinieron a vivir a la misma zona rural por pura casualidad. Y ahí creo yo que se estrella tu teoría sobre el móvil de la muerte de Herbert Molin.

—Bueno, eso habrá que investigarlo, ¿no? Por extraño que ahora nos resulte, Herbert Molin y Abraham Andersson pueden haber tenido algo en común que nosotros, simplemente, ignoramos.

Giuseppe negó con un gesto.

—Sí, claro que vamos a investigarlo. Pero yo no creo en esa hipótesis, de todos modos.

Dicho esto, estalló en una risotada.

—Ya, ya lo sé, los policías no tenemos que creer nada pero, de todos modos, es lo que solemos hacer. Desde el primer instante que pasamos en el lugar de un crimen, empezamos a extraer conclusiones provisionales. Tejemos redes aun antes de conocer el tamaño de los gusanos ni qué pez es el que buscamos; ni siquiera en qué tipo de aguas vamos a echar esas redes. ¿En el mar o en un lago? ¿En un río o en una laguna?

A Stefan le costaba seguir del todo el lenguaje metafórico de Giuseppe. Pero no por ello le sonaba menos atractivo.

Uno de los agentes de la sección canina apareció del interior del bosque. Stefan vio que el perro estaba exhausto.

—Nada —declaró el colega—. Además, creo que *Stamp* está enfermo.

—¿Qué le ocurre?

—Vomita todo lo que come. Es posible que sufra alguna infección.

Giuseppe asintió. El agente se marchó y Stefan se quedó contemplando al pastor alemán que, inmóvil, miraba fijamente, desde la atadura de su correa, hacia el lugar del que procedían las voces de los técnicos.

—Pero ¿qué es lo que está pasando en el bosque? —inquirió de improviso—. La verdad, no me gusta lo más mínimo. Es como una sombra que se deslizase en la penumbra. Uno no sabe si es real o imaginaria.

—¿Qué tipo de sombra?

—Pues de esas a las que no estamos habituados por aquí. Herbert Molin fue víctima de un ataque bien planeado. Abraham Andersson resulta ejecutado. Te digo que no lo entiendo.

La conversación se vio interrumpida cuando vieron que Erik Johansson se les acercaba a la carrera por el jardín.

—Ya podemos desechar el coche de Särna. Era un hombre que iba al hospital materno con su esposa a punto de dar a luz.

Giuseppe masculló unas palabras ininteligibles por toda respuesta. Erik Johansson regresó al interior de la casa.

—A ver, ¿qué crees tú que ha sucedido en realidad? —quiso saber Giuseppe.

—Veamos, yo utilizaría el mismo término que tú, una ejecución. Pero ¿por qué tomarse la molestia de sacar a un hombre de su casa y arrastrarlo hasta el bosque y amarrarlo a un árbol antes de pegarle un tiro? Y ahí también tenemos, en mi opinión, una similitud con el asesinato de Herbert Molin. ¿Por qué tomarse la molestia de plasmar en el suelo unos pasos de tango, con sangre? —Él mismo dio la respuesta, sin esperar la del colega—: Pues para contar una historia. La cuestión es: ¿a quién? Ya hemos hablado de ello con anterioridad. El autor de los hechos envía mensajes, pero ¿para quién? ¿Para nosotros, o para otra persona? Y ¿por qué lo hace? O lo hacen, pues seguimos sin saber si son varios autores.

Giuseppe alzó la vista hacia el cielo cubierto de nubes.

—¿Tú crees que nos las vemos con un chiflado? —preguntó—. ¿Será éste el final, o habrá más muertes?

Regresaron al interior de la casa. Rundström estaba hablando por teléfono y los técnicos continuaban con el examen de la casa de Abraham Andersson. Stefan tenía la sensación de estar estorbando. Rundström concluyó su conversación y señaló a Stefan.

—Creo que deberíamos hablar —comentó—. Será mejor que salgamos.

Los dos hombres se encaminaron hacia la parte posterior de la casa. Las nubes que discurrían por el cielo se tornaban cada vez más oscuras.

—¿Cuánto tiempo has pensado quedarte? —inquirió Rundström.

—Pues había pensado marcharme hoy pero, dadas las circunstancias, supongo que tendrá que ser mañana.

Rundström lo miró inquisitivo.

—Verás, me da la impresión de que estás ocultándome algo. ¿Me equivoco?

Stefan negó vehemente con un gesto.

—¿Quieres decir que no tenías nada en común con Molin y que debieses contarnos?

—Nada.

Rundström le dio un puntapié a una piedra que había en el suelo.

—Creo que lo mejor será que nos dejes encargarnos de esta investigación; será mejor que no te entrometas.

—No tengo la menor intención de inmiscuirme en vuestro trabajo.

Stefan notó que empezaba a encolerizarse. Rundström arropaba sus palabras con una especie de descuidada amabilidad y le molestaba que no hablase claro.

—Bien, entonces, en eso quedamos —subrayó Rundström—. Claro que fue una suerte que vinieses aquí así, por casualidad. Al menos no tuvo que estar ahí colgado demasiado tiempo.

Rundström se marchó y Stefan se dio cuenta de que Giuseppe estaba mirándolo desde una de las ventanas, de modo que le hizo una seña para que saliese.

Ya junto al coche de Stefan, se despidieron.

—Así que te vas.

—Pues sí, mañana mismo.

—Te llamaré más tarde.

—Pues llama al hotel. El móvil está roto.

Stefan se marchó pero, recorridos tan sólo unos kilómetros, sintió sueño, por lo que se desvió hacia uno de los caminos que conducían al bosque, detuvo el coche y echó el asiento hacia atrás.

Cuando despertó, se encontró rodeado de paredes blancas y silenciosas. En efecto, mientras dormía, había empezado a nevar y la nieve había cubierto todas las ventanillas. Permaneció inmóvil y contuvo la respiración. «¿Será así la muerte?», se preguntó. «¿Una estancia blanca por cuyos muros se filtra una luz tenue?» Volvió a subir el respaldo del asiento y notó que tenía el cuerpo entumecido y dolorido. Había tenido un sueño, estaba seguro de ello. Pero era incapaz de recordar sobre qué. Cabía la posibilidad de que la ensoñación que no acudía a su memoria guardase relación con el perro de Abraham Andersson. ¿No había empezado el animal a mordisquear una de sus patas, de repente? Se desperezó pensando que, en realidad, prefería no recordar lo que había soñado. Miró el reloj y comprobó que eran las once y cuarto. Por tanto, había estado durmiendo más de dos horas. Abrió la puerta del coche y salió para orinar. La tierra estaba blanca, pero no había estado nevando mucho tiempo pues, de hecho, ya había cesado. No se percibía en los árboles el más mínimo movimiento. No soplaba la menor brisa. «Nada», resolvió para sí. «Si me quedase aquí, estático, no tardaría en convertirme en un árbol.»

Ya al volante, salió de nuevo a la carretera principal. Iría derecho a Sveg, comería algo y aguardaría hasta que Giuseppe lo llamase. Sólo eso. A él le referiría su conversación con Elsa Berggren y le hablaría del uniforme nazi que la mujer tenía colgado oculto en el fondo de su armario pues, en toda la noche, no encontró el momento de hacerlo. Pero estaba decidido a no abandonar Sveg antes de haber ofrecido a Giuseppe cualquier dato que pudiese ayudarle en su trabajo de investigación.

Ya se acercaba al desvío que conducía hasta la casa de Herbert Molin. No tenía la menor intención de detenerse pero, aun así, frenó en seco de forma tan rotunda que el coche se deslizó sobre la calzada empapada de aguanieve. ¿Por qué se había parado? «Bueno, para hacer una última visita», se dijo. «Una última visita rápida y nada más.» Recorrió el camino hasta la casa, aparcó ante la puerta y salió del coche. Sobre la película blanca de la nieve se distinguían huellas de animales. «Una liebre, seguro», supuso. Intentó desenterrar de su memoria la figura que describían los pasos ensangrentados y los reprodujo para sí. Intentó recrear la imagen de Herbert Molin y su muñeca ante sí. «Un hombre y una muñeca bailando un tango en la nieve. En algún lugar del bosque, una orquesta argentina interpreta la música. ¿Qué instrumentos se utilizan para el tango? ¿La guitarra y el violín? ¿Tal vez el acordeón? Stefan lo ignoraba. Pero tampoco tenía la menor importancia. Herbert Molin bailaba con la muerte sin saberlo. O tal vez intuyese que la muerte estaba fuera, en el bosque, y que lo acechaba. Él era consciente de los movimientos que abrigaban las sombras ya en aquella ocasión, cuando yo lo conocí o, al menos, creía saber quién era. Un policía ya entrado en años que jamás se había destacado por ningún motivo. Pero que, pese a todo, se tomó el tiempo necesario para hablar conmigo, un joven agente recién llegado al que le quedaba todo por aprender sobre lo que se sentía cuando un borracho te vomita encima, cuando una mujer ebria te escupe en la cara o cuando un psicópata fuera de sí está a punto de matarte.»

Stefan se quedó contemplando la casa, que ahora, con el suelo blanco a su alrededor, ofrecía un aspecto diferente.

Después, su mirada se vio atraída por el cobertizo. Había entrado en él la primera vez que visitó el lugar del crimen, pero

194

en aquella ocasión fue la casa la que había reclamado todo su interés. Se acercó, pues, a la caseta y abrió la puerta. Se componía de una única habitación con el suelo de hormigón. Encendió la luz. En una de las paredes había una leñera y en la pared contraria se alzaba una estantería con herramientas y un armario metálico. Stefan abrió el armario pensando que, en su interior, encontraría un uniforme. Pero lo único que halló fue un sucio mono de trabajo y un par de botas de goma. Cerró la puerta de latón y siguió examinando el contenido de la habitación. «¿Qué nos dice esto?», inquirió. «La leñera sólo indica la habilidad de Herbert Molin para construir una leñera perfecta.» Se acercó entonces hasta la estantería de las herramientas y se formuló la misma pregunta: ¿qué podía interpretarse de ellas? Pero las herramientas no contaban ninguna historia inesperada.

Stefan pensó en su niñez y en la caseta para las herramientas que su padre tenía cuando vivían en Kinna. En efecto, aquélla presentaba el mismo aspecto. Herbert Molin tenía todo lo necesario para realizar pequeñas reparaciones en su casa y en el coche. No había nada que no encajase en aquel escenario, ningún detalle entre las herramientas que llamase su atención y le revelase una historia inesperada. Continuó la inspección de la caseta.

En un rincón, había unos esquís y algunos bastones. Stefan tomó uno de los esquís y lo llevó hasta el umbral, donde pudo comprobar que las fijaciones estaban desgastadas, lo que sólo podía significar que Herbert Molin los había utilizado. Tal vez para cruzar el lago cuando el agua se hubiese congelado e hiciese buen tiempo. Tal vez porque le gustase esquiar o por hacer algo de ejercicio, quién sabe. O tal vez para pescar con anzuelo. Dejó el esquí en su lugar y, de pronto, descubrió algo inesperado. En efecto, otro par de esquís, más cortos, quizá de mujer. De repente, se imaginó a dos personas avanzando con sendos esquís sobre el lago helado un claro día de invierno. Herbert Molin y Elsa Berggren. ¿De qué hablarían cuando salían a esquiar juntos? O quizá la gente no hablase cuando esquiaba... Stefan no lo sabía pues, salvo cuando era niño, jamás había esquiado. Recorrió la habitación con la mirada. En un rincón vio un trineo desvencijado, algunos ovillos de hilo de acero y unas tejas sueltas.

Y entonces, una cosa llamó su atención. Aguzó la vista y, hasta que no hubo transcurrido más de un minuto, no cayó en la cuenta de qué era. En efecto, las baldosas estaban desordenadas. Y aquello era algo inusitado que no encajaba en el modelo. Herbert Molin componía rompecabezas, disponía la leña con un sentido extremo del orden y la simetría. Otro tanto podía decirse de las herramientas, entre las cuales también reinaba el más perfecto orden. Y sin embargo, con las baldosas no era así. Estaban desordenadas o, al menos, se decía, organizadas según otro tipo de orden. Se acuclilló y comenzó a retirarlas, una a una.

Había, debajo de ellas, una plancha de metal incrustada en el suelo de hormigón. Una portezuela cerrada con llave, según parecía. Stefan se levantó para echar mano de una palanca que había entre las herramientas. Logró introducir el extremo por una ranura que quedaba entre el hormigón y el borde de la portezuela y, haciendo uso de todas sus fuerzas, logró que cediese. La portezuela se soltó de repente y Stefan cayó de bruces, de modo que se golpeó la cabeza contra la pared. Cuando se pasó la mano por la frente, vio que sangraba. Bajo la mesa de trabajo, había un cajón con bayetas. Tomó una, se limpió y presionó con ella sobre la herida hasta que dejó de sangrar.

Después, volvió a inclinarse para inspeccionar el agujero. Había allí dentro un paquete. Cuando lo sacó, comprobó que el envoltorio era un viejo impermeable negro. En aquel momento, sintió que Herbert Molin le estaba muy próximo. En efecto, el antiguo colega había escondido algo que no quería que descubriese nadie. Stefan dejó el paquete sobre la mesa de trabajo, le pidió disculpas, en silencio, a Herbert Molin y apartó las herramientas. El paquete estaba atado con un grueso cordón. Stefan deshizo el nudo y extendió el impermeable.

Hecho esto, tuvo ante sí tres objetos distintos. Un libro de notas de color negro, unas cartas unidas por un lazo rojo y un sobre. Comenzó por abrir el sobre, que contenía tres fotografías. No le pasó inadvertido el hecho de no sorprenderse lo más mínimo ante lo que veía en ellas. En realidad, lo supo desde su incursión en la casa de Elsa Berggren; en su fuero interno, lo sabía y, ahora, no hacía más que obtener una confirmación.

Había allí, pues, tres fotografías, todas ellas en blanco y negro. La primera representaba a cuatro hombres jóvenes que, con los brazos sobre los hombros del compañero, sonreían ampliamente a la cámara. Uno de ellos era Herbert Molin que, entonces, aún se llamaba Mattson-Herzén. El fondo estaba bastante desdibujado, pero Stefan pensó que podía tratarse de la fachada de una casa. La segunda instantánea también era de Herbert Molin. La habían tomado en un estudio cuyo nombre aparecía inscrito en el borde inferior de la fotografía.

La tercera, también de Molin, tan joven como en las otras dos. En ésta aparecía junto a una motocicleta con sidecar. El retratado sostenía un arma entre sus manos. Y sonreía ante la cámara.

Stefan colocó las fotos una junto a otra.

Algo tenían las tres en común.

La indumentaria de Herbert Molin. Su uniforme.

Que era igual que el que Elsa Berggren tenía guardado en su armario.

14

Había una historia que transcurría en Escocia.

Figuraba más o menos hacia la mitad del diario, inserta como una digresión inesperada en la narración que Herbert Molin había escrito sobre su vida. En mayo de 1972, Herbert Molin se toma dos semanas de vacaciones. Viaja en barco desde Gotemburgo hasta Immingham, en la costa este inglesa. Prosigue después el viaje en tren hasta Glasgow, adonde llega entrada la noche del 11 de mayo. Allí se aloja en el hotel Smith que, según su descripción, está situado «en las inmediaciones de varios museos y de una universidad». Pero él no va a visitar ningún museo. Al día siguiente, alquila un coche y continúa hacia el norte. En el diario, anota su paso por las ciudades de Kinross, Dunkeld y Spean Bridge. Aquel día, realizó un largo viaje, que lo llevó hasta Drumnadrochit, en la orilla oeste del lago Ness, donde se queda a pasar la noche. Sin embargo, no se molesta en salir en busca de ningún monstruo marino.

La mañana del 13 de mayo, a hora muy temprana, reemprende el viaje en coche hacia el norte y, aquella misma noche, alcanza su objetivo, la ciudad de Dornoch, que se encuentra en un cabo de la costa este de las tierras altas escocesas. Busca alojamiento en el barrio portuario, en el hotel Rosedale y, según observa en el diario, «el aire aquí es diferente al de Västergötland». No obstante, nada dice sobre los motivos que, según él, marcarían dicha diferencia. Llega, pues, a Dornoch a mediados de mayo de 1972 sin que haya dado, hasta entonces, la menor explicación acerca de la razón que lo llevó a emprender aquel viaje. Nada, salvo que allí tiene concertada una cita con «M.». Y, de hecho, «M.» y él se ven aquella misma noche. «Largo paseo por la ciudad en compañía de M.», escribe. «Fuerte viento, pero sin lluvia.» Durante los siete días siguientes, ofrece las mismas indicaciones: «Largo paseo por la ciudad en compañía de M.», y nada más. Lo único que parece considerar digno de perdurar en el recuerdo es el hecho de que tienen un tiempo variable. Resulta que, según su testimonio, en Dornoch siempre sopla el viento. Pero en ocasiones «llueve a cántaros» y otras veces el tiempo se presenta «amenazante»; tan sólo un día, el 18 de mayo, «hace sol y bastante calor». Pocos días después, emprende el viaje de regreso, haciendo el mismo recorrido que para llegar a su objetivo, aunque no refleja en sus páginas si lo hace con el mismo coche de alquiler o si, por el contrario, lo cambia por otro. Sin embargo, sí expresa su sorpresa ante el hecho de que, cuando hubo de pagar la cuenta en el hotel Rosedale, aquello «no costase más». Unos días más tarde, tras verse obligado a aguardar en Immingham durante veinticuatro horas, a causa de que «un transbordador había sufrido un fallo en la maquinaria», regresa a Gotemburgo y de allí a Borås. El 26 de mayo está de vuelta en su puesto de la comisaría.

La historia escocesa aparecía como una excepción desconcertante en medio del conjunto del diario. Un diario que llevó con grandes lagunas temporales. De hecho, en ocasiones, había dejado transcurrir varios años entre dos entradas del diario. A menudo utilizaba una pluma estilográfica, pero a veces se servía también de un lápiz para anotar sus observaciones. El viaje a Escocia y a la ciudad de Dornoch era, en definitiva, una misteriosa anomalía. En efecto, llegó hasta allí para verse con alguien llamado «M.». Ambos pasean, siempre de noche. Pero no ofrece la menor información acerca de quién es M. ni de cuál es su tema de conversación. Simplemente, pasean, y eso es todo. En una única ocasión, el miércoles 17 de mayo, Herbert Molin se permite introducir uno de los escasísimos comentarios personales que contiene el diario. «Despierto descansado esta mañana. Comprendo que debería haber emprendido este viaje hace mucho tiempo.» Y eso es todo. «Despierto descansado esta mañana.» Es un comentario crucial en muchos sentidos, puesto que el diario trata, en su mayor parte y por lo general, acerca de lo mucho que le cuesta conciliar el sueño. Pero en Dornoch se despierta descansado y reflexiona sobre lo conveniente que habría sido hacer aquel viaje mucho antes.

Había empezado a atardecer cuando Stefan llegó a aquel punto de la lectura. Cuando encontró el paquete en el cobertizo, pensó en principio que sería apropiado llevárselo consigo al hotel de Sveg. Mas, a medida que había ido leyendo, cambió de parecer y, por segunda vez, se metió en la casa de Herbert Molin trepando hasta ganar una de las ventanas. Retiró las piezas de rompecabezas que había sobre la mesa de la sala de estar y colocó el diario ante sí. Deseaba leerlo en aquella casa destrozada en la que la presencia de Herbert Molin aún se hacía sentir de algún modo. Junto al diario, colocó las tres fotografías. Antes de abrir el diario, desató el nudo del lazo rojo que sujetaba el paquete de cartas, que eran nueve en total. Y era el propio Molin quien las había enviado a Kalmar, a sus padres. Las cartas estaban fechadas entre octubre de 1942 y abril de 1945. Y todas ellas habían sido enviadas desde Alemania. Stefan decidió dejar las cartas para más tarde y, en primer lugar, terminar de leer el diario.

La primera anotación había sido hecha en Oslo, el 3 de junio de 1942. Herbert Molin escribe que ha comprado el diario en una librería y papelería de la calle de Stortingsgaten, de Oslo, con el propósito e intención de comenzar a «escribir en él acontecimientos importantes de mi vida». Ha cruzado, asegura, la frontera hacia Noruega por el oeste de Idre, en el norte de Dalarna, por una carretera que atravesaba Flötningen. El trayecto se lo había recomendado un tal «teniente W., de Estocolmo, que se encarga de que, aquellos que deseen enrolarse en el ejército alemán se orienten entre las montañas». Sin embargo, no cuenta cómo pasó la frontera hasta Oslo. En cualquier caso, está ya en Oslo en junio de 1942, y se compra un bloc de notas en el que comienza a redactar su diario.

Stefan se detuvo en aquel punto sumido en un mar de reflexiones. Herbert Molin tiene, en 1942, la edad de diecinueve años. En realidad, se llama aún August Mattson-Herzén. Comienza a escribir el diario cuando ya se encuentra inmerso en un episodio crucial de su vida. Tiene diecinueve años y ha decidido unirse a la potencia bélica alemana. Es decir, que desea combatir del lado de Hitler. Ha abandonado Kalmar y, de algún modo y a través de un teniente de Estocolmo con el que ha entrado en contacto se enrola en las filas alemanas. Pero ¿se lanzó a la guerra con la bendición de sus padres o en contra de su voluntad? ¿Cuáles son sus motivos? ¿Acaso deseaba luchar contra el bolchevismo o no fue más que un impulso aventurero? A ninguna de aquellas preguntas halló Stefan respuesta en el diario. Lo único que sabía era, por tanto, que Herbert Molin tenía diecinueve años y se encontraba en Oslo.

Stefan siguió leyendo. El 4 de junio, Herbert Molin no escribe más que la fecha y comienza un renglón que tacha después. Luego hay un salto hasta el 28 de junio. Entonces plasma allí, con letras mayúsculas muy gruesas que «lo han admitido» y que lo llevarán a Alemania el mismo 2 de julio. La caligrafía denota la sensación de triunfo. ¡El ejército alemán lo había aceptado! Después, registra el momento en que se come un helado y acude al club Karl Johan a admirar a hermosas jóvenes «cuyas miradas, cuando se cruzan con la mía, me hacen sentir avergonzado». Y ése es el primer comentario personal que aparece en el diario: se toma un helado y si se cruza con alguna muchacha se siente abochornado.

La siguiente anotación resultaba difícil de leer. Tras un instante, Stefan cayó en la cuenta del motivo. Herbert Molin va camino de Alemania y está sentado en un tren cuyo traqueteo debe de ser la causa de tan desigual caligrafía. Advierte que está tenso y excitado, pero lleno de confianza. Y que no está totalmente solo. En efecto, asegura que lleva de acompañante a otro joven sueco que también se ha enrolado en las Waffen-SS, Anders Nilsson, de Lycksele. Observa a continuación que «Nilsson no es muy hablador, lo cual me viene de maravilla, puesto que yo también soy bastante parco en palabras». Además, hay algunos noruegos en el tren, pero él no parece considerar sus nombres dignos del esfuerzo de dejarlos escritos.

El resto de la página está en blanco, a excepción de una gran mancha de color marrón. Stefan creyó poder imaginarse al joven Molin derramando el café sobre el diario para enseguida guardarlo en la mochila con el fin de evitar que se estropease aún más.

La siguiente anotación está hecha en Austria. Y ya es octubre.

«12 de octubre de 1942. Klagenfurt
»Estoy a punto de finalizar mi instrucción en las Waffen-SS. En otras palabras, estoy a punto de convertirme en uno de los soldados de elite de Hitler; y estoy determinado a conseguirlo. He escrito una carta que Erngren llevará a Suecia, adonde regresará porque lo despidieron cuando cayó enfermo.»

Stefan se acercó el montón de cartas. La primera estaba fechada el 11 de octubre, en Klagenfurt. Observó que había sido escrita con la misma pluma que Molin había utilizado en el diario, una estilográfica que, de vez en cuando, goteaba y dejaba algún que otro borrón. Stefan se levantó del sofá y se acercó a una de las ventanas rotas para leer la misiva. El aleteo repentino de un pájaro se dejó oír entre las ramas.

«¡Queridos padres!

»Comprendo vuestra preocupación, pues he tardado en escribiros. Pero papá, tú, que eres militar, sabes que no siempre resulta fácil encontrar ni el tiempo ni el lugar para sentarse ante un papel y una pluma. Pero quiero que sepáis, queridos padres, que estoy bien. Desde Noruega y a través de Alemania, llegué a Francia, donde tuvo lugar el primer tramo de instrucción. Y ahora me encuentro en Austria para aprender el uso de las armas. Aquí hay muchos suecos, además de noruegos, daneses, holandeses y tres belgas. La disciplina es muy dura y no todos la soportan de la mejor manera. Pero yo lo he logrado, hasta el momento, e incluso he recibido la felicitación del capitán Stirnhoz, que es responsable de una parte de nuestra formación. Las fuerzas armadas alemanas y, en especial, las Waffen-SS, a las que ahora pertenezco, han de contar con los mejores soldados del mundo. He de reconocer que lo que ahora esperamos todos es poder salir de aquí y ser de utilidad. La comida es, por lo general, aunque no siempre, aceptable. Pero yo no me quejo jamás. Ignoro cuándo podré volver a Suecia. Y los permisos no se conceden a menos que se haya estado en activo por un periodo de tiempo suficiente. Ni que decir tiene que os añoro muchísimo, pero resisto y me entrego a lo que es mi deber. Pues es una gran causa la de luchar por la nueva Europa y contra el bolchevismo.

»Os abraza,

»Vuestro hijo August.»

El papel estaba quebradizo y muy amarillento. Stefan lo sostuvo al trasluz y allí aparecía, claramente visible, la marca de agua con el águila alemana. Permaneció junto a la ventana, meditando. De modo que Herbert Molin deja Suecia, cruza la frontera hacia Noruega y allí se enrola en las Waffen-SS. En la carta que envía a sus padres expone el motivo, de lo que podía deducirse que Herbert Molin no era ningún aventurero: se unió a las fuerzas armadas alemanas con la intención de participar en la creación de una nueva Europa basada en la destrucción del bolchevismo.

Herbert Molin, ya a la edad de diecinueve años, es un nazi convencido.

Stefan regresó al diario. A primeros de enero de 1943, Molin se encuentra en el interior de Rusia, en el frente oriental. El optimismo inicial se ve sustituido aquí por cierta duda que se torna en desesperación antes de, finalmente, convertirse en puro miedo. Stefan se detuvo en unas frases posteriores, escritas durante el invierno:

«*14 de marzo. Lugar: desconocido. Rusia*
»El frío aún igual de intenso. Preocupado cada noche por que alguna parte del cuerpo se me congele. Strömberg cayó ayer, muerto por una granada de mano. Hyttler ha desertado. Si lo atrapan, le dispararán o lo colgarán. Estamos ocultos bajo tierra, a la espera de un contraataque. Tengo miedo. Lo único que mantiene mi ánimo es la idea de poder llegar a Berlín y tomar clases de baile. Me pregunto si podré regresar algún día».

«Es decir, que baila», se dijo Stefan. «De modo que, mientras pasa los días enterrado en algún lugar remoto, sobrevive gracias al sueño de verse a sí mismo deslizarse por una pista de baile.»

Stefan observó las tres fotografías. Herbert Molin aparece sonriente. Allí no había aún rastro alguno de miedo. «La sonrisa de un verdadero monstruo del baile. El miedo está detrás de las imágenes. En las fotografías que jamás se tomaron. O tal vez optó por no guardar aquellas en las que el miedo es evidente, para no tener que recordarlo.»

Stefan continuó con su razonamiento. «La vida de Herbert Molin puede dividirse en dos. Hay una clara línea divisoria que separa los periodos anterior y posterior al miedo. El invierno de 1943 se le mete en el cuerpo a hurtadillas cuando se esfuerza por sobrevivir en el frente oriental. En aquella fecha, cuenta veinte años de edad. Cabe la posibilidad de que se trate del mismo miedo que yo percibí en el bosque a las afueras de Borås. El mismo miedo, cuarenta años más tarde.»

Stefan siguió adelante con la lectura del diario. Había empezado a atardecer y, por entre los restos de cristales rotos de las ventanas, el frío se abría paso hacia el interior de la habitación. Así, se llevó el libro a la cocina, cerró la puerta, cubrió la ventana rota con una manta que había ido a buscar al dormitorio y se dispuso a continuar leyendo.

En el mes de abril, Herbert Molin expone en el diario, por primera vez, su deseo de regresar a casa. Tiene miedo de morir. Los soldados se encuentran en una situación de desconsolada y ardua retirada, no sólo de una guerra imposible, sino también de una ideología que se ha derrumbado. Las circunstancias son espeluznantes. De vez en cuando hace referencia a la cantidad de cuerpos muertos que lo rodean, a todos aquellos miembros de cuerpos ametrallados, de rostros sin ojos, de gargantas degolladas. Él no cesa de buscar la menor posibilidad de librarse de todo ello, pero no halla solución. En cambio, sí que comprende a la perfección dónde no está la solución. Más tarde, durante la primavera, es seleccionado para participar en una ejecución. Tienen que ejecutar a dos belgas y un noruego a los que habían atrapado tras su deserción. Y aquélla es una de las anotaciones más largas:

»O tal vez territorio polaco. El capitán Emmers me seleccionó para formar parte de un pelotón de ejecución. Dos belgas y el noruego Lauritzen iban a ser ejecutados por desertores. Los colocaron en una cuneta, nosotros estábamos sobre la calzada. No fue fácil disparar apuntando hacia abajo. Lauritzen lloraba intentando escapar a rastras por el fango. El capitán Emmers ordenó que lo atasen a un poste de teléfono. Los belgas guardaban silencio. Lauritzen gritaba. Yo apunté directo al corazón. Eran desertores. Las leyes de la guerra están para cumplirlas. ¿Quién quiere morir? Después, nos dieron una copa de coñac a cada uno. Ahora, en Kalmar, es primavera. Si cierro los ojos, puedo ver el mar. ¿Volveré a casa algún día?».

Stefan notaba cómo el miedo de Herbert Molin se le contagiaba desde aquellas páginas. «Dispara contra desertores, lo considera una sentencia justa, le dan una copa de coñac y sueña con el Báltico. Y, en medio de todo aquello, el miedo se arrastra cerca de él, penetra en su cerebro y no le da un minuto de sosiego.» Stefan se esforzaba por imaginar lo que implicaba verse en una trinchera en algún lugar del frente oriental. «Un infierno», resolvió. En menos de un año, la ingenua actitud de entrega de Molin se había tornado en terror. Ninguna mención había ya de la nueva Europa; ahora se trataba de sobrevivir. Y, tal vez un día, volver a Kalmar.

Pero la situación se prolonga hasta la primavera de 1945. Desde Rusia, Herbert Molin regresa a Alemania. Está herido. En la entrada del 19 de octubre de 1944, Stefan halla la explicación a las heridas de bala que había descubierto el forense de Umeå. No se aclara con precisión lo que sucedió pero, en el mes de agosto de 1944, Herbert Molin recibe unos balazos. Sobrevive de forma, al parecer, milagrosa. Pero lo que derrocha en sus páginas del diario no son expresiones de agradecimiento. Stefan se percató de que algo nuevo estaba sucediendo con la persona de Herbert Molin. Ya no era sólo el miedo lo que impregnaba el contenido de aquellas páginas. Ahora, otro sentimiento se filtraba en ellas.

En efecto, Herbert Molin empieza a odiar. Expresa su ira contra lo que está sucediendo y habla de la necesidad de mostrarse «despiadado» y de no vacilar lo más mínimo a la hora de «imponer un castigo». En otras palabras, pese a que es ya consciente de que la guerra está perdida, no pierde la fe en la bondad de la intención y en la justicia del objetivo. Es posible que Hitler los haya defraudado. Pero no tanto como todos aquellos que no han comprendido que la guerra era una cruzada contra los bolcheviques. Y es precisamente a esas personas a quienes Herbert Molin empezó a odiar, en algún momento del año 1944, como se deduce con toda claridad de una de las cartas que escribe a Kalmar, fechada en enero de 1945 y, como de costumbre, sin la dirección del remitente. Al parecer y para entonces, él había recibido una carta de sus padres en la que le transmitían lo preocupados que estaban por él. Stefan se preguntaba por qué Molin no habría conservado las cartas que recibía, sino sólo las que él enviaba. Tal vez la explicación estuviese en la posibilidad de que sus propias cartas no fuesen sino un complemento del diario. Ahí era, en efecto, su voz la única que se oía siempre, su propia mano la que esgrimía la pluma.

«¡Queridos padres!
»Os pido disculpas por haber tardado tanto en contestar. El caso es que las tropas han estado en constante desplazamiento y ahora nos encontramos ya cerca de Berlín. No tenéis por qué preocuparos. La guerra es sufrimiento y sacrificio, pero yo he conseguido soportarlo bastante bien y he tenido suerte. Aunque he visto morir a muchos de mis compañeros, no he perdido el ánimo. Sin embargo, me pregunto por qué no habrá más jóve-

nes suecos e incluso hombres maduros que se animen a enrolarse y luchar bajo la bandera alemana. ¿Acaso no comprenden mis compatriotas qué está sucediendo? ¿No han comprendido que los rusos acabarán teniéndolo todo bajo su dominio a menos que nos defendamos? En fin, no quiero cansaros con mis reflexiones y mi rabia, aunque estoy seguro de que vosotros me comprendéis. Vosotros no os opusisteis a que partiese y tú, papá, me dijiste que habrías hecho lo mismo que yo, de haber sido más joven y no haber tenido la pierna lastimada. Ahora tengo que dejaros, pero ya sabéis que sigo en el mundo de los vivos y que persisto en la lucha. ¿Sabéis?, suelo soñar con Kalmar. ¿Cómo están Karin y Nils? ¿Y cómo le va a la tía Anna con sus rosales? ¡Me hago tantas preguntas en los escasos momentos de soledad!

»Vuestro hijo,

»August Mattson-Herzén

»En la actualidad ascendido a *Unterscharführer.*»

Las razones de Herbert Molin estaban cada vez más claras. Sus padres lo habían animado a combatir junto a Hitler contra el bolchevismo. Cuando se marchó a Noruega, no lo hizo como un buscador de aventuras. Se había impuesto a sí mismo una misión. Y, hacia finales de 1944, tal vez con motivo de las heridas de bala que sufrió, lo ascendieron. ¿Qué sería un *Unterscharführer*? ¿Cuál sería el equivalente sueco, si es que lo había?

Stefan retomó la lectura. Las anotaciones eran cada vez menos abundantes y de menor extensión. Pero Herbert Molin se quedó en Alemania hasta el final de la guerra. Durante los enfrentamientos finales, estuvo en Berlín, que fue quedando arrasado calle tras calle. Entonces da cuenta de la primera vez que ve un tanque ruso. Y señala que, en varias ocasiones, está a punto de «caer en las garras de los rusos» y, en ese caso, «que Dios se apiade de mí». Ya no aparecen más nombres suecos, ni tampoco noruegos o daneses. Es, a aquellas alturas, el único sueco entre los compañeros alemanes. El día 30 de abril se produce la última anotación en el diario:

«30 de abril
»Estoy luchando para sobrevivir, para salir vivo de este infierno. Todo está perdido. Cambié el uniforme por las ropas que le robé a un alemán civil muerto. Y eso es tanto como desertar. Pero, de todos modos, todo está derrumbándose ya. Esta noche, intentaré atravesar un puente. Después, ya veremos».

Y aquél era el final del diario de guerra. En ningún lugar figuraban datos sobre lo que sucedió después. Pero era evidente que Herbert Molin había sobrevivido y había logrado regresar a Suecia. Y no vuelve a retomar su diario hasta un año más tarde. Entonces, ya se encuentra en Kalmar. Su madre muere el 8 de abril de 1946 y él escribe el mismo día del entierro:

«Echaré en falta a mi madre. Era una persona buena. La ceremonia del entierro fue hermosa. Mi padre luchaba contra el llanto y venció en la lid. No dejo de pensar en la guerra. Las granadas no dejan de silbar en mis oídos ni siquiera cuando, sentado en mi bote, avanzo con las velas al viento por el golfo de Kalmar».

Stefan no dejaba de leer aquellas anotaciones cada vez más escasas y breves. Herbert Molin escribe cuándo se casa, cuándo tiene hijos. Pero nada acerca del cambio de nombre, y de las tiendas de música de Estocolmo tampoco figura mención alguna. Un día de julio de 1955 empieza, de forma inopinada, a escribir un poema y, aunque tacha los versos, era posible leer lo que decían:

Amanece sobre el golfo de Kalmar
Oigo el gorjeo de las avecillas
Un pájaro canta en el robledal

«Tal vez no halló ningún vocablo que rimase con "avecillas"», aventuró Stefan. «"Florecillas" habría valido. O "lucecillas".» Stefan tomó un lápiz del bolsillo y, en un bloc de notas que había junto al fregadero, completó: «Salpicado de florecillas». El resultado habría sido pésimo. Y tal vez Herbert Molin hubiese sido lo suficientemente sensato como para ver sus limitaciones poéticas.

Stefan volvió a la lectura. Herbert Molin se traslada a Alingsås y, más tarde, a Borås. Una visita de diez días a Escocia le renueva el deseo de escribir. Para hallar algo similar, Stefan debe retroceder a los primeros meses en Alemania, cuando el optimismo de Molin aún parece inquebrantable.

Tras el viaje a Escocia, todo vuelve de nuevo a la normalidad. Rara vez toma la pluma para añadir algo en el diario y, cuando lo hace, no son más que breves indicaciones de sucesos que no acompaña de comentarios personales.

Hacia el final del libro, la curiosidad de Stefan se reavivó. En efecto, las últimas anotaciones de Herbert Molin correspondían a su último día de trabajo en la comisaría y a su traslado a Härjedalen.

Un dato despertó su interés:

«2 de mayo de 1999
»Tarjeta de felicitación del viejo Wetterstedt, el pintor de retratos, por mi jubilación».

El 12 de mayo de 1999, introduce la última nota del libro:

»Siete grados de temperatura. Castro, mi fabricante de rompecabezas de Barcelona, ha muerto. He recibido carta de su mujer. Ahora comprendo que debió de sufrir muchísimo en los últimos años. Una enfermedad renal incurable».

Y eso era todo. El diario distaba mucho de estar completo. El libro que Herbert Molin comprara en una papelería de Oslo en junio de 1942 lo había seguido el resto de su vida, pero había quedado inacabado. Si es que podía considerarse que un diario pudiese concluirse. Cuando comenzó a escribirlo, era un muchacho, un nazi convencido, que había emprendido viaje para dirigirse desde Noruega a Alemania y a la guerra. Un joven que come helados y que se siente avergonzado cuando las jóvenes noruegas lo miran a los ojos. Cincuenta y siete años más tarde, escribe acerca de un fabricante de rompecabezas que ha fallecido en Barcelona y, casi medio año después, él mismo halla la muerte.

Stefan cerró el libro. Al otro lado de la ventana rota, era ya casi noche cerrada. «¿Estará la solución en el diario, o fuera de él?», se preguntó. «No puedo responder a esa pregunta, puesto que sólo conozco lo que escribió, no lo que omitió. Sin embargo, ahora sé algo de Herbert Molin que antes ignoraba. Fue un nazi. Participó en la segunda guerra mundial del lado de la Alemania de Hitler. Y, además, muchos años después, realizó un viaje a Escocia donde dio un buen número de largos paseos con alguien a quien llama M.»

Envolvió de nuevo las cartas, las fotografías y el libro en el impermeable. Salió de la casa por la misma ventana por la que había entrado y, justo cuando estaba a punto de abrir la puerta del coche, se detuvo. Una vaga sensación de tristeza había hecho presa en él. Por la vida que había vivido Herbert Molin. Aunque, pensó, también cabía la posibilidad de que él fuese el

211

objeto de aquella tristeza. Él, que con treinta y siete años y sin hijos, era víctima de una enfermedad que podía mandarlo a la tumba antes de que hubiese cumplido los cuarenta.

Se puso en marcha rumbo a Sveg. La circulación era escasa. Poco después de Linsell, lo adelantó un coche de la policía que iba camino de Sveg y, poco después, uno más. Los sucesos de la noche anterior se le antojaban remotos e irreales. Y, aun así, no hacía ni veinticuatro horas de su horrendo descubrimiento. Herbert Molin no mencionaba a Abraham Andersson en el diario. Ni tampoco a Elsa Berggren. Sus dos esposas y sus dos hijos no aparecían más que nombrados, en términos bastante objetivos y muy brevemente; jamás con la adición de ningún comentario personal.

La recepción estaba desierta cuando él llegó al hotel. Se inclinó sobre el mostrador y tomó su llave. Una vez en su habitación, inspeccionó la maleta, pero nadie la había tocado, de modo que fue persuadiéndose de que todo habían sido figuraciones suyas.

Poco después de las siete de la tarde, entró en el comedor. Giuseppe seguía sin llamarlo. La muchacha, que salió por la puerta giratoria de la cocina, le sonrió cuando se acercó para llevarle el menú.

—Ya he visto que tú mismo te hiciste con la llave —comentó.

Después, adoptó un gesto grave, antes de añadir:

—Me he enterado de que ha sucedido algo más, que otro anciano fue asesinado más allá de Glöte. —Stefan asintió y la muchacha continuó—: Pero ¡eso es terrible! ¿Qué nos está pasando?

La joven lo miró con gesto resignado y, sin esperar respuesta, le dio el menú.

—Hoy hemos cambiado —explicó—. Pero no te recomiendo las chuletas de ternera.

Stefan se decidió por un filete de alce con salsa *béarnaise* y patatas cocidas y, apenas acababa de terminar de cenar cuando la chica salió de nuevo por la puerta de la cocina para avisarle de que tenía una llamada. Stefan subió la escalera hasta la recepción y, tal y como esperaba, era Giuseppe.

—Me quedo aquí esta noche —anunció éste—. Me alojaré en el hotel.

—¿Qué tal va la cosa?

—No tenemos nada concreto por lo que guiarnos.

—¿Y los perros?

—Pues no han encontrado nada. Calculo que llegaré dentro de una hora. ¿Quieres acompañarme mientras ceno?

Stefan le prometió que así lo haría.

«Algo sí que puedo darle, después de todo», se dijo una vez que hubo concluido la conversación. «No puedo dilucidar qué tipo de relación existía entre Herbert Molin y Abraham Andersson. Pero puedo abrirle una puerta a Giuseppe.

»En casa de Elsa Berggren y en su ropero, hay colgado un uniforme nazi.

»Y Herbert Molin había tomado la precaución de ocultarle al mundo un testimonio de su pasado.»

Stefan pensó que era posible que el uniforme que viera en el armario de Elsa Berggren perteneciese a Herbert Molin. Aunque, según escribió éste, lo cambiase en una ocasión por las ropas de un civil, para salvarse y huir de un Berlín que ardía en llamas.

Giuseppe llegó agotado al hotel. Pese a todo, se echó a reír cuando se sentó a la mesa. El restaurante no tardaría en cerrar y la chica que alternaba las tareas de recepción con las del servicio de cocina y restaurante había empezado ya a preparar las mesas para el desayuno del día siguiente. Además de Stefan y Giuseppe, había en el local otro cliente; un hombre que ocupaba una de las mesas alineadas junto a la pared. Stefan supuso que sería uno de los pilotos de pruebas, aunque daba la impresión de ser demasiado mayor para ir conduciendo coches por terrenos intransitables y arriesgados.

—Cuando yo era joven, iba a menudo a comer a los restaurantes —afirmó Giuseppe como explicación de su carcajada que acababa de lanzar—. Ahora, sólo los visito cuando tengo que pasar la noche fuera de casa. Cuando tengo un crimen o cualquier otro asunto desagradable que resolver.

Durante la cena, Giuseppe le refirió lo que había sucedido durante el día, todo lo cual podía sintetizarse en una sola palabra: «nada».

—Estamos dando palos de ciego sobre el mismo terreno —confesó—. No hallamos ninguna pista. Nadie ha visto ni oído nada, pese a que ya nos hemos puesto en contacto con cuatro o cinco personas que pasaron por allí a lo largo de la tarde. Lo que no dejamos de preguntarnos Rundström y yo es si realmente existe una conexión entre Abraham Andersson y Herbert Molin. O si no la hay. Y, en tal caso, ¿qué es lo que hay?

Tras la cena, Giuseppe pidió una taza de té, en tanto que Stefan tomó café. Después, le desveló todo lo concerniente a su visita a Elsa Berggren, su incursión vespertina en su casa y a cómo encontró el diario en el cobertizo de Herbert Molin. Cuando hubo concluido, apartó la taza de café y puso sobre la mesa las cartas, las fotografías y el diario para que Giuseppe los viese.

—Me parece que te has extralimitado —observó Giuseppe visiblemente irritado—. Creía que habíamos acordado que no indagarías por tu cuenta.

—Sí, y lo único que puedo hacer es disculparme.

—¿Qué crees que habría ocurrido si Elsa Berggren te hubiese sorprendido rebuscando en su casa?

Stefan no sabía qué responder.

—Esto no puede repetirse —declaró Giuseppe tras un instante—. Pero será mejor que no le digamos nada a Rundström sobre tu visita a la casa de la señora. Él es muy especial para estas cosas. Todo ha de hacerse según la normativa. Y, como ya habrás notado, no le hace ninguna gracia que los forasteros anden merodeando por sus investigaciones. Digo «sus» investigaciones porque tiene la mala costumbre de considerar todos los casos de homicidios que revisten cierto grado de dificultad como asuntos personales.

—Es posible que Erik Johansson le haya contado que me vio rondar su casa, ¿no crees? Aunque me prometió que lo mantendría en secreto.

Giuseppe negó con un gesto.

—Erik Johansson no siente debilidad por Rundström, precisamente —explicó—. No debemos menospreciar el hecho de que pueden existir tensiones tanto entre personas en particular como entre regiones vecinas. En Härjedalen no se lleva muy bien eso de ser el hermano menor de la gran Jämtland. Y esos problemas se dan también entre policías.

Se sirvió otra taza de la tetera y se puso a observar las fotografías.

—Es una historia muy curiosa —comentó—. Parece ser, entonces, que Herbert Molin era un nazi que se enroló en el bando de Hitler. «*Unterscharführer.*» ¿Qué será eso? ¿Tenía algo que ver con la Gestapo? ¿Con los campos de concentración? ¿Qué era aquello que rezaba el letrero a la entrada de Auschwitz...? «*Arbeit macht frei*», «El trabajo libera», ¿no? ¡Uf! Es tremendo.

—Yo no sé mucho sobre el nazismo, la verdad —admitió Stefan—. Pero no creo que nadie que haya sido seguidor de Hitler vaya cacareándolo por ahí. Herbert Molin se cambió de nombre. Y tal vez hayamos dado con la explicación de ese cambio: pretendía borrar sus huellas.

Giuseppe pidió la cuenta y pagó; sacó luego un bolígrafo y escribió el nombre de Herbert Molin en el reverso.

—¿Sabes? Yo pienso mejor cuando escribo —confesó—. August Mattson-Herzén se convierte en Herbert Molin. Y tú nos has hablado sobre su miedo que, a la luz de los nuevos datos, bien podría interpretarse como un miedo a que el pasado le diese alcance. Por cierto, ¿no hablaste con su hija?

—Así es, pero Veronica Molin no mencionó una palabra acerca de que su padre hubiese sido nazi. Aunque, claro está, yo tampoco le pregunté.

—Sí, me figuro que será como con la gente que ha cometido algún delito. No suele ser el tema de conversación favorito en la familia.

—Claro, eso es lo que yo supuse. Pero, ahora cabe preguntarse si Abraham Andersson no tendría también un pasado.

—Ya veremos qué encontramos en su casa —atajó Giuseppe mientras escribía «Abraham Andersson»—. Los técnicos iban a descansar unas horas pero después pensaban continuar toda la noche.

Giuseppe trazó una flecha con dos puntas entre ambos nombres, Abraham Andersson y Herbert Molin. Después, dibujó una cruz gamada seguida de un signo de interrogación junto al nombre de Abraham Andersson.

—Ni que decir tiene que mañana empezaremos el día con una buena charla con Elsa Berggren —apuntó mientras escribía su nombre y hacía salir sendas flechas hacia los otros dos nombres que ya figuraban en el papel.

Después, arrugó el papel de la cuenta y lo dejó en el cenicero.

—«¿Empezaremos?»

—Bueno, digamos que tú me acompañas como mi ayudante privado, sin atribuciones de ningún tipo.

Giuseppe lanzó otra risotada que sustituyó enseguida por una expresión grave.

—Tenemos que ocuparnos de dos crímenes terribles —observó—. ¿Qué me importa a mí Rundström? ¿O que la investigación no se desarrolle del todo según las formalidades? Quiero que vengas conmigo. Dos personas escuchan mejor que una sola.

Salieron del comedor. El hombre solitario se quedó sentado a su mesa. Los dos policías se despidieron en la recepción y acordaron encontrarse a las siete de la mañana siguiente.

Aquella noche, Stefan durmió profundamente. Cuando despertó, lo hizo con el recuerdo de haber soñado con su padre. Ambos habían estado dando vueltas por un bosque, buscándose el uno al otro. Cuando Stefan lo halló por fin, sintió un alivio y una alegría inconmensurables.

Giuseppe, por el contrario, durmió mal. De hecho, se despertó a las cuatro de la mañana y se levantó de la cama de modo que, cuando se vio con Stefan en la recepción, acababa de volver de realizar una visita al lugar del crimen.

El resultado seguía invariable. Nada. No tenían la menor pista sobre quién podía haber asesinado a Abraham Andersson y, tal vez, también a Herbert Molin.

Justo en el momento en que se disponían a salir del hotel, Giuseppe se volvió hacia la muchacha de la recepción para preguntarle si ella había guardado su factura de la noche anterior pues, cuando ya se había metido en la cama, recordó que la necesitaría para presentarla como justificante de gastos. Pero la joven le respondió que no la había visto.

—¡Ah!, pero ¿no la dejé sobre la mesa? —inquirió Giuseppe.

—No, la arrugaste y la arrojaste al cenicero —le recordó Stefan.

Giuseppe se encogió de hombros y ambos salieron, decididos a dar un paseo hasta la casa de Elsa Berggren. No corría la menor brisa y la capa de nubes había desaparecido. Cuando emprendieron el camino hacia el puente que los conduciría hasta Ulvkälla, aún estaba oscuro. Giuseppe señaló el edificio blanco del juzgado.

—Aquí tuvimos un caso que se hizo bastante famoso, hace unos años. Con elementos racistas y todo eso. Fue un caso de un ataque violento en el que dos de los condenados se definieron a sí mismos como neonazis. No recuerdo cómo se llamaba su organización, Bevara Sverige Svenskt,* creo. Pero tal vez hayan dejado de existir.

—Bueno, creo que ahora se hacen llamar VAM —explicó Stefan no muy seguro.

—¿Y qué significa eso?

* Bevara Sverige Svenskt (BSS), Conservad Suecia Sueca, organización política nacionalista de carácter transversal fundada en 1979 cuyo principal objetivo consistía en dotar al nacionalismo de una plataforma política. Dejó de existir en 1986, año a partir del cual se sucedieron las fusiones con diversos partidos y organizaciones de marcado carácter nacionalista hasta la fundación del partido Ny Demokrati (Nueva Democracia), de espíritu racista, que obtuvo 25 (de 349) escaños en las elecciones generales de 1991, año en que también se fundó la organización VAM. *(N. de la T.)*

—Resistencia Aria Blanca.

Giuseppe puso cara de descontento.

—Un asunto muy feo, todo eso. Y yo que creía que el nazismo había quedado enterrado para siempre. Pero, al parecer, sigue vivo, por más que sus representantes sean, en su mayoría, niñatos rapados al cero que van por ahí perturbando la paz de las calles.

En aquel punto de la charla, llegaron al puente, que cruzaron con paso despacioso.

—Por aquí pasaba un tren cuando yo era niño —rememoró Giuseppe—. El tren del interior. Desde Östersund podías viajar hasta Orsa pasando por Sveg. Y allí, cambiabas de tren. ¿O sería en Mora? Yo viajé en ese tren con una tía mía cuando era niño. Ahora, sólo funciona en verano. El cantante italiano al que mi madre fue a ver en el parque también vino en ese tren. Nada de aviones ni limusinas. E incluso fue a despedirlo a la estación cuando se marchó. Conserva una fotografía de aquello, borrosa y algo movida, tomada con una simple cámara de cajón. Pero ella la guarda como un tesoro. Supongo que debió de estar muy enamorada de aquel sujeto.

Finalmente, llegaron a la casa de Elsa Berggren.

—¿Llamaste para avisar? —quiso saber Stefan.

—Pues no, pensé que sería mejor darle una sorpresa.

Cruzaron la verja y Giuseppe llamó al timbre. Ella abrió de inmediato, como si hubiese estado esperándolos.

—Giuseppe Larsson, agente de homicidios de Östersund —se presentó el policía a bocajarro—. A Stefan ya lo conoces. Tenemos una serie de preguntas que hacerte en relación con la investigación del asesinato de Herbert Molin. Creo que lo conocías, ¿no es así?

«¿Tenemos?», se preguntó Stefan. «Yo no pienso hacer ninguna pregunta.» Miró a Giuseppe, que le hizo un guiño cuando entraron en el vestíbulo.

—Debe de ser algo muy urgente, si venís a hora tan temprana.

—Exacto —convino Giuseppe—. ¿Dónde podemos sentarnos? Nos llevará un rato...

Stefan se percató de que Giuseppe se expresaba en un tono brusco y se preguntó fugazmente cómo habría actuado él en su lugar.

Entraron en la sala de estar. Elsa Berggren no les ofreció ni un café.

Giuseppe resultó pertenecer a esa clase de policías que iban derechos al grano.

—En uno de tus armarios guardas un uniforme nazi —comenzó.

Elsa Berggren quedó petrificada. Tras unos segundos, le dedicó a Stefan una mirada gélida. Éste comprendió que la mujer sospechaba de él, aun sin saber cómo habría accedido a su dormitorio.

—Ignoro si está prohibido estar en posesión de un uniforme nazi —prosiguió Giuseppe—. Aunque imagino que la prohibición atañe más bien al uso de semejante prenda en lugares públicos. ¿Podrías traerlo para que lo veamos?

—¿Y cómo sabes tú que tengo un uniforme en mi armario?

—No voy a responder a esta pregunta. En cambio, sí te diré que ese uniforme es importante para dos investigaciones de asesinato en curso.

Ella los miró estupefacta. A Stefan le dio la impresión de que la expresión de su rostro denotaba una sorpresa auténtica y que, de hecho, nada sabía acerca del asesinato perpetrado a las afueras de Glöte. Esto le causó cierta extrañeza pues ya habían transcurrido dos días desde que se descubriese el crimen y, aun así, ella lo ignoraba. «Tal vez no acostumbre a ver la televisión ni a escuchar la radio», se dijo. «También existen personas así, aunque sean las menos.»

—¿Quién, aparte de Herbert Molin, ha sido asesinado?

—Abraham Andersson. ¿Te dice algo su nombre?

Ella asintió.

—Vivía relativamente cerca de Herbert. Pero ¿qué le ocurrió?

—Por ahora, sólo te diré que ha sido asesinado.

Ella se puso de pie y salió de la sala de estar.

—Más vale ir derecho al asunto, ¿no te parece? —susurró Giuseppe—. Pero, al parecer, ella no sabía nada de la muerte de Abraham Andersson.

—Pues la noticia es del dominio público desde hace días...

—Sí, pero no creo que esté mintiendo.

La mujer regresó con el uniforme y la gorra, que dejó en el sofá. Giuseppe se inclinó para observar mejor las dos prendas.

—¿A quién pertenece?

—Es mío.

—No querrás decir que tú lo llevaste, ¿verdad?

—No creo que tenga obligación de responder a esa pregunta. Y no sólo por el hecho de que, sin duda, es más que absurda.

—No en este momento, pero puede que se te requiera para acudir a un interrogatorio de muy distinta naturaleza en Östersund. Eso lo decides tú.

La mujer reflexionó un instante antes de responder.

—Era de mi padre. Karl-Evert Berggren. Pero él murió hace ya muchos años.

—Es decir, que participó en la segunda guerra mundial, en el bando de Hitler.

—Perteneció a la Compañía Sueca, un cuerpo de voluntarios. Fue condecorado con dos medallas al valor. Si queréis, también puedo mostrároslas.

Giuseppe negó con un gesto.

—No es necesario. Supongo que estás al corriente de que también Herbert Molin había sido nazi en su juventud y participó en la guerra como miembro de las Waffen-SS, ¿no?

La mujer enderezó la espalda en su asiento, pero no preguntó cómo habían averiguado aquel dato.

—Decir que «había sido» nazi no es exacto. Herbert fue un nazi convencido hasta su muerte. Mi padre y él combatieron codo con codo. Aunque mi padre era mucho mayor que Herbert, fueron buenos amigos toda su vida.

—Y, ¿qué me dices de ti?

—Tampoco tengo por qué responder a esa pregunta, creo yo. Uno no tiene obligación de declarar sus convicciones políticas.

—Sí, si esas convicciones implican la pertenencia a un grupo culpable del delito tipificado como acoso a un grupo étnico.

—Yo no soy miembro de ningún grupo —replicó ella indignada—. Además, ¿a qué grupo podría pertenecer? ¿A esa basura de cabezas rapadas que corretean por las calles mancillando el saludo de Hitler?

—Permítame que reformule la pregunta. ¿Tenías tú la misma concepción política que Herbert Molin?

La mujer no vaciló al responder:

—¡Por supuesto que sí! Yo crecí en el seno de una familia consciente de las diferencias raciales. Mi padre fue uno de los fundadores del partido Nationalsocialistiska Arbetarpartiet. Nuestro líder, Sven-Olof Lindholm,* frecuentaba nuestra casa. Mi padre era médico y oficial de la reserva. En aquella época vivíamos en Estocolmo. Aún recuerdo cuando mi madre me llevaba a las marchas que las mujeres de la organización Kristina Gyllenstierna** protagonizaban en el barrio de Östermalm. Apren-

---

* Sven-Olof Lindholm (Gotemburgo, 1903-1998), alférez de las fuerzas armadas suecas y fundador, en 1933, del NSAP, Partido Nacional Socialista de los Trabajadores, inspirado en el homónimo alemán Nationalsozialistische Deutsche Arbeiterpartei (NSDAP), que no llegó, no obstante, a desempeñar ningún papel político digno de mención. *(N. de la T.)*

** Kristina Gyllenstierna (Estocolmo 1494-1559), casada con Sten Studí el saludo de Hitler a la edad de diez años. Mis padres eran conscientes de lo que estaba sucediendo: la entrada de judíos, la decadencia, la relajación de las normas morales... Y la amenaza del comunismo. Nada ha cambiado. En la actualidad, las entrañas de Suecia se consumen a causa de tanta inmigración incontrolada. La sola idea de que hoy se construyan mezquitas en suelo sueco me pone enferma. Suecia es una sociedad en estado de putrefacción. Y nadie hace nada por evitarlo.

Elsa Berggren estaba trémula de indignación ante su propio discurso. Stefan, presa de un profundo desagrado, se preguntaba de dónde procedería todo aquel odio.

—Vaya, no puede decirse que tus ideas sean agradables de escuchar —opinó Giuseppe.

—Pues me ratifico en cada una de ellas. Suecia apenas si existe ya. Y lo único que me inspiran quienes han permitido que esto ocurra es odio.

—De modo que no fue casualidad que Herbert Molin se mudase a vivir aquí, ¿me equivoco?

—Por supuesto que no. Son tiempos adversos y los que nos mantenemos fieles a los viejos ideales tenemos el deber de prestarnos ayuda mutua.

—O sea que, pese a todo, ¿existe una organización?

—No, pero sabemos quiénes son y dónde están los verdaderos amigos.

—Ya, aunque lo mantenéis en secreto, ¿verdad?

Ella lanzó un resoplido de desprecio antes de contestar.

---

re el Joven (1493/1494-1520), regente de Suecia tras cuya muerte se produjo el asedio danés al castillo de Estocolmo, que Kristina defendió, y que culminó en el llamado «Baño de sangre de Estocolmo». Tras la rendición de Suecia, sufrió prisión junto con buen número de otras mujeres, nobles y plebeyas, en la Torre Azul de Copenhague, por orden de Kristian II el Tirano. Ella da nombre a la falange femenina del Partido Sueco (SNSP), fundado en 1930-1931. *(N. de la T.)*

—Ser amigo de la patria resulta hoy casi un delito. Si queremos vivir en paz, hemos de ocultar nuestras ideas.

Giuseppe se revolvió en su silla antes de atacar con la siguiente pregunta.

—En fin, pero el caso es que alguien consiguió localizar a Herbert Molin y darle muerte.

—¿Y por qué habría de guardar relación su muerte con su actitud patriótica?

—Pues lo acabas de decir tú misma. Os veis obligados a vivir en secreto con vuestras ideas descabelladas.

—Debe de existir otro motivo para que lo asesinasen.

—Ya, ¿por ejemplo?

—No lo conocía hasta ese punto.

—Pero me imagino que te lo habrás preguntado.

—Sin duda. Pero no logro explicármelo.

—Durante las últimas semanas, ¿sucedió algo o se comportó de un modo diferente?

—No, actuaba como de costumbre. Yo iba a visitarlo una vez por semana.

—¿Y no te confesó ninguna preocupación?

—Nada.

Giuseppe guardó silencio mientras Stefan concluía que Elsa Berggren parecía estar siendo sincera y que, en efecto, no había percibido ningún cambio en el carácter de Herbert Molin.

—¿Qué le ha ocurrido a Abraham Andersson? —inquirió la mujer.

—Le han disparado. Tenía todo el aspecto de una ejecución. ¿No pertenecería también él a ese grupo vuestro que no es tal grupo?

—No. Herbert charlaba con él de vez en cuando. Pero jamás de política. Era muy cauto y tenía muy pocos amigos de verdad.

—¿Se te ocurre quién podría haber matado a Abraham Andersson?

—Yo no lo conocía.

—¿Podrías decirme quién era la persona de más confianza en la vida de Herbert Molin?

—Supongo que era yo. Y sus hijos, claro. Al menos, su hija, pues entre su hijo y él se había roto toda relación.

—¿Quién fue el responsable de esa ruptura?

—Lo ignoro.

—Bien, ¿algún otro nombre? ¿Te resulta familiar el de un tal Wetterstedt, de Kalmar?

La mujer vaciló un instante antes de responder. A los dos policías no les pasó por alto su sorpresa al oír el nombre.

—Bueno, a veces hablaba de alguien de Kalmar con ese nombre. Herbert había nacido y crecido allí. Wetterstedt era, al parecer, familia de un antiguo ministro de Justicia, que también resultó asesinado hace unos años. Creo que era artista, pintor de retratos, si no me equivoco. Pero no estoy muy segura.

Giuseppe iba escribiendo en su bloc de notas todo cuanto ella le decía.

—¿Alguien más?

—No. De todos modos, Herbert no era muy hablador. Era un hombre celoso de su intimidad.

Giuseppe lanzó a Stefan una mirada elocuente.

—Bien, tengo un par de preguntas más —advirtió Giuseppe—. ¿Solíais echar unos compases Herbert Molin y tú cuando ibas a visitarlo?

—¿Qué quieres decir?

—Quiero decir que si solíais bailar.

Por tercera vez a lo largo de la conversación, la mujer no pudo ocultar su absoluta estupefacción.

—Pues sí que lo hacíamos.

—¿Tango, quizá?

—No sólo tango, pero sí con frecuencia. También los bailes de salón de toda la vida, que están en vías de extinción. Los bailes que exigen una técnica y un mínimo de refinamiento. Hoy, en cambio, ¿cómo baila la gente? ¡Si parecen monos!

—Como es de suponer, tú sabes que Herbert Molin tenía una muñeca que utilizaba como pareja de baile, ¿cierto?

—Era un apasionado del baile. Y muy diestro. Sé que practicaba a menudo; y para ello necesitaba el maniquí. Creo que cuando era joven, soñaba con ser bailarín. Pero, cuando el deber lo llamó, no dudó en anteponerlo a aquel sueño.

Stefan reparó de pronto en que la mujer se expresaba de un modo anticuado y ampuloso, como si pretendiese obligar al tiempo a retroceder a los años treinta o cuarenta.

—Imagino que no habría muchas personas que supieran de su gusto por el baile, ¿no es así?

—Él no tenía muchos amigos. No sé cuántas veces tendré que repetirlo.

Giuseppe se rascó la nariz mientras formulaba la siguiente pregunta:

—¿Sabes de cuándo data su interés por la danza?

—Pues creo que nació durante la guerra. O poco antes, puesto que era muy joven entonces.

—¿Cómo lo sabes?

—Él mismo me lo dijo en alguna ocasión.

—¿Qué dijo exactamente?

—Lo que acabo de contarte. Nada más. La guerra era muy dura. Pero de vez en cuando le concedieron algún permiso. Las fuerzas armadas alemanas cuidaban a sus soldados. Les daban permiso siempre que había posibilidad, con todos los gastos pagados.

—¿Solía hablar de la guerra?

—No. En cambio, mi padre sí que la recordaba. En una ocasión, les dieron una semana de permiso a los dos al mismo tiempo. Y se fueron a Berlín. Mi padre me contó que Herbert quería ir a bailar todas las noches. Yo creo que él siempre iba a bailar a Berlín tan pronto como podía dejar el frente.

Giuseppe quedó en silencio un instante, antes de lanzar la siguiente pregunta.

—¿Hay algún otro dato útil que puedas revelarnos?

—No, sólo que quiero que atrapéis a su asesino. De sobra sé que el culpable no recibirá ningún castigo digno de tal nombre. En Suecia se protege a los criminales, no a sus víctimas. Además, eso conducirá sin remedio al público conocimiento de la adhesión de Herbert a los viejos ideales. Y lo juzgarán, pese a que ya no está entre nosotros. Aun así, quiero que lo atrapéis. Quiero saber quién es.

—Bien, en ese caso, no tenemos más preguntas que hacer, por el momento. Pero cuenta con que te llamaremos para nuevos interrogatorios.

—¿Soy sospechosa de algo?

—No.

—En tal caso, ¿puedo saber cómo llegó a tu conocimiento la existencia de ese uniforme en mi armario?

—Tal vez en otra ocasión —repuso Giuseppe al tiempo que se levantaba de su asiento.

Elsa Berggren los acompañó hasta el vestíbulo.

—He de decir que tus opiniones rozan lo inadmisible —declaró Giuseppe ya fuera de la casa.

—No hay ya salvación posible para Suecia —replicó ella—. Cuando yo era joven, había muchos policías con conciencia política adeptos a nuestros ideales. Pero eso también se acabó.

La mujer cerró la puerta sin más, y Giuseppe sintió la urgencia de marcharse de allí.

—Eso es lo que yo llamo una persona detestable —sentenció cuando llegaron a la verja—. Tenía unas ganas de propinarle una bofetada...

—Pues no creas, que hay más personas de las que pensamos que comparten su opinión —apuntó Stefan.

Regresaron al hotel en silencio. De repente, Giuseppe se detuvo.

—A ver, ¿qué nos ha dicho en realidad sobre Herbert Molin?

—Que siempre había sido nazi.

—¿Y qué más? Lo que ha dicho, en el fondo —continuó Giuseppe—, es que Herbert Molin fue, hasta el día de su muerte, un hombre de ideas abominables. Yo no he leído su diario, pero tú sí. Me pregunto qué haría en Alemania. Y si no habrá allí muchas personas que le hayan deseado la muerte.

—Aun así... Yo no estaría tan seguro —opuso Stefan—. La segunda guerra mundial terminó hace cincuenta y cuatro años. Es un periodo de espera demasiado largo.

Giuseppe no se dejaba convencer.

—Es posible, ¿quién sabe?

Prosiguieron su camino y, justo cuando acababan de dejar atrás el juzgado, fue Stefan quien se detuvo.

—¿Y qué sucede si le damos la vuelta? Ahora partimos de la base de que todo comienza con Molin, puesto que fue el primero en resultar asesinado. Y eso nos conduce a pensar que en él hallaremos el punto de origen de todo esto. Pero ¿y si fuese al contrario? ¿Y si, en realidad, debiéramos concentrar nuestros esfuerzos en la muerte de Abraham Andersson?

—No hables en plural —corrigió Giuseppe—. Soy «yo» quien, como es natural, también mantiene abierta esa vía. Pero no me parece verosímil. Abraham Andersson se mudó aquí por razones muy distintas a las de Herbert Molin. Además, él no se escondía. Por lo poco que, hasta la fecha, hemos sabido de él, se relacionaba con sus vecinos y era un tipo de persona por completo diferente.

Reemprendieron su camino hacia el hotel y Stefan notó que lo había irritado la precisión inopinada de Giuseppe de que eran él y la policía local quienes se hacían cargo de la investigación. Stefan se veía, de nuevo, fuera de lugar. Pensó asimismo que no tenía motivos para sentirse así, pero no podía evitarlo.

—¿Qué harás ahora? —inquirió Giuseppe.

Stefan se encogió de hombros.

—Marcharme de aquí.

Giuseppe dudó un instante antes de preguntar:

—¿Cómo te encuentras?

—Estuvo doliéndome un día, pero ya pasó.

—¿Sabes?, intento imaginarme cómo te sientes, pero no puedo.

Cruzaron aquellas palabras ante la escalinata del hotel. Stefan contemplaba un gorrión que picoteaba un gusano muerto. «Ni yo mismo puedo imaginármelo», se dijo. «Aún me da por creer que todo esto no es más que una pesadilla, que no tendré que estar en el hospital de Borås el 19 de noviembre para empezar mis sesiones de radioterapia.»

—Antes de que te marches, me gustaría que me mostrases el lugar donde hallaste los indicios de la tienda.

Stefan sólo deseaba abandonar Sveg lo antes posible, pero no podía decirle que no a Giuseppe.

—¿Cuándo?

—Ahora mismo.

Se sentaron en el coche de Giuseppe y partieron rumbo a Linsell.

—En esta parte del país, los bosques son infinitos —observó Giuseppe de improviso, rompiendo así el silencio que reinaba en el coche—. Si te detienes aquí y caminas diez metros, te encontrarás en otro mundo. Pero, en fin, eso ya lo sabes tú, quizás.

—Sí, he podido experimentarlo.

—A una persona como Herbert Molin tal vez le resultara más fácil vivir con sus recuerdos en medio del bosque —sugirió Giuseppe—. Aquí nada podía molestarlo. Es como si el tiempo estuviese en suspenso, si uno así lo desea. No había ningún uniforme en el lugar donde encontraste el diario, ¿no? Podría haberse dedicado a pasear por el bosque vestido de militar y haciendo el saludo nazi mientras marchaba por los senderos...

—Él mismo escribe que, al final, decide desertar. Y que deja el uniforme por las ropas civiles que le arrancó a un cadáver mientras Berlín ardía a su alrededor. Si no he interpretado mal su diario, desertó el mismo día en que Hitler se quitó la vida en el búnker. Aunque supongo que eso él no lo sabía.

—Pues me parece que silenciaron la noticia de su suicidio durante unos días —afirmó Giuseppe inseguro—. Y después alguien pronunció un discurso en la radio y anunció que había perdido la vida en su puesto. Pero no sé si lo recuerdo bien, la verdad.

Giraron para tomar el desvío que conducía a la casa de Herbert Molin. Las cintas policiales se habían rasgado y colgaban en jirones de las ramas de los árboles.

—Deberíamos dejar esto limpio —comentó Giuseppe con evidente descontento—. Pero, en fin, ahora ya es la hija la que está en posesión de la casa. Por cierto, ¿la has visto?

—No, desde que hablé con ella en el hotel.

—Una mujer muy decidida —opinó Giuseppe—. Me pregunto si conocerá la verdadera historia de su padre. Desde luego, pienso tocar ese tema cuando hable con ella.

—Lo normal es que la conozca, ¿no crees?

—Ya, pero supongo que se avergüenza. ¿Quién no lo haría, con un padre nazi?

Salieron del coche y permanecieron inmóviles, escuchando el rumor de los árboles. Después, Stefan dirigió el descenso hasta el lago, por la perfilada orilla, hasta el lugar en que había estado levantada la tienda.

Pero, una vez allí, Stefan se apercibió enseguida de que alguien había visitado el lugar desde su última inspección, y se detuvo en seco. Giuseppe lo miró con expresión interrogante.

—¿Qué pasa?

—No lo sé, pero creo que aquí ha habido alguien después de mí.

—¿Sí? ¿Encuentras algo diferente?

—Pues..., no sé.

Stefan observó el lugar. Todo estaba, en apariencia, como él lo había dejado. Y, aun así, él sabía que alguien había estado allí. Había algo diferente. Giuseppe aguardaba. Stefan rodeó la parte despejada en medio de los árboles y trazó con la mirada el círculo en el que debía haber estado la tienda. Dio una vuelta más y, entonces, lo vio. La vez anterior, él había estado sentado sobre el tronco caído. Mientras permaneció allí, estuvo sosteniendo en la mano una rama de pino que dejó caer al levantarse. Pero la rama estaba ahora en otro sitio. En efecto, se hallaba algo más abajo, en el sendero que conducía al lago.

—Alguien ha estado aquí —afirmó tajante—. Y se ha sentado en este tronco.

Dicho esto, señaló la rama de pino.

—¿Tú crees que pueden detectarse huellas dactilares en una rama de pino?

—Es posible —aventuró Giuseppe al tiempo que sacaba una bolsa de plástico del bolsillo—. Al menos, podemos probar. Pero ¿estás seguro?

Stefan asintió. Recordaba exactamente dónde había quedado la rama que ahora aparecía en otro lugar. Y podía imaginarse a alguien que, sentado en aquel tronco, el mismo sobre el que él había descansado, tomaba la rama del suelo para después lanzarla.

—Bien, en ese caso, haré venir una patrulla con perros —resolvió Giuseppe al tiempo que sacaba el teléfono móvil.

Stefan miró al interior del bosque. De repente, tuvo la sensación de que había alguien por allí, muy cerca. Alguien que estaba vigilándolos.

Por otro lado, se dijo que había algo que debería recordar, algo relacionado con Giuseppe. Pero, por más que rebuscó en su memoria, no fue capaz de capturar la imagen.

Giuseppe estaba al teléfono y escuchaba; hizo algunas preguntas, solicitó una patrulla canina y concluyó la conversación.

—¡Qué curioso! —comentó Giuseppe.

—¿Qué?

—Pues que el perro de Abraham Andersson ha desaparecido.

—¿Cómo «desaparecido»?

Giuseppe asintió.

—Lo que oyes, desaparecido. Que no está, ni más ni menos. Pese a que aquí hay policías por todas partes...

Los dos hombres se miraron intrigados. Un pájaro arrancó el vuelo en ruidoso aleteo desde su rama en dirección al lago. Ambos lo siguieron con la mirada, hasta que lo vieron desaparecer.

16

Aron Silberstein se había tumbado sobre un montículo desde el que podía ver la casa de Abraham Andersson. Dirigió los prismáticos hacia el jardín que se extendía ante él. Contó hasta tres coches de policía, dos furgonetas y tres vehículos privados. De vez en cuando, alguien surgía desde el interior del bosque enfundado en un mono. Comprendió que había sido allá en la espesura, fuera de la vista de todos, donde Abraham Andersson había sido asesinado. Sin embargo, él aún no había podido acercarse al lugar. Tenía pensado llevar a cabo una expedición durante la noche, si es que entonces tenía ocasión.

Paseó las lentes de los prismáticos por el jardín. Un perro, de la misma raza que aquel otro al que se había visto obligado a sacrificar en casa de Herbert Molin, aparecía amarrado a una cuerda que unía la casa y uno de los árboles del lindero del bosque. De repente, se le vino a la mente la idea de que quizá los dos perros fuesen de la misma camada o, al menos, que tuviesen la misma procedencia. La evocación del animal degollado por sus manos lo descompuso. Bajó los prismáticos, se tumbó boca arriba y respiró hondo varias veces. La brisa le traía el perfume del musgo mojado. En el cielo, las nubes se deslizaban sobre él.

«He perdido el juicio», se recriminó. «A estas alturas, ya debería estar en Buenos Aires y no aquí, en los bosques suecos. María se habría puesto muy contenta de mi regreso. Tal vez incluso habríamos hecho el amor. De cualquier modo, habría dormido muy bien por la noche y, de buena mañana, habría vuelto a abrir mi taller. Seguro que don Antonio ha llamado varias veces, cada vez más irritado, para preguntar si la silla que me dejó hace ya tres meses está lista por fin.»

De no haberse dado la casualidad de ir a sentarse justo al lado de un marino sueco en el restaurante de Malmö y de que ese marino hablaba español, y si el maldito televisor no hubiese estado encendido para mostrarle el rostro de un viejo asesinado..., no habría tenido que ver cómo todos sus planes quedaban desbaratados. Y podría estar esperando la caída de la noche en La Cabaña.

Y, más que nada, no habría tenido que rememorar lo sucedido. De hecho, él se había figurado que todo había pasado ya, que todo el horror que lo había perseguido a lo largo de toda su vida había desaparecido. Los años que le quedaban estarían, tal y como él los había soñado, marcados por un inmenso sosiego.

Mas, en un instante, a causa de una única imagen de televisión, todo se había alterado. En efecto, había salido del restaurante dejando allí al lobo de mar sueco y, ya de vuelta en la habitación de su hotel, se sentó en el borde de la cama y permaneció así hasta que hubo tomado una decisión. Aquella noche no había bebido lo más mínimo. Al amanecer, tomó un taxi que lo llevó hasta el aeropuerto, situado a unas decenas de kilómetros de la ciudad, donde una señora muy amable lo ayudó a sacar un billete de avión para Östersund. Allí lo esperaba un coche de alquiler que había reservado y con el que se dirigió a la ciudad donde, por segunda vez, compró una tienda y un saco de dormir, nuevos enseres de cocina y más ropa de abrigo, además de una linterna. Asimismo, se dirigió al Systembolaget, donde se aprovisionó del vino y el coñac suficientes para una semana. Finalmente, compró un mapa en una librería situada en una plaza que se extendía sobre una pendiente, pues el que había llevado había ido a parar al contenedor, del mismo modo que las cacerolas, la cocina de cámping, la tienda y el saco de dormir. De modo que se sentía como si reviviera la misma pesadilla. En el infierno de Dante había un círculo en el que los hombres sufrían la tortura de ver cómo todo se repetía. Intentó recordar cuáles habían sido los pecados de aquellos hombres, pero no lo consiguió.

Después, abandonó el centro de la ciudad y se detuvo en una estación de servicio, en la que compró un par de periódicos locales. Y, sentado al volante, los hojeó para encontrar cuanto hubiesen escrito sobre el hombre asesinado. Comprobó que la noticia ocupaba las primeras páginas de los dos rotativos. No comprendía el texto pero, tras el nombre de Abraham Andersson se repetía otro, el de Glöte, que dedujo debía de ser el lugar en el que vivía Andersson, el mismo hasta el cual él lo había seguido en una ocasión y, sin duda, el mismo en el que había sido asesinado. Además, aparecía con frecuencia otro nombre propio, el de «Dunkärret» que, no obstante, no logró hallar en el mapa. Salió del coche y desplegó el arrugado mapa sobre el capó del coche con la intención de trazar un plan preliminar. No quería acercarse demasiado pues, por otro lado, existía el riesgo de que la policía hubiese dispuesto unidades de vigilancia en las vías de acceso.

Después de dar muchas vueltas, llegó a un lugar llamado Idre. Calculó que se hallaba a una distancia más que suficiente de la casa de Abraham Andersson. Si acertaba a ocultar la tienda convenientemente, nadie sospecharía de un simple turista resuelto a visitar Suecia en otoño.

Agotado, llegó al lugar y se puso a montar la tienda de campaña al final de un sendero del bosque donde le pareció que estaría seguro. Después de haber cubierto la tienda con ramas y matas que había recogido con gran esfuerzo, abandonó el lugar y puso rumbo al norte, en dirección a Sörvattnet; tomó después el desvío hacia Linsell y dio sin dificultad con el desvío que, según el indicador, se hallaba a dos kilómetros de «Dunkärret». Sin embargo, no tomó aquella salida, sino que prosiguió rumbo a Sveg.

Justo antes de llegar al desvío que desembocaba en la casa de Molin, se cruzó con un coche de policía. Y tras haber recorrido un kilómetro a partir de ese desvío, se adentró en la espesura de los árboles a través de un sendero prácticamente cubierto por el follaje. Durante las tres semanas que había pasado en las proximidades de la casa de Herbert Molin, había estudiado bien el terreno hasta el punto de imaginarse a sí mismo como un animal entregado a la tarea de cavar diversas vías de acceso a su madriguera.

Dejó el coche con la intención de recorrer a pie un camino que ya había transitado con anterioridad. No le parecía probable que la casa de Herbert Molin estuviese aún vigilada, pero con todo se detuvo varias veces a escuchar hasta que se halló tan cerca que pudo vislumbrar la casa por entre los árboles. Estuvo allí aguardando durante veinte minutos. Después, echó a andar en dirección al edificio y al lugar en que había dejado el cuerpo sin vida de Herbert Molin. La tierra aparecía allí pisoteada y, enredados en las ramas de los árboles, colgaban los restos de plástico rojo y blanco del precinto policial. Se preguntó si el hombre al que había matado habría recibido ya sepultura. Tal vez los forenses estuviesen examinando aún el cadáver. Asimismo, se preguntaba si habrían comprendido que las marcas que el cuerpo presentaba en la espalda las había provocado uno de esos látigos que los ganaderos de la pampa argentina utilizaban para conducir a los bueyes. Avanzó hasta ganar la casa y se empinó para poder ver el interior de la sala de estar. Las huellas de sangre que había dejado en el suelo se habían secado ya, pero seguían siendo perceptibles. La mujer que solía hacer la limpieza en casa de Herbert Molin no había vuelto después de aquello.

Se alejó de la casa y bajó hasta el lago por el sendero que tan bien conocía. El mismo por el que había llegado la noche por la que tantos años había estado esperando. La otra mujer, la que solía visitar a Molin y bailar con él, había estado allí el día anterior. Calculó que, si las visitas se repetían con frecuencia regular, faltaba aún una semana para que volviese a visitarlo. Además, el otro hombre, el que al parecer se llamaba Abraham Andersson, también había estado allí el día anterior a aquella primera noche. Él lo había seguido hasta su casa y, al amparo de algunos árboles, vio cómo el hombre cerraba con llave el cobertizo y encajaba y cerraba todas las ventanas y hacía todo aquello que la gente suele hacer cuando piensa salir de viaje. Aún recordaba el modo en que, al final, decidió que había llegado el momento. Aquel día llovió de forma copiosa desde muy temprano pero, por la noche, las nubes se esfumaron de pronto y él bajó al lago y se sumergió en el agua helada y estuvo nadando un rato, para que la cabeza estuviese totalmente despejada en el momento de tomar su determinación. Después, se sentó acurrucado en el saco de dormir a la espera de que el calor volviese a su cuerpo. En un trozo de hule que había extendido ante sí tenía reunidas todas las armas que había podido localizar en el asalto que cometió cuando iba camino de Härjedalen.

Había sonado la hora. Y, pese a todo, lo invadía una extraña sensación de inseguridad. Como si, tras haber estado esperando durante tantos años, lo asaltase entonces la duda de qué sucedería una vez que la espera no existiese ya más. Al igual que en tantas otras ocasiones, habían acudido a su mente los conmovedores sucesos acontecidos durante el último año de la guerra; aquel en que toda su vida se vino abajo para nunca más restablecerse. Solía pensar en sí mismo como en una embarcación uno de cuyos mástiles se había quebrado y había rasgado la vela. Así podía describirse su existencia. Sin embargo, nada de aquello cambiaría a raíz de la empresa que se había propuesto acometer. Durante toda su vida, había alimentado el deseo de venganza y, en ocasiones, había odiado aquel sentimiento más, si cabe, que al hombre contra el que dirigía su odio. Ahora bien, por mucho que lo deseare, era ya demasiado tarde para dar marcha atrás. No podía regresar a Buenos Aires sin haber llevado a término su propósito. Así lo había resuelto aquella tarde, tras haber estado nadando en las oscuras aguas del lago. Después, por la noche, se lanzó al ataque, siguió el plan que había establecido sin que Herbert Molin hubiese tenido la menor oportunidad de comprender qué estaba sucediendo.

Anduvo bordeando la escabrosa orilla sin dejar de prestar atención a cualquier ruido. Pero nada oyó, salvo el rumor de los árboles que lo envolvían.

Una vez que hubo llegado al lugar en que había tenido montada la tienda, se le ocurrió que, pese a todo, la violencia no había conseguido deformarlo por completo. Él era, en efecto, un hombre amable que a duras penas soportaba el sufrimiento. En otras circunstancias, le resultaba impensable ejercer cualquier tipo de violencia contra un semejante. Todo cuanto había hecho con Herbert Molin se había borrado de su mente en el instante mismo en que abandonó el cuerpo muerto y desnudo en el lindero del bosque.

«La violencia no me ha envenenado», se dijo conciliador. «Toda esa ingente cantidad de odio que tuve almacenada en mi interior durante tantos años me tenía anestesiado. Yo fui quien azotó la piel de Herbert Molin hasta dejarla convertida en sangrientos jirones. Y, aun así, no era yo.»

Había estado sentado sobre un tronco de árbol caído jugueteando con una rama. ¿Habría abandonado el odio la morada de su corazón? ¿Podría sentirse en paz los años que le quedaban de vida? Le era imposible responder a aquellas preguntas. Pero así lo esperaba. Incluso encendería una vela por Herbert Molin en la pequeña iglesia por la que pasaba a diario, camino de su taller. Y tal vez fuese capaz hasta de brindar por él, ahora que estaba muerto.

Aguardó en el bosque, hasta que empezó a caer la noche. Volvió a asaltarlo la idea de la primera vez que instaló allí su tienda, la sensación de que el bosque era una gran catedral, los árboles, las columnas que sostenían un techo invisible. Pese a que tenía frío, se sentía imbuido de una paz infinita. De haber llevado consigo una toalla, se habría sumergido de nuevo en las aguas heladas y habría ido nadando hasta un punto en el que sus pies no tocasen ya el fondo.

Al anochecer, regresó al coche y prosiguió su camino rumbo a Sveg. Y allí le sucedió algo muy curioso; en efecto, había acudido a cenar a un hotel y, en la mesa contigua a la que él ocupaba en el comedor, había sentados dos hombres entregados a una pausada conversación sobre Herbert Molin y Abraham Andersson. En un primer momento, pensó que aquello serían figuraciones suyas, pues él no comprendía el sueco. Pero los nombres se repetían una y otra vez. Tras unos minutos, fue a la recepción y, puesto que estaba desierta, pudo comprobar en el libro de registro que se alojaban allí dos huéspedes cuya profesión era, según allí rezaba, la de inspectores de policía. Regresó, pues, al comedor, sin que ninguno de los dos hombres le dedicase una mirada siquiera. Volvió a prestar la máxima atención y logró distinguir algún que otro nombre más, como el de una tal «Elsa Bergén», o algo similar. Después, vio cómo uno de los dos policías empezaba a escribir algo en el reverso de su cuenta del comedor y cómo, antes de marcharse, arrugaba el papel y lo desechaba dejándolo en el cenicero. De modo que esperó hasta que la camarera hubo entrado en la cocina, se hizo con la bola de papel y se apresuró a abandonar el hotel. Se di-

239

rigió en el coche hasta un aparcamiento cercano y, a la luz de la linterna, intentó descifrar lo que había escrito en el reverso de la cuenta. Lo más importante era, a su entender, el nombre de la mujer, Elsa Berggren. Entre los tres nombres, el de Herbert Molin, el de Abraham Andersson y el de Elsa Berggren, había trazado el policía unas flechas que formaban un triángulo.

Junto al nombre de Abraham Andersson había, además, una cruz gamada seguida de un gran signo de interrogación.

Después de la medianoche, volvió a sentarse al volante y se dirigió a Linsell hasta llegar a Glöte. Una vez allí, dejó el coche estacionado tras unas pilas de vigas de madera y empezó a buscar un lugar del bosque cercano a la casa de Abraham Andersson y trepó hasta la cima de un montículo desde el que ahora la observaba. Ignoraba qué creía poder descubrir pero se decía que, si quería dar con la respuesta a la pregunta que estaba haciéndose, a saber, ¿quién habría asesinado a Abraham Andersson?, debía hallarse en las proximidades del escenario de los hechos. Por otro lado, lo inquietaba también la duda de si no sería él responsable indirecto de aquella muerte, por haber asesinado a Herbert Molin. No podía regresar a Buenos Aires sin haber resuelto aquellos interrogantes pues, de lo contrario, la duda y el desasosiego lo acompañarían el resto de su vida. Sería, en efecto, como si Herbert Molin hubiese tenido, pese a todo, la última palabra. Su misión de liberarse de todo aquel odio acumulado se habría tomado la más cruel revancha.

Observaba con sus prismáticos a los policías que iban y venían desde el sendero del coche a la casa. Naturalmente, los agentes daban por sentado que Herbert Molin y Abraham Andersson habían muerto por la misma mano.

«Sólo hay dos personas que saben que eso no es cierto», se dijo. «Yo mismo y la persona que de hecho asesinó a Abraham Andersson. Y los policías están buscando a una persona cuando, en realidad, deberían dedicarse a buscar a dos.»

Entonces comprendió por completo cuáles habían sido las razones que lo habían movido a regresar; por qué no había proseguido su viaje rumbo a Copenhague y por qué no había tomado el vuelo a Buenos Aires. Ciertamente, había vuelto sobre sus pasos para, de algún modo, dejar claro que no había sido él quien le había quitado la vida a Abraham Andersson. Aquellos policías a los que él veía a través de sus prismáticos iban tras una pista que no los conduciría por el buen camino. Claro que él no podía tener la menor certeza sobre lo que los hombres que se afanaban en el lindero del bosque pensaban o imaginaban. «Pero siempre existe una lógica», resolvió. «Aunque no lo sé a ciencia cierta, sospecho que los crímenes violentos no son demasiado frecuentes en el corazón de estos bosques. Las gentes habitan aquí en casas apartadas las unas de las otras, hablan poco entre sí y parecen vivir en paz. Del mismo modo en que Herbert Molin y Abraham Andersson parecían vivir en mutua concordia.» Y ahora resultaba que ambos estaban muertos. A Molin lo había matado él mismo pero, ¿quién habría asesinado a Abraham Andersson, el vecino de Molin? Y, sobre todo, ¿por qué?

Dejó los prismáticos y se restregó los ojos. Su cuerpo empezaba a quedar limpio de alcohol. Seguía teniendo la boca seca y, al tragar, sentía un punzante escozor en la garganta. Aun así, le parecía que volvía a ser capaz de pensar con claridad. Se tumbó sobre el musgo húmedo. Tenía la espalda dolorida. Las nubes avanzaban en morosa travesía en lo alto. Oyó el motor de un coche que se ponía en marcha cerca de la casa, recorría unos metros marcha atrás y giraba para luego desaparecer.

De nuevo evocó lo sucedido. ¿Cabía la posibilidad de que existiese una conexión entre Herbert Molin y Abraham Andersson de la que él no hubiese tenido conocimiento o no hubiese logrado detectar? Aquello suscitaba muchas cuestiones. ¿Acaso no fue casual la circunstancia de que Molin hubiese elegido trasladarse a vivir cerca de Andersson? ¿Quién de los dos se había mudado allí en primer lugar? ¿Sería Andersson oriundo de la zona? ¿Habría llegado allí también en busca de un lugar del bosque en que ocultarse? ¿Habría luchado también él del lado de Hitler? ¿Habría pertenecido, igual que el otro, a esa clase de personas que cometieron actos execrables sin ser castigados por ello? La idea le parecía bastante inverosímil. Pero, desde luego, no era imposible.

En aquel momento, el sonido de un coche que se aproximaba lo hizo incorporarse y quedó allí, sentado. Vio entonces a través de los prismáticos cómo un hombre salía de un vehículo que no llevaba las bandas de colores azul y blanco ni la palabra «policía» escrita en los laterales. Intentó mantener firmes los prismáticos y comprobó que reconocía al hombre que acababa de bajarse del coche. En efecto, era el policía que, sentado en el comedor del hotel, había dibujado en el reverso de su cuenta. De modo que concluyó que, ciertamente, él tenía razón: el policía estaba involucrado en la resolución de los dos casos y no sólo se dedicaba a la búsqueda del asesino de Abraham Andersson sino también a la del hombre que había acabado con la vida de Herbert Molin.

Sin duda, constituía una sensación extraordinaria ver a través de unos prismáticos al policía que lo buscaba a él mismo. Enseguida lo embargó el deseo de salir huyendo. Él había asesinado a Herbert Molin; y aquél era un crimen por el que podían detenerlo y condenarlo. No obstante, su deseo de averiguar qué había sucedido con Abraham Andersson era más fuerte que el de la huida. ¿No sería él responsable, por más que de forma indirecta, de la muerte de Andersson? No podía marcharse sin haber despejado aquella incógnita. ¿Cuál habría sido el móvil? ¿Y quién el asesino? ¿Por qué había sucedido tal cosa, en realidad? De nuevo abandonó los prismáticos y se palpó la nuca, que había empezado a ponerse rígida. «¡Qué situación más curiosa!», concluyó. Simplemente, él no podía atribuirse culpabilidad alguna por lo acontecido a Abraham Andersson. Quienquiera que lo hubiese matado había tenido, sin lugar a dudas, algún motivo que no podía conducir hasta su persona. De haber elegido otro restaurante cualquiera, o de no haber estado allí aquel marino sueco que hablaba español, o de no haber estado encendido el televisor, él llevaría ya varias horas en su casa de Buenos Aires; en lugar de emprender el regreso a un lugar del crimen colindante con otro lugar de un crimen cuyo autor era él mismo. Volvió a ponerse los prismáticos y siguió los movimientos del hombre que, en aquel momento, avanzaba en dirección al perro, cuya cabeza empezó a acariciar cariñosamente. Después, el hombre desapareció hacia la espesura del bosque.

Aron detuvo los prismáticos en la contemplación del animal. De repente, una idea empezó a cobrar forma en su cabeza. Dejó los prismáticos y se tumbó de nuevo boca arriba. «Tengo que advertirlos de que van tras una falsa pista», decidió. «Y sólo puedo lograrlo si les revelo mi presencia. No tengo por qué desvelar mi identidad, ni siquiera que fui yo quien mató a Herbert Molin, ni tampoco el motivo. Lo único que tengo que hacer es dejar claro que fue otro hombre quien mató a Abraham Andersson. Mi única posibilidad consiste en alterar el funcionamiento del mecanismo, crear un halo de inseguridad sobre lo que en verdad sucedió.

»Y el perro puede ayudarme», decidió.

Se puso de pie, estiró sus miembros entumecidos y se adentró en el bosque. Pese a que siempre había vivido en grandes ciudades, tenía buen sentido de la orientación, de modo que no le costaba moverse en medio de un bosque. Le llevó menos de una hora volver al lugar en el que había dejado el coche, donde tenía comida y varias botellas de agua. Lo tentaba la idea de tomarse una copa de vino o de coñac, pero sabía que podía resistir la tentación. En efecto, lo aguardaba una misión cuya puesta en práctica no podía poner en peligro emborrachándose. Comió hasta quedar saciado y se acurrucó en el asiento trasero del coche dispuesto a descansar durante una hora antes de regresar, si quería llegar a tiempo para la medianoche. Con el fin de asegurarse de que se despertaría a buena hora, programó la alarma de su reloj de pulsera.

Tan pronto como cerró los ojos, se vio de regreso en Buenos Aires. En su mente, se planteó la alternativa de acostarse en la cama en la que dormía María o si, por el contrario, se iría a dormir al colchón que tenía en un rincón de su taller. Se decantó por la segunda opción. Los sonidos que lo envolvían no eran ya los procedentes de los árboles, sino el alboroto de las calles de Buenos Aires.

Cuando despertó, lo hizo consciente de haber soñado algo que no pudo recordar de inmediato. Al mismo tiempo, sonó la alarma del reloj que tenía en la muñeca. La apagó y salió del coche, abrió el maletero, sacó la linterna que acababa de comprar y partió de allí.

Durante el último trecho del camino, le sirvieron de guía las luces de los focos que había encendidos en medio del bosque. Los haces de luz que surgían de entre los árboles le trajeron a la memoria el recuerdo de la guerra. Uno de sus primeros recuerdos lo constituían aquellas ocasiones en que, con extrema cautela, cuando no había nadie en los alrededores que pudiese verlo, atisbaba por entre las grietas de las cortinas la vigilancia aérea alemana en su búsqueda de aviones enemigos que sobrevolasen la noche berlinesa. Un violento temor a que su casa resultase bombardeada y matase precisamente a sus padres lo embargaba en todo momento. Él siempre sobrevivía. Pero aquello no contribuía más que a aumentar su miedo. ¿Cómo podría seguir viviendo si morían sus padres y hermanos?

Desechó aquellas evocaciones, cubrió parcialmente el haz de luz de la linterna con la mano y, con la escasa iluminación, buscó los prismáticos que había guardado en una bolsa de plástico para protegerlos de la humedad. Se acomodó sentado sobre el musgo, apoyó la espalda contra el tronco de un árbol y observó la casa con los prismáticos. Había luz en todas las ventanas de la planta baja. De vez en cuando, se abría una puerta por la que alguien salía o entraba. Pero en el jardín no había más que dos coches. Poco después de que él hubiese llegado, dos de los hombres se sentaron en uno de los vehículos y abandonaron el lugar. Alguien había apagado parte de los focos instalados en el bosque. Dejó que los prismáticos avanzasen en su recorrido hasta que encontró lo que buscaba: el perro estaba tendido, inmóvil, justo fuera de la luz procedente de una de las ventanas. Alguien le había dejado delante un cuenco de comida.

Miró el reloj. Eran las once. A aquellas horas, debería estar regresando a casa desde La Cabaña, adonde debía haber acudido a una cita con un cliente. Eso, al menos, era lo que creía María. Hizo una mueca de descontento ante la idea. Ahora que tenía ocasión de considerarlo en la distancia, lo atormentaba aquel vicio suyo de mentirle a María con tanta frecuencia. En efecto, él jamás había concertado ninguna cita en La Cabaña con ningún cliente ni, en realidad, en ningún otro restaurante. Lo que sucedía era que no quería decirle la verdad; que no deseaba almorzar con ella, contestar a sus preguntas, oír su voz.

«Mi vida entera ha ido convirtiéndose, de forma paulatina, en un camino cada vez más angosto, en un sendero formado por un sinfín de mentiras», sentenció para sí. «Eso también constituye parte del precio que he tenido que pagar. La cuestión es si podré ser sincero con María ahora que ya he matado a Herbert Molin. Yo amo a María. Pero, al mismo tiempo, soy consciente de que en realidad prefiero estar solo. Existe una grieta en mi interior, un abismo entre lo que hago y lo que deseo hacer. Es una grieta que se abrió en el momento en que se produjo la catástrofe allá en Berlín.

»La vida se ha encogido.

»¿Qué queda, pues, más que admitir que casi todo está perdido y que es irrecuperable?»

El tiempo pasaba despacio. De vez en cuando, un copo de nieve cruzaba en solitaria danza el espacio que separaba cielo y tierra. Contuvo la respiración y se dispuso a esperar. Lo que menos necesitaba en aquellos momentos era, precisamente, una nevada pues, en tal caso, le resultaría imposible poner en práctica su plan. Sin embargo, por el momento, no caían más que unos copos aislados.

A las once y cuarto, uno de los policías salió a orinar a la escalinata. Le lanzó un silbido al perro, que no reaccionó. Justo cuando había terminado de orinar, salió otro hombre con un cigarrillo en la mano. En ese instante, comprendió que no había allí más que dos policías, dos agentes que debían mantener la casa bajo vigilancia.

Continuó esperando hasta pasada la medianoche. El silencio reinaba en el interior de la casa. A veces creía oír el sonido de un televisor o de un aparato de radio, pero no estaba seguro. Iluminó la tierra para comprobar que no había olvidado nada. Después, empezó a bajar con sumo sigilo por la parte posterior de la colina. Era consciente de que debería comenzar con lo que se había propuesto hacer, pero no pudo resistir la tentación de acercarse a ver el lugar en el que había sido asesinado Abraham Andersson. Sabía de sobra que podía haber allí algún guarda, alguien cuya presencia él no había advertido. Aquello entrañaba un riesgo, pero sentía la necesidad de correrlo.

Una vez que hubo llegado al lindero del bosque, apagó la linterna. Se movía con enorme cautela, tanteando con los pies mientras avanzaba y preparado ante la eventualidad de que el perro lanzase un ladrido. De nuevo desapareció en el bosque

que quedaba al otro lado del jardín de la casa. Allí veía mejor gracias a la luz de los focos que se filtraba por entre las ramas de los árboles.

No había ningún guarda. No había nada en absoluto. Tan sólo un árbol solitario al que la policía había fijado distintas marcas. Pese a todo, se atrevió a llegar hasta el árbol e inspeccionó el tronco. A la altura del pecho, más o menos, habían arrancado la corteza. Al comprobarlo, frunció el entrecejo. ¿Acaso estaba Abraham Andersson junto a un árbol mientras lo asesinaban? En tal caso, debía de estar amarrado al tronco y, de ser así, no se trataba de un asesinato, sino de una ejecución. De repente, le entró un sudor frío y se volvió veloz. Pero allí no había nadie. «Yo iba por Herbert Molin», recapituló. «Pero después apareció Abraham Andersson por detrás, de entre las sombras. Y ahora tengo la sensación de que hay alguien detrás de mí.» Se apartó de la luz con el fin de ocultarse. Se esforzaba por reflexionar con calma. ¿No habría puesto en marcha un juego de fuerzas que él no podía controlar? ¿Se habría adentrado en un terreno desconocido cuando decidió por fin tomarse su venganza? Lo ignoraba. Las preguntas cruzaban veloces por su mente mezcladas con el miedo. Por unos instantes, estuvo a punto de hacer lo mismo que Herbert Molin había hecho en su momento: huir, desaparecer, esconderse y olvidar todo lo ocurrido aunque no en un bosque, sino en Buenos Aires. No debía haber vuelto. Pero ya era demasiado tarde. Estaba resuelto a no regresar hasta haber aclarado qué le había sucedido a Abraham Andersson. «Ésta es la venganza que Herbert Molin se cobra en mí», adivinó. Y la sola idea lo puso fuera de sí. De haber sido factible, no habría dudado ni un segundo en matarlo una vez más.

Finalmente, se obligó a recobrar la calma. Respiró hondo varias veces y pensó en un paisaje marino de grandes olas que rodaban morosas hacia la orilla. Tras unos minutos, miró el reloj. Era la una y cuarto. Había llegado el momento. Regresó al jardín desde donde, en esta ocasión, sí pudo oír con claridad la música procedente del interior de la casa y unas voces que conversaban en tono bajo. Lo más probable era que los dos policías, con la radio puesta, intentasen ahuyentar el sueño charlando. Se acercó al perro con sumo cuidado y lo llamó en un susurro. El animal gruñó débilmente pero, al mismo tiempo, movía la cola. Se colocó fuera del reflejo de la luz que dejaban pasar los cristales de las ventanas. El perro entró en una porción del jardín que estaba sumida en la oscuridad. Acarició al animal que lo miraba inquieto aunque sin dejar de mover el rabo.

Después, soltó el nudo que ataba la cadena a la cuerda y se llevó consigo al perro.

En las sombras, ni uno ni otro dejaron el menor rastro.

17

Stefan había presenciado aquella situación con anterioridad en multitud de ocasiones. Un policía que recibe una noticia inesperada reacciona siempre poniéndose de inmediato al teléfono. Pero, aunque Giuseppe ya tenía un auricular en la mano, no era necesario llamar a nadie.

Tanto Stefan como Giuseppe comprendieron que debían adoptar una postura adecuada ante la desaparición del perro. En efecto, aquel suceso podía significar una especie de giro en la investigación. Sin embargo, también podía tratarse de una pista paralela, lo que sería sin duda lo más probable.

—¿No crees que cabe la posibilidad de que, simplemente, se haya escapado? —inquirió Stefan.

—No lo creo.

—¿Y no podríamos pensar que lo han robado?

Giuseppe negó vacilante con un gesto.

—¿Ante las narices de unos cuantos agentes de policía? No creo que sea eso lo que ha sucedido.

—No pensarás entonces que el autor del crimen volvió para llevárselo, ¿verdad?

—No, a menos que nos enfrentemos a un desquiciado. Algo que no podemos descartar del todo, claro.

Ambos sopesaron en silencio el abanico de posibilidades.

—Bien, no nos cabe más que esperar y ver —declaró Giuseppe—. Hemos de procurar no obsesionarnos con el perro. Además, tal vez vuelva a su lugar él solito. Los perros suelen hacerlo.

Giuseppe se guardó el teléfono en el bolsillo de la cazadora y echó a andar en dirección a la casa de Molin. Stefan se quedó donde estaba. Hacía ya muchas horas que no pensaba en su enfermedad, que no sentía el velado desasosiego que le producía la idea de que volviese el dolor. Cuando vio marcharse a Giuseppe, experimentó una repentina sensación de abandono.

Una vez, cuando era muy pequeño, acudió con su padre a ver un partido de fútbol en el estadio de Ryavallen, en Borås. Era un partido de liga muy importante, por más que él ignorase la razón, y su padre lo llevó consigo. El equipo contrario era el IFK Göteborg. Su padre no paraba de repetir «tenemos que ganar»; una y otra vez durante todo el viaje de Kinna a Borås no dejó de repetir aquella frase, «tenemos que ganar». Cuando llegaron y aparcaron el coche ante el estadio, su padre le compró una bufanda negra y amarilla. A Stefan le había dado por pensar varias veces si no habría sido la bufanda en sí, más que el propio partido, lo que había hecho nacer en él su interés por el fútbol. El barullo de gente lo llenó de temor y él se aferraba de forma convulsiva a la mano de su padre mientras se dirigían a una de las puertas de entrada. Ya entre la muchedumbre, se esforzó por no concentrarse más que en una cosa: mantenerse agarrado a la mano de su padre. Se le antojaba cuestión de vida o muerte. Si se soltaba, estaría perdido sin remedio en medio de aquella masa de gente esperanzada que tanta prisa parecía tener por entrar. Y fue entonces, justo antes de la encrucijada donde debían girar, cuando echó una ojeada hacia su padre y se encontró con un rostro extraño, como extraña era la mano a la que iba agarrado. Al parecer, había soltado la mano sin darse cuenta durante un segundo y después, al volver a agarrarse, había tomado una mano equivocada. La sensación de pánico fue absoluta, empezó a chillar y las personas que había a su alrededor se volvieron preguntándose qué habría pasado. El señor desconocido, que no se había percatado de que un niño con bufanda negra y amarilla iba de su mano, la retiró de un tirón, como si

pensase que el niño quería robársela. En aquel preciso momento, su pa-
dre apareció de nuevo a su lado. El miedo pánico desapareció al instan-
te y ambos se adentraron en el laberinto de pasillos. Tenían sus asientos
en la parte superior de las gradas, en uno de los laterales más largos,
desde donde podían ver cómo los jugadores uniformados de negro y ama-
rillo luchaban contra los blanquiazules del otro equipo por la esfera ana-
ranjada del balón. No recordaba cómo había terminado el partido. Lo
más probable era que ganase el IFK Göteborg, puesto que su padre no
pronunció palabra durante todo el viaje de regreso a Kinna. Pero lo que
nunca logró olvidar fue el brevísimo lapso de tiempo en el que, perdido
el contacto con su padre, sintió el más hondo abandono.

Al ver a Giuseppe desaparecer hacia el interior del bosque,
le vino a la memoria aquel suceso.

Pero entonces, Giuseppe se dio la vuelta.

—¿No me acompañas?

Stefan se cerró la cazadora y se apresuró a seguirlo.

—Pensé que querrías ir tú solo. Por Rundström.

—No pienses en Rundström. Mientras estés aquí, serás mi
ayudante personal.

Dejaron Rätmyren tras de sí. Giuseppe conducía a gran velocidad.

Tan pronto como llegaron a Dunkärret, Giuseppe empezó a
discutir con uno de los policías que había allí. Era un hombre
de unos cincuenta años, menudo y de una delgadez extrema,
llamado Näsblom. Stefan comprendió enseguida por la conversación que él había sido uno de los policías destinados en Hede.
Giuseppe se encolerizó de inmediato, al ver que no le daba una
respuesta razonable acerca del momento en que había desaparecido el perro. Nadie parecía saberlo con certeza.

—Le dimos de comer ayer tarde —aseguró Näsblom—. Yo tengo varios perros, así que le llevé comida de casa.

—Como es natural, puedes pedir que te reembolsen el importe si escribes un recibo —le espetó Giuseppe con acritud—. Pero, a ver, ¿cuándo desapareció el perro?

—Pues tuvo que ser después.

—Sí, claro, eso ya puedo deducirlo yo mismo. La cuestión es cuándo os disteis cuenta vosotros de que el animal no estaba.

—Justo antes de llamarte.

Giuseppe miró el reloj.

—Veamos. Le diste de comer al perro ayer tarde pero ¿a qué hora?

—A eso de las siete.

—Bien. Y ahora es la una y media de la tarde. A los perros se les da de comer por la mañana también, ¿no?

—Sí, pero yo no estaba aquí esta mañana. Me fui a casa y no he vuelto hasta ahora.

—Ya, pero tuviste que notar la falta del perro esta mañana, cuando te fuiste, ¿no?

—Pues, la verdad, no me fijé.

—¿Y dices que tienes perros en casa?

Näsblom observó la cuerda vacía.

—Sí, claro, tendría que haberme dado cuenta —admitió el agente—. Pero no lo hice. Tal vez pensé que estaría dentro de su caseta...

Giuseppe hizo una mueca de resignación.

—Vamos a ver, ¿qué resulta más fácil de detectar? —inquirió colérico dirigiéndose a Stefan—. ¿Un perro que ha desaparecido o un perro que no ha desaparecido? ¿Tú qué crees?

—Pues, yo creo que si el perro está donde tiene que estar, uno no repara demasiado en ello. Pero, si no está, debería notar su ausencia.

—Exacto. Eso creo yo también. ¿Qué te parece a ti?

Esta última pregunta iba dirigida a Näsblom.

—No lo sé. Pero a mí me parece que el perro no estaba esta mañana.

—Ya, pero no estás seguro, ¿no es así?

—Pues no.

—Supongo que habrás hablado con tus colegas, ¿verdad? ¿Y ninguno de ellos lo ha visto desaparecer ni ha oído nada?

—No, nadie ha visto nada.

Los tres hombres se acercaron a la cuerda.

—¿Cómo puedes estar seguro de que no se soltó él mismo?

—Me fijé en la cadena cuando le puse la comida. Tenía un cierre bastante complicado. Es imposible que el perro la abriese por sí mismo.

Giuseppe observó la cuerda meditabundo.

—A ver, ayer tarde, a las siete, ya era de noche. ¿Cómo pudiste verlo?

Näsblom señaló el cuenco del animal, antes de añadir:

—Gracias a la luz procedente de la ventana pude verlo perfectamente.

Giuseppe asintió y le volvió la espalda con desprecio manifiesto.

—¿Qué opinas tú de esto? —le preguntó a Stefan.

—A mi parecer, alguien vino aquí por la noche y se llevó al perro.

—¿Y qué más?

—Pues, yo no sé mucho sobre perros pero, si el animal no se puso a ladrar, debía de tratarse de alguien a quien conocía. Si es que es un perro guardián, claro.

Giuseppe asintió con gesto ausente mientras contemplaba el bosque que rodeaba la casa.

—Tenía que ser importante para quien lo hizo —observó tras unos minutos—. Venir hasta aquí en la oscuridad para llevarse al perro... Aquí se ha cometido un asesinato; hay policías de guardia y la zona está acordonada. Aun así, alguien se toma la molestia de venir hasta este lugar para llevarse al perro. En fin, hay dos preguntas cuya respuesta me gustaría conocer lo antes posible.

—¿Quién y por qué?

Giuseppe asintió.

—Esto no me gusta lo más mínimo —confesó—. ¿Quién, sino el asesino, pudo venir a llevarse el perro? La familia de Abraham Andersson está en Helsingborg. Su esposa está conmocionada y nos ha dicho que no vendrá. ¿Alguno de los hijos de Andersson ha estado por aquí? No, claro, lo habríamos sabido. Y tampoco habrían venido a llevarse el perro a medianoche. A menos que se trate de un chalado o de un amante de los animales trastornado o de alguien que se gane la vida robando perros, tiene que haber sido el autor del crimen. Lo que, a su vez, significa que aún sigue por la zona. Se quedó después de acabar con Molin y tampoco se ha marchado tras haber asesinado a Abraham Andersson. De lo que podemos extraer un buen número de conclusiones.

—Bueno, es posible que se marchase y que haya vuelto —apuntó Stefan.

Giuseppe lo miró inquisitivo.

—¿Por qué habría de volver? ¿Porque se le había olvidado que aún le faltaba alguien por matar? ¿O tal vez porque se le había olvidado llevarse el perro? No, eso no me cuadra. El sujeto que nos ocupa, si es que es un hombre y si es que actúa en solitario, planifica al detalle cada paso que da.

Stefan comprendió que el razonamiento de Giuseppe era correcto. Aun así, algo le rondaba la cabeza.

—¿En qué estás pensando? —adivinó Giuseppe.

—No lo sé.

—Uno siempre sabe lo que está pensando. Lo que pasa es que a veces somos demasiado indolentes como para desmadejarlo para nosotros mismos.

—Sí, bueno, después de todo, no sabemos si Molin y Andersson murieron por la misma mano —observó Stefan—. Eso es lo que creemos, pero no tenemos certeza de ello.

—Eso sería contrario al sentido común y a todos mis años de experiencia. No es lógico suponer que se hayan producido dos sucesos de esta naturaleza, casi al mismo tiempo y en el mismo lugar, sin que el autor y el móvil sean comunes.

—Sí, claro, estoy de acuerdo. Pero convendrás conmigo en que a veces sucede lo inesperado.

—Bien, tarde o temprano lo sabremos —atajó Giuseppe—. Tendremos que profundizar en la vida de estos dos hombres. Y, en algún punto, hallaremos el eslabón que los une.

Mientras ellos conversaban, Näsblom había estado en el interior de la casa. En aquel momento, el agente salió y se les acercó cauteloso. Stefan intuía que el hombre sentía un profundo respeto por Giuseppe Larsson.

—Yo..., bueno, pensaba proponerte, si te parece, venir aquí con uno de mis perros para que recorra la zona en busca de alguna pista.

—¿Acaso es un perro policía?

—No, es cazador, una mezcla. Pero puede que dé con algún rastro.

—¿Y no sería más adecuado hacer venir de Östersund a uno de nuestros propios perros?

—Han dicho que no.

Giuseppe le clavó una mirada atónita.

—¿Quién ha dicho que no?

—Rundström. Le parecía innecesario. «Ese jodido perro se habrá escapado; eso es todo», me dijo exactamente.

—Pues vete en busca de tu chucho —le ordenó Giuseppe—. Ha sido una buena idea. Pero tendría que habérsete ocurrido mucho antes, en cuanto viste que el perro había desaparecido.

El perro que trajo Näsblom dio enseguida con un rastro. Desde la cuerda que unía el árbol con el muro de la casa, el animal emprendió una desaforada carrera en dirección al bosque, seguido de Näsblom.

Giuseppe se puso a hablar con uno de los policías, cuyo nombre Stefan ignoraba, acerca de las entrevistas que estaban haciéndoles a los vecinos de la zona. Al principio, Stefan se quedó a escuchar; pero se apartó enseguida. Intuía que había llegado el momento de marcharse. El viaje a Härjedalen había concluido. Comenzó la mañana en que abrió un periódico en el hospital de Borås y vio la fotografía de Herbert Molin, pero ya llevaba una semana en Sveg. Aún seguían sin saber quién había asesinado tanto al colega retirado como, probablemente, también a Abraham Andersson. Tal vez Giuseppe tuviese razón en su suposición de que existía un lazo de unión entre ambos. Stefan, por su parte, lo dudaba. En cualquier caso, ahora sabía que hubo un tiempo en que Herbert Molin luchó en el frente del este alemán, que había sido un nazi convencido, tal vez hasta el instante de su muerte, y que había sido Elsa Berggren, una mujer que compartía sus ideas políticas, quien le había ayudado a encontrar aquella casa en el bosque.

Herbert Molin había sido un fugitivo. Había dejado su hogar en Borås para cobijarse en una madriguera donde, al final, alguien dio con él. Stefan estaba convencido de que Herbert Molin sabía que alguien iba tras él.

«Durante la guerra en Alemania sucedió algo», se decía. «Algo que no figura en el diario o que está redactado de modo que no sea fácil verlo. Además, tenemos el viaje a Escocia y los largos paseos que por allí dio con M. Es probable que todo esté relacionado con lo que sucedió en Alemania.

»Pero ha llegado la hora de irse de Sveg. Giuseppe Larsson

es un hombre de amplia experiencia, un buen policía. Él y sus colegas resolverán el caso el día menos pensado.»

Se preguntaba si él llegaría a vivir el tiempo suficiente como para enterarse de la respuesta. De repente, no pudo ya eludir la toma de conciencia de que el tratamiento que daría comienzo en un par de semanas tal vez resultase insuficiente. La doctora le había dicho que, si la radioterapia y la operación no producían el efecto deseado, podrían comenzar con sesiones de quimioterapia. Además, podían recurrir a muchas otras alternativas dentro de la medicina. Padecer un cáncer había dejado de ser sinónimo de una sentencia de muerte. «Sin embargo, tampoco es seguro que me cure del todo», objetó para sí. «Puedo estar muerto dentro de un año. Debo tenerlo presente, por insoportable que me resulte la idea.»

El miedo se apoderó de él. De haber podido, habría emprendido la huida de sí mismo.

En aquel momento, Giuseppe se le acercó.

—Me voy —declaró Stefan.

Giuseppe le lanzó una mirada interrogante.

—Me has sido de gran ayuda —señaló el colega—. Pero, claro está, me pregunto cómo te encuentras.

Stefan se encogió de hombros, pero no pronunció palabra. Giuseppe le tendió la mano.

—¿Quieres que te llame para contarte cómo evoluciona todo? —inquirió solícito.

Stefan reflexionó un instante antes de responder. ¿Qué deseaba, en realidad, salvo recuperar la salud?

—Será mejor que te llame yo —decidió al final—. No tengo ni idea de cómo me sentiré cuando comience la radioterapia.

Se estrecharon la mano. Stefan pensó que Giuseppe Larsson le caía bien. Pese a que no sabía nada de él.

Después, cayó en la cuenta de que su coche seguía en Sveg.

—Ya sé que debería llevarte al hotel yo mismo —observó Giuseppe en tono de excusa—. Pero prefiero quedarme aquí un rato, hasta que Näsblom regrese con el perro. Le diré a Persson que te lleve él.

Persson era un policía de carácter taciturno. Stefan miraba los árboles a través de la ventanilla del coche mientras pensaba que le habría gustado ver a Veronica Molin una vez más. Le habría gustado hacerle algunas preguntas acerca de lo que había leído en el diario de su padre. ¿Qué sabía ella, en realidad, sobre el pasado de aquel hombre? Y, ¿dónde se encontraba el hijo de Herbert Molin? ¿Por qué no había acudido al lugar donde había muerto su padre?

Persson lo dejó en el jardín del hotel. La chica de la recepción sonrió al verlo entrar.

—Me voy.

—El frío arreciará por la noche —le advirtió ella—. Y puede que se formen placas de hielo en las carreteras.

—Conduciré con cuidado.

Subió a su habitación, guardó sus cosas en la maleta y volvió a salir. Tan pronto como cerró la puerta tras de sí, el aspecto que tenía la habitación empezó a borrarse de su memoria.

Pagó la cuenta sin comprobarla.

—Espero que vuelvas por aquí —lo animó la joven cuando hubo recibido el dinero—. ¿Qué tal va el caso? ¿Crees que atraparán al asesino?

—Esperemos que así sea.

Stefan salió del hotel. Hacía frío. Guardó el equipaje en el maletero y ya estaba a punto de sentarse al volante cuando vio que Veronica Molin salía por la puerta del hotel. La mujer se le acercó.

—Me han dicho que te marchas.

—¿Quién te lo ha dicho?

—La recepcionista.

—Ya, bueno, eso significa que tú has preguntado por mí, ¿no?

—Así es.

—¿Por qué?

—Pues, porque quiero saber cómo va la investigación, claro.

—No soy yo quien debe contestar a esa pregunta.

—Pues no es eso lo que me ha dicho Giuseppe Larsson. Acabo de hablar con él; me ha comentado que era posible que no te hubieses marchado aún. Parece que he tenido suerte.

Stefan cerró la puerta del coche y la acompañó al interior del hotel. Se sentaron en el comedor que, en aquellos momentos, estaba desierto.

—Giuseppe Larsson también me ha dicho que se ha encontrado un diario. ¿Es eso cierto?

—Así es —confirmó Stefan—. Yo lo he hojeado. Pero, como es natural, ese diario os pertenece a ti y a tu hermano. Cuando la policía no lo necesite. Por ahora, es importante para la investigación del caso.

—Yo no tenía ni idea de que mi padre escribiese un diario. Y me sorprende.

—¿Por qué?

—Porque no era hombre dado a escribir sin necesidad.

—Mucha gente escribe un diario en secreto. Supongo que todo el mundo lo ha hecho alguna vez en su vida.

Él observó cómo ella tomaba un paquete de cigarrillos, sacaba uno y lo encendía mientras lo miraba fijamente a los ojos.

—Giuseppe Larsson me ha informado de que la policía está trabajando sin punto de partida fijo; sin pistas que los orienten en ningún sentido concreto. Por otro lado, todo parece indicar que mi padre murió a manos del mismo hombre que asesinó a la otra víctima.

—¿A la que tú, por cierto, no conocías?

—¿Cómo iba yo a conocer a ese hombre? No olvides que apenas si conocía a mi propio padre.

Stefan resolvió que bien podía ir derecho al grano y hacerle las preguntas que ya había preparado en su mente.

—¿Sabías que tu padre era nazi?

Fue incapaz de determinar si la pregunta le causó la menor sorpresa.

—¿A qué te refieres?

—¿Puedo estar refiriéndome a algo distinto de lo que he dicho? Leí en el diario acerca de un joven que, en 1942, cruzó la frontera de Noruega para alistarse en las fuerzas armadas alemanas. Después, luchó del lado de Hitler hasta el final de la guerra en 1945, fecha en la que regresa a Suecia, contrae matrimonio, tiene hijos, primero tu hermano y después tú. Se cambia de nombre, se separa y vuelve a casarse para separarse de nuevo, sin dejar de ser un nazi convencido hasta su muerte, si no me equivoco.

—¿Y eso lo cuenta en el diario?

—Así es. Además, había algunas cartas y fotografías de tu padre luciendo el uniforme alemán.

Ella movió la cabeza.

—Pues no tenía ni idea.

—¿Quieres decir que él no hablaba nunca de la guerra?

—Jamás.

—¿Ni tampoco sobre sus convicciones políticas?

—Ni siquiera sabía que las tuviese. No recuerdo que se hablase nunca de política cuando yo era niña.

—Uno puede expresar sus opiniones sin hacer alusión a cuestiones políticas de forma directa.

—¿Ah, sí? ¿Cómo?

—Bueno, todos podemos hacer patente nuestra visión del género humano de muchas otras formas.

Ella reflexionó un instante para, al fin, negar con la cabeza.

—Recuerdo haberlo oído decir en alguna ocasión que no le interesaba la política. Desconocía que hubiese sido un extremista. He de decir que supo ocultarlo. Si lo que dices es cierto.

—Pues en el diario está clarísimo.

—¿Y sólo habla de eso? ¿No menciona a su familia?

—Muy de pasada.

—Ya, bueno, en realidad, no me sorprende. Yo crecí con la sensación de que nosotros, mi hermano y yo, éramos un estorbo para él. Apenas si se preocupaba de nosotros en serio; tan sólo lo fingía.

—Por otro lado, tu padre tenía una mujer aquí en Sveg, aunque no sé si fue su amante o no. La verdad es que no sé a qué se dedica la gente de más de setenta años de edad.

—¿Una mujer de Sveg?

Stefan lamentó enseguida haber revelado aquel detalle. En efecto, se trataba de un dato que la mujer debería haber conocido a través de Giuseppe. Pero ya era demasiado tarde para retroceder.

—Se llama Elsa Berggren y vive al sur del río. Fue la persona que ayudó a tu padre a encontrar su casa. Por cierto, que ella comparte sus ideas políticas. Si es que las ideas nazis pueden considerarse ideas políticas.

—¿Qué iban a ser si no?

—Ideas criminales, más bien.

Ella pareció, de pronto, comprender la intención de sus preguntas.

—¿Acaso insinúas que la filiación política de mi padre guarda relación con su muerte?

—Yo no estoy insinuando nada. Pero la policía ha de trabajar sin descartar ninguna hipótesis en concreto.

Ella encendió otro cigarrillo. Stefan notó que le temblaba la mano.

—La verdad, no comprendo por qué nadie me ha revelado todo esto antes —se quejó ella—. Ni el hecho de que mi padre fuese nazi ni la historia de esa mujer.

—Bueno, como comprenderás, lo habrían hecho tarde o temprano. La investigación de un asesinato puede exigir mucho tiempo. Ahora se encuentran con que han de descubrir al asesino de dos víctimas. Además de un perro desaparecido.

—Pero, si me dijeron que el perro estaba muerto...

—Sí, el de tu padre. Pero el de Abraham Andersson se ha escapado.

La mujer se estremeció, como si tuviese frío.

—Lo único que quiero es irme de aquí. Ahora más que nunca. Ya leeré ese diario. Pero antes, he de procurar que entierren a mi padre. Después me marcharé. Y, por si fuera poco, tengo que afrontar el hecho de que aquel padre que sólo hacía ver que se preocupaba por mí era, además, un nazi.

—¿Qué piensas hacer con la casa?

—Ya he hablado con una inmobiliaria. Cuando hayan hecho el inventario, se pondrá a la venta. A ver si alguien la quiere...

—¿Has estado allí?

Ella asintió.

—Sí, pese a todo, fui a verla. Y fue peor de lo que me había imaginado. En especial, aquellas huellas de pisadas marcadas con sangre.

La conversación terminó en ese punto. Stefan miró el reloj. Pensó que debería marcharse antes de que se le hiciese demasiado tarde.

—Es una pena que te marches.

—Y eso, ¿por qué?

—Bueno, digamos que no estoy acostumbrada a verme sola en un hostal en medio del campo. Me pregunto cómo será la vida aquí.

—Tu padre la eligió.

Ella lo acompañó hasta la recepción.

—Gracias por dedicarme algo de tu tiempo.

Antes de irse, llamó a Giuseppe para preguntarle si habían encontrado al perro. Pero según le comunicó el colega, perdieron la pista al llegar a un camino de gravilla, cuando Näsblom llevaba ya corriendo más de media hora a través del bosque.

—Es decir, que alguien lo llevó hasta un coche que tenía aparcado allí —concluyó Giuseppe—. La cuestión es quién; y adónde se dirigió después.

Puso rumbo al sur, cruzó el río y se adentró en el bosque con el coche. De vez en cuando, notaba que conducía demasiado deprisa y pisaba el freno. Tenía la mente en blanco. La única idea que lo acuciaba a veces era la cuestión de qué habría sucedido con el perro de Abraham Andersson.

Poco después de medianoche se detuvo en Mora, ante un restaurante de carretera que estaba a punto de cerrar. Después de cenar, se sintió demasiado cansado para seguir conduciendo, de modo que llevó el coche a un lugar apartado junto al aparcamiento y se acurrucó en el asiento trasero. Despertó, según pudo comprobar en el reloj de pulsera, a las tres de la madrugada. Salió a orinar en la oscuridad antes de continuar atravesando la noche en dirección sur. Dos horas más tarde, se detuvo de nuevo para dormir un rato.

Cuando despertó por segunda vez, habían dado las nueve. Dio varias vueltas alrededor del coche para estirar las articulaciones. Calculaba que estaría de vuelta en Borås hacia la noche. Una vez en Jönköping, podría llamar a Elena y darle una sorpresa. Una hora después, estaría llamando a la puerta de su casa.

Sin embargo, cuando hubo sobrepasado Örebro, volvió a abandonar la carretera. Tenía la mente despejada y empezó a rememorar la conversación mantenida con Veronica la noche anterior. De repente, estaba seguro de que la mujer no había sido sincera.

Cuando le preguntó si ella conocía o no la circunstancia de que su padre había sido nazi... estaba convencido de que fingió estar sorprendida. Ella lo sabía, pero intentó ocultarlo. Ignoraba cómo había podido llegar a tal conclusión, pero estaba seguro. No obstante, había otra cuestión para la que tampoco tenía respuesta. En efecto, se preguntaba si no habría conocido también la existencia de Elsa Berggren, pese a que lo había negado.

Stefan salió del coche. «En fin, yo no tengo nada que ver con todo esto», se advirtió a sí mismo. «A lo que tengo que dedicarme es a mi enfermedad. Iré a Borås, admitiré ante mí mismo que he pasado estos días añorando a Elena. Cuando me encuentre con ánimo, llamaré a Giuseppe y le preguntaré cómo va la cosa. Y eso es todo.»

Pero, acto seguido, determinó de pronto dirigirse a Kalmar, la ciudad que, hacía ya muchos años, había visto nacer a Herbert Molin con el nombre de Mattson-Herzén. La ciudad donde todo había comenzado, en el seno de una familia que adoraba a Hitler y su nacionalsocialismo.

Allí hallaría, además, a un hombre llamado Wetterstedt. Un pintor de retratos que conocía a Herbert Molin.

Rebuscó hasta hallar un viejo mapa de Suecia que llevaba en el maletero. «Esto es un despropósito», se recriminaba mientras consideraba cuál sería el mejor camino para llegar a Kalmar. «Tendría que dirigirme a Borås.»

Aun así, él sabía que ya no podría dejarlo. Quería saber qué le había sucedido a Herbert Molin. Y a Abraham Andersson. Quizás incluso cómo se resolvía la desaparición del perro.

Ya entrada la noche, llegó a Kalmar. Era el 5 de noviembre. Dos semanas más tarde, comenzaría las sesiones de radioterapia.

Por el camino, a escasas decenas de kilómetros de Västervik, había empezado a llover. El agua lanzaba destellos a la luz de los focos cuando entró en la ciudad en busca de un lugar donde alojarse.

18

Al día siguiente, muy temprano, salió dispuesto a ver el mar. El puente de Ölandsbro se atisbaba entre la niebla matinal que se había posado sobre el estrecho. Bajó hasta el borde del agua y se detuvo allí a contemplar el suave y despacioso chapoteo de las olas. Su cuerpo estaba aún resentido por el largo viaje en coche. Por dos veces había soñado que se estrellaba contra un gran camión. En su ensoñación, había intentado esquivarlos, pero demasiado tarde, de modo que la colisión lo había arrancado del sueño. El hotel estaba en el centro de la ciudad. Durante un rato estuvo escuchando, a través de la delgada pared medianera, la conversación telefónica de una mujer. Una hora más tarde, aporreó la pared y la conversación concluyó enseguida. Antes de conciliar el sueño, había estado tumbado largo rato con la mirada perdida en el techo preguntándose por qué había decidido ir a Kalmar. ¿No estaría intentando retrasar su regreso a Borås? ¿No sería que estaba ya hastiado de la compañía de Elena y no se atrevía a confesárselo a sí mismo? No sabía qué pensar. Pero albergaba serias dudas de que el único motivo de su viaje a Kalmar fuese la curiosidad que de hecho sentía por el pasado de Herbert Molin.

Los bosques de Härjedalen se le antojaban ya muy lejanos. Ahora sólo existía él, su enfermedad y los trece días que quedaban hasta la fecha en que debía presentarse en el hospital para comenzar su terapia. Sólo eso. «Los trece días de noviembre de Stefan Lindman», sentenció para sí. «¿Cómo los recordaré den-

tro de diez o veinte años, si es que llego a vivir tanto tiempo?»
No intentó siquiera contestar a aquella pregunta, sino que retomó su paseo de vuelta ya hacia el centro de la ciudad, dejando el mar y la niebla tras de sí. Entró en una cafetería, se sirvió
una taza de café y tomó prestada la guía telefónica.

No había más que una persona con el apellido de Wetterstedt en la parte correspondiente a Kalmar. Emil Wetterstedt, artista. Vivía en la calle de Lagmansgatan. Stefan abrió la guía por
la parte donde se hallaba el plano de la ciudad, donde no tardó en encontrar la dirección, justo en el centro, a no más de
unas manzanas de la cafetería. Sacó su teléfono del bolsillo, pero
al momento cayó en la cuenta de que estaba estropeado. Con
una batería nueva, el aparato volvería a funcionar. «Podría ir allí
y llamar a la puerta», se propuso. «Pero ¿qué voy a decirle? ¿Que
era amigo de Herbert Molin? Claro que eso no es cierto, pues
él y yo jamás fuimos amigos. Trabajamos en la misma comisaría y en el mismo distrito policial. Y, en una ocasión, salimos
juntos en persecución de un asesino. Pero no hubo más. De vez
en cuando, me daba buenos consejos. Aunque, la verdad, no sé
si fueron tan buenos como ahora los recuerdo. Por otro lado,
tampoco puedo decirle que voy para que pinte mi retrato. Además, Emil Wetterstedt es, con toda probabilidad, un hombre de
avanzada edad; más o menos como Herbert Molin. Un anciano al que el mundo lo trae ya sin cuidado.»

Se tomó el café a largos tragos. Una vez que hubo desechado sus alternativas una a una, no le quedó más que la de ir a la
casa de Emil Wetterstedt, llamar a su puerta y decirle que era
policía y que deseaba hablar con él acerca de Herbert Molin.
Lo que sucediese después, dependía exclusivamente de la reacción de Wetterstedt.

Apuró el café y salió de la cafetería. El aire parecía distinto
al que se respiraba en Härjedalen. Allí era seco y claro, en tanto que el que ahora entraba en sus pulmones era bastante húme-

do. Los comercios estaban aún cerrados, pero reparó en una tienda de teléfonos móviles cuando se dirigía a la casa de Wetterstedt. Mientras caminaba, se preguntó si los ancianos retratistas tendrían por costumbre levantarse tarde por las mañanas.

La casa de la calle de Lagmansgatan tenía tres plantas y una fachada de color gris sin balcones. El portal estaba cerrado con llave pero en el portero automático comprobó que Emil Wetterstedt vivía en el último piso. No había ascensor. «Este anciano tiene, sin duda, unas buenas piernas», concluyó. Una puerta se cerró en alguna parte del edificio y el portazo retumbó en toda la escalera. Cuando hubo subido los tres pisos de escalones, notó que estaba sin aliento. Lo sorprendió el hecho de que su buena condición física de antaño pareciese haber desaparecido por completo.

Tocó el timbre y contó en silencio hasta veinte. Después, volvió a llamar. En el interior, ningún ruido indicaba la presencia de nadie en el apartamento. Llamó por tercera vez pero nadie acudió a abrirle. Golpeó entonces la puerta y aguardó un instante antes de volver a aporrearla con más fuerza, hasta que se abrió la puerta que tenía a su espalda y un vecino bastante mayor envuelto en una bata apareció al otro lado.

—Busco al señor Wetterstedt —explicó Stefan—. ¿Está en casa?

—Él siempre pasa el otoño en su chalet. En esta época del año se toma las vacaciones.

El hombre que le había abierto la puerta observaba a Stefan con desprecio manifiesto. Como si tomarse las vacaciones en noviembre fuese lo más natural del mundo. Y como si, después de haberse jubilado, la gente tuviese aún un trabajo del que tomarse vacaciones.

—Ya. Y, ¿dónde tiene su chalet?

—¿Quién desea saberlo? Aquí intentamos llevar cierto control sobre las personas que andan por el edificio. ¿Qué quiere? ¿Que le pinte su retrato?

—Quiero hablar con él de un asunto importante.

El hombre observó a Stefan con suspicacia.

—Emil tiene el chalet en la isla de Öland. Al pasar Alvaret, verá un indicador en el que podrá leer «Lavendel»; además, hay otro indicador que anuncia que se trata de una vía especial y que da acceso a una zona privada. Y allí vive él.

—¿Se llama así la casa? ¿Lavendel?*

—Emil asegura que existe un tono de azul parecido al color de la lavanda. Según él, el más hermoso de todos los azules. E imposible de reproducir para un pintor. Ahí, suele decir, la naturaleza es la única maestra.

—Gracias por su ayuda.

—De nada.

A punto ya de marcharse, Stefan se detuvo.

—Una última pregunta. ¿Cuántos años tiene Emil Wetterstedt?

—Ochenta y ocho. Pero es un hombre muy vital.

El vecino cerró la puerta. Stefan bajó las escaleras despacio. «En otras palabras, tengo un motivo para cruzar el puente y adentrarme en la niebla», se dijo. «Yo también he emprendido una especie de viaje de vacaciones involuntario, sin otro objetivo que esperar que el tiempo transcurra hasta que llegue el 19 de noviembre.»

Regresó por el mismo camino por el que había llegado. La tienda de móviles acababa de abrir. Un joven que bostezaba con indolencia le buscó la batería que necesitaba. Cuando aún no había terminado de pagar, el teléfono empezó a sonar avisando de que tenía mensajes. Antes de salir de Kalmar, los escuchó todos.

* Lavendel, en sueco, lavanda. *(N. de la T.)*

268

Elena lo había llamado en tres ocasiones, cada vez más abatida y parca en palabras. Después, tenía un mensaje de su dentista, para recordarle que había llegado el momento de su revisión anual. Y eso era todo. Giuseppe no lo había llamado y, aunque no contaba con ello, había tenido la esperanza de que lo hiciera. Por otro lado, ninguno de sus colegas había intentado localizarlo, pero con eso tampoco había contado. En efecto, podía decirse que, prácticamente, no tenía amigos.

Dejó el teléfono sobre el asiento, salió del aparcamiento y empezó a buscar una salida hacia el puente. La niebla seguía muy espesa cuando atravesó el estrecho. «Tal vez morir se asemeje a esto. En la Antigüedad creían que un remero nos recogía en su bote y nos ayudaba a cruzar el río de la Muerte. Pero hoy tal vez haya que cruzar un puente, atravesar la niebla y, después, se acabó todo.»

Llegó a Öland, giró a la derecha y dejó atrás la entrada a un parque zoológico antes de seguir en dirección sur. Conducía despacio y no se cruzaba más que con algún que otro coche. A su alrededor, no se extendía ningún paisaje. Tan sólo aquella niebla. Se detuvo sin saber dónde se hallaba, dejó el coche en un aparcamiento y salió a estirar las piernas. En la distancia, se oía el lamento de una sirena y, según le pareció, también el rumor del mar. Por lo demás, sólo silencio. Era como si la niebla se hubiese adentrado a hurtadillas penetrando su piel y se hubiese extendido como una fina membrana sobre su conciencia. Alzó una mano y la sostuvo ante sus ojos: la mano también estaba blanca.

Reemprendió la marcha y a punto estuvo de dejar atrás el indicador que rezaba «Lavendel 2». Al verlo, le recordó otro indicador que había visto no hacía mucho, «Dunkärret 2». Parecía que en Suecia la gente vivía siempre a dos kilómetros de la carretera principal.

El camino de gravilla por el que circulaba estaba salpicado de badenes y no parecía especialmente transitado. No tenía una sola curva y se prolongaba hasta desaparecer en la niebla. La carretera se acabó ante una cancela cerrada. Al otro lado, había un Volvo 444 y una moto. Stefan apagó el motor y salió del coche. Vio entonces que era una Harley-Davidson. Tenía experiencia con esos vehículos y sabía que no se trataba de un modelo estándar de Harley-Davidson, sino que era más bien de fabricación especial, una máquina muy cara. Pero ¿era posible que un anciano de ochenta y ocho años anduviese en moto por ahí? En tal caso, el hombre debía de mantenerse en una excelente forma física. Abrió la cancela y siguió el sendero, aunque continuaba sin ver ninguna casa. Hasta que, de improviso, una persona cuya figura se desgajó de la niebla apareció avanzando hacia él. Era un chico joven y musculoso, con el pelo corto, vestido muy a propósito con cazadora de piel y camisa de color azul claro desabotonada hasta la mitad.

—¿Qué haces aquí? —le espetó con voz chillona, casi a gritos.

—Estoy buscando a Emil Wetterstedt.

—¿Por qué?

—Quiero hablar con él.

—¿Y tú quién eres? Además, ¿qué te hace creer que él desea hablar contigo?

Stefan empezó a encolerizarse ante el interrogatorio al que se veía sometido. La voz del joven le chirriaba en los oídos.

—Quiero hablar con él sobre Herbert Molin. Y además, para tu información, soy policía.

El chico siguió mirándolo fijamente. Tenía un chicle en la boca y sus mandíbulas no cesaban de mascar.

—Aguarda aquí. No te muevas.

El chico desapareció engullido por la niebla. Stefan lo seguía despacio. Tras haber recorrido apenas unos metros, la casa se hizo visible. El chico entró. Era una casa blanca, encalada, alargada y estrecha y con un ala en ángulo con uno de los laterales. Stefan aguardaba preguntándose qué aspecto tendría el paisaje y a qué distancia se encontraría el mar. De repente, la puerta se abrió de nuevo y el joven se le acercó.

—¡Creo que te dije que esperases donde estabas! —censuró con su estruendosa voz.

—Uno no siempre se sale con la suya —replicó Stefan retador—. ¿Me recibirá o no?

El joven asintió y le hizo una seña para que lo siguiese. En el interior de la casa olía a óleos. Las lámparas estaban encendidas. Stefan tuvo que agachar la cabeza al entrar. El muchacho le indicó el camino hacia una habitación situada en la parte trasera de la casa, cuya pared más larga estaba formada por una única y enorme ventana.

Emil Wetterstedt estaba acomodado en un sillón colocado en una de las esquinas. Tenía las rodillas cubiertas con una manta y, sobre la mesa contigua, había un atril con un libro y un par de gafas. El joven se colocó tras el sillón. El anciano tenía el pelo ralo y gris y el rostro surcado de arrugas. Pero la mirada que dispensaba a Stefan era muy despierta.

—No me gusta que me molesten cuando estoy de vacaciones —protestó con una voz muy grave, de timbre totalmente opuesto a la del joven.

—No molestaré mucho tiempo.

—Ya he dejado de aceptar encargos de retratos. Además, tu rostro jamás habría logrado despertar mi inspiración. Es demasiado redondo; y yo prefiero los rostros alargados.

—En realidad, no he venido para encargar mi retrato.

Emil Wetterstedt cambió de posición en su asiento. La manta se le resbaló de las rodillas, pero el muchacho estuvo atento a recogerla y colocarla de nuevo en su lugar.

—Y, entonces, ¿por qué has venido?

—Me llamo Stefan Lindman y soy policía. Trabajé durante varios años en Borås con Herbert Molin. No estoy muy seguro de que usted sepa que ha muerto.

—Se me informó de que había sido asesinado. ¿Se sabe ya a manos de quién?

—No.

Emil Wetterstedt señaló una silla vacía y el joven se la acercó a Stefan con desgana.

—¿Quién lo informó de que Herbert Molin había muerto?

—¿Acaso tiene eso alguna importancia?

—No.

—¿Es esto un interrogatorio?

—No, sólo una charla.

—Yo soy ya demasiado viejo para charlar. Lo cierto es que perdí el hábito cuando cumplí los sesenta. Para entonces, ya había hablado lo suficiente en mi vida. Y te advierto que ni hablo, ni escucho lo que dicen los demás. A excepción de mi médico, claro. Y de unos cuantos jóvenes.

Dicho esto, sonrió e hizo una seña en dirección al muchacho que parecía velarlo tras el sillón. Stefan empezaba a experimentar una sensación muy extraña. ¿Quién era el joven que parecía cuidar de aquel anciano?

—Dices que has venido para hablar conmigo acerca de Herbert Molin, pero ¿qué es lo que deseas saber, en realidad? Y, ¿qué es lo que ha sucedido? ¿De verdad que han asesinado a Herbert?

Stefan resolvió en el acto que evitaría cualquier rodeo. En el fondo, poco le importaba a Wetterstedt que él tuviese o no que ver con la investigación.

—Lo cierto es que carecemos de pistas directas, tanto del móvil como del asesino —confesó Stefan—. Lo que significa que tenemos que profundizar en nuestras indagaciones. ¿Quién era en realidad Herbert Molin? Tal vez podríamos hallar el móvil en su pasado. Ésas son las preguntas que nos hacemos, a nosotros mismos y a los demás, a la gente que lo conocía.

Emil Wetterstedt permanecía sentado en silencio. El chico seguía mirando a Stefan con displicencia.

—En realidad, a quien yo conocía era al padre de Herbert. Yo era más joven que él, pero mayor que Herbert.

—Axel Mattson-Herzén era oficial de caballería, ¿no es así?

—Así es; un viejo título de la familia que heredaron de generación en generación. Uno de sus antepasados participó en la batalla de Narva.* Recuerdo que, sobre una mesa, tenían un gran busto de Carlos XII. Y, junto a él, siempre había un florero con flores frescas. Sí señor, aún lo recuerdo.

—Pero ustedes no eran parientes, ¿verdad?

—No. Aunque yo tenía un hermano al que tampoco le fue demasiado bien.

—¿El ministro de Justicia?

—Exacto. Yo siempre intenté disuadirlo de que se dedicase a la política. Sobre todo, teniendo en cuenta que sus ideas eran absurdas por completo.

—Era socialdemócrata.

Wetterstedt lo miró fijamente a los ojos.

—Te digo que sus ideas eran absurdas. Tal vez sepas que murió a manos de un loco. Encontraron su cadáver bajo una embarcación, en una playa de Ystad. Yo jamás iba a visitarlo. Y no mantuvimos ningún contacto durante los últimos veinte años de su vida.

—¿Y no había ningún otro busto sobre aquella mesa? Junto al del rey Carlos XII, quiero decir.

—¿Qué otro busto iba a haber?

—El de Hitler.

El joven dio un respingo sobresaltado. Fue muy rápido, pero Stefan no dejó de percibirlo. Wetterstedt, sin embargo, no se inmutó.

---

* Carlos XII (1682-1718, rey de Suecia de 1697 a 1718), libró en Narva (1700), en la actual Estonia, una batalla contra los rusos por el dominio sobre el mar Báltico. *(N. de la T.)*

—¿Adónde quieres ir a parar?

—Herbert Molin luchó en el bando de Hitler como voluntario durante la segunda guerra mundial. Y hemos podido averiguar que toda su familia comulgaba con la ideología nazi. ¿Es correcto?

—Por supuesto que lo es. —La respuesta de Wetterstedt fue terminante—. Yo también tenía convicciones nazis. No tenemos por qué fingir ni andarnos con juegos, señor agente. ¿Qué es lo que sabes acerca de mi pasado?

—Sólo que ha trabajado usted como pintor de retratos y que tenía contacto con Herbert Molin.

—Así es. Yo lo apreciaba enormemente. Dio muestras de mucho valor durante la guerra. Ni que decir tiene que todo hombre sensato estuvo del lado de Hitler en aquel entonces. Teníamos que elegir entre ver cómo el comunismo avanzaba vencedor u oponer resistencia. Contábamos con un Gobierno en el que no podíamos confiar más que a medias. En aquella ocasión, todo estaba preparado.

—¿Preparado para qué?

—Para una invasión alemana.

Fue el joven quien respondió. Stefan lo miró inquisitivo.

—Pero no todo fue en vano —prosiguió Wetterstedt—. Pronto habré terminado de pintar mi último retrato y desapareceré. Pero queda una joven generación que analiza con sensatez la situación en Suecia, en Europa y en el mundo. Podemos estar satisfechos con la caída de Europa del este, por más que ofrezca un espectáculo deplorable; pero es alentador. Sin embargo, por lo que a Suecia se refiere, las circunstancias son peores que nunca. Todo se descompone. La disciplina brilla por su ausencia. El país ha dejado de tener fronteras. Cualquiera puede entrar aquí como guste con cualquier motivo, cuando y por donde lo desee. Dudo mucho que aún podamos salvar el carácter nacional sueco. Lo más probable es que ya sea demasiado tarde. Pero, aun así, es nuestro deber intentarlo.

Wetterstedt se interrumpió y miró a Stefan esbozando una sonrisa.

—Como verás, no oculto mis ideas. No lo hice jamás ni jamás me he arrepentido de ellas. Por descontado que he tenido que sufrir que la gente me negase el saludo e incluso escupiese a mi paso. Pero nunca fueron más que personas insignificantes. Como mi hermano. Y nunca tuve problemas para tener encargos de retratos. Más bien al contrario.

—¿A qué se refiere exactamente?

—Pues a que siempre ha habido gente en este país que me ha respetado precisamente por haberme atrevido a ser consecuente con mis ideas. Gente que pensaba como yo pero que, por diversos motivos, eligió no hacerlo público. En algunos casos, los comprendía. Pero en otros, el silencio no tenía más explicación que la cobardía. No obstante, a todos ellos los retraté.

Wetterstedt hizo una señal para indicar que deseaba levantarse del sillón. El chico le ayudó a levantarse y le ofreció un bastón. Stefan se preguntó cómo se las arreglaría Wetterstedt para subir las escaleras de la casa de Kalmar.

—Hay algo que me gustaría enseñarte.

Salieron a un pasillo con el suelo de mármol. De repente, Wetterstedt se detuvo a mirar a Stefan.

—Te llamas Lindman, ¿no es así?

—Exacto, Stefan Lindman.

—Si no me equivoco, hablas una especie de dialecto de Västergötland, ¿no?

—Así es. Nací en Kinna, a las afueras de Borås.

Wetterstedt asintió reflexivo:

—Pues yo creo que no he estado nunca en Kinna —comentó—. Aunque sí he cruzado Borås, pero donde mejor me encuentro es aquí, en Öland o en Kalmar. Jamás he comprendido por qué la gente tiene que viajar tanto.

Wetterstedt golpeó con el bastón en el suelo. Stefan recordó que, hacía unos días, había oído a otro anciano, Björn Wigren, expresarse con el mismo desagrado acerca de los viajes. Continuaron hasta llegar a una habitación en la que no había ningún mueble. De una de las paredes colgaba un cortinaje que Wetterstedt retiró con el bastón para dejar a la vista tres pinturas al óleo enmarcadas en marcos ovales de pan de oro. El óleo del centro era un retrato de Hitler de perfil. A la izquierda, uno de Göring y a la derecha el de una mujer.

—Aquí están mis dioses —declaró Wetterstedt—. El retrato de Hitler lo pinté en 1944, cuando todos, incluidos sus generales, empezaban a darle la espalda. Es el único retrato de los que he pintado cuyo único modelo fueron fotografías.

—¿También conoció a Göring?

—Pues sí. Tanto en Suecia como en Berlín. Durante los años centrales de la guerra estuvo un tiempo casado con una sueca llamada Karin. Y entonces lo conocí. En mayo de 1941, me llamó la delegación alemana en Estocolmo. Göring quería que le hiciesen un retrato; y quería que lo hiciese yo. Era un gran honor. Yo había pintado ya a Karin y él se mostró muy satisfecho con el resultado. De modo que me fui a Berlín y lo retraté. Se portó con gran amabilidad. También estaba programado que conociese a Hitler en una recepción, pero surgieron imprevistos. Ésa es la mayor pena de mi vida. Estuve tan cerca..., pero jamás llegué tan lejos como para poder estrechar su mano.

—Y la mujer, ¿quién es?

—Mi esposa, Teresa. Pinté su retrato el mismo año en que nos casamos. Si tienes la capacidad de ver de verdad, descubrirás el amor que emana de la imagen, pues también pinté el amor. Estuvimos juntos diez años, hasta que ella murió a causa de una cardiopatía. Si la hubiera padecido hoy, la habría superado.

Wetterstedt hizo una seña al joven y éste volvió a correr la cortina.

Regresaron a la primera sala.

—Y ahora ya sabes quién soy yo —afirmó Wetterstedt concluyente, de nuevo sentado en su sillón con la manta sobre las rodillas.

El muchacho había vuelto a su puesto detrás de él.

—Usted debió de reaccionar de algún modo cuando supo que Herbert Molin había sido asesinado. Un policía jubilado, asesinado en los bosques de Härjedalen. Y se preguntaría sin duda qué habría sucedido, ¿no?

—Como es natural, pensé que habría sido un loco. Tal vez alguno de todos esos criminales que atraviesan nuestras fronteras y cometen crímenes que quedan impunes.

A Stefan empezaba a abotargársele la cabeza a causa de todos aquellos prejuicios que parecían constituir las ideas de Wetterstedt.

—No fue ningún loco. Fue un asesinato bien planeado.

—Pues, en ese caso, no tengo ni idea.

La respuesta surgió de su boca con rapidez y determinación. «Demasiado rápida», se dijo Stefan. «Demasiado rápida y demasiado segura.» Prosiguió con sus preguntas, con cautela.

—Puede que sucediese algo, hace ya mucho tiempo. Tal vez algo en lo que se vio envuelto durante la guerra.

—¿Algo como qué?

—Sí, eso es lo que yo me pregunto.

—Herbert Molin fue soldado. Y nada más. De haber sucedido algo extraordinario, me lo habría contado. Pero jamás me refirió nada.

—¿Se veían a menudo?

—Nunca, durante los últimos treinta años. Manteníamos el contacto por carta. Él me escribía cartas a las que yo respondía con postales. A mí nunca me han gustado las cartas. Ni recibirlas, ni escribirlas.

—¿No le dijo nunca que tuviese miedo?

Wetterstedt tamborileó con sus delgados dedos sobre el brazo del sillón, en señal de manifiesta irritación.

—Por supuesto que tenía miedo. Tanto como yo. Miedo a lo que está sucediendo con nuestro país.

—¿Y no estaría atemorizado por ningún otro motivo? ¿Algo que le afectase a él personalmente?

—No se me ocurre qué podría ser. De hecho, él decidió ocultar su identidad política. Y yo lo comprendo. Pero no creo que sintiese ningún temor ante la idea de que lo descubriesen o de que algún documento fuese a parar a manos equivocadas.

El joven carraspeó y Wetterstedt calló de repente. «Vaya, ha hablado más de la cuenta», razonó Stefan para sí. «El chico lo vigila.»

—¿Qué tipo de documento? —inquirió Stefan.

Wetterstedt negó con un gesto, claro indicio del enojo que sentía.

—Hay tanto documento por ahí... —replicó evasivo.

Stefan aguardó una continuación que no se produjo. Wetterstedt volvió a tamborilear impaciente sobre el brazo del sillón.

—Yo ya soy viejo. Y tanta charla me agota. A estas alturas, arrastro mi existencia por un territorio de penumbra. Nada espero. Ahora, lo único que quiero es que me dejes en paz.

El muchacho que seguía tras el sillón exhibió una sonrisa llena de malicia. Stefan pensó que la mayoría de las preguntas que se hacía deberían quedar sin respuesta, por el momento. La audiencia que Wetterstedt le había concedido había tocado a su fin.

—Magnus te acompañará hasta la salida —apremió Wetterstedt—. No tienes por qué estrecharme la mano. Temo más a las bacterias que a las personas.

El joven llamado Magnus abrió la puerta. La espesa niebla persistía como una masa estática posada sobre el paisaje.

—¿A qué distancia estamos del mar? —quiso saber Stefan mientras caminaban hacia el coche.

—No tengo por qué contestar a esa pregunta, ¿verdad?

Stefan se detuvo en seco. La indignación lo hizo estallar.

—¿Sabes?, siempre me imaginé a los desgraciados nazis suecos con la cabeza rapada y con botas de soldado. Pero ahora me doy cuenta de que, en realidad, pueden tener cualquier aspecto. Hasta el tuyo, por ejemplo.

El chico sonrió de nuevo.

—Emil me enseñó a resistir las provocaciones.

—Pero ¿qué es lo que te has creído? ¿Crees que el nazismo tiene futuro en Suecia? ¿Acaso pretendéis perseguir a todos los inmigrantes? Porque, en tal caso, os enfrentáis a la expulsión de un par de millones de suecos. El nazismo está muerto. Murió con Hitler. ¿A qué estás dedicando tu vida? ¿A lavarle el culo a un anciano que, además, tuvo el dudoso honor de estrecharle la mano a Hermann Göring? ¿Qué crees que puede enseñarte alguien como él?

En aquel punto de la conversación, habían llegado al lugar donde estaban los coches y la Harley. Stefan sudaba de indignación.

—¿Qué crees que puede enseñarte, de verdad? —reiteró.

—A no cometer el mismo error que ellos. A no perder el ánimo. Y ahora, lárgate de aquí.

Stefan giró con el coche y se marchó. En el espejo retrovisor observó cómo el muchacho lo veía partir.

Recorrió despacio el camino de regreso hacia el puente mientras pensaba en todo lo que Wetterstedt le había dicho. Podía descartar al viejo, pues no era más que un chiflado político. En el fondo, sus ideas habían dejado de ser peligrosas, pues habían quedado reducidas al vago recuerdo de una época terrible pero remota. No era más que un anciano que se había negado a comprender, al igual que Herbert Molin o que Elsa Berggren. Sin embargo, la situación era bien distinta en el caso del chico llamado Magnus. Éste tenía el profundo convencimiento de que la doctrina nazi seguía viva.

Stefan llegó al estribo del puente y a punto estaba de cruzarlo cuando sonó el teléfono.

Se detuvo en el arcén, encendió las luces de emergencia y atendió la llamada.

—Hola, soy Giuseppe. ¿Estás ya en Borås?

Stefan sopesó fugazmente si debía referirle su encuentro con Emil Wetterstedt, pero resolvió no decir nada, por el momento.

—Casi. Ha hecho bastante mal tiempo.

—Bueno, sólo quería decirte que ya hemos encontrado el perro.

—¿Dónde?

—En el lugar más inesperado.

—Pero ¿dónde?

—Adivínalo.

Stefan se esforzaba en vano, pues no se le ocurría ninguna propuesta.

—Lo siento, no sé.

—En la caseta del perro de Herbert Molin.

—¿Estaba muerto?

—Vivo y coleando. Pero muerto de hambre.

Antes de continuar, Giuseppe soltó una alegre risotada al otro lado del hilo telefónico.

—Alguien se lleva el perro de Abraham Andersson por la noche, sin que nuestros agentes, agotados, se aperciban de ello. Después, el desconocido lo deja en la casa de Herbert Molin. Aunque no lo dejó amarrado. ¿Qué te parece?

—Pues que alguien que os sigue de cerca desea comunicaros algo.

—Exacto. La cuestión es qué desea revelarnos. El perro es una especie de misiva que, enviada en una botella, recorre los bosques. Un mensaje. Pero ¿cuál es su contenido? Y ¿a quién va dirigido? Piénsalo y llámame cuando tengas alguna solución. Yo vuelvo a Östersund ahora mismo.

—Suena muy extraño.

—Es que *es* muy extraño. Y aterrador. Estoy convencido de que todo lo que ha sucedido en estos bosques tiene un trasfondo que apenas si podemos sospechar.

—Y se trata del mismo asesino, ¿no?

—Sin duda. Llámame. Y conduce con cuidado.

El teléfono emitió un carraspeo y la comunicación se cortó. Stefan escuchaba el sonido regular de las luces de emergencia. Pasó un coche; luego, otro más. «Me voy a casa», decidió. «Emil Wetterstedt no tenía nada nuevo que aportar. Sin embargo, me reafirmó en lo que yo sabía: Herbert Molin era un nazi que nunca se retractó de sus ideas; uno de los incorregibles.»

Cruzó el puente con la intención de regresar a Borås. Pero, antes de haber llegado al otro extremo y a tierra firme, ya había mudado de parecer.

19

Soñó que atravesaba el bosque a pie, en dirección a la casa de Herbert Molin. El viento soplaba con tal violencia que le costaba mantener el equilibrio. Llevaba un hacha en la mano y sentía miedo de algo que lo amenazaba a su espalda. Cuando llegó, se detuvo ante la caseta del perro. El intenso viento había amainado por completo de forma repentina, como si el sueño estuviese grabado en una cinta que alguien hubiese cortado de repente. Había allí dos perros que se lanzaron iracundos contra la cancela.

Él se encogió sobresaltado y despertó del sueño con una sacudida. Pero no a causa de los perros y de su forcejeo por atravesar la cancela, sino de la presencia de una mujer que tenía ante sí y que le daba golpecitos en el hombro.

—Disculpe, pero no queremos que la gente se siente aquí a dormir —lo reprendió en tono severo—. Esto es una biblioteca, no un hogar de acogida.

—Lo siento.

Stefan miró adormilado a su alrededor. En la sala de lectura en la que se hallaba, un hombre de avanzada edad y bigotes retorcidos leía un ejemplar de la revista *Punch;* el señor parecía una caricatura de un *gentleman* británico. Observaba con reprobación a Stefan, que atrajo hacia sí el libro sobre el que se había dormido y miró el reloj. Las seis y cuarto. ¿Cuánto tiempo habría estado durmiendo? Tal vez diez minutos, pero no mucho más. Sacudió la cabeza, espantó a los perros de su conciencia y volvió a inclinarse sobre el libro.

Mientras atravesaba el puente, había tomado una determinación. Haría una visita nocturna al apartamento de Emil Wetterstedt. Pero no tenía fuerzas para volver a quedarse en un hotel. Simplemente, esperaría la caída de la noche y, entonces, entraría en la vivienda.

Hasta que anocheciese, no podía hacer otra cosa que esperar. Había aparcado el coche a una distancia prudencial de la calle de Lagmansgatan y, desde allí, había acudido a pie hasta una ferretería, donde compró un destornillador y la palanca más pequeña que pudo encontrar. Después, en una tienda de ropa de caballero, adquirió un par de guantes baratos.

Hecho esto, deambuló por la ciudad hasta que empezó a sentir hambre. Comió en una pizzería donde, además, leyó el periódico local, el *Barometern*. Tras haberse tomado dos tazas de café, dudó entre regresar al coche y dormir allí unas horas o proseguir el paseo. Y entonces se le ocurrió que bien podía visitar la biblioteca de la ciudad. Una vez allí, preguntó hasta hallar lo que buscaba: por un lado, un grueso volumen sobre la historia del nazismo y, por otro, un escrito menor sobre la época de Hitler en Suecia. No tardó en dejar a un lado el libro más grueso.

Sin embargo, el más breve captó pronto su interés.

En él se contaba la historia de forma más que ilustrativa. Poco menos de una hora después de haber comenzado su lectura, comprendió algo que antes no había imaginado siquiera. Algo que Emil Wetterstedt había dicho y quizá también Elsa Berggren: que, durante la década de los treinta y hasta 1943 o 1944, el nazismo había tenido en Suecia mucho más eco del que la mayoría de la gente tenía conciencia en la actualidad. Así, habían existido varios partidos políticos enfrentados entre sí pero, tras los rostros de hombres y mujeres célebres en esos partidos, se hallaba una gran masa anónima que aplaudía a Hitler y para la que nada era más deseable que una invasión alemana que instaurase el régimen nazi también en Suecia. Asimismo, halló en el texto datos sorprendentes sobre las concesiones del Gobierno sueco a los alemanes y sobre cómo la exportación de metales suecos había contribuido de modo decisivo a que la industria alemana de equipamiento bélico pudiese cumplir los objetivos de Hitler y sus exigencias de incrementar los efectivos de tanques y de otro material de guerra. Se preguntaba en qué capítulo estaría aquella parte de la Historia cuando él iba al colegio, pues lo poco que recordaba de sus clases de Historia le ofrecía una imagen muy distinta; la imagen de una Suecia que, en virtud de su sensatez y de un precavido equilibrio había logrado mantenerse al margen de la guerra. El Gobierno sueco había observado una estricta neutralidad que salvó al país de quedar aniquilado bajo el poder alemán. Jamás, durante sus años de estudiante, oyó hablar de cantidades notorias de nazis nacionales. En cambio, ahora se enfrentaba a una imagen bien distinta, capaz de explicar las acciones de Herbert Molin, su alegría al verse al otro lado de la frontera con Noruega y a la espera de ser trasladado a Alemania. Después de aquella lectura podía, sin dificultad, recrear la imagen tanto de Herbert Molin como de sus padres, y también la de Emil Wetterstedt en medio de aquella masa desvaída cuya existencia podía leerse entre líneas o detectarse en el fondo de las fotografías de las manifestaciones callejeras de los nazis suecos.

Y tuvo que ser más o menos en aquel punto de la lectura cuando se quedó dormido y empezó a soñar con los perros rabiosos.

El lector del *Punch* se incorporó de su silla y abandonó la sala. Había dos chicas sentadas con las cabezas muy juntas, susurrando y soltando ahogadas risitas. Stefan adivinó que procedían de algún lugar de Oriente Próximo. Y pensó en lo que acababa de leer sobre cómo los estudiantes de Upsala habían protestado contra los médicos judíos que buscaron asilo en Suecia para protegerse de las persecuciones en Alemania. Un asilo que se les negó.

Al final, también él abandonó su asiento y bajó los peldaños que lo separaban del mostrador donde atendían los préstamos. Por ninguna parte se veía a la mujer que lo había despertado. Buscó los servicios, donde se enjuagó la cara antes de regresar a la sala de lectura. Las risueñas muchachitas también habían desaparecido pero habían dejado un periódico sobre la mesa. Stefan se acercó para ver qué habían estado leyendo y vio que se trataba de un periódico escrito en caracteres árabes. Tras de sí, habían dejado un ligero aroma a perfume. Pensó en Elena, en que debería llamarla. Después, se sentó de nuevo dispuesto a leer el último capítulo: «El nazismo en Suecia después de la guerra». Halló en él información sobre las sectas y los variados y más o menos torpes intentos de organizar un partido nacionalsocialista sueco que tuviese verdadero peso político. Y, tras todos aquellos grupúsculos y organizaciones locales que iban y venían, cambiaban de nombre y, de forma simbólica, se sacaban los ojos entre sí, intuía la presencia de la oscura masa que ejercía su influencia desde algún punto borroso de la periferia. Los miembros de aquella masa nada tenían que ver con los pequeños nazis de cabeza rapada. Ellos no se dedicaban a robar bancos, a asesinar a policías o a golpear a inmigrantes inocentes. Comprendió que existía una diferencia sustancial entre éstos y aquellos otros que recorrían las calles lanzando gritos de alabanza a Carlos XII. Una vez concluida la lectura, dejó el libro a un lado al tiempo que se preguntaba cómo encajaba en aquella imagen el chico que cuidaba de Emil Wetterstedt. ¿No habría, pese a todo, una organización en la que las personas como Herbert Molin, Elsa Berggren y Emil Wetterstedt pudiesen propagar sus ideas? Una habitación secreta en algún lugar en la que acoger a una nueva generación, aquella a la que pertenecía el chico que montaba guardia tras el sillón de Wetterstedt. Pensaba en las palabras del viejo, en lo que había dicho acerca de los «documentos que podían ir a parar a las manos equivocadas» y en cómo el joven había reaccionado de inmediato haciendo callar a Wetterstedt.

Colocó los libros en su lugar y, cuando salió de la biblioteca, comprobó que ya había oscurecido. Regresó al coche y llamó a Elena. Ya no podía demorarlo más. La voz de la mujer dejó traslucir su alegría al oírlo, pero también su reserva.

—¿Dónde estás? —le preguntó.

—Voy de camino.

—¿Por qué estás tardando tanto?

—El coche no acaba de ir bien.

—¡Vaya! ¿Qué le pasa?

—No sé, algún problema con la caja de cambios. Pero llegaré mañana.

—Pareces enojado. ¿Por qué?

—No, es sólo cansancio.

—Pero, dime, ¿cómo te encuentras?

—No tengo ganas de hablar de eso ahora. Sólo te llamaba para decirte que voy camino a casa.

—Comprenderás que esté preocupada, ¿no?

—Llegaré a Borås mañana. Te lo prometo.

—¿No puedes decirme por qué estás enojado?

—Ya te lo he dicho. Estoy cansado.

—Bueno, no conduzcas demasiado deprisa.

—Nunca lo hago.

—Siempre lo haces.

Ahí concluyó la conversación. Stefan lanzó un suspiro, pero no volvió a llamar, sino que desconectó el teléfono. El reloj del coche indicaba las siete y veinticinco. No se atrevía a entrar en el apartamento de Wetterstedt antes de la medianoche. «Debería irme a casa», convino para sí. «¿Qué ocurrirá si me descubren? Me despedirán y se burlarán de mí. El fiscal investigará a fondo el asalto a un domicilio por parte de un policía. Además, esto no sólo me acarreará problemas a mí, sino a todos los compañeros. Giuseppe terminará por creer que estoy mal de la cabeza; y Olausson no volverá a reír en toda su vida.»

Se preguntaba si, en el fondo, no estaría buscando que lo detuviesen. Si aquel empecinamiento suyo no tendría raíces autodestructivas. Padecía cáncer y, por tanto, no tenía nada que perder.

¿Sería eso? No supo qué responder. Se apretó bien la cazadora y cerró los ojos.

Cuando despertó, habían dado las ocho y media. No había vuelto a soñar con los perros. Por enésima vez, intentó persuadirse a sí mismo de que debía abandonar Kalmar cuanto antes. Pero fue en vano.

Por fin se apagaron las últimas luces en las ventanas del edificio de Lagmansgatan. Stefan se agazapaba entre las sombras bajo un árbol y, desde allí, observaba la fachada del bloque. Había empezado a llover y a soplar un fuerte viento. Cruzó la calle con premura y tanteó la puerta del portal. Ante su asombro, no la habían cerrado con llave. Se escurrió al interior del oscuro portal y prestó atención. Llevaba las herramientas en el bolsillo. Encendió la linterna y subió hasta el último piso. Enfocó la linterna hacia la puerta del apartamento de Wetterstedt y comprobó que no le había fallado la memoria. Cuando, horas antes, aquel mismo día, estuvo esperando que alguien le abriese la puerta, observó que había dos cerraduras, pero ninguna era de seguridad. Aquello lo sorprendió pues estaba convencido de que Wettersted habría adoptado las medidas de protección más extremas. En el peor de los casos, tendría una alarma. Pero no le quedaba otro remedio que correr el riesgo.

Abrió la placa que cubría la rendija del buzón y prestó atención. No podía estar totalmente seguro de que no hubiese nadie en el apartamento. Pero todo estaba en silencio. Sacó la palanca. La linterna no era demasiado grande, de modo que podía sostenerla entre los dientes. Sabía que sólo tenía una oportunidad para usar la palanca. Si la puerta no se abría a la primera, tendría que marcharse. Ya en los inicios de su carrera policial, tuvo que aprender las técnicas más elementales que los ladrones empleaban para asaltar una casa. Un solo intento, a ser posible, y no más. Un único ruido inesperado no solía despertar la atención de nadie. Pero, si las tentativas se repetían, se corría el riesgo de que alguien las oyese y empezase a sospechar. Se acuclilló, dejó la palanqueta en el suelo e introdujo el destornillador tan profundamente como le fue posible. Cuando llegó al tope, empezó a presionar hacia arriba. Y la puerta cedió. Empujó el destornillador hacia adentro y hacia arriba con todas sus fuerzas, hasta que quedó encajado por debajo de la cerradura inferior. Se agachó para recoger la palanca, la introdujo entre las dos cerraduras y presionó con la pierna contra el destornillador para ampliar la abertura tanto como fuese posible. Había empezado a transpirar debido al esfuerzo. Pero aún no estaba satisfecho. Si tiraba ahora, había muchas posibilidades de que el marco de la puerta se rompiese sin afectar a las cerraduras. Presionó un poco más el destornillador y logró introducir la palanca más adentro entre la puerta y el marco. Tras recobrar el aliento, empezó a tantear la palanca de nuevo hasta que comprobó que no podría empujarla ya más.

Se enjugó el sudor de la frente y empujó cuanto pudo al tiempo que presionaba el destornillador con la pierna. La puerta se abrió. Lo único que se oyó fue un crujido y el ruido del destornillador al caer sobre su zapato. Apagó la linterna y escuchó en la oscuridad, preparado para salir huyendo, pero nada sucedió. Abrió la puerta con gran sigilo y volvió a cerrarla tras de sí. En el interior del apartamento olía a cerrado. Le pareció que recordaba en cierta medida a la casa de su abuela materna, a las afueras de Värnamo, a la que había ido de niño en varias ocasiones. El olor a muebles viejos. Encendió de nuevo la linterna evitando enfocar la luz hacia las ventanas. No tenía ningún plan ni sabía qué había ido a buscar. De haber sido un ladrón normal y corriente, le habría resultado mucho más fácil. En ese caso, se habría concentrado en la búsqueda de objetos de valor y habría intentado localizar posibles escondites. Pero él, por su parte, se puso a examinar un montón de periódicos que había sobre una mesa. Sin embargo, nada indicaba que Wetterstedt estuviese abonado a ningún diario que algún repartidor le dejase temprano por las mañanas.

Prosiguió con el resto del apartamento. No era muy grande, pues sólo constaba de tres habitaciones. A diferencia de la decoración espartana del chalet, el apartamento de la ciudad estaba sobrecargado de muebles. Echó una ojeada al dormitorio y continuó hacia la sala de estar que, al parecer, también hacía las veces de estudio de pintura. Había allí, en efecto, un caballete vacío. Contra una de las paredes vio una cajonera y abrió uno de los cajones.

Gafas viejas, juegos de cartas, recortes de periódicos, EL RETRATISTA EMIL WETTERSTEDT CUMPLE CINCUENTA AÑOS. La fotografía tenía los colores desvaídos pero la clara mirada que Wetterstedt dirigía al fotógrafo resultaba inconfundible. El texto expresaba el mayor de los respetos por el artista: «Aunque jamás haya abandonado Kalmar, su ciudad natal, pese a haber dispuesto de numerosas posibilidades de establecerse en otros lugares a lo largo de su vida, se trata de un célebre pintor de retratos de categoría internacional. Corre el rumor de que ha recibido ofertas para instalarse en la Costa Azul, entre personas acaudaladas y clientes de la alta sociedad». Dejó el recorte mientras consideraba lo extraordinariamente mal redactado que estaba. ¿Qué le había dicho Wetterstedt? Que no le gustaba escribir cartas, sólo escuetos mensajes que no llenasen más que una postal. Tal vez hubiese sido él mismo quien hubiese formulado lo que había publicado el periódico y el resultado era de tan dudosa calidad dada su falta de costumbre a la hora de expresarse por escrito. Stefan continuó revisando los cajones. Seguía sin saber qué buscaba en concreto. Dejó la cajonera y entró en la última habitación, un despacho, y se acercó al escritorio. Las cortinas estaban echadas. Se quitó la cazadora y la colgó de la lámpara que había sobre el escritorio antes de encenderla.

Sobre la mesa había dos montones de papeles. Hojeó el primero, formado por facturas y folletos de la Toscana y de Provenza. Se preguntó si, pese a que había afirmado lo contrario, a Wetterstedt no le gustaría viajar. Dejó aquel montón y echó mano del otro, que estaba compuesto en su mayor parte por crucigramas arrancados de periódicos. Todos estaban resueltos y en ningún lugar había tachaduras ni correcciones. Volvió a pensar en lo que le había dicho Wetterstedt. No le gustaba escribir. Pero no tenía problemas con el lenguaje.

Debajo de todo el montón, había un sobre abierto. De él sacó una invitación escrita con una caligrafía que recordaba a los caracteres rúnicos. Era un recordatorio. «El 30 de noviembre nos vemos, como de costumbre, a las 13:00 horas en la Gran Sala. Después de la cena, el intercambio de recuerdos y la música, escucharemos la conferencia de nuestro compañero, *Captain* Akan Forbes, que nos hablará de sus años de lucha por una Rodesia del Sur blanca. Acto seguido, asamblea anual.» La invitación estaba firmada por el «Primer maestro de ceremonias». Stefan miró el sobre. El matasellos era de Hässleholm. Se acercó la lámpara y leyó el texto una vez más. ¿A qué tipo de celebración se refería la invitación? ¿Dónde estaría lo que llamaban la Gran Sala? Guardó de nuevo la tarjeta en el sobre y lo restituyó a su lugar en el montón.

Después, empezó a inspeccionar el resto de los cajones que no estaban cerrados con llave, sin dejar de prestar atención a cualquier ruido. En el cajón inferior de la cajonera izquierda del escritorio había un archivador de color marrón que ocupaba el cajón entero. Cuando Stefan lo hubo colocado sobre la mesa vio enseguida que, en la piel de que estaba encuadernado, había grabada una cruz gamada. Lo abrió con sumo cuidado, pues la contraportada estaba rasgada y muy estropeada. El archivador contenía un buen montón de papeles escritos a máquina. Observó de inmediato que eran copias, no originales, impresas en papel muy fino. El texto estaba escrito con una máquina en la que las teclas a y e saltaban de su lugar y dejaban las letras correspondientes impresas fuera de su campo, sobre el renglón en el que se alineaban las demás letras.

Era una especie de informe, según pudo comprobar. En el encabezado de la primera página, una mano desconocida había escrito: «Compañeros, ya desaparecidos y muertos, fieles al juramento que en su día prestaron». Eso era todo. Tras aquel título, se sucedía una larga serie de nombres dispuestos en orden alfabético. A continuación de cada nombre, un número. Stefan pasó la página con cuidado. Y halló lo mismo en la siguiente, sólo una larga lista de nombres. Los ojeó sin reconocer ninguno, pero eran nombres suecos. Pasó otra página.

En la letra de, junto al nombre de Karl-Evert Danielsson, la misma mano del encabezado había plasmado una anotación: «Fallecido. Donación de cuota anual para treinta años». «¿Donación? ¿Para qué?», se preguntó Stefan. «Aquí no figura el nombre de ninguna organización. Tan sólo todos esos nombres.» Comprobó que muchos habían muerto. Junto a algunos de los nombres, había anotaciones manuscritas de las donaciones de cuota anual, en tanto que, en otros casos, podía leerse «Pagan los herederos» o bien «Paga un hijo o una hija no designados». Volvió a la letra be, y allí estaba Elsa Berggren. Pasó de nuevo varias páginas hasta llegar a la letra eme donde, en efecto, figuraba el nombre de Herbert Molin. Volvió al principio, pero Abraham Andersson no aparecía allí. Llegó al final. El último apellido era el de un tal Öxe, de nombre Hans, que tenía el número mil cuatrocientos treinta.

Stefan cerró el archivador con sumo cuidado y lo devolvió al cajón. ¿Serían aquellos los documentos a los que se había referido Wetterstedt? Intentó comprender qué era lo que había encontrado exactamente. ¿Una asociación de amigos del nazismo o una organización política? «Alguien debería ver esto», se dijo. «Debería hacerse público. Pero no puedo llevarme el archivador, porque sería un robo.» Apagó la lámpara del escritorio y permaneció unos minutos sentado en la oscuridad. Experimentaba una sensación tan desagradable, que el aire se le antojaba denso. No eran las alfombras viejas ni las tapicerías añejas lo que despedía aquel olor, sino las listas de nombres. Todos aquellos vivos y muertos que pagaban su cuota anual, personalmente o a través de sus herederos, sus hijos, sus hijas, a alguien que ni siquiera tenía un nombre. Mil cuatrocientas treinta personas que seguían reconociendo su adhesión a unas ideas que deberían haber sido denunciadas y erradicadas para siempre. Pero no era así. Detrás de Wetterstedt se apostaba un jovencito que constituía una advertencia de que todo aquello estaba vivo.

Sumido en las sombras, pensó que debería marcharse cuanto antes. Pero algo lo retenía. Finalmente, volvió a sacar del cajón el ajado archivador, lo abrió y buscó la letra ele. Al final de la lista, aparecía el apellido Lennartsson, de nombre David, «Paga la cuota su esposa». Y pasó la hoja.

Fue como si lo hubiesen golpeado, pensaba mientras conducía a demasiada velocidad a través de la noche, en dirección a Borås. Estaba por completo desprevenido para aquel descubrimiento. Fue como si alguien lo hubiese atacado por detrás acercándose a él sin hacer el menor ruido. Pero ni por un momento dudó de lo que había visto: allí estaba el nombre de su padre, «Lindman, Evert. Fallecido, donación de cuota anual para veinticinco años». Había, además, una fecha, la del día de la muerte de su padre hacía ya siete años. Por si fuera poco, había otro dato que habría borrado el menor atisbo de duda. En efecto, recordaba con toda claridad el día en que él mismo revisó el testamento de su padre junto con un amigo del fallecido que era abogado. Figuraba allí una donación, fijada en aquel testamento, registrado por su padre un año antes de su muerte. No se trataba de una cantidad desorbitada pero, pese a todo, sí resultaba llamativa, pues había donado la suma de quince mil coronas a un organismo llamado Fundación Bienestar de Suecia. Había, asimismo, un número de giro postal, aunque sin nombre o dirección. Stefan había preguntado por aquella donación, pero el abogado le aseguró que no cabía la menor duda, que su padre había dejado muy claro aquel asunto y, abatido por el dolor y la nostalgia, Stefan no tuvo fuerzas para indagar más sobre aquella cuestión.

Y ahora, en el apartamento cerrado de Emil Wetterstedt, la donación de entonces se le había aclarado. No podía negar los hechos. También su padre había sido nazi. Uno de los que habían mantenido oculta su filiación, de los que no hablaban sin ambages acerca de sus convicciones políticas. Aquello le resultaba del todo incomprensible. Pero era cierto. Stefan comprendió después por qué Wetterstedt le había preguntado su apellido y de dónde era. El anciano sabía algo que el propio Stefan ignoraba, que su propio padre pertenecía al grupo de personas más apreciado por Wetterstedt. El padre de Stefan había sido como Herbert Molin o como Elsa Berggren.

Cerró los cajones y, cuando volvió a colocar la lámpara en su lugar, notó que le temblaba la mano. Después, miró con atención a su alrededor y salió de la habitación. Eran ya las dos menos cuarto. Sintió que tenía prisa por dejar atrás aquel lugar, por alejarse de lo que Wetterstedt escondía en su escritorio. Se detuvo a escuchar en el vestíbulo antes de abrir la puerta con mucho sigilo y volver a cerrarla de forma tan silenciosa como le fue posible.

En el mismo momento, se cerró la puerta del portal. Alguien había entrado, o tal vez había salido del edificio. Permaneció inmóvil por completo en la oscuridad, contuvo la respiración y prestó la máxima atención. Sin embargo, no oyó pasos en la escalera. «Puede que alguien me espere ahí fuera, entre las sombras», advirtió para sí. Siguió escuchando mientras se tanteaba los bolsillos para comprobar que lo llevaba todo consigo, la linterna, el destornillador, la palanca. No le faltaba nada. Bajó una planta con mucho cuidado, muy despacio. Se sentía como si todo el despropósito de su empresa le gritase su error en la cara. De hecho, no sólo había cometido un delito absurdo, sino que además, había descubierto un secreto que habría preferido no conocer.

Se detuvo a escuchar una vez más antes de encender la luz del rellano. Todo seguía en silencio. Bajó hasta el portal y, cuando salió, volvió a echar un vistazo a su alrededor, pero la calle estaba desierta. Siguió la fachada de la casa hasta que se acabó y, después, cruzó la calle. Una vez junto al coche, volvió a mirar, aunque no vio que nadie lo hubiese seguido. Pese a todo, estaba convencido. No se trataba de figuraciones suyas. Alguien había dejado la casa en el mismo momento en que él cerró la puerta que había forzado minutos antes.

Encendió el motor y dio marcha atrás para salir del aparcamiento.

Pero en ningún momento vio al hombre que, envuelto en sombras, tomaba nota de su número de matrícula.

Salió de Kalmar en dirección al norte, hacia Västervik. Había allí una cafetería que permanecía abierta durante la noche. Un camión solitario ocupaba el amplio aparcamiento. Cuando salió del coche, observó que el conductor dormía con la boca abierta y la cabeza recostada contra el vidrio. «Aquí no vendrá nadie a despertarte», se animó. «Una cafetería con horario nocturno no tiene nada que ver con una biblioteca.»

La mujer que lo atendió desde el otro lado de la barra le sonreía. Llevaba, prendida en la ropa, una tarjeta en la que podía leerse «Erika». Stefan pidió una taza de café.

—¿Eres camionero? —inquirió ella.

—Pues la verdad es que no.

—Ah, es que el café es gratis para los camioneros, por la noche, claro.

—Ya. En ese caso, tal vez debiera cambiar de profesión —bromeó Stefan.

Cuando fue a pagar, ella negó con un gesto. Él la observó y pensó que, pese a la estridencia de las luces de los fluorescentes que colgaban del techo, su sonrisa era muy hermosa.

Cuando se sentó, se dio cuenta de lo cansado que estaba. Seguía experimentando la sensación de que no iba a digerir fácilmente lo que había descubierto en el cajón del escritorio de Wetterstedt. Ya lo intentaría más tarde.

Se tomó el café, pero no repitió. Después, continuó su viaje hacia el norte hasta que giró rumbo al oeste, cruzó Jönköping y, a las nueve en punto, llegaba a Borås. Por el camino se detuvo dos veces para dormir un rato, profundamente y sin que lo perturbase ninguna ensoñación. Y en ambas ocasiones lo despertó la luz larga de un camión al darle de lleno en la cara.

Se desvistió y se dejó caer en la cama. «Conseguí escapar», celebró para sí. «Nadie puede demostrar que fui yo quien entró en el apartamento de Wetterstedt. Nadie me vio.»

Antes de dormirse, intentó calcular cuántos días había estado fuera. Pero no le salía la cuenta. Nada le salía, en realidad.

Cerró los ojos mientras pensaba en la mujer que no había querido cobrarle el café. Pero ya había olvidado que su nombre era Erika.

20

En algún lugar del camino, se había deshecho de las herramientas pero, cuando despertó tras unas horas de sueño poco reparador, empezó a dudar. Lo primero que hizo fue buscar entre su ropa. Pero no las encontró. Cerca de Jönköping, en las más frías y oscuras horas de la noche, se había detenido para dormir un rato y, antes de marcharse del área de descanso, había enterrado bajo el musgo la palanca y el destornillador. Recordaba exactamente lo que había hecho pero, pese a todo, tenía sus dudas, como si ya no estuviese seguro de nada en absoluto.

Se colocó junto a la ventana para contemplar la calle de Allégatan. Desde el piso de abajo, se oía a la anciana señora Håkansson tocar el piano, lo que se repetía a diario, salvo los domingos. La mujer siempre tocaba de once y cuarto a doce y cuarto. Siempre la misma pieza, una y otra vez. En la comisaría había un inspector de policía muy aficionado a la música clásica. Stefan le había tarareado unos compases en una ocasión y el colega reconoció enseguida que se trataba de Chopin. Después, Stefan se compró un disco en el que se incluía justo aquella mazurca. Durante un periodo en el que solía trabajar de noche y dormir de día, había intentado poner el disco al mismo tiempo que la señora Håkansson interpretaba la pieza al piano. Sin embargo, jamás logró hacer que las dos versiones coincidiesen.

Y ahora, aquella buena señora estaba tocando de nuevo. «En el caos de mi universo, ella constituye el único elemento constante e inamovible», reflexionó. De nuevo concentró su mirada en la calle. La disciplina personal que, hasta entonces, había considerado como algo incuestionable, había dejado de existir. Asaltar de aquel modo el apartamento de Wetterstedt había sido, sin duda, una empresa descabellada. Pese a que no había dejado ningún rastro ni se había llevado consigo nada más que un descubrimiento que habría preferido no hacer.

Desayunó y recogió la ropa sucia que se llevaría a casa de Elena. En su edificio tenían una lavandería comunitaria, pero él apenas la utilizaba. Después, sacó un álbum de fotos que guardaba en un escritorio y se sentó en el sofá de la sala de estar. Era un álbum que su madre había compuesto para regalárselo el día que cumplió veintiún años. Desde su más tierna infancia, siempre había estado presente en su familia aquella anticuada cámara de cajón. Después, su padre había ido comprando nuevos modelos, de modo que las últimas fotografías del álbum habían sido tomadas con una Minolta automática. Siempre era su padre quien las hacía, nunca su madre. Pero, siempre que era posible, él utilizaba el disparo automático. Stefan contempló las fotografías: su madre a la izquierda, su padre a la derecha. En el rostro del padre solía haber una expresión forzada, puesto que siempre corría en el último momento para colocarse antes de que el aparato disparase. En buen número de ocasiones, no lograba llegar a tiempo. Stefan recordaba muy especialmente aquella vez en que sólo quedaba una fotografía en el carrete y su padre tropezó y cayó al suelo en su carrera hacia el lugar donde posaban los demás. Hojeó el álbum. Allí estaban sus hermanas, siempre juntas, y su madre, con la mirada clavada en el objetivo.

«¿Qué sabrán mis hermanas sobre las ideas de nuestro padre?», se le ocurrió de pronto. «Nada, con toda seguridad. ¿Qué sabía mi madre? ¿Compartiría ella sus convicciones?»

Revisó el álbum, una imagen tras otra.

Año 1969; Stefan tiene siete años. El primer día de colegio. Los colores del paisaje han empezado ya a palidecer. Pero él recordaba lo orgulloso que iba luciendo su nueva chaqueta de color azul oscuro.

1971, nueve años. Es verano. Han ido a Varberg, donde han alquilado una casita en la isla de Getterön. Toallas de baño sobre las rocas, una radio. Era capaz de rememorar hasta la música que sonaba cuando se tomó la instantánea, «Sail along silvery moon». Lo recordaba tan a la perfección porque su padre había dicho el título justo antes de pulsar el botón del disparo automático. Era una situación idílica, las rocas, su padre, su madre, sus hermanas adolescentes y él mismo. El sol, intenso; las sombras, duras y los colores desvaídos, como de costumbre.

«La foto no representa más que la apariencia», concluyó. De hecho, bajo aquella superficie existía algo muy distinto, un padre que llevaba una doble vida. ¿No saldría por las noches, cuando toda la familia dormía, y se iría a las rocas para hacer el saludo nazi? Quién sabe si no habría más personas en otras casas de Getterön a las que visitaba para charlar acerca del cuarto Reich, cuya llegada él esperaba sin duda. Cuando Stefan era un muchacho, durante los años sesenta y setenta, jamás se habló del nazismo. Recordaba, eso sí, cómo algunos de sus compañeros de clase gritaban «cerdo judío» a algún antipático que, con total seguridad, ni siquiera era judío. Y que había cruces gamadas grabadas en las paredes de los servicios, que los conserjes solían raspar indignados. Sin embargo, no tenía el menor recuerdo del movimiento nazi como una realidad viva.

Las fotografías fueron desperezando su memoria y trayéndole recuerdos. El álbum se componía de momentos clave de su vida entre los que podía moverse pero, entre uno y otro, latían otros recuerdos de los que no había testimonio gráfico alguno pero que ahora emergían a su conciencia.

En aquella ocasión, él debía de tener doce años. Llevaba ya tiempo esperando que le compraran una bicicleta nueva. Su padre no es hombre tacaño, pero le ha costado mucho convencerlo de que la vieja bicicleta está ya demasiado estropeada. Por fin, su padre accede y viaja a Borås.

En la tienda de la ciudad, se ven obligados a esperar su turno. Otro hombre está comprando una bicicleta para su hijo. El hombre habla mal el sueco y el dueño y él tardan en cerrar el negocio pero, al final, el hombre y su hijo salen del comercio con la bicicleta nueva. El dueño del establecimiento tiene la edad de su padre, aproximadamente. Y se disculpa por haber tardado tanto en atendernos.

—Yugoslavos. Cada día hay más.

—Pero ¿qué han venido a hacer aquí? —interviene el padre—. No tienen nada que hacer en Suecia. ¿No tenemos bastante con tanto finlandés? Por no mencionar a los gitanos. A ésos habría que exterminarlos.

Stefan recordaba cada palabra. Y no se trataba de ninguna reconstrucción posterior; su padre se expresó así, literalmente. Pero el dueño no respondió a su último comentario. «A ésos habría que exterminarlos.» Tal vez sonrió o hizo un gesto de asentimiento, pero no hizo el menor comentario. Sobre todo, no opuso objeción alguna. Después, compraron la bicicleta, la sujetaron a la baca y regresaron a Kinna. El recuerdo era nítido pero ¿cuál había sido su reacción? A él sólo le interesaba aquella bicicleta que había pasado a ser suya. Recordaba el olor a goma y a aceite que envolvía la tienda. Sin embargo, algo sí que pudo rescatar del pozo de los recuerdos. Pese a todo, él había reaccionado en cierto sentido. No ante la circunstancia de que su padre hubiese dicho que habría que exterminar a los gitanos o mandar a los yugoslavos a su casa, sino ante el hecho de que hubiese manifestado una opinión. Esto era, en efecto, insólito. Más aún tratándose de una opinión política.

Durante su niñez, jamás se habló de otra cosa que de trivialidades. Qué comerían para cenar, si hacía falta ya cortar el césped, de qué color sería el nuevo mantel de hule para la cocina...

Había, no obstante, una excepción: la música. Sobre la música sí hablaban. Su padre sólo escuchaba las viejas glorias del jazz. Stefan recordaba aún los nombres de los músicos que su padre se esforzaba, en vano, por hacerlo escuchar y admirar. King Oliver, el corneta que había sido fuente de inspiración de Louis Armstrong y que solía tocar con un pañuelo sobre la mano, para que otros trompetistas no descubriesen cómo colocaba los dedos al interpretar sus complicados solos. También había un clarinetista llamado Johnny Doods. Y, en especial, el gran Bix Beiderbecke. Una y otra vez se veía obligado a escuchar aquellas grabaciones de sonido rasposo que él fingía disfrutar, fingía admirar tanto como su padre lo deseaba. En efecto, esta actitud podía facilitarle el acceso a un nuevo equipo para jugar al hockey o cualquier otra cosa que quisiera. Pero, en realidad, él escuchaba la misma música que sus hermanas. Los Beatles, a menudo y, sobre todo, los Rolling Stones. El padre consideraba a sus hijas como ovejas descarriadas en lo concerniente a su gusto musical. Pero tenía la esperanza de poder salvar a Stefan.

En su juventud, su padre había interpretado la música que tanto admiraba. De hecho, tenían un banjo que adornaba la pared de la sala de estar. Y, en ocasiones, el hombre lo descolgaba y tocaba un poco. Tan sólo algunos acordes, nunca una pieza completa. Era de la marca Levin y tenía el mástil largo. Una joya, según le había explicado el padre, fabricado en la década de los veinte. Además, había una fotografía de la banda en que su padre tocó durante un tiempo, denominada Bourbon Street Band. Se componía de bajo, trompeta, clarinete y trombón, además del banjo del padre.

Es decir, que en su casa se hablaba de música. Pero jamás de otro tema que pudiese entrañar ningún peligro o desencadenar uno de los, por infrecuentes, no menos violentos ataques de furia. La niñez y adolescencia de Stefan habían estado marcadas por el temor omnipresente a los imprevisibles estallidos de ira de su padre.

Pero en aquella ocasión en que viajaron hasta Borås para comprar la bicicleta nueva, el padre había expresado una opinión que no guardaba la menor relación con lo reprobable que era, a su juicio, dedicarse a escuchar la abominable música pop. Así, en esta ocasión, había manifestado su parecer acerca de las personas y su existencia. «A ésos habría que exterminarlos.» El recuerdo se ampliaba en su conciencia mientras rememoraba el suceso.

Había, además, un epílogo.

Él iba en el asiento delantero y, en el espejo lateral, veía sobresalir del techo del coche el manillar de la bicicleta.

—¿Por qué habría que exterminar a los gitanos? —le preguntó.

—Es gente inútil —explicó el padre—. Inferior. Ellos no son como nosotros. Si no mantenemos limpio nuestro país, terminará por degenerar.

Lo recordaba textualmente. Aunque también le sobrevino el recuerdo del recuerdo en sí. Y recordaba que experimentó cierto desasosiego ante la declaración de su padre. No por lo que podría ocurrirles a los gitanos si no daban muestras de sensatez suficiente como para abandonar el país. Sentía inquietud por sí mismo. Por el hecho de que, si su padre tenía razón, él se vería obligado a pensar de modo similar, a tener la convicción de que era preciso exterminar a los gitanos.

Después, la luz de la evocación se extinguió. Del resto del viaje, hasta que estuvieron de vuelta en casa y su madre salió al jardín y celebró su nueva bicicleta, nada quedaba en su memoria.

En ese momento, sonó el teléfono. Con un sobresalto, dejó a un lado el álbum y atendió la llamada.

—Hola, soy Olausson. ¿Cómo te encuentras?

Antes de contestar, estaba convencido de que sería Elena quien llamaba. Ante la sorpresa, se puso en guardia.

—No sé cómo estoy. Sólo que estoy a la espera.

—¿Podrías pasarte por aquí? Si te va bien.

—¿De qué se trata?

—Una nadería. ¿Cuándo podrías venir?

—Dentro de cinco minutos.

—A ver, digamos media hora, ¿de acuerdo? Ven directo a mi despacho.

Stefan colgó el auricular. Olausson no había soltado ninguna de sus risitas. «El asunto de Kalmar me ha dado alcance», presagió. «La puerta que forcé, la policía de Kalmar haciendo preguntas, otro policía, un colega de Borås nos ha hecho una visita inesperada. *¿Sabrá él algo sobre el asalto al apartamento? Vamos a llamar a los colegas de Borås.* Seguro que es eso.»

Eran casi las dos, de modo que los compañeros de Kalmar habían tenido tiempo sobrado de inspeccionar el apartamento y de ponerse en contacto con Wetterstedt.

Notó que empezaba a correrle el sudor. Estaba seguro de que nadie podría relacionarlo con el delito. Pero ahora se vería obligado a entrevistarse con Olausson en su despacho sin poder mencionar una palabra sobre el contenido del archivador de piel marrón que había encontrado en el cajón del escritorio.

De nuevo sonó el teléfono que, en esta ocasión, sí le trajo la voz de Elena.

—Creí que vendrías a mi casa.

—Tengo algunos asuntos que resolver. Iré después.

—¿Qué asuntos son ésos?

A punto estuvo de estrellar el auricular contra el teléfono, pero se contuvo.

—Tengo que ir a la comisaría. Hablamos más tarde. Hasta luego.

En aquel momento no estaba para interrogatorios. Ya tendría bastante con enfrentarse a Olausson y tener que ensartar un montón de mentiras envueltas en un halo de verosimilitud.

De pie, junto a la ventana, repitió en su mente la serie de acontecimientos del día anterior. Después, tomó la cazadora y se puso en camino hacia la comisaría.

Al llegar a la comisaría se paró a saludar a las chicas de recepción, pero nadie le preguntó cómo se encontraba, lo que lo convenció de que, a aquellas alturas, todo el mundo sabía que padecía un cáncer. El agente de guardia, que se llamaba Corneliusson, también salió a saludarlo. Nada de preguntas, nada de cáncer, nada de nada. Stefan tomó el ascensor hasta la planta donde se encontraba el despacho de Olausson. La puerta estaba entreabierta, pero él llamó con unos toquecitos discretos. Olausson le gritó que entrase. Cada vez que Stefan acudía a su despacho, se preguntaba cuál sería la corbata que tendría el placer de ver aquel día. Olausson era famoso por llevar corbatas con motivos o combinaciones cromáticas muy singulares. Sin embargo, la de aquella mañana era de un inofensivo azul marino. Stefan tomó asiento y Olausson rompió en una de sus carcajadas.

—Esta mañana pillamos a un ladrón. Debe de ser uno de los más imbéciles que he visto en mi vida. Conoces la tienda de aparatos de música que hay en la calle de Österlånggatan, ¿verdad?, la que está justo antes de la plaza de Södra Torget. Pues allí se metió por la parte trasera pero se ve que le entró calor y se quitó la cazadora. Y luego se la olvidó allí cuando se marchó. Pero eso no es todo. Resulta que, en el bolsillo, llevaba la cartera con el carnet de conducir y unas tarjetas de visita. El individuo había mandado imprimir tarjetas de visita en las que se anunciaba como «Asesor». Así que no tuvimos más que ir a su casa a buscarlo. Cuando llegamos, estaba dormido. Y de la cazadora ni se acordaba.

Olausson guardó silencio y Stefan se preparó mientras pensaba que lo mejor sería, sin duda, que él tomase la iniciativa.

—Dime, ¿qué querías?

Olausson tomó unos faxes que tenía sobre la mesa.

—Nada, una tontería. Verás, es que esto llegó esta mañana muy temprano, de los colegas de Kalmar.

—Pues yo he estado allí.

—Ya, pues eso es, precisamente. Al parecer, fuiste a Öland a visitar a un hombre llamado Wetterstedt. Por cierto, que me suena su nombre.

—Sí, bueno, tenía un hermano que fue ministro de Justicia. Murió asesinado en Escania hace unos años.

—Claro, tienes razón, pero ¿qué fue lo que pasó?

—El crimen lo cometió un chico joven. Hace poco leí en un periódico que se había suicidado. —Olausson asintió reflexivo—. Pero dime, ¿ha sucedido algo?

—Verás, parece que anoche entraron en el apartamento que Wetterstedt tiene en Kalmar. Y uno de los vecinos asegura que te vio por allí durante el día. Su descripción de ti coincide con la de Wetterstedt.

—Así es. Estuve allí por la mañana, porque quería hablar con él. Al final un vecino me abrió la puerta y me informó de que Wetterstedt estaba en su chalet de Öland.

Olausson dejó los papeles sobre la mesa.

—Claro, era lo que yo me figuraba.

—¿Qué era lo que te figurabas?

—Pues que había una explicación.

Stefan continuó dirigiendo la conversación.

—Una explicación, ¿a qué? ¿Acaso cree alguien que fui yo quien asaltó el apartamento? ¡Si yo pude localizar a Wetterstedt en Öland!

—Sólo son unas preguntas, nada más.

Stefan pensó que él debía mantener la posición de guía de

la conversación pues, de lo contrario, Olausson empezaría a sospechar.

—¿Y eso es todo?

—Más o menos.

—¿Soy sospechoso de algo?

—En absoluto. Veamos, estuviste en casa de Wetterstedt, pero él no estaba allí, ¿no es así?

—Pues verás. Al principio pensé que el timbre estaría estropeado, de modo que llamé a la puerta. Tal vez supuse que Wetterstedt podía estar un poco sordo, no lo recuerdo, pero el hombre tiene más de ochenta años. Imagino que el vecino me oyó aporrear la puerta.

—Y después te fuiste a Öland, ¿no?

—Eso es.

—Y después, ¿a casa?

—Sí, pero no directamente. No me marché de la ciudad hasta entrada la noche. Estuve varias horas en la biblioteca y luego me paré unas horas para dormir a las afueras de Jönköping.

Olausson asintió.

—Si hubiese tenido la intención de volver por la noche y asaltar el apartamento, no habría llamado la atención aporreando la puerta, ¿no crees?

—No, claro.

Olausson comenzaba su retirada. Stefan se dijo que había logrado conducir la conversación en el sentido que le interesaba. Pese a todo, se sentía inquieto. Alguien podía haber visto su coche. Y además, no dejaba de pensar en el incidente de la puerta del portal, que se cerró justo cuando él salía del apartamento.

—Como comprenderás, nadie sospecha que tú hayas cometido ningún robo. Es sólo que queremos responder a las preguntas de los colegas de Kalmar cuanto antes.

—Bien, pues ya te he contestado.

—¿No observaste nada que pueda ser de interés para ellos?

—¿Como qué?

Olausson lanzó una breve risotada.

—¿Qué sé yo?

—Pues yo tampoco.

Stefan quedó convencido de que Olausson lo había creído. Lo sorprendía que fuese tan fácil mentir y pensó que había llegado el momento de orientar la conversación en otro sentido.

—Espero que no robasen nada de valor del apartamento de Wetterstedt.

Olausson tomó uno de los faxes.

—Pues, según los datos, no robaron nada en absoluto. Lo que resulta de lo más curioso pues, a decir del propio interesado, había bastantes piezas de arte de gran valor en la vivienda.

—Ya, bueno, pero los drogadictos no suelen estar al corriente de los precios de las obras de arte en el mercado. Ni de qué artistas hay más demanda entre marchantes y coleccionistas.

Olausson siguió leyendo.

—Aquí dice que también había algunas joyas y dinero. Y eso sí que suele interesarles a los ladrones normales y corrientes. Pero todo estaba intacto.

—Es posible que algo los asustase.

—Si es que fueron más de uno. En cualquier caso, el modo de proceder revela que se trataba de un experto, ningún aficionado, vamos.

Olausson se echó hacia atrás en la silla.

—En fin, llamaré a Kalmar y les diré que he hablado contigo. Que no hiciste ninguna observación de interés. Nada que pueda serles de utilidad.

—Comprenderás que no puedo demostrar que me fui de la ciudad cuando me fui.

—¿Y por qué habrías de demostrar nada?

Olausson se levantó de la silla y abrió un poco la ventana.

Hasta entonces, Stefan no había notado que la habitación estaba muy cargada.

—La ventilación está fallando en toda la comisaría —se quejó Olausson—. A la gente le dan alergias y cosas así. Y abajo, en los calabozos, se quejan de dolor de cabeza. Pero nadie hace nada, puesto que no hay dinero para reparaciones.

Olausson volvió a sentarse y Stefan notó que había empezado a engordar: la barriga le colgaba por encima de la cintura del pantalón.

—Pues yo nunca he estado en Kalmar —comentó Olausson—. Ni tampoco en Öland, pero dicen que es muy hermoso.

—Sí. ¿Sabes?, si no me hubieses llamado tú, lo habría hecho yo. Verás, yo tenía un motivo para visitar a Wetterstedt. Relacionado con Herbert Molin.

—¡Ajá! ¿De qué se trata?

—Resulta que Herbert Molin era nazi.

Olausson lo miró inquisitivo.

—¿Nazi dices?

—Exacto. Mucho antes de que entrase a formar parte del Cuerpo de Policía, cuando era joven, luchó como voluntario en las filas de Hitler durante la segunda guerra mundial. Permaneció en Alemania hasta el final de la guerra y jamás renegó de sus ideas. Wetterstedt lo conoció en su juventud y siguieron manteniendo el contacto. Wetterstedt es un hombre muy desagradable.

—¿Y fuiste a Kalmar para hablar con él sobre Herbert?

—Pues sí, pero no creo que eso esté prohibido, ¿verdad?

—No, claro, pero comprenderás que me extrañe.

—¿Tú sabías algo del pasado de Herbert Molin? ¿O de sus ideas?

—Nada. Para mí es una auténtica sorpresa. —Olausson se inclinó sobre la mesa—. ¿Crees que eso tiene algo que ver con su asesinato?

—Es posible.

—¿Y el otro hombre asesinado, el violinista?

—No hay ninguna conexión entre ellos. Al menos, no la había cuando yo me marché de allí. Pero Herbert Molin se había trasladado a aquel lugar porque allí vive una mujer, también nazi, que le ayudó a comprar la casa. Se llama Elsa Berggren.

Olausson movió la cabeza en gesto negativo: aquel nombre no le decía nada.

Stefan pensó que Kalmar se había esfumado. Si Olausson había albergado la más mínima sospecha de que, pese a todo, había sido Stefan quien había asaltado el apartamento de Wetterstedt, tal sospecha se había borrado ya por completo.

—Todo esto resulta muy extraño.

—Desde luego, estoy de acuerdo contigo. Pero de lo que no cabe la menor duda es de que aquí, en la comisaría de Borås, trabajó durante muchos años un agente que era nazi.

—Bueno, cualesquiera que fuesen sus ideas políticas, fue un buen policía.

Olausson se incorporó, en señal de que daba por concluida la conversación y acompañó a Stefan al ascensor.

—En fin, comprenderás que me gustaría saber cómo te encuentras.

—El día 19 tengo que ir al hospital otra vez. Ya veremos.

La puerta del ascensor se abrió.

—Hablaré con Kalmar —prometió Olausson.

Stefan entró en el ascensor.

—Supongo que tampoco sabías que a Herbert Molin le apasionaba el baile, ¿me equivoco?

—¡No! Pero ¿qué bailaba?

—Sobre todo, el tango.

—Bueno, es evidente que hay muchas cosas que yo ignoraba acerca de Herbert Molin.

—Ya, pero ¿no crees que eso nos pasa con todo el mundo?,

¿que, en el fondo, no conocemos mucho más que la superficie de las cosas?

La puerta se cerró sin que Olausson tuviese tiempo de pronunciarse. Stefan salió de la comisaría y, ya en la calle, sintió una repentina incertidumbre sobre qué hacer. Kalmar no le causaría el menor problema. A menos que, pese a todo, resultase que alguien lo hubiese visto por la noche. Pero aquello era bastante improbable.

Permaneció así, de pie, inmóvil en medio de la calle, incapaz de tomar una decisión sobre qué camino tomar. Aquella situación le produjo tal indignación que lanzó una maldición al aire en voz alta. Una mujer que estaba a punto de pasar ante él se apartó a un lado.

Stefan regresó a su apartamento y se cambió de camisa. Observó su rostro en el espejo. Cuando era niño, todos le decían que se parecía a su madre. Sin embargo, con el paso de los años, el parecido con su padre se hacía más patente. «Alguien debe de saberlo», concluyó. «Alguien tiene que estar en condiciones de hablarme de mi padre y de sus ideas políticas. Tengo que ponerme en contacto con mis hermanas. Claro que hay otra persona que tiene que estar al corriente de todo. Aquel hombre que fue amigo de mi padre, el abogado que redactó su testamento.» De pronto, Stefan cayó en la cuenta de que ni siquiera sabía si el hombre vivía aún. Se llamaba Hans Jacobi. Un apellido que bien podía ser judío. Aunque Jacobi era rubio, alto y fuerte y, según recordaba, buen jugador de tenis. Buscó el nombre en la guía telefónica y, allí estaba, el bufete de abogados Jacobi & Brandell.

Marcó el número y aguardó hasta que una mujer respondió con el nombre de la empresa.

—Hola, quería hablar con el abogado Jacobi.

—¿Quién lo busca?

—Me llamo Stefan Lindman.

—El señor Jacobi se ha jubilado ya.

—Él era amigo de mi padre.

—Lo recuerdo. Pero el señor Jacobi es muy mayor y dejó el bufete hace ya más de cinco años.

—Bueno, en realidad llamaba para saber si seguía vivo...

—Está muy enfermo.

—¿Vive aún en Kinna?

—No, está al cuidado de su hija, en su casa de Varberg.

—Pues me gustaría mucho ponerme en contacto con él.

—Lo siento, no puedo darle ni la dirección ni el teléfono, pues así lo ha pedido él mismo. Cuando dejó el bufete, hizo lo que tenía que hacer.

—¿Y eso qué significa?

—Pues que traspasó todo el trabajo a sus colegas más jóvenes. En especial, a su sobrino Lennart Jacobi, que ahora es socio de la compañía.

Stefan le dio las gracias antes de despedirse y colgar. No le resultaría muy difícil dar con la dirección de Varberg. Aunque, de pronto, se sintió indeciso. ¿Cómo iba a presentarse a molestar a un viejo enfermo con preguntas sobre el pasado? No estaba en condiciones de adoptar ninguna decisión en aquel momento, de modo que la aplazó para el día siguiente. Ahora lo aguardaba otro asunto que era, desde luego, mucho más importante.

Poco después de las siete de la tarde aparcó el coche ante el edificio de Norrby donde vivía Elena. Miró hacia arriba para ver las ventanas de su apartamento.

«En estos momentos, no soy nada sin Elena», se dijo. «Nada en absoluto.»

21

Algo había provocado la inquietud de Aron Silberstein durante la noche. En una ocasión lo habían despertado los gemidos del perro junto a la tienda. Él lo mandó callar y el perro enmudeció de inmediato. Después, se volvió a dormir y soñó con La Cabaña y con Höllner. Cuando volvió a despertar, aún era noche cerrada. Se quedó tumbado y prestó atención. El reloj que había colgado de una de las barras de la tienda indicaba las cinco menos cuarto. Intentó comprender qué podría haberlo inquietado, y si la zozobra estaba alojada en su interior o si se hallaba fuera, en la fría noche otoñal. Pese a que aún faltaba mucho para el alba, no quiso quedarse tumbado en el saco. La negrura del exterior estaba llena de preguntas.

Si las cosas se complicaban y acababan llevándolo ante los tribunales, sin duda lo condenarían por el asesinato de Herbert Molin, pues no tenía intención alguna de negar lo que había hecho. De haber seguido el plan inicial, de haber regresado a Buenos Aires, como pensaba hacer, no lo habrían atrapado jamás. El asesinato de Herbert Molin se habría apergaminado en los archivos de la policía sueca, que no habría podido resolverlo jamás.

En varias ocasiones, en especial durante el largo periodo que pasó en la tienda esperando a que llegase el momento oportuno, consideró la posibilidad de dejar escrita una confesión y de pedirle a un abogado que la enviase a la policía sueca después de su muerte. Así, podría legarles una narración acerca de por qué se vio obligado a matar a Herbert Molin. En ella, se remontaría al año de 1945, en la que expondría, con total claridad y sencillez, lo que había sucedido. Pero si lo detenían ahora, lo acusarían también de un crimen del que no era responsable, a saber, del asesinato del hombre que había sido vecino de Herbert Molin.

Salió gateando del saco y desmontó la tienda cuando aún estaba oscuro. El perro tiraba de la cadena moviendo la cola sin cesar. Con ayuda de la linterna, inspeccionó el lugar en el que había estado montada la tienda para asegurarse de que no había dejado ningún rastro. Después, se marchó de allí en el coche con el perro en el asiento trasero. Cuando llegó al cruce de un lugar llamado Sörvattnet, se detuvo, encendió la linterna en el interior del coche y desplegó el mapa. Lo que deseaba, ante todo, era dirigirse al sur y salir de aquella oscuridad, detenerse en algún lugar y llamar a María para advertirle de que ya iba de camino a casa. Pero sabía que no era posible, que su existencia resultaría imposible a menos que averiguase cuanto antes qué le había sucedido a Abraham Andersson. Se desvió hacia el este y tomó después la carretera que conducía a Rätmyren. Entró en el bosque por uno de los senderos que conocía de ocasiones anteriores y se aproximó cauteloso a la casa de Herbert Molin. El perro, a su lado, guardaba silencio. Cuando estuvo seguro de que la casa estaba desierta, dejó al animal en la caseta del perro, cerró la cancela que la separaba del jardín, enganchó la cadena a la cerca y regresó al corazón del bosque. «Bien, ahora le hemos dado a la policía algo en lo que pensar», se dijo mientras encaminaba sus pasos al lugar en el que había dejado el coche.

Después, reemprendió su marcha. Aún reinaba la oscuridad y la tierra crepitaba bajo los neumáticos cuando tomó un camino de gravilla para volver a consultar el mapa. No estaba lejos de la frontera noruega, pero no era allí adonde él se dirigía. Continuó hacia el norte, dejó atrás Funäsdalen y giró por una carretera comarcal y se introdujo al azar en el fondo de un mar de sombras. El camino era muy empinado y pensó que tal vez se hallase entre montañas, lo cual era bastante probable, si es que había interpretado bien el mapa. Se detuvo, apagó el motor y se dispuso a aguardar la llegada del amanecer.

Cuando la luz, poco a poco, empezó a inundar la oscuridad, prosiguió su viaje. Los árboles empezaban a ser más escasos y él seguía subiendo mientras divisaba casitas aisladas que se alzaban como incrustadas y medio ocultas detrás de los arbustos y bloques rocosos. Comprendió que se hallaba en una especie de zona de recreo. Condujo tan lejos como pudo. No se veía luz por ninguna parte. En un punto, el camino aparecía cortado por una cancela. Salió del coche, la abrió y prosiguió el viaje no sin antes volver a cerrar la cancela. Comprendió que estaba a punto de caer en un callejón sin salida, que si venían tras él, estaría acorralado. Pero era como si no le importase lo más mínimo. Lo único que deseaba era continuar hasta que el camino se acabase. Entonces, se vería obligado a tomar una decisión.

Al final, no pudo seguir avanzando. La carretera llegó a su fin. Salió del coche y llenó sus pulmones de aire fresco. La luz tenía un color grisáceo. Miró a su alrededor: las cimas de las montañas, un valle, a lo lejos y, más allá, otras montañas. Entre los árboles, serpenteaba un sendero. Lo siguió y, tras unos cientos de metros, llegó a una vieja casa de madera. Permaneció inmóvil contemplando la casa. Por aquel sendero no había transitado nadie desde hacía tiempo, eso era evidente. Se acercó a la casa y miró a través de una ventana. La puerta estaba cerrada con llave. Intentó imaginarse dónde habría puesto él la llave, de haber sido suya la casa. Sobre una de las piedras planas que cubrían la escalera de acceso a la puerta había un tiesto de maceta quebrado. Se agachó y miró debajo. Pero no estaba allí. Después, tanteó con los dedos debajo de la piedra y, allí estaba la llave, atada con una cinta a un trozo de listón de madera. De modo que abrió la puerta.

La casa llevaba mucho tiempo cerrada. Tenía una habitación muy amplia, dos dormitorios más pequeños y una cocina. Los muebles eran de madera, en color claro. Pasó la mano por el respaldo de una silla mientras pensaba que le habría gustado tener ese tipo de muebles claros en su oscura casa de Buenos Aires. Las paredes estaban adornadas con tapices y textos bordados que él no sabía interpretar. Fue a la cocina. Había electricidad y, además, un teléfono. Levantó el auricular y comprobó que tenía línea. Había también un gran congelador que, según vio al abrirlo, estaba repleto de comida. Intentó comprender lo que aquello podía significar. ¿Estaría la casa vacía sólo de forma momentánea? Imposible saberlo. Sacó unos paquetes de hamburguesas congeladas y los dejó sobre la mesa de la cocina. Después, abrió uno de los grifos del fregadero, que tenía agua.

Se sentó junto al teléfono y marcó el interminable número de su casa de Buenos Aires. Jamás había conseguido aprenderse las diferencias horarias. Mientras las señales alcanzaban a María, él se preguntaba ausente quién recibiría la factura de teléfono con una llamada al extranjero desde su casa en la montaña.

María contestó por fin. Como de costumbre, sonaba impaciente, como si la hubiesen interrumpido en la realización de una tarea importante. Pero las horas de sus días estaban distribuidas entre la limpieza y la cocina. Si le sobraba algún tiempo, se impacientaba y se ponía a hacer complicados solitarios. Él había intentado, sin éxito, comprender en qué consistían. Por otro lado, le daba la sensación de que María hacía trampas, pero no para que le saliera bien el solitario, sino para que le durase más tiempo.

—Soy yo, ¿me oyes bien?

Ella le habló alto y rápido, como solía hacer cuando se ponía nerviosa. «Llevo demasiado tiempo fuera», se dijo. «Y ha empezado a temer que la he dejado, que jamás volveré a casa.»

—¿Dónde estás? —inquirió ella.

—Sigo en Europa.

—Pero ¿dónde?

Pensó en el mapa que había estado estudiando sentado en el coche y trató de tomar una decisión.

—En Noruega —reveló.

—¿Y qué haces ahí?

—Estoy viendo muebles. Pero no tardaré en volver.

—Don Batista ha preguntado por ti. Está enojadísimo. Dice que prometiste que le restaurarías un sofá antiguo que piensa regalarle a su hija para su boda, que es en diciembre.

—Dile que lo tendrá a tiempo. ¿Alguna otra novedad?

—¿Qué iba a pasar? ¿Una revolución?

—No sé. Sólo pregunto.

—Juan ha muerto.

—¿Quién?

—Juan, el viejo portero.

La mujer había empezado a hablar más despacio, aunque el tono era aún demasiado elevado, como si lo considerase necesario, dada la lejanía de Noruega. Él supuso que ni siquiera sería capaz de señalar el país en un mapa. Pensó también que, cuando hablaba de alguien que había muerto, el grado de intimidad entre ellos se incrementaba. El que Juan, el viejo portero, hubiese muerto, no lo sorprendía lo más mínimo. Después del ataque de apoplejía sufrido hacía unos años, lo único que el hombre había podido hacer era arrastrarse por el jardín y contemplar todo el trabajo que había que hacer, sin poder hacerlo él mismo.

—¿Cuándo lo entierran?

—Ya recibió sepultura. Yo puse flores de tu parte y de la mía.

—Gracias.

Se hizo un gran silencio interrumpido por el carraspeo del teléfono.

—María —intervino él al fin—. Pronto estaré en casa. Te echo de menos. No creas que te he sido infiel. Pero éste ha sido un viaje crucial. Ha sido como si me hubiesen transportado en un sueño; como si, en el fondo, no hubiese salido de Buenos Aires. Era un viaje necesario, porque tenía que ver cosas que no había visto con anterioridad. No sólo estos muebles extraños de colores claros, sino también a mí mismo. María, yo ya empiezo a hacerme viejo. Un hombre de mi edad necesita emprender un viaje en que él mismo sea su único acompañante. Para descubrir quién es en realidad. Cuando esté de vuelta, seré un hombre distinto.

Ella respondió inquieta.

—¿Cómo que un hombre distinto?

Él sabía que a María la inquietaba que las cosas cambiasen y lamentó enseguida lo que acababa de decir.

—Un hombre mejor —la tranquilizó—. De aquí en adelante, comeré en casa contigo y tan sólo en raras ocasiones te dejaré sola para ir a comer a La Cabaña.

Ella no lo creyó, puesto que volvió a guardar silencio.

—He matado a un hombre —se oyó decir a sí mismo—. Un hombre que, hace ya muchos años, cuando yo aún vivía en Alemania, cometió un delito terrible.

¿Por qué había dicho aquello? No lo sabía. Una confesión realizada a través de una línea telefónica desde una cabaña de montaña de la región sueca de Härjedalen hasta un angosto y húmedo apartamento del centro de Buenos Aires. Una confesión hecha ante alguien que no comprendía lo que quería decir, que no podía ni imaginarse que él usase la violencia contra otro ser humano. Pensó que, simplemente, no era capaz de soportar por más tiempo no poder compartir su secreto con na-

317

die, aunque fuese con María, que en absoluto estaba en condiciones de comprender lo que le decía.

—¿Cuándo volverás a casa? —insistió ella.

—Pronto.

—Han vuelto a subirnos el alquiler.

—Piensa en mí cuando reces.

—¿Qué tiene eso que ver con la subida del alquiler?

—Olvídate del alquiler. Tú sólo piensa en mí. Cada mañana y cada noche.

—¿Acaso piensas tú en mí cuando rezas tus oracionès?

—Tú sabes que yo no rezo nunca, María. En nuestro hogar, ese cometido es tuyo. Ahora tengo que dejarte. Pero volveré a llamar.

—¿Cuándo?

—No lo sé. Adiós, María.

Cuando hubo colgado el auricular, pensó que debería haberle dicho que la amaba, aunque no era cierto. Después de todo, era ella la que siempre estaba a su lado, la que le daría la mano cuando llegase la hora de su muerte. Por otro lado, se preguntaba si ella habría comprendido lo que le había dicho; si habría entendido que él había asesinado a una persona.

Se levantó y se acercó hasta una de las amplias ventanas. Fuera, ya era de día. Contempló las montañas y vio a María ante sí, sentada en su sillón de felpa roja que había junto a la mesita del teléfono.

Añoraba volver a casa.

Después, se preparó un café y abrió la puerta para ventilar la casa. Si alguien aparecía por el sendero, ya sabía qué decirle. Que a Herbert Molin lo había matado él. Pero no al otro. Sin embargo, nadie aparecería por el sendero, estaba convencido de ello. Estaba solo allí. Podía convertir aquella cabaña de madera en su cuartel general mientras intentaba dilucidar qué había sucedido en el bosque cuando Abraham Andersson resultó asesinado.

En una estantería había una foto de dos niños sentados sobre la piedra de la escalera bajo la cual él había encontrado la llave. Los pequeños sonreían a la cámara. La tomó y le dio la vuelta. En el reverso se leía una fecha algo borrosa: 1998. Rebuscó de forma metódica por toda la casa por ver si encontraba alguna pista que le indicase quién sería el dueño de aquella casa, hasta que halló una factura de un comercio de material eléctrico de Sveg, emitida a nombre de un señor llamado Frostengren, con domicilio en Estocolmo, lo que terminó de persuadirlo de que podía estar tranquilo allí. La casa estaba situada en un lugar aislado. Y el mes de noviembre no era, con seguridad, el preferido por senderistas o esquiadores. Lo único que debía hacer era estar atento cuando saliese a la carretera principal. Además, cada vez que saliese y que regresase a la cabaña, observaría si alguna de las casas de los alrededores mostraba indicios de no estar cerrada a cal y canto.

Pasó el resto del día en la casa. Durmió mucho, sin apenas soñar en nada, y se despertó sosegado. Tomó café, se preparó las hamburguesas y, de vez en cuando, salía para contemplar las montañas. A eso de las dos de la tarde, empezó a llover. Encendió la lámpara que había sobre la mesa de la gran sala de estar y se sentó junto a la ventana, con el fin de reflexionar sobre cómo seguir adelante con su empresa.

No tenía más que un punto de partida claro y obvio: Aron Silberstein o Fernando Hereira, como quisiera llamarse, había cometido un asesinato. De haber sido creyente, como María, se habría condenado por ello al peor castigo del infierno. Pero él no era creyente. Para él no había otros dioses que aquellos que él mismo, en determinados momentos de debilidad y sólo justo cuando los necesitaba, creaba para sí. Los dioses eran para los pobres y los pusilánimes. Y él no era ni lo uno ni lo otro. En efecto, se había visto obligado desde niño a vestir una fuerte coraza que había llegado a convertirse en parte de su identidad.

Ignoraba si era más judío que alemán emigrado a Argentina pues, ni la religión, ni las tradiciones ni la comunidad judías le habían ayudado a vivir.

A finales de los años sesenta, visitó Jerusalén. Fue un par de años después de la primera gran guerra contra Egipto y el viaje habría podido calificarse de cualquier cosa menos de una peregrinación. Lo había emprendido por curiosidad, quizá también como una penitencia por su padre, pues aún no había dado con los que lo habían matado. En el mismo hotel en el que se alojaba en Jerusalén, vivía un anciano judío de Chicago, muy creyente y ortodoxo, con el que se sentó a desayunar varias mañanas. Isak Sadler era un hombre amable que, con una melancólica sonrisa que no ocultaba el hecho de que aún no acababa de creérselo, le contó que era superviviente de uno de los campos de concentración. Cuando los soldados americanos liberaron el campo, estaba tan exhausto y escuálido que, tendido en el barracón de ejecución en el que se hallaba, tuvo que convocar las escasas fuerzas de que aún disponía para explicarles que no tenían por qué enterrarlo, que aún vivía. Después, no se lo pensó dos veces a la hora de elegir América como el hogar donde pasar el resto de sus días. Una mañana, hablaron de Eichmann mientras desayunaban; y de venganza. Aron atravesaba entonces una época de decaimiento. En efecto, hacia finales de los años sesenta, ya se había resignado y había empezado a pensar que jamás lograría dar con el hombre que había asesinado a su padre.

Sin embargo, las conversaciones con Isak le habían devuelto la inspiración (ésa era, ciertamente, la palabra que utilizaba en su mente) para seguir buscando al asesino de su padre. Isak Sadler había manifestado su opinión acerca de la ejecución de Eichmann que, a su juicio, había sido justa. La caza en pos de los nazis alemanes debía continuar mientras hubiese esperanza de hallar con vida a alguno de los que habían cometido aquellos horrendos asesinatos.

Después de haber vuelto de Jerusalén, siguió mostrando el mismo escaso interés de antes por su origen judío. Pero, eso sí, había retomado sus pesquisas y conseguido la ayuda de Simon Wisenthal, de Viena, sin obtener, no obstante, el menor resultado. Él no lo sabía, pero tardaría aún bastante tiempo en conocer a Höllner y, gracias a él, encontrar la clave que le faltaba.

Y ahora contemplaba el valle y las montañas desde la cabaña que pertenecía a un hombre llamado Frostengren. Había encontrado la aguja en el pajar y, llegado el momento, no dudó en actuar de inmediato. Herbert Molin estaba muerto. Hasta ahí, todo se había desarrollado según el plan. Pero luego estaba aquel otro hombre del bosque, que había resultado asesinado junto a su propia casa.

Había similitudes entre las dos muertes. Como si el que había matado a Abraham Andersson hubiese imitado el procedimiento de Aron con Herbert Molin. Dos solitarios hombres de edad que vivían aislados. Ambos tenían perro. Ambos habían sido asesinados fuera de la casa. Pese a todo, lo más importante eran las abundantes diferencias. Ignoraba qué vería la policía. Pero él detectó aquellas diferencias, puesto que no había tenido nada que ver en el asesinato de Abraham Andersson.

Aron dirigió la mirada hacia las montañas. Unos bancos de niebla se deslizaban sobre el valle. Tenía la certeza de que, en su mente, había llegado a una suerte de determinación. Quienquiera que hubiese matado a Andersson, tenía la intención de que pareciese que el mismo asesino había actuado dos veces, para que la culpa recayese así sobre otro. Pero había además una complicación: ¿quién podía conocer tan al detalle el modo en que había sido asesinado Molin? Aron ignoraba lo que habían dicho los periódicos, y tampoco tenía la menor idea de lo que la policía había revelado en las ruedas de prensa que él suponía que habrían convocado. Así que se preguntaba quién lo sabría.

Había, además, otro gran «por qué», al que él buscaba respuesta. Quien mató a Abraham Andersson tuvo que tener un móvil. «Alguien ha tensado una cuerda», resolvió. «Con la muerte de Herbert Molin se puso en marcha un mecanismo que hizo que también tuviese que morir Abraham Andersson.»

Pero ¿por qué y a manos de quién? Durante todo el día, se dedicó a acometer diversas aproximaciones a estas cuestiones. Y a prepararse comida a menudo, aunque no porque tuviese hambre, sino para amortiguar su desazón. No era capaz de librarse del desasosiego que le producía la idea de ser, en cierta medida, responsable de lo que le había sucedido a Abraham Andersson. ¿No habrían compartido los dos hombres algún secreto que tal vez Andersson pudiese revelar una vez muerto Molin? Sí, debía de ser así. Algo que él desconocía. La muerte de Herbert Molin suponía un peligro inmediato para alguien, lo que explicaba que fuese preciso asesinar también a Abraham Andersson, para así evitar que el secreto se propagase.

Abrió la puerta y salió. El musgo húmedo despedía un suave aroma. Las nubes rodaban bajas sobre él. «Las nubes no hacen ningún ruido», reflexionó. «Su discurrir es del todo silencioso.» Rodeó despacio la cabaña de madera, una vez; y una vez más.

Había otra persona que también había aparecido por la casa de Herbert Molin. Una mujer. Hasta tres veces la había visto atravesar el bosque para visitarlo. Y él los había seguido en sus paseos por diversos senderos del bosque. En una ocasión, durante su segunda visita, llegaron cerca del lago y él tuvo miedo de que descubriesen su lugar de acampada. Pero justo antes de la última curva, se dieron la vuelta y él pudo respirar hondo, aliviado. Los siguió a través del bosque, como un explorador o como uno de los indios sobre los que leía de niño en las novelas de Edward S. Ellis. De vez en cuando, los dos paseantes intercambiaban alguna frase y, sólo en contadas ocasiones, se reían.

Tras el paseo, entraban en la casa y, cuando Aron se acercaba a hurtadillas desde la parte posterior, escuchaba la música a través del muro. La primera vez no daba crédito a sus oídos al oír a alguien que cantaba en español, en español argentino, con ese soniquete característico imposible de confundir. Después de la música, que solía durar de media a una hora, reinaba el silencio. Él se preguntaba si estarían haciendo el amor, pero no estaba seguro. En tal caso, lo habrían hecho en silencio. En ningún momento llegaron hasta él, atravesando las paredes, ni los habituales suspiros ni el ruido de la cama. Después, Molin la seguía hasta el lugar en que la mujer había dejado aparcado su coche. Se daban la mano, nunca un abrazo. Y ella se ponía en marcha hacia la carretera principal y desaparecía en dirección este.

Ni que decir tiene que él se había preguntado quién sería aquella mujer. Y ahora empezaba a sospechar que sería la llamada Elsa Berggren, nombre que, junto al de Herbert Molin y al de Abraham Andersson, figuraba en el reverso de la nota del restaurante que aquel policía había arrojado al cenicero. Seguía, no obstante, sin comprender qué significaría aquello. ¿Sería Elsa Berggren otra vieja nazi que había elegido los bosques de Härjedalen para retirarse?

Con la mirada aún perdida en los montes, intentó formular una hipótesis. Un triángulo en el que Herbert Molin, Elsa Berggren y Abraham Andersson constituían los tres ángulos. Él desconocía la circunstancia de si Elsa Berggren también conocía, o no, a Abraham Andersson. Jamás los había visto juntos, desde luego. Andersson y Elsa Berggren no habían sido más que personajes secundarios en el drama que él se había propuesto desencadenar y concluir en el corazón del bosque.

Rodeó la casa una vez más. En la distancia, le pareció oír el ruido de los motores de un avión. Después, volvió a hacerse el silencio, interrumpido tan sólo por el viento que soplaba acariciando las laderas.

En definitiva, se decía, no se le ocurría ninguna otra explicación. Entre aquellas tres personas, tal y como había sugerido el dibujo del policía, había existido un elemento de unión, tal vez un secreto. Puesto que Herbert Molin estaba muerto, también Abraham Andersson debía morir. Y así, la única que se mantenía en pie era Elsa Berggren. «Ella tiene que llevar, enterrada en su corazón, la clave invisible del problema.»

Regresó al interior de la casa. Del congelador, había sacado otro paquete de hamburguesas que estaban ya casi descongeladas sobre el poyete de la cocina. Si quería conocer los pormenores de lo sucedido, debía ponerse en contacto con Elsa Berggren.

Así, durante la noche, confeccionó un plan. Corrió las cortinas y colocó la lamparita de la mesa sobre el suelo, con el fin de que la luz no se filtrase por las ventanas e hiriese la oscuridad perfecta que lo rodeaba. Se mantuvo despierto hasta medianoche. Para entonces, ya tenía decidido cómo proceder. Era consciente de que se exponía a un riesgo considerable. Pero no tenía elección.

Antes de acostarse, marcó un número de Buenos Aires. El hombre que respondió parecía estresado y, de fondo, se oía el alboroto de las conversaciones superpuestas de muchas personas.

—La Cabaña, ¿dígame? —gritó el hombre.

Aron colgó el auricular. El restaurante seguía existiendo. Y él no tardaría en volver a atravesar sus puertas y en sentarse a su mesa de siempre, a la derecha, justo al lado de la ventana que daba a la perpendicular de la avenida de Corrientes.

Junto al teléfono halló una guía en la que encontró el número y el domicilio de Elsa Berggren. En el plano que incluía la guía comprobó que se trataba de una calle situada en la orilla sur del río y, al ver que no tendría que perderse entre los bosques para dar con la mujer, dio un suspiro de alivio. Aunque, por otro lado y como era natural, ello incrementaba el riesgo de que alguien lo viese. Anotó en un papel la dirección y dejó la guía en su lugar.

Aquella noche durmió un sueño inquieto. Al despertar, se sentía exánime, sin fuerzas. Permaneció en la cama todo el día y no se levantó más que dos o tres veces, para comer algunas viandas que previamente había tomado la precaución de descongelar.

Se quedó en la casa de Frostengren tres días más, hasta que notó que estaba recuperando la energía. En la mañana del cuarto día se levantó y limpió la casa, aunque permaneció en ella hasta bien entrada la tarde, antes de dejar la cabaña y echar la llave, que volvió a depositar bajo la piedra. Una vez en el coche, desplegó una vez más el mapa. Por más que le pareciese inverosímil que la policía hubiese puesto controles en alguna de las carreteras, decidió no tomar el camino más corto a Sveg.

En cambio, se dirigió hacia el norte, en dirección a Våládalen. A la altura de Mittådalen giró hacia Hede y llegó a Sveg ya oscurecido. Aparcó a la entrada del pueblo, donde había comercios y estaciones de servicio, así como un tablón con un mapa de la localidad. Localizó la calle de Elsa Berggren, que vivía en una casa blanca rodeada de un gran jardín lleno de árboles. Había luz en una de las ventanas de la planta baja. Echó una ojeada a su alrededor y, cuando consideró que había visto lo suficiente, emprendió el regreso al coche.

Aún le quedaban algunas horas de espera. Entró en una tienda, compró un capuchón de lana y se colocó en la cola más larga, la que culminaba en una caja cuya cajera parecía estresada. Pagó con el dinero justo y, cuando salió del comercio, lo hizo convencido de que la cajera no recordaría ni su aspecto ni su vestimenta. Ya en el coche y con la ayuda de un cuchillo que se había llevado de la casa de Frostengren, sacó los cabos del capuchón.

Hacia las ocho, empezaron a escasear los coches. Salió de allí, cruzó el puente y giró hacia un aparcamiento en el que su coche no sería visible desde la carretera. Después, se limitó a seguir esperando. Para matar el tiempo, tapizó mentalmente el sofá que Don Batista pensaba darle a su hija como regalo de bodas.

En torno a la medianoche, se marchó.

Sacó del maletero una pequeña hacha que también se había llevado de la cabaña.

Aguardó hasta que un gran camión hubo pasado.

Después, se apresuró a cruzar la carretera y desapareció por el sendero que flanqueaba el río.

22

A las dos de la mañana, Stefan abandonó la casa de Elena hecho una furia. Pero la ira desapareció antes incluso de llegar a la calle. Pese a todo, no fue capaz de volver, por más que era eso precisamente lo que más deseaba. Se sentó al volante y puso rumbo al centro de la ciudad. Pero evitó la calle de Allégatan, pues no quería ir a casa o, al menos, no aún. En cambio, se dirigió hacia la iglesia de Gustav Adolf y, una vez allí, apagó el motor. A su alrededor no había más que silencio y vacío.

¿Qué le había sucedido en realidad? Elena lo había recibido contenta. Sentados en la cocina, compartieron una botella de vino. Él le habló de su viaje, y también sobre el dolor repentino de que se vio aquejado en Sveg. Sobre Herbert Molin, Abraham Andersson y Emil Wetterstedt no le reveló más de lo necesario. Elena deseaba saber cómo se encontraba *él*. Se comportaba con extrema solicitud y sus ojos revelaban una honda preocupación. Estuvieron largo rato despiertos, pero ella negó con un gesto cuando él le preguntó si estaba cansada: quería escuchar su relato hasta el final. Las personas no tenían por qué dormir todos los días, adujo ella; o, al menos, no cuando había algo más importante que atender. Después, se levantaron con la intención de irse a la cama y, entonces, ella preguntó como de pasada, mientras fregaba las copas, si no habría podido llamarla algo más a menudo y si no comprendía lo preocupada que estaba.

—Bueno, ya sabes que el teléfono no me gusta. Eso ya lo hemos hablado en más de una ocasión.

—Ya, pero nada te habría impedido llamarme, decirme hola y volver a colgar el auricular.

—Sabes que estás irritándome, ¿eh? Estás presionándome.

—Tan sólo te he preguntado por qué llamaste tan pocas veces...

Y entonces, él echó mano de su cazadora y se marchó sin decir nada, para arrepentirse en el rellano mismo de la escalera. Pensó que, además, no debería conducir; que, si lo paraban en un control de tráfico, lo acusarían de conducir bebido. «Estoy huyendo», reconoció. «No ceso de huir del 19 de noviembre. Me dedico a dar tumbos por los bosques de Härjedalen, asalto un apartamento de Kalmar y ahora conduzco en estado de embriaguez. La enfermedad me arrastra o, más bien el miedo; un miedo tan poderoso que ni siquiera soy capaz de estar con la persona con la cual mantengo la relación más íntima, una mujer que, por si fuera poco, es absolutamente sincera y me hace ver que me ama.»

Sacó el teléfono y marcó su número.

—¿Qué te ha pasado? —quiso saber ella.

—No lo sé, pero te pido disculpas. No quería hacerte daño.

—Ya lo sé. ¿Vas a volver?

—No. Esta noche dormiré en casa.

Ignoraba el porqué de su respuesta. Ella, por su parte, guardó silencio y no pronunció una palabra.

—Mañana te llamo, ¿de acuerdo? —aseguró él en un esfuerzo por parecer animado.

—Ya veremos —repuso ella en tono cansado antes de colgar el auricular.

Él apagó el teléfono y quedó allí, sentado en la oscuridad. Después, dejó el coche y recorrió a pie la pendiente que descendía hasta la calle de Allégatan. Mientras caminaba, se figuró que así debía de ser la muerte, como un solitario deambular nocturno, y nada más.

Durmió mal y, a las seis de la mañana, ya se había levantado. Supuso que Elena ya estaría despierta y pensó que debería llamarla, pero no se sentía con fuerzas para ello. Tras haberse obligado a ingerir un buen desayuno, salió del apartamento y fue a buscar el coche. Soplaba un viento racheado que lo hacía tiritar de frío. Salió de Borås en dirección sur. A la altura de Kinna, dejó la carretera principal y giró para entrar en el pueblo.

Se detuvo ante la casa de su niñez. Sabía que, en la actualidad, estaba habitada por un ceramista que tenía su taller en lo que había sido el garaje y el almacén de su padre. A la luz de hora tan temprana, la casa presentaba un triste aspecto de abandono. Las ramas del árbol en el que Stefan y sus hermanas habían tenido el columpio se bamboleaban movidas por el fuerte viento.

De repente, le pareció poder ver a su padre salir por la puerta en dirección a él. Pero, en lugar de uno de sus trajes y su abrigo gris, llevaba ahora el uniforme que había visto colgado en el armario de Elsa Berggren.

Volvió a la carretera principal y no se detuvo hasta alcanzar Varberg. Se tomó un café en un establecimiento situado frente a la estación de ferrocarril y buscó en la guía el número de teléfono de Anna Jacobi. La dirección, que halló en el plano, correspondía a una calle de un barrio residencial localizado justo al sur de la ciudad. Pensó que tal vez debiese llamar primero pero, en tal caso, Anna Jacobi o quienquiera que contestase a su llamada, podía contestar que el viejo abogado no quería o no se encontraba en condiciones de recibir visitas. Buscó, pues, la calle, que encontró tras haberse equivocado varias veces.

La casa parecía construida hacia finales del siglo xix y se distinguía por ello del resto de las viviendas circundantes, que eran de construcción moderna. Abrió la cancela y avanzó por un sendero de gravilla hasta la puerta, protegida bajo un amplio voladizo. Dudó un instante pero, al final, llamó al timbre. «Pero i¿qué estoy haciendo?!», se recriminó. «¿Qué puedo esperar que me cuente Jacobi? Él era amigo de mi padre. Al menos, eso parecía. Lo que mi padre pensaba acerca de los judíos es algo que sólo puedo barruntar o tal vez, y sobre todo, temer. Pero tanto Jacobi como mi padre estaban muy bien situados en Kinna. Y para mi padre debió de ser fundamental que reinase la paz en ese círculo. La opinión que, de hecho, le mereciese a Jacobi, será siempre un misterio para mí.»

Resolvió que empezaría por la Fundación Bienestar de Suecia, que su padre había incluido en su testamento. Él había preguntado ya por ella en una ocasión y, ahora, volvía a interesarse por la cuestión. Y, de ser necesario, le diría que su interés guardaba relación con la muerte de Herbert Molin. «Ya me he visto obligado a mentirle a Olausson en su propia cara y en su despacho. En nada puede empeorar la cosa por que ahora me ande con engaños otra vez.» Volvió a llamar a la puerta.

La segunda vez, la puerta se abrió y dejó ver a una mujer de unos cuarenta años de edad. La desconocida lo observó tras los gruesos cristales de sus gafas, que ampliaban el tamaño de sus pupilas. Él se presentó y le explicó el motivo de su visita.

—Mi padre no recibe visitas —declaró ella—. Está viejo y enfermo y quiere vivir tranquilo.

Desde el interior de la casa, Stefan oyó las notas de una pieza de música clásica.

—A mi padre le gusta escuchar a Bach por las mañanas, por si quieres saberlo. Hoy me pidió que pusiera el Concierto de Brandeburgo número tres. Según él, la música de Bach es lo único que lo mantiene vivo.

—Ya, bueno, pero el motivo de mi visita es muy importante.

—Lo siento. Hace ya mucho tiempo que mi padre dejó todo lo que pueda llamarse trabajo.

—Se trata de una cuestión personal. Él redactó el testamento de mi padre. Y yo discutí con él el asunto de los testamentarios. Ahora, una de las donaciones ha vuelto a suscitar problemas en el contexto de una compleja investigación de asesinato. Aunque el asunto es de capital importancia para mí personalmente.

Ella negó otra vez.

—No me cabe la menor duda de la importancia de tus motivos. Pero la respuesta es que no.

—Prometo que no me quedaré más que unos minutos.

—Lo siento, la respuesta sigue siendo no.

La mujer retrocedió unos pasos dispuesta a cerrar la puerta.

—Tu padre es anciano y no tardará en morir. Yo, que aún soy joven, puede que también muera pronto, puesto que tengo cáncer. Para mí sería mucho más fácil dejar este mundo si pudiese hacerle unas preguntas.

Anna Jacobi lo observó a través de los gruesos cristales. Stefan percibió el fuerte olor, ofensivo para su nariz, del perfume que utilizaba.

—Supongo que nadie miente sobre una enfermedad mortal.

—Si lo deseas, puedo darte el número de teléfono de mi médico de Borås.

—Le preguntaré a mi padre. Pero, si él se niega, tendrás que marcharte.

Stefan le prometió que así lo haría y la mujer cerró la puerta. La música atravesaba las paredes. Él seguía aguardando y ya empezaba a creer que la mujer había cerrado la puerta para siempre cuando, de pronto, ésta se abrió de nuevo.

—No más de quince minutos —le advirtió ella—. Estaré pendiente del reloj.

Dicho esto, lo condujo hacia uno de los laterales de la casa.

La música seguía oyéndose, pero a un volumen más bajo. La mujer abrió la puerta de una amplia habitación de paredes desnudas cuyo único mobiliario era un gran lecho situado en el centro.

—Háblale por el oído izquierdo —le recomendó—. Por el derecho no oye nada.

Después, cerró la puerta y los dejó solos. Stefan creyó intuir cierto cansancio o irritación ante la sordera del padre. Se acercó a la cama. El hombre que allí yacía estaba escuálido y tenía el rostro hundido. A Stefan le vino a la memoria la imagen de Emil Wetterstedt. Otro pájaro debilitado que aguardaba la hora de la muerte.

Jacobi giró la cabeza para mirarlo. Con una mano, le hizo seña de que tomase asiento en la silla que había junto a la cama.

—La música está a punto de terminar. Si me lo permite, soy de la firme opinión de que interrumpir los acordes de Johann Sebastian iniciando una conversación es constitutivo de delito grave.

Stefan guardó silencio en su silla, dispuesto a esperar. Jacobi subió el volumen con un control remoto y los tonos inundaron la habitación. El anciano escuchaba con los ojos cerrados.

Terminado el concierto, pulsó el control remoto con mano trémula y lo dejó sobre su estómago.

—Me queda poco tiempo de vida —auguró Jacobi—. Considero que ha sido un gran favor poder vivir en una época posterior a Bach. En mi cómputo personal del tiempo, yo divido la historia en dos épocas, la anterior y la posterior a Bach. Incluso hay un poeta que ha escrito algún canto sobre ello. Y ahora se me concede el enorme privilegio de poder pasar lo que me queda de vida en compañía de su música. —El hombre acomodó la cabeza sobre los almohadones—. Pero, la música ha callado por ahora. Y nosotros podemos iniciar la conversación. ¿Qué desea usted?

—Me llamo Stefan Lindman.

—Sí, eso ya me lo ha dicho mi hija —apremió Jacobi con impaciencia—. Recuerdo a su padre. Yo redacté su testamento. Y creo que usted quería hablar de eso. Pero ¿cómo cree que podría recordar el contenido de un testamento en particular? Seguro que redacté más de mil durante mis cuarenta y siete años de ejercicio de la profesión de abogado.

—Bueno, era a propósito de la donación a favor de una fundación llamada Bienestar de Suecia.

—Tal vez lo recuerde. Tal vez no.

—Resulta que dicha fundación es parte de una organización nazi sueca.

Jacobi tamborileaba impaciente con los dedos sobre la colcha.

—El nazismo murió con Hitler.

—Ya, pero, aun así, parece que en Suecia hay muchos que siguen apoyando a esta organización. Incluso los jóvenes se les unen.

Jacobi clavó en él su mirada.

—La gente colecciona sellos. O cajas de cerillas. Y no me parece inverosímil que haya quienes se dediquen a coleccionar ideales políticos obsoletos. La gente siempre se ha mostrado proclive a malgastar sus vidas en sinsentidos. En los tiempos que corren, se trata de sucumbir pegados al televisor viendo, una tras otra, todas esas series televisivas caracterizadas por su falta de contenido y su desprecio por el ser humano.

—Mi padre dejó una donación a esta organización. Usted lo conoció. ¿Sabe si era nazi?

—Yo conocí a su padre como nacionalista y patriota. Nada más.

—¿Y mi madre?

—Con ella no tuve mucho contacto. ¿Vive aún?

—No, también falleció.

Jacobi se aclaró la garganta como apremiándolo.

—¿Quiere decirme para qué ha venido en realidad?

—Para preguntarle si mi padre era nazi.

—¿Y por qué habría yo de poder responder a tal pregunta?

—No quedan muchas personas vivas que puedan hacerlo. No conozco a ninguna otra.

—Ya le he contestado. Pero comprenderá que tenga curiosidad por conocer el motivo de que se presente aquí a molestarme con su pregunta.

—Porque descubrí su nombre en un registro de miembros de la organización. Yo ignoraba que él hubiese sido nazi.

—¿Qué registro es ése?

—No estoy seguro. Pero allí figuraban más de mil nombres. Muchos de ellos estaban muertos, pero seguían pagando a través de legados o donaciones. Incluso a través de sus familias.

—Vamos a ver, esa agrupación u organización debe de tener un nombre, ¿no? ¿Cómo dice que se llamaba, Bienestar de Suecia?

—Exacto. Parece una especie de fundación que hace las veces de organización subsidiaria. Aunque desconozco su finalidad.

—¿Y de dónde ha sacado esa información?

—Eso es algo que, por el momento, debo mantener en secreto.

—¿Y dice que el nombre de su padre figuraba en la lista?

—Así es.

Jacobi se pasó la lengua por los labios, gesto que Stefan interpretó como un conato de sonrisa.

—Durante los años treinta y cuarenta, Suecia era un país fuertemente nazificado. En especial entre los juristas. No se trataba sólo del gran maestro alemán, Bach. En Suecia, los ideales, ya fuesen literarios, musicales o políticos siempre procedían de Alemania. Salvo a partir de la segunda guerra mundial. Entonces, todo cambió y los ideales empezaron a importarse de Estados Unidos. Sin embargo, el simple hecho de que Hitler condujese al país a la mayor de las catástrofes no implica que las ideas sobre el superhombre blanco y el odio contra los judíos dejasen de existir. Todo aquello siguió vivo en la generación que sufrió su influencia desde su juventud. Tal vez su padre fuese uno de ellos; y otro tanto podría decirse de su madre. Y es posible que dichos ideales lleguen algún día a renacer.

Jacobi guardó silencio. Tras la perorata, había quedado sin resuello. De pronto, se abrió la puerta de la habitación y Anna Jacobi entró con un vaso de agua para su padre.

—Se acabó el tiempo —anunció.

Stefan se puso de pie.

—¿Ha obtenido la respuesta que deseaba? —quiso saber Jacobi.

—Lo que intento es comprender —explicó Stefan.

—Mi hija me dijo que está usted enfermo.

—Así es. Tengo cáncer.

—¿Es mortal?

Jacobi formuló la pregunta con inesperado regocijo, como si, pese a todo, fuese capaz de alegrarse de que la muerte no fuese asunto exclusivo de los ancianos que invertían sus últimos días de vida escuchando a Bach.

—Espero que no.

—Por supuesto. Pero la muerte es una sombra de la que no podemos librarnos. Un día, la sombra se transforma en un animal salvaje al que no somos capaces de mantener a raya.

—Yo espero poder curarme.

—En caso contrario, le propongo a Bach. La única medicina que sirve de algo. Le proporcionará consuelo, cierto efecto analgésico, cierta dosis de valor.

—Procuraré recordarlo. Gracias por concederme algo de su tiempo.

Jacobi no respondió. Ya tenía los ojos cerrados de nuevo. Stefan y Anna salieron de la habitación.

—Yo creo que le duele —aventuró la hija cuando ambos habían alcanzado ya la puerta de salida—. Pero no quiere que se le administre ningún analgésico. Dice que no puede escuchar la música si no tiene la cabeza despejada.

—¿Qué enfermedad tiene?

—Vejez y desesperación. Ni más ni menos.

Stefan le tendió la mano y se despidió.

—Espero que todo vaya bien y que te cures —lo animó antes de cerrar.

Stefan regresó al coche, encogido para protegerse del fuerte viento. «Y ahora, ¿qué?», se dijo. «Ya he visitado a un anciano moribundo para averiguar por qué mi padre era nazi. Por otro lado, también puedo visitar a mis hermanas y preguntarles qué sabían o para observar cuál es su reacción cuando yo les cuente... Pero, aparte de eso, ¿qué puedo hacer con las respuestas que obtenga?» Ya dentro del vehículo, contempló la calle. Una mujer se esforzaba por conducir un carricoche oponiendo resistencia al viento. La siguió con la mirada hasta que hubo desaparecido de su vista. «Pues esto es lo que me queda», resolvió. «Un instante de soledad en mi coche, estacionado en una calle de un barrio residencial a las afueras de Varberg. Jamás volveré aquí, pronto habré olvidado el nombre de la calle y el aspecto de las casas.»

Sacó el teléfono con la intención de llamar a Elena y vio que tenía un mensaje. Marcó el número del buzón de voz y comprobó que era de Giuseppe. Marcó entonces el número del colega, que respondió enseguida.

—¿Dónde estás? —inquirió.

Stefan pensó que la telefonía móvil había impuesto este nuevo tipo de saludo, que la gente preguntaba en qué parte del mundo se encontraba el otro. Uno sabía a quién llamaba, pero nunca adónde.

—En Varberg.

—¿Qué tal estás?

—No estoy mal.

—Llamaba sólo para mantenerte informado de los últimos avances en la investigación. ¿Tienes un momento?

—Tengo todo el tiempo del mundo.

Giuseppe se echó a reír.

—Eso es algo que nunca tenemos... En fin, te diré que hemos progresado algo en lo que a las armas se refiere. En el caso de Herbert Molin, se sirvieron de un auténtico arsenal. Escopetas, granadas de gas y quizás alguna otra cosa más. Todo lo cual tuvo que ser robado de algún lugar. Así que hemos investigado varios robos de los que hay denuncia, aunque aún está por determinar de dónde proceden las armas. Contamos con una serie de alternativas, eso sí. Sin embargo, de lo que no nos cabe ya la menor duda, pues así lo demuestran los análisis de los técnicos, es de que el arma utilizada en el asesinato de Abraham Andersson fue otra. Lo que nos enfrenta de inmediato a una hipótesis para la que no estábamos preparados.

—Que se trate de dos asesinos distintos, ¿no es eso?

—Exacto.

—Bueno, también puede ser el mismo, que haya utilizado dos armas.

—Sí, claro. Aunque no podemos dejar de lado la posibilidad. Pero tengo algo más que contarte. Ayer recibimos una denuncia de Säter. El propietario volvió a casa tras haber estado fuera una semana. Y encontró que habían entrado en su domicilio y que un arma había desaparecido. Lo denunció a la policía, claro. Nosotros encontramos la denuncia mientras hacíamos nuestras pesquisas sobre robos de armas. Pudo haber sido el arma que se utilizó contra Abraham Andersson. El calibre es el mismo. Pero no tenemos la menor pista sobre el ladrón.

—¿Cómo se produjo el asalto a la vivienda? La forma de proceder suele ser muy elocuente y reveladora de la condición del ladrón.

—Una puerta forzada con total limpieza. Y otro tanto puede decirse de la del armario en que el hombre guardaba las armas. O sea, que no se trata de ningún aficionado.

—¿Así que crees que alguien consiguió un arma con una intención concreta?

—Más o menos.

Stefan imaginó un mapa de Suecia.

—¿Me equivoco si sitúo Säter en la región de Dalarna?

—Pues verás, desde Avesta y Hedemora, la carretera pasa por Säter en dirección a Borlänge y continúa directa a Härjedalen.

—En otras palabras, que alguien que parte del sur se procura un arma por el camino y prosigue el viaje hasta la casa de Abraham Andersson.

—Sí, algo así. Pero no tenemos móvil. Y el asesinato de Andersson empezará a preocuparme de un modo muy especial, si llega a demostrarse que fue otro el asesino. En ese caso, cabe preguntarse qué es lo que está pasando en realidad. ¿Y si estamos al principio de algo imprevisible?

—¿Qué temes? ¿Que se produzcan más actos de violencia?

Giuseppe sonrió.

—«Actos de violencia.» Los policías solemos tener una curiosa forma de expresarnos. A veces me da por pensar que ése es el motivo por el que los malos siempre nos llevan ventaja: ellos se expresan de forma más directa, en lugar de andarse con perífrasis como nosotros.

—De acuerdo, quieres decir que existiría el riesgo de que se produjesen más asesinatos, ¿cierto?

—Bueno, el problema es que no lo sabemos. Y, si el arma del crimen no es la misma, aumentan las posibilidades de que se trate de dos asesinos diferentes. Por cierto, ¿vas conduciendo o estás parado?

—Estoy parado.

—En ese caso, seguiré contándote nuestras cábalas. El primer escollo es, claro está, el perro. ¿Quién se lo llevó de la casa de Andersson para dejarlo en la de Molin? Y, ¿por qué? Lo único que sabemos es que lo trasladaron en coche desde la casa de Andersson. La cuestión decisiva es el motivo, para el que no tenemos explicación plausible.

—Bueno, siempre cabe la posibilidad de que se trate de una broma macabra.

—Sí, claro. Pero la gente de por aquí no es muy proclive a lo que tú llamas bromas macabras. Todos están indignados. Lo vemos cuando vamos de casa en casa para interrogarlos. Los vecinos están más que dispuestos a ayudarnos.

—Es raro que nadie haya observado nada.

—Bueno, nos ha entrado alguna información poco precisa sobre algún que otro coche que alguien ha visto... Pero nada seguro, nada que nos indique un camino que seguir.

—¿Y Elsa Berggren?

—Rundström se la llevó a Östersund y estuvo hablando con ella durante todo un día. Pero la mujer mantiene su declaración anterior. Las mismas ideas despreciables y sin titubeos. Ignora quién puede haber matado a Herbert Molin. A Abraham Andersson no lo había visto más que en una ocasión y de pasada, un día en que ella fue de visita a casa de Herbert Molin y el hombre acertó a pasarse por allí. Incluso hemos inspeccionado su casa para ver si encontrábamos algún arma, pero no hallamos nada. Y además creo que, si estuviese preocupada por que alguien fuese a atacarla a ella también, nos lo habría dicho.

Se oyó un carraspeo en el auricular. Stefan gritó «¿hola?» varias veces, hasta que volvió a oír la voz de Giuseppe.

—En fin, que empiezo a creer que esto nos llevará mucho tiempo. Y me preocupa.

—¿Habéis descubierto alguna conexión entre Andersson y Molin? —quiso saber Stefan.

—Buscamos y rebuscamos pero, según la viuda de Andersson, su difunto esposo no mencionó a Molin más que como a un vecino cualquiera. Y no tenemos motivos para pensar que fuese de otro modo. Lo cierto es que no hemos avanzado mucho más.

—¿Y el diario?

—¿A qué te refieres?

—El viaje a Escocia, la persona a la que se alude como «M»...

—Me cuesta entender por qué habríamos de concederle prioridad a esos datos.

—No, era sólo curiosidad.

De pronto, Giuseppe empezó una aparatosa serie de estornudos. Stefan apartó el auricular de su oreja, como si las bacterias pudiesen llegar hasta él a través de las ondas.

—El resfriado de todos los otoños, que suele atacar en esta época del año.

Stefan respiró hondo antes de pasar a referirle su visita a Kalmar y a Öland. Ni que decir tiene que nada dijo acerca de su entrada en el apartamento de Emil Wetterstedt, aunque sí insistió en las ideas nazis del individuo.

Cuando hubo concluido, se produjo un silencio tan prolongado que creyó que se había cortado la comunicación.

—Bien, le propondré a Rundström que se ponga en contacto con la brigada judicial de Estocolmo —anunció Giuseppe—. Ellos tienen un grupo con personal especializado en delitos terroristas y en agrupaciones nazis. Me cuesta creer que detrás de todo esto sólo haya un grupo de gamberros. Aunque, claro está, nunca se sabe.

Antes de concluir la conversación, Stefan le respondió que le parecía una sabia medida. Se sentía hambriento, de modo que se puso en marcha hacia el centro de Varberg y se detuvo a comer en un restaurante. Cuando regresó al coche, comprobó que alguien le había abierto la puerta delantera. En un acto reflejo, se tanteó el bolsillo de la cazadora, pero el teléfono estaba allí.

En cambio la radio del coche había desaparecido, además de que el cierre centralizado había quedado destrozado. Lanzó una maldición y se sentó al volante enfurecido. En realidad, debería acudir a la comisaría de policía para denunciar el robo. Sabía de sobra que jamás darían con el delincuente; y que la policía no le dedicaría al caso más que un dudoso interés burocrático. En efecto, los montones de papeles crecían sobre las mesas de los agentes de cualquier punto del país. Por otro lado, recordó que la franquicia de su seguro era tan alta que más le valdría comprar una radio nueva él mismo. Claro que también debía reparar el cierre centralizado, pero él tenía un buen amigo que solía hacer reparaciones a los policías a título particular, de modo que desechó por completo la idea de presentar la denuncia. Definitivamente y sin remedio, la época en la que un robo a un coche desencadenaba una investigación policial pertenecía al pasado.

Salió de la ciudad, en dirección a Borås. El fuerte viento se dejaba sentir en el interior del coche. El paisaje aparecía gris y desierto. «El otoño cada vez más intenso, el invierno cada vez más próximo», auguró para sí. También se acortaba la distancia hasta el 19 de noviembre. Le habría gustado atajar de raíz la línea del tiempo y retomarla al día siguiente de la fecha fijada para el inicio de su terapia.

Acababa de entrar en Borås cuando sonó el teléfono. Vaciló un instante antes de contestar, seguro de que sería Elena. Sin embargo, no podía abusar de su paciencia por más tiempo. Llegaría el día en que ella se cansase de su comportamiento evasivo, de su manera de anteponer sus propias necesidades. Así, se detuvo junto a la acera y atendió la llamada.

Pero no era Elena, sino Veronica Molin.

—Espero no molestar —se excusó—. ¿Dónde estás?

—No, en absoluto. Estoy en Borås.

—¿Tienes un momento?

—Sí, pero ¿dónde estás tú?

—En Sveg.

—¿Aún esperas que se celebre el funeral?

Ella vaciló al responder.

—Bueno, en realidad, no sólo es eso. Conseguí tu número de teléfono a través de Giuseppe Larsson, el inspector que dice estar investigando el asesinato de mi padre.

La mujer no hizo el menor esfuerzo por ocultar su desprecio y Stefan se disgustó.

—Giuseppe es uno de los mejores policías que conozco.

—Ya, no pretendía herir a nadie.

—¿Qué querías?

—Pedirte que vengas aquí —aclaró ella con tanta rapidez como decisión en su voz.

—Y eso, ¿por qué?

—Porque creo que sé lo que ha ocurrido. Pero no quiero hablar de ello por teléfono.

—En ese caso, no soy yo la persona con la que has de hablar, sino Giuseppe Larsson. Yo no tengo nada que ver con la investigación.

—En estos momentos, nadie más que tú puede ayudarme. Te pagaré el billete de avión y todos los gastos, pero necesito que vengas. Lo antes posible.

Stefan reflexionó un instante antes de contestar.

—¿Sabes quién mató a tu padre?

—Eso creo.

—¿Y a Abraham Andersson?

—Tiene que haber sido otra persona. Pero no es ésa la única razón por la que te pido que vengas. Estoy asustada.

—¿Por qué?

—No puedo contártelo por teléfono. Necesito que vengas. Volveré a llamarte dentro de unas horas.

Concluida la conversación, Stefan se marchó a casa y subió a su apartamento. Seguía sin llamar a Elena, pero no dejaba de pensar en lo que le había revelado Veronica Molin. ¿Por qué no querría hablar con Giuseppe? ¿Y por qué estaba asustada?

Aguardó.

Dos horas más tarde, volvió a sonar el teléfono.

23

Al día siguiente, Stefan aterrizó en el aeropuerto de Östersund a las diez horas y veinticinco minutos. Cuando Veronica Molin lo llamó por segunda vez, estaba decidido a decirle que no, que no pensaba ir a Härjedalen y que él no podía ayudarle. Además, le explicaría con toda la claridad posible que era su deber hablar con la policía, si no con Giusepppe Larsson, sí con otro agente como Rundström, por ejemplo.

Sin embargo, cuando la mujer lo llamó, nada sucedió como él lo había planeado. Ella fue derecha al grano, le preguntó si quería acudir o no. Y él dijo que sí. Cuando él empezó a hacerle preguntas, ella respondió evasiva asegurándole que no deseaba hablar de ello por teléfono.

Ella dio por concluida la conversación una vez que hubieron acordado verse en Sveg al día siguiente. Él le pidió que le reservase una habitación y le dijo que le gustaría volver a ocupar la misma que había tenido durante su anterior visita, la número tres.

Después, se acercó a la ventana y contempló la calle. Se preguntaba qué era lo que lo movía exactamente. El miedo que lo corroía por dentro, la enfermedad a la que por todos los medios intentaba mantener alejada de su mente... O, ¿sería Elena, a la que no soportaba ver? No lo sabía. Al día siguiente de haber recibido la noticia de que tenía cáncer, todo se había derrumbado a su alrededor.

Además, el recuerdo del padre no lo abandonaba ni un instante. «No es el pasado de Herbert Molin lo que persigo», se advirtió a sí mismo. «Es mi propio pasado el que trato de aclarar, la verdad sobre algo de lo que no tenía ni idea hasta que me metí en el apartamento de Emil Wetterstedt, en Kalmar.»

Se apartó de la ventana y marcó el número del aeropuerto de Landvetter, solicitó información sobre los vuelos y reservó un billete. Después, llamó a Elena, que reaccionó con bastante reserva. A las siete y cuarto, ya estaba en su casa y aquella noche se quedó hasta que llegó la hora de marcharse al apartamento, guardar algo de ropa en una maleta y recorrer los cuarenta kilómetros que había hasta Landvetter.

Aquella noche hicieron el amor y, sin embargo, fue como si él no hubiese estado presente. No sabía si ella lo habría notado pero, en cualquier caso, la mujer no había hecho el menor comentario, como tampoco le había preguntado el porqué de aquella nueva visita repentina a Härjedalen. Cuando se despidieron en el vestíbulo, él sintió cómo ella intentaba transmitirle su amor. Y él procuró ocultar su desasosiego pero, cuando iba camino de la calle de Allégatan y mientras atravesaba las calles desiertas, tampoco se hallaba en condiciones de asegurar que lo hubiese conseguido. Había en él un poso, como una gruesa capa de niebla que, inminente, amenazaba con ahogarlo. Era el miedo pánico, el ver cómo estaba perdiendo a Elena, el comprender cómo la obligaba a abandonarlo, por su propio bien.

Al bajar en Frösön la escalera del avión, sintió el azote de un frío acerado. La tierra aparecía cubierta de escarcha. Alquiló un coche que Veronica Molin pagaría. Tenía decidido acudir a Sveg de inmediato pero, cuando llegó a la altura del puente que conducía de Frösön a Östersund, mudó de parecer. Era ilógico no avisar a Giuseppe de que había vuelto. La cuestión era qué motivos aduciría en esta ocasión. Era cierto que Veronica Molin lo había llamado con el mayor de los secretos, pero no se reconciliaba con la idea de ocultárselo a Giuseppe. Ya tenía bastantes problemas como para cargarse con uno más.

Dejó el puente, aparcó el coche cerca de la Dirección General de Ordenación Rural y se quedó sentado en el coche para reflexionar un poco. ¿Qué le diría a Giuseppe? Era evidente que no podía revelarle toda la verdad pero quizá tampoco tenía por qué ser lo contrario, una pura mentira, por más que no le hubiese ido tan mal últimamente con sus engaños. Así, pensó que bien podía presentarse con una verdad a medias y decirle que no soportaba estar en Borås, que prefería mantenerse alejado de la ciudad hasta que comenzase la terapia. Una persona con cáncer, se decía, bien podía permitirse estar asustada y presentar un comportamiento voluble.

Entró, pues, en la comisaría y preguntó por Giuseppe en recepción. La chica, que lo reconoció de su anterior visita, le sonrió y le dijo que el colega estaba en una reunión que, no obstante, no tardaría en terminar. Stefan se sentó junto a una mesa y se puso a hojear uno de los diarios de la prensa local. La investigación de los asesinatos aparecía en primera plana. Se enteró de que el día anterior Rundström había celebrado una rueda de prensa en la que se trató de las armas, sobre todo, y en la que volvieron a solicitar la colaboración de los ciudadanos que hubiesen visto u oído cualquier cosa. Sin embargo, nada se decía sobre la información que ya había recibido la policía. Nada sobre cierto tipo de coche o de personas que habían estado circulando por la zona. Los artículos daban a entender que la policía no avanzaba en ningún sentido, que estaba dando palos de ciego.

Hacia las once y media, apareció Giuseppe en la recepción; iba sin afeitar, y su rostro reflejaba agotamiento y preocupación.

—Hola. Supongo que debería decirte que me sorprende verte por aquí. Pero lo cierto es que ya nada me sorprende.

El agente parecía víctima de una resignación que Stefan no había detectado en él con anterioridad. Entraron en el despacho y cerraron la puerta. Stefan le dijo, tal y como había planeado, que había sido el desasosiego lo que lo había impelido a regresar. Giuseppe lo observaba con atención.

—¿Tú juegas a los bolos? —inquirió una vez que Stefan hubo terminado.

Stefan lo miró inquisitivo.

—¿Que si juego a los bolos?

—Sí. Eso es lo que yo suelo hacer cuando algo me preocupa. También a mí se me viene el mundo encima de vez en cuando. El juego de los bolos no es ninguna tontería. Incluso resulta muy aconsejable practicarlo con los amigos. Los bolos que derribas pueden ser tus enemigos o todos los problemas sin resolver que se te han ido acumulando en la conciencia.

—Me parece que no he jugado a los bolos en toda mi vida.

—En fin, tómatelo como un simple consejo bienintencionado.

—¿Qué tal va todo?

—Pues, ya he visto, cuando salía, que estabas leyendo la prensa local. Nuestro pequeño grupo de investigación acaba de celebrar una reunión. El trabajo sigue su curso, se cumplen los procedimientos rutinarios, todos trabajan duro y bien. Y, aun así, todo lo que Rundström les dijo a los periodistas es completamente cierto. Estamos atascados.

—¿Y seguro que se trata de asesinos diferentes?

—Eso es lo más probable. Al menos, es lo que sugieren los datos de que disponemos.

Stefan reflexionó un instante.

—Ya, pero eso no implica que el móvil también sea distinto en uno y otro caso.

Giuseppe asintió.

—Exacto. Eso mismo pensamos nosotros. Por otro lado, tenemos aquello del perro, ya sabes. Resulta que yo no creo que se trate de una broma macabra, sino de una acción premeditada, obra de alguien que desea advertirnos de algo.

—¿Como qué?

—Pues no lo sé. El caso es que el simple hecho de que alguien intente enviarnos un mensaje crea una especie de desorden constructivo entre nosotros. Además, nos obliga a tomar conciencia de que no hay respuestas sencillas, si es que nos lo habíamos creído.

Giuseppe guardó silencio. Stefan esperaba una continuación. Fuera, en el pasillo, alguien soltó una risotada. Después, se hizo de nuevo el silencio.

—Una característica común a ambos asesinatos es la rabia —explicó Giuseppe—. En el caso de Herbert Molin, lo que movió al autor del crimen a arrastrarlo a un tango sangriento, a azotarlo hasta la muerte y a dejarlo en el bosque en semejante estado debe de ser una ira absolutamente desatada. En el caso de Abraham Andersson también reinó la ira, pero una ira contenida, controlada. Nada de perros muertos ni de cruentas danzas, tan sólo la fría ejecución. Me pregunto si dos ataques violentos de temperamento tan dispar pueden haber nacido del mismo cerebro y de la misma persona. Es evidente que el asesinato de Herbert Molin había sido planeado con todo detalle, tesis que vino a confirmar tu hallazgo del lugar de acampada. Sin embargo, con Andersson, la cosa es distinta. Aunque no soy capaz de ver en qué consiste la diferencia.

—¿A qué apunta esa diferencia?

Giuseppe se encogió de hombros.

—No lo sé.

Stefan reflexionó un instante. Estaba claro que Giuseppe deseaba una respuesta suya, su opinión.

—Si los dos asesinatos están relacionados; si, pese a todo, no hay más que un asesino, creo que debemos pensar que sucedió algo que hizo necesario acabar también con la vida de Abraham Andersson, ¿no crees?

—Sí, así lo veo yo también. Pero los demás componentes del

grupo no están de acuerdo. O tal vez sea culpa mía, que no sé explicarme bien. Pero lo más verosímil es que tengamos dos asesinos.

—Es muy curioso que nadie haya visto nada, ¿no te parece?

—Jamás en mi vida creo haber llamado a tantas puertas, ni haber enviado tantas notas para pedir la colaboración ciudadana y, aun así, no hemos recibido ni una sola respuesta. En condiciones normales, siempre hay alguien que husmea desde detrás de sus cortinas; y ese alguien suele detectar algo que se sale de los acontecimientos habituales del pueblo.

—Bueno, cuando eso sucede, que nadie haya visto nada, también eso es un indicio de que se trata de personas cuyas acciones son perfectamente premeditadas. Incluso cuando se les arruina un plan, suelen hallar una salida alternativa, por lo general de forma rápida y sin miramientos.

—A ver, a ver, ¿por qué hablas de «personas», en plural?

—Sí, bueno, es que estoy vacilando entre el asesino solitario y una especie de conspiración con varios criminales involucrados.

En ese momento, llamaron a la puerta y un joven enfundado en una cazadora de piel y con unas mechas negras en la rubia cabellera abrió la puerta antes de que Giuseppe tuviese tiempo de contestar. El joven hizo un gesto a modo de saludo y dejó unos documentos sobre el escritorio.

—Las últimas novedades del frente de las visitas a domicilio....

—¿Ah, sí?

—Una abuela perturbada de Glöte asegura que el asesino vive en Visby.

—¡Vaya! ¿Y qué le hace pensar eso?

—Pues que la Organización Nacional de Loterías y Apuestas del Estado tiene allí su oficina principal. Según ella, el pueblo sueco está obsesionado con el demonio de las apuestas y por ello la mitad de la población va por ahí asesinando para robar a la otra mitad y así poder seguir apostando. Y eso es todo.

La puerta se cerró y volvieron a quedar solos.

—Ése es nuevo —aclaró entonces Giuseppe—. Nuevo y seguro de sí mismo. Además, se tiñe el pelo. Es un agente en prácticas de esos que disfrutan haciéndonos notar que él es muy joven y que nosotros, por el contrario, somos muy viejos. Pero supongo que llegará a ser un buen policía, con el tiempo.

Giuseppe se levantó y se apartó del escritorio.

—Me gusta hablar contigo —comentó—. Sabes escuchar y formulas las preguntas adecuadas, las preguntas que necesito oír. Me habría encantado continuar esta conversación, pero tengo una reunión con los técnicos que no puede esperar.

Giuseppe lo acompañó a la recepción.

—¿Cuánto tiempo te quedas?

—No lo sé.

—¿Te alojarás en el mismo hotel de Sveg?

—¿Acaso hay otro?

—Buena pregunta. No sé, quizás alguna pensión... En fin, ya te llamaré.

Stefan cayó en la cuenta de que tenía una pregunta que hacerle a Giuseppe y que había estado a punto de olvidar.

—¿Sabes si se ha autorizado ya la inhumación del cadáver de Molin?

—Si quieres, puedo preguntar.

—No, sólo era curiosidad.

Durante el trayecto a Sveg fue pensando en lo que Giuseppe le había dicho sobre los bolos. En un punto del camino, justo al norte de Överberg, se detuvo y salió del coche. No corría la menor brisa, hacía frío y el suelo estaba apelmazado bajo sus pies. «Estoy compadeciéndome de mí mismo», se recriminó. «Encerrándome en un abatimiento que me es ajeno. En condiciones normales soy una persona alegre, con una actitud muy distinta a la que ahora tengo. Giuseppe tiene toda la razón en lo de los bolos. No es que necesite lanzar una bola contra unos cuantos bolos. Pero he de tomarme en serio lo que intentaba decirme. Por un lado, trato de convencerme a mí mismo de que superaré la enfermedad. Por otro, hago todo lo posible por representar el papel de un condenado a muerte que ha perdido toda esperanza.»

Cuando llegó a Sveg, lamentó haber emprendido el viaje. En lugar de entrar en el jardín del hotel, sintió el impulso de dar la vuelta y regresar a Östersund para volver a Borås con Elena cuanto antes.

Después, aparcó el coche y entró en el hotel. La chica de la recepción pareció alegrarse al verlo.

—¡Vaya! Ya decía yo que no podrías dejarnos así como así —exclamó la joven al tiempo que lanzaba una carcajada.

Stefan correspondió riendo. «Demasiado escandalosa y chillona mi risa. Miento hasta cuando río», constató resignado.

—Tienes la misma habitación, la número tres —anunció la muchacha—. Y un mensaje de Veronica Molin.

—¿Está en su habitación?

—No, pero aseguró que estaría de vuelta a eso de las cuatro.

Subió a su habitación, donde se sintió como si jamás se hubiera marchado. Entró en el cuarto de baño, abrió la boca ante el espejo y sacó la lengua. «Nadie se muere de un cáncer en la lengua», se tranquilizó. «Todo irá bien. Me someteré a la radioterapia y después todo irá como antes. Y algún día, este periodo de mi vida se me antojará tan sólo como un paréntesis en mi existencia, como una pesadilla y poco más.»

Sacó la agenda y buscó en ella el número de teléfono de su hermana, que vivía en Helsingfors. Un contestador automático le trajo su voz, de modo que dejó un mensaje con su número de móvil. En cambio, no tenía el número de su otra hermana, que se había casado y se había trasladado a vivir a Francia. Y tampoco se sentía con fuerzas como para ponerse a averiguarlo. Además, nunca había conseguido aprender cómo se escribía su nuevo apellido.

Miró la cama. «Si me tumbo, me moriré», resolvió. Así, se quitó la camisa, apartó la mesa y se puso a hacer flexiones. A la que hacía el número veinticinco, ya no podía más, pero se obligó a continuar hasta cuarenta. Después, se sentó en el suelo y se tomó el pulso. Ciento setenta. Demasiado alto. Decidió que debía empezar a hacer algo de ejercicio. Todos los días, con independencia del tiempo que hiciese y de cómo se encontrase. Rebuscó en su maleta, pero había olvidado las zapatillas de deporte. Se puso de nuevo la camisa y la cazadora antes de salir. Buscó hasta hallar la única tienda de ropa deportiva que había en el pueblo que, según pudo comprobar, tenía un surtido bastante exiguo de zapatillas. Sin embargo, encontró un par que se adaptaba a lo que buscaba y, tras haberlas comprado, fue a comer a la pizzería. La radio estaba puesta y, de pronto, oyó a través del aparato la voz de Giuseppe. En efecto, el colega transmitía, a través de la radio local, una nueva petición a los ciudadanos animándolos a ponerse en contacto con la policía si habían observado cualquier anomalía. «Desde luego, puede decirse que están desesperados. Andan a trompicones en una ciénaga donde ya no se puede distinguir el menor rastro.»

De pronto, se preguntó si los asesinatos de Herbert Molin y de Abraham Andersson pasarían a engrosar los archivos de los casos sin resolver.

Después de comer, dio un paseo. En esta ocasión, encaminó sus pasos en dirección norte y atravesó un barrio de casas muy antiguas hasta que llegó al hospital. Caminaba muy deprisa, para hacer algo de ejercicio. De improviso, oyó una música en su interior. Le llevó unos minutos comprender que se trataba de la misma melodía que había oído en casa de Jacobi. Johann Sebastian Bach.

Continuó caminando tanto como pudo y no dio la vuelta hasta que no estuvo seguro de que Sveg quedaba ya muy lejos.

Se dio una ducha y bajó a la recepción, donde Veronica Molin lo aguardaba sentada. De nuevo pensó que era una mujer de extraordinaria belleza.

—Gracias por haber venido.

—La otra opción era ir a jugar a los bolos...

Ella lo miró con asombro para romper a reír enseguida.

—Me alegro de que no fuera el golf. Jamás he comprendido a los hombres que juegan al golf.

—Bueno, yo no he tenido nunca un palo de golf en mis manos.

Ella echó una ojeada a la recepción. Unos pilotos de pruebas que entraban en aquel momento se felicitaron ruidosamente porque, por fin, había llegado el momento de beber cerveza.

—No creas que suelo invitar a los hombres a que entren conmigo en mi habitación de hotel —le advirtió ella—. Pero allí estaremos tranquilos.

La mujer tenía una habitación de la planta baja, situada al fondo del pasillo. En nada se parecía a la de Stefan. Para empezar, era mucho más grande. Se preguntó fugazmente cómo se sentiría una persona que estaba acostumbrada a vivir en *suites* de lujo de todo el mundo al tener que conformarse con la sencillez de un hotel de Sveg. Recordaba que, según le dijo, cuando recibió la noticia de la muerte de su padre, se alojaba en una habitación con vistas a la magnífica catedral de Colonia. Sin embargo, desde la ventana de aquella habitación veía Ljusnan y las boscosas lomas que, en la ribera sur del río, adquirían tonos azulados. «Tal vez esto sea tan hermoso como aquello», se dijo. «Tal vez, a su manera, este paisaje sea tan impresionante como la catedral de Colonia.»

Había dos sillones en la habitación. Ella encendió la lamparita de la mesilla de noche y giró la pantalla de modo que la habitación quedó en semipenumbra. El aroma de su perfume llegaba hasta el lugar donde él estaba sentado y se le ocurrió pensar cuál sería la reacción de ella si él le confesase que su mayor deseo en aquel momento era despojarla de toda su ropa y acostarse con ella. ¿Se sorprendería, tal vez? Ella debía de ser consciente de su propia imagen pero, con toda probabilidad, lo mandaría al infierno.

—Me pediste que viniera; y aquí estoy. Pero conviene que seas consciente de que esta conversación no debería tener lugar. Este asiento debería ocuparlo Giuseppe o cualquiera de sus colegas, no yo. De hecho, en el contexto de la investigación acerca de quién asesinó a tu padre y a Abraham Andersson, yo ni existo.

—Lo sé. Aun así, es contigo con quien quiero hablar.

Stefan se percató de su inquietud y se dispuso a escucharla.

—He estado intentando imaginar quién podría tener motivos para asesinar a mi padre —comenzó la mujer—. Al principio, todo me parecía un sinsentido, como si alguien, sin justificación alguna, hubiese alzado una mano vengadora sobre su cabeza y la hubiese dejado caer sobre él con inusitada violencia. Simplemente, no veía ningún móvil. Supongo que quedé como paralizada, algo que no suele ocurrirme. De hecho, en el trabajo, me veo expuesta a diario a crisis que podrían degenerar en catástrofes económicas para la empresa si no mantuviese la mente fría y me dejase llevar por cualquier cosa que no fuesen hechos y decisiones racionales. Pero se me pasó y empecé a recuperar mi capacidad de análisis y, en especial, a recordar. —La mujer le dedicó una mirada elocuente, antes de añadir—: Leí el diario. Y confieso que me chocó su contenido.

—¿Quieres decir que no sabías nada acerca de su pasado?

—Nada. Ya te lo dije.

—Y tu hermano, ¿has hablado con él?

—Sí. Él tampoco tenía la menor idea.

Su voz sonaba hueca, carente de timbre. De improviso, Stefan se sintió algo inseguro, prestó más atención y se inclinó hacia delante, para ver mejor su rostro.

—Por supuesto que me produjo una conmoción averiguar que mi padre había sido nazi no sólo de una forma nominal, sino con sus acciones, sobre todo. Y que se había alistado como voluntario en el bando de Hitler. Sentí vergüenza y lo odié, más que nada, por no habérmelo dicho.

Stefan se preguntó si él también sentía vergüenza de su propio padre. Pero concluyó que aún no había llegado a ese punto y que se encontraba en una situación muy curiosa: tanto él como la mujer que tenía frente a sí habían hecho el mismo descubrimiento acerca de sus respectivos padres.

—Pero, en cualquier caso, comprendí que en el bosque hallaría la explicación de por qué fue asesinado.

En ese momento, guardó silencio. Un camión que se acercaba por la calle pasó con gran estruendo. Mientras tanto, Stefan aguardaba impaciente.

—¿Qué recuerdas exactamente del contenido del diario? —quiso saber la mujer.

—Casi todo. Bueno, salvo los detalles o las fechas, claro está.

—Recordarás el viaje a Escocia, ¿no?

Stefan asintió. Por supuesto que lo recordaba. Al igual que los largos paseos que solía dar con M.

—De eso hace ya muchos años. Yo era muy pequeña. Pero sé que mi padre viajaba a Escocia para verse con una mujer. Creo que se llamaba Monica, aunque no estoy segura. La había conocido en Borås. Ella también era policía y, según me parece recordar, bastante más joven que él. Fue durante una época en la que se produjo algún contacto entre las comisarías de Suecia y las de Escocia. Se enamoraron. Mi madre no sabía nada sobre aquella historia. O, al menos, no entonces. El caso es que él viajaba a Escocia para verse con ella. Y, después, la engañó.

—¿En qué sentido?

Ella negó con un gesto impaciente.

—Te lo contaré a mi manera y a mi ritmo. Debes comprender que me cuesta bastante. Engañó a esa tal Monica pidiéndole dinero. Ignoro qué le contaría, pero sé que le pidió prestadas grandes cantidades de dinero que jamás le devolvió. Mi padre tenía un vicio. Jugaba y apostaba, sobre todo a los caballos. Aunque también jugaba a las cartas, creo. Solía perder. Y era el dinero de ella el que perdía. Cuando Monica comprendió que la había engañado, quiso recuperar el dinero, pero no había ningún documento escrito del préstamo y él se negó. Hasta que un día, ella se presentó en Borås. Así me enteré de todo. Una noche, apareció en la puerta de casa. Recuerdo que era invierno y mi madre, mi padre y yo estábamos en casa. En cuanto a mi hermano, no sé dónde andaría. El caso es que allí se presentó la mujer. Pese a los intentos de mi padre por impedírselo, ella logró zafarse, entró y se lo contó todo a mi madre mientras le gritaba a mi padre que lo mataría si no le devolvía el dinero. A aquellas alturas, yo ya tenía conocimientos de inglés suficientes como para comprender lo que decía la mujer. Mi madre se vino abajo y mi padre estaba pálido de indignación; o tal vez de miedo. Ella le prometió que lo mataría y aseguró que esperaría el tiempo necesario. Recuerdo sus palabras una a una.

Veronica Molin guardó silencio mientras Stefan reflexionaba.

—¿Quieres decir que fue ella? ¿Y que, tras todos los años transcurridos, volvió para vengarse?

—Así es. No se me ocurre otra explicación.

Stefan movió la cabeza vacilante. Aquella historia era demasiado inverosímil. La descripción que Herbert Molin hacía en su diario del viaje a Escocia y que él recordaba a la perfección no encajaba en absoluto con la versión que acababa de escuchar.

—Bueno, es evidente que debes contárselo a la policía. Ellos se encargarán de investigarlo. Pero me cuesta creer que fuese ella quien lo matase.

—¿Qué te hace pensar que sea imposible?

—Pues, simplemente, porque no suena verosímil.

—Ya, pero, la mayoría de los asesinatos son increíbles, ¿no crees?

En ese momento, oyeron los pasos de alguien que cruzaba el pasillo y ambos aguardaron hasta que volvió a reinar el silencio.

—Hay una pregunta a la que debes responderme —observó Stefan—. ¿Por qué no quieres contarle todo esto a Giuseppe?

—Comprenderás que quiero y entiendo que debo contárselo a los agentes que investigan el asesinato de mi padre. Pero antes quería pedirte consejo.

—¿Y por qué a mí?

—Porque me inspiraste confianza.

—¿Qué tipo de consejo crees que puedo darte yo?

—Pues, verás, quería preguntarte cómo crees tú que podría impedirse que salga a la luz la verdad sobre el pasado nazi de mi padre.

—A menos que guarde relación directa con el asesinato, no habrá motivo para que ni la policía ni el fiscal lo hagan público.

—A quienes temo es a los periodistas. Ya los he tenido tras de mí. Y no quisiera pasar por ello una vez más. En una ocasión, me vi envuelta en una compleja operación de fusión de dos bancos, uno de Singapur y otro inglés. Algo salió mal y los periodistas estuvieron persiguiéndome, pues sabían que yo era la persona que más información poseía al respecto.

—No creo que debas preocuparte. Aunque he de decirte que no estoy de acuerdo contigo.

—¿Con respecto a qué?

—A que no se haga pública la verdad sobre el pasado de tu padre. El viejo nazismo está muerto. Pero, de algún modo, sigue vivo, está gestándose, crece..., bajo nuevas apariencias. Si uno rebusca en los lugares adecuados, aparece una multitud de racistas, de superhombres. De todos aquellos que buscan inspiración en los estercoleros de la Historia.

—¿Crees que puedo evitar que se haga público el diario?

—Probablemente. Pero puede que haya otras personas interesadas en indagar en ello.

—¿Quiénes?

—Pues, yo mismo, por ejemplo.

Ella se retrepó en la silla y su rostro quedó sumido en la sombra. Stefan lamentó haber pronunciado aquellas palabras.

—Descuida, que no indagaré sobre ello. No hablaba en serio. Yo soy policía, no periodista, así que no te preocupes.

La mujer se puso de pie.

—Has hecho un largo viaje por mí. Un viaje innecesario, claro está, pues podría haberte preguntado por teléfono —admitió ella—. Pero, por una vez en mi vida, perdí parte de mi presencia de ánimo. Mi trabajo es delicado. Mis jefes podrían prescindir de mí si empezasen a cundir rumores sobre mi familia. Pero, después de todo, el que yacía muerto en el bosque era mi padre. Y yo creo que quien está detrás del asesinato es la mujer llamada «M». Aunque ignoro quién pudo matar al otro hombre.

Stefan señaló el teléfono con un gesto.

—Te sugiero que llames a Giuseppe Larsson.

Dicho esto, se levantó de su asiento.

—¿Cuándo te marchas? —inquirió ella.

—Mañana.

—Podríamos cenar juntos, ¿te parece? Es lo mínimo que puedo hacer por ti.

—Bien, pero espero que hayan cambiado el menú.

—Entonces, ¿a las siete y media?

—Estupendo.

Durante la cena, la mujer estuvo taciturna y como ausente. Stefan notó que estaba irritado. En parte lo molestaba que lo hubiese convencido para que emprendiese aquel viaje inútil a causa de un miedo exagerado; pero también lo incomodaba el hecho de no poder evitar el sentirse atraído por ella.

Se despidieron en la recepción, sin extenderse mucho. Veronica Molin le prometió que le ingresaría en su cuenta la suma correspondiente al gasto que le había supuesto el viaje y se marchó a su habitación.

Stefan fue a buscar su cazadora dispuesto a salir a la calle. Le había preguntado si había llamado a Giuseppe, pero ella le dijo que no había conseguido localizarlo y que lo intentaría más tarde.

Durante el paseo por el pueblo desierto, revisó mentalmente todo lo que ella le había confesado. Aquella historia acerca de la mujer escocesa podía ser cierta. Pero que después de tantos años, la supuesta amante hubiese vuelto para vengarse de aquel modo le parecía del todo inverosímil y contrario al sentido común.

Sin darse cuenta, había llegado hasta el antiguo puente del ferrocarril. Pensó que debería emprender el camino de regreso al hotel, pero algo lo obligaba a seguir. Cruzó el puente y tomó la calle que conducía hasta la casa de Elsa Berggren. Había luz en dos de las ventanas de la planta baja. A punto estaba ya de marcharse cuando creyó divisar una sombra que desaparecía veloz tras uno de los laterales de la casa. Frunció el entrecejo y permaneció inmóvil intentando ver a través de la oscuridad. Después, abrió la cancela y se acercó a la casa con suma cautela. Se detuvo y prestó atención, pero allí reinaba el silencio. Se colocó junto a la fachada y echó un vistazo a la vuelta de la esquina. Allí no había nadie. Era evidente que sólo habían sido figuraciones suyas. Avanzó a hurtadillas hasta la parte posterior del edificio, pero tampoco allí vio a nadie.

Stefan no llegó a oír el ruido de unos pasos que avanzaban a su espalda. Algo lo golpeó en la nuca y cayó de bruces. Después, notó cómo un par de manos atenazaban su garganta con determinación.

Y nada más. Tan sólo oscuridad.

Tercera parte
Las cucarachas
Noviembre de 1999

24

Stefan abrió los ojos y supo enseguida dónde se encontraba. Se incorporó con cuidado, respiró hondo y trató de orientarse en la oscuridad que lo rodeaba. Nada, ni siquiera el menor ruido. Se pasó la mano por la nuca y, cuando la retiró, estaba llena de sangre. Además, le dolía al tragar. Pero estaba vivo. Ignoraba cuánto tiempo habría estado inconsciente. Se puso de pie y se apoyó en el tubo del desagüe que descendía por la fachada lateral de la casa. De nuevo podía discurrir con total claridad, pese al intenso dolor que sentía en la nuca y en la garganta. Estaba claro que sus sospechas no habían sido meras figuraciones suyas. Alguien se había apostado en la parte posterior de la casa al abrigo de las sombras; alguien que lo había visto y que había intentado asesinarlo.

Pero algo debió de ocurrir. ¿Por qué, si no era así, seguía con vida? Quienquiera que fuese quien estuviese ahogándolo, se había visto interrumpido. Aunque, por supuesto, existía también la posibilidad de que el atacante no deseara asesinarlo, sino sólo detenerlo. Soltó el tubo del desagüe y prestó atención al sonido de la oscuridad, pero seguía sin oír nada.

Una débil luz se filtraba por una de las ventanas hasta cerca del lugar donde él se encontraba. Se dijo que, sin duda, debía de haber ocurrido algo en el interior de aquella casa. Del mismo modo que había ocurrido algo en la casa de Herbert Molin y, más tarde, en la de Abraham Andersson. «Vaya, ésta es mi tercera casa», calculó en silencio mientras reflexionaba acerca de qué hacer. Pero no era difícil la decisión. Sacó el teléfono y marcó el número de Giuseppe Larsson. Le temblaban las manos, de modo que, por dos veces, marcó un número equivocado. Cuando por fin atinó, fue una chica quien respondió:

—Hola.

—Quería hablar con Giuseppe.

—Pero ¡por favor!, hace horas que se fue a dormir. ¿Tú sabes qué hora es?

—Tengo que hablar con él.

—¿Cómo te llamas?

—Stefan.

—¡Ah!, tú eres el de Borås, ¿no?

—Sí. Tienes que despertarlo. Es muy importante.

—Espera, le llevaré el teléfono.

Mientras aguardaba, Stefan se apartó unos pasos de la casa y se detuvo bajo la sombra de un árbol hasta que por fin se oyó la voz de Giuseppe. Stefan le refirió brevemente lo sucedido.

—¿Estás herido? —quiso saber Giuseppe.

—Bueno, me sangra la nuca y me duele al tragar pero, por lo demás, estoy bien.

—Bien, intentaré localizar a Erik Johansson. ¿Dónde estás exactamente?

—En la parte posterior de la casa, al abrigo de un árbol. Creo que a Elsa Berggren le ha sucedido algo.

—Si no te he entendido mal, quieres decir que sorprendiste a alguien que estaba a punto de huir, ¿no es eso?

—Pues sí, eso creo.

Giuseppe reflexionaba mientras Stefan esperaba impaciente.

—Sin cortar la llamada, ve y llama al timbre y espera hasta que te abra la puerta —propuso Giuseppe—. Si no aparece, aguarda ahí hasta que llegue Erik.

Con el teléfono pegado a la oreja, Stefan se encaminó a la

fachada principal y llamó al timbre. La luz exterior estaba encendida.

—¿Qué sucede? —inquirió Giuseppe.

—He llamado dos veces, pero nada.

—Pues llama otra vez. Aporrea la puerta.

Stefan tanteó el picaporte pero la puerta estaba cerrada con llave. Aporreó, pues, la puerta pero, cada vez que la golpeaba con el puño, sentía el dolor como un latigazo en la nuca. Después, oyó sus pasos.

—Ya viene.

—Ya, bueno, en realidad no sabes si es ella, así que ten cuidado.

Stefan se retiró unos pasos. Elsa Berggren abrió la puerta. La mujer estaba vestida, pero Stefan vio el miedo plasmado en su cara.

—Ha abierto ella misma —aclaró en el auricular.

—Pregúntale si ha sucedido algo.

Stefan obedeció.

—Así es —admitió la mujer—. Me han atacado. Acabo de llamar a Erik Johansson. Me ha dicho que vendría enseguida.

Stefan informó a Giuseppe.

—Pero ¿está herida?

—Parece que no.

—¿Quién la ha atacado?

—¿Quién te ha atacado? —preguntó a su vez Stefan.

—Llevaba una capucha y, cuando se la quité, sólo he podido entrever su rostro. Jamás lo había visto antes.

Stefan transmitió el mensaje.

—¡Vaya! Suena muy extraño. ¿Un enmascarado? ¿Qué impresión te causa a ti todo esto?

—Creo que dice la verdad, por más que parezca una verdad extraña.

—Bien, en ese caso, quédate ahí hasta que llegue Erik. Yo voy a vestirme y salgo en un momento. Dile a Erik que me llame cuando llegue.

Stefan perdió el equilibrio cuando entró en la casa. El mareo lo obligó a tomar asiento. En ese momento, ella descubrió que tenía la mano llena de sangre y él le refirió lo ocurrido.

La mujer fue a la cocina para volver enseguida con un paño húmedo.

—Date la vuelta —ordenó ella—. No me importa ver sangre.

Dicho esto, presionó con el paño húmedo contra su nuca.

—Ya es suficiente —atajó él al tiempo que se ponía de pie muy despacio.

En algún lugar de la casa, un reloj dio un cuarto. Fueron a la sala de estar, donde había una silla volcada y un jarrón hecho añicos. Ella quería empezar a exponer lo sucedido, pero él le pidió que esperase.

—Será mejor que se lo cuentes a Erik Johansson; yo no soy la persona indicada.

Erik Johansson llegó justo en el momento en que el reloj daba el siguiente cuarto.

—¿Qué ha pasado? —inquirió el agente. Después, se dirigió a Stefan antes de añadir—: No tenía ni idea de que estuvieses aquí...

—Sí, he vuelto. Pero eso no tiene nada que ver con lo que ha ocurrido aquí. Esta historia no empieza por mí, sino aquí dentro.

—Puede ser —admitió Erik Johansson—. Pero, para simplificar las cosas, supongo que puedes empezar por explicarme cómo te has visto involucrado.

—Salí a dar un paseo y me pareció ver a alguien deambulando por el jardín, de modo que entré para ver quién era y, entonces, ese alguien me abatió y casi me ahoga.

Erik Johansson se le acercó.

—Sí, tienes moretones en la garganta. ¿Estás seguro de que no necesitas que te vea un médico?

—Seguro.

Erik Johansson se sentó en una silla con gesto despacioso, como si temiese que ésta pudiese romperse.

—¿Es la segunda vez o la tercera? —inquirió Erik Johansson—. Quiero decir que cuántas veces has venido paseando hasta la casa de Elsa.

—¿Acaso tiene eso alguna importancia?

—¿Quién sabe qué es lo importante? En fin, veamos qué tiene que contar Elsa.

Elsa Berggren se había sentado en el borde del sofá. Su voz sonaba distinta y no era capaz de ocultar el miedo, aunque Stefan se percató de que lo intentaba por todos los medios.

—Pues, salí de la cocina para subir a acostarme cuando llamaron a la puerta. Me extrañó mucho, pues nunca o casi nunca recibo visitas. Cuando abrí la puerta, lo hice sin soltar la cadenilla de seguridad, pero él se abalanzó sobre la puerta y la arrancó. Me dijo que guardase silencio. Yo no podía verle el rostro, pues lo llevaba cubierto por una capucha con dos orificios para los ojos. Me arrastró hasta aquí y me amenazó con un hacha mientras me preguntaba quién había asesinado a Abraham Andersson. Yo intentaba conservar la calma. Estaba sentada en este mismo sofá. Después, noté que empezaba a ponerse nervioso. Y, de repente, alzó el hacha. En ese momento me lancé sobre él. Derribé la silla, le arranqué la capucha y él echó a correr. Acababa de llamarte por teléfono cuando oí que aporreaban la puerta. Miré por la ventana y vi que eras tú —terminó ella dirigiéndose a Stefan.

—¿Hablaba sueco? —quiso saber Stefan.

Erik Johansson soltó un leve carraspeo.

—Aquí las preguntas las hago yo. Creía que Rundström te lo había dejado bien claro. Veamos, ¿hablaba sueco?

—Inglés, con acento.

—¿Crees que era un sueco que fingía ser extranjero?

La mujer meditó un instante.

—No —concluyó—. No era sueco. Creo que podía tratarse de un italiano. O, al menos, de algún país del sur de Europa.

—¿Podrías describir su aspecto? ¿Qué edad crees que tenía?

—Todo sucedió tan rápido... Pero era un hombre de edad. Entrecano, de pelo ralo y ojos castaños.

—¿No lo habías visto con anterioridad?

El miedo de la mujer empezaba a tornarse en indignación.

—Yo no suelo relacionarme con ese tipo de gente. Tú deberías saberlo.

—Sí, Elsa, lo sé. Pero he de preguntarte. ¿Qué estatura tenía? ¿Era grueso o delgado? ¿Cómo iba vestido y cómo eran sus manos?

—Chaqueta oscura, pantalón oscuro; en los zapatos no me fijé. No llevaba anillos. —La mujer se puso de pie y se acercó a la puerta—. Sería de esta estatura, más o menos —aclaró al tiempo que señalaba con la mano en la pared—. Ni grueso ni delgado.

—Uno ochenta —calculó Erik Johansson antes de preguntar a Stefan—. ¿Qué opinas tú?

—Yo no vi más que una sombra en movimiento.

Elsa Berggren volvió a sentarse.

—Y dices que te amenazó, pero ¿en qué términos?

—Pues me hizo preguntas sobre Abraham Andersson.

—¿Qué clase de preguntas?

—Bueno, en realidad, sólo una. Quería saber quién lo había asesinado.

—¿Y no te preguntó nada más? ¿No te preguntó por Herbert Molin?

—No.

—¿Qué dijo exactamente?

—*Who killed Mr. Abraham?* O, *Who killed Mr. Andersson?*

—¿Y te amenazó?

—Sí, quería saber la verdad, según decía. De lo contrario, yo lo pasaría mal. Lo único que quería saber era quién había matado a Abraham. Sólo eso. Y yo le contesté que no lo sabía.

Erik Johansson movía la cabeza de un lado a otro mientras miraba a Stefan.

—¿A ti qué te parece todo esto?

—Bueno, podríamos preguntarnos la razón por la que no inquirió acerca del móvil, por ejemplo. Cómo es que no preguntó *por qué* lo habían asesinado.

—Ya digo, lo único que preguntó fue quién lo había hecho. Yo tenía la sensación de que él creía que yo lo sabía. Después, comprendí que, en realidad, su intención era otra. Y fue entonces cuando me aterré, cuando tomé conciencia de que él estaba convencido de que yo lo había asesinado.

Stefan sentía que el mareo iba y venía como en oleadas, pero se esforzó por concentrarse. Intuía que lo que Elsa Berggren les había revelado acerca del ataque que acababa de sufrir era decisivo para el caso. Y que lo importante no era qué le había preguntado el hombre sino más bien qué *no* le había preguntado. Y la única explicación plausible era que él ya conocía aquella otra respuesta. Stefan notó que empezaba a transpirar. El hombre que se había ocultado entre las sombras y que había intentado estrangularlo, hasta acabar con su vida o hasta dejarlo inconsciente, bien podía ser el protagonista del drama que había comenzado con el asesinato de Herbert Molin.

En aquel punto de su discurrir, sonó el teléfono de Erik Johansson. Era Giuseppe. Stefan notó que al colega le preocupaba que Giuseppe condujese demasiado deprisa.

—Ya ha dejado atrás Brunflo —explicó Erik Johansson una vez que hubo concluido la conversación—. Quiere que lo esperemos aquí. Mientras tanto, anotaré lo que me has dicho. Tenemos que ponernos a buscar a ese individuo.

Stefan se puso de pie.

—Tengo que salir. Necesito aire fresco.

Ya en el jardín, se sorprendió intentando rescatar un detalle en su memoria. Algo relacionado con lo que Elsa Berggren les había contado. Se encaminó a la parte posterior de la casa, aunque evitó caminar demasiado cerca del muro para no destruir posibles huellas. Intentó reconstruir en su mente el rostro que la mujer había descrito. Sabía que no había visto a aquel hombre en su vida. Y, aun así, era como si lo reconociese. Se dio una palmada en la frente para evocar la imagen en la que, estaba seguro, también aparecía Giuseppe.

La cena en el hotel. Los dos comían sentados a una mesa. La camarera iba y venía de la cocina al comedor. Aquella noche había otro comensal en el restaurante. Un hombre mayor y solo. Stefan no había grabado su rostro en su memoria. Sin embargo, hubo un detalle en él que llamó su atención. Y, tras unos minutos, cayó en la cuenta de cuál era ese detalle. Aquel hombre no había pronunciado una sola palabra durante toda la cena, pese a que llamó con un gesto de la mano a la camarera en varias ocasiones. El hombre estaba ya instalado en el comedor cuando, en primer lugar él mismo y después Giuseppe, acudieron allí para cenar. Después, cuando se marcharon, el hombre permaneció sentado a su mesa.

Se esforzaba por localizar los eslabones en su cabeza. Giuseppe había estado garabateando en el reverso de la nota del restaurante. Después, la arrugó y la arrojó al cenicero antes de abandonar el local.

Algo había pasado con aquel trozo de papel. Pero no era capaz de recordar qué. El hombre que ocupaba la mesa solitaria había guardado el más absoluto silencio. Y, en cierto modo, su aspecto coincidía con la vaga descripción de Elsa Berggren.

Regresó al interior de la casa. Era la una y veinte minutos. Elsa Berggren seguía sentada en el sofá, pálida.

—Está haciendo café —aclaró la mujer.

Stefan fue a la cocina.

—Me resulta imposible pensar con claridad sin café —se justificó Erik Johansson—. ¿Quieres un poco? Para serte sincero, tienes un aspecto espantoso. Creo que deberías ir a que te viese un médico.

—Ya, bueno, pero antes me gustaría hablar con Giuseppe.

Erik Johansson estaba preparando café de puchero y contó muy despacio hasta quince.

—Siento haber reaccionado de forma tan brusca hace un rato. Pero nosotros, los policías de Härjedalen, nos sentimos ninguneados a veces. También a Giuseppe le ocurre, por si te interesa saberlo.

—Sí, lo entiendo.

—No, no creo que lo entiendas, pero es igual.

Le ofreció a Stefan una taza de café mientras él seguía esforzándose por rebuscar en su memoria para localizar el detalle relacionado con el trozo de papel que Giuseppe había desechado.

Sin embargo, hasta las cinco de la mañana, no tuvo ocasión de preguntarle al propio Giuseppe qué había sucedido aquella noche en el comedor. Giuseppe llegó a la casa de Elsa Berggren a las dos y diez. Una vez que se hubo forjado una idea clara de la situación, acudió a la comisaría de policía junto con Erik Johansson y con Stefan, no sin antes haber solicitado que un agente se encargase de la vigilancia de la casa. La descripción era demasiado imprecisa para hacerla pública y emitir una orden de búsqueda. Sin embargo, aquella misma mañana recibirían refuerzos de Östersund. Y continuarían llamando e indagando de puerta en puerta. «Alguien tiene que haber visto algo», razonaba Giuseppe. «Ese hombre debe de tener un coche y no puede haber tantos europeos del sur que anden por Sveg hablando inglés en esta época del año. Es cierto que a veces viene gente de Madrid o de Milán para la caza del alce. Los italianos, además, son muy aficionados a las setas. Pero ahora no estamos en temporada, ni para lo uno ni para lo otro, de modo que alguien tiene que haberse fijado en él. O en su coche. O en cualquier cosa.»

A las cinco y media, Erik Johansson partió con la orden de precintar el jardín de Elsa Berggren. Giuseppe estaba cansado y enojado.

—Tendría que haberlo hecho de inmediato. ¿Cómo vamos a efectuar el trabajo policial correctamente si no cumplimos los procedimientos rutinarios?

Tras haber manifestado su queja, se dejó caer en una silla y colocó los pies sobre el escritorio.

—¿Recuerdas la noche que cenamos en el hotel? —preguntó Stefan sin preámbulo.

—Claro que sí.

—Había un hombre mayor sentado a una mesa. ¿Lo recuerdas?

—Vagamente. ¿No estaba sentado junto a la puerta de la cocina?

—A la izquierda.

Giuseppe lo observó con expresión de cansancio.

—¿Por qué has pensado en él ahora?

—Verás, no dijo nada durante toda la cena. Lo que puede significar que no deseaba que se descubriese que era extranjero.

—¿Y por qué coño iba a pretender tal cosa?

—Porque nosotros somos policías. Si lo recuerdas, repetimos la palabra «policía» muchas veces. Y «policía» es policía en muchos idiomas. Además, creo que se asemeja a la descripción que Elsa Berggren ha esbozado.

Giuseppe negó con un gesto de la cabeza.

—Es demasiado imprecisa —opuso el colega—. Y tu propuesta, demasiado coyuntural y rebuscada.

—Lo más probable es que tengas razón, pero aun así... Tú estuviste escribiendo algo en un papel después de la cena.

—Sí, bueno, en la cuenta. Le pregunté a la camarera al día siguiente, pero ya había desaparecido. Y la chica dijo que no la había visto.

—Exacto. Y ésa es la cuestión. ¿Adónde fue a parar la cuenta?

Giuseppe dejó de balancearse en la silla.

—¿Quieres decir que aquel hombre se la llevó cuando nosotros nos marchamos?

—Yo no digo nada. No hago más que pensar en voz alta. Lo importante es qué escribiste.

Giuseppe reflexionó mientras hablaba.

—Nombres, creo yo. Sí, eso es, estoy seguro. Estuvimos hablando de los tres, de Abraham Andersson, Herbert Molin y Elsa Berggren. Recuerdo que intentamos detectar un punto de unión entre ellos. —Giuseppe se incorporó de golpe—. Escribí los nombres de los tres y tracé unas líneas entre ellos. Resultó un triángulo. Y, además, creo que también dibujé una cruz gamada junto al nombre de Abraham Andersson.

—¿Sólo eso?

—Que yo recuerde, sí.

—Claro que puedo estar equivocado —vaciló Stefan—. Pero cuando arrugaste la nota, creo que vi un gran signo de interrogación tras la cruz.

—Puede ser.

Giuseppe se puso de pie y se apoyó contra la pared.

—Veamos, te escucho. Creo que empiezo a entender adónde quieres ir a parar.

—Bien, el hombre está sentado en el comedor del hotel y adivina que es posible que seamos policías. Cuando nos levantamos y nos marchamos, se queda con el trozo de papel que tú has arrugado y desechado en el cenicero. Claro que hemos de contar con una serie de presupuestos básicos: si toma la nota es porque le interesa. Y sólo puede interesarle si, de un modo u otro, él también está involucrado en el caso.

Giuseppe alzó la mano.

—¿En qué sentido podría estar involucrado?

—Esa pregunta nos conduce al otro presupuesto: si ése es el mismo hombre que visitó anoche a Elsa Berggren y el mismo que intentó matarme a mí, hemos de formularnos una pregunta fundamental, como mínimo.

—¡Ajá! ¿Y cuál es esa pregunta?

—Pues es una pregunta sobre su pregunta: «¿Quién mató a Abraham Andersson?».

Giuseppe movió la cabeza enojado.

—Me he perdido.

—Lo que quiero decir es que esa pregunta nos conduce, sin duda, a una nueva. La más importante. La que él nunca formuló.

Giuseppe comprendió por fin. Y pareció respirar aliviado.

—¿Quién mató a Herbert Molin?

—Exacto. ¿Quieres que siga?

Giuseppe asintió.

—Verás, podemos extraer varias conclusiones. Pero la más verosímil es que no hiciese ninguna pregunta sobre Herbert Molin porque ya sabía las respuestas. Lo que a su vez implica que, con toda probabilidad, él fue quien asesinó a Herbert Molin.

En esta ocasión, Giuseppe alzó ambas manos a la vez.

—A ver, a ver, creo que estás precipitándote. Nosotros, los de Jämtland, necesitamos algo más de tiempo. Según tu hipótesis, hemos de buscar a dos asesinos. Y ésa es una conclusión a la que ya habíamos llegado. Queda por aclarar si hemos de buscar también dos móviles distintos.

—No es improbable.

—Ya, bueno, lo único que ocurre es que a mí me cuesta creerlo. Puesto que da la casualidad de que en esta región los crímenes violentos de esta índole son absolutamente insólitos. Y ahora resulta que nos enfrentamos a dos y que no es el mismo autor el responsable de ambos. Convendrás conmigo en que es lógico que la totalidad de mi experiencia acumulada proteste contra ello.

—Bueno, alguna vez ha de ser la primera. En mi opinión, es hora de ir formulando nuevas hipótesis.

—¡Bien! Pues hazlo en voz alta.

—Para empezar, alguien aparece por estos bosques y asesina a Herbert Molin. Se trata de un crimen bien planeado. Pocos días después, muere Abraham Andersson. Pero a él lo mata otra persona. Por alguna razón que aún ignoramos, quien mató a Herbert Molin desea saber qué ha sucedido. Estuvo acampando junto al lago y se marchó después de haber dejado el cadáver de Molin en el lindero del bosque. Pero luego regresa. Porque necesita saber qué ha ocurrido con Abraham Andersson. Cuál es el motivo por el que lo han asesinado. Después, encuentra un trozo de papel arrojado en un cenicero por un policía. Y, ¿qué halla escrito en ese papel? No dos nombres, sino tres.

—Elsa Berggren, claro.

Stefan asintió.

—De modo que el hombre se figura que ella posee las respuestas y decide presionarla para obtenerlas. Ella se abalanza sobre él y él la amenaza. Durante su huida, yo me interpongo en su camino. El resto ya lo conoces.

Giuseppe entreabrió una de las ventanas.

—Pero ¿quién es ese sujeto?

—No lo sé. Aunque podemos aventurar una suposición más que tal vez pueda decidir si tengo o no razón.

Giuseppe aguardaba en silencio su continuación.

—Creemos saber que el asesino acampó junto al lago, ¿no es así? Después de haber acabado con Herbert Molin, se marchó. Pero luego vuelve. Y es más que improbable que levante la tienda en el mismo lugar. Así que la pregunta es dónde vive.

Giuseppe lo miró incrédulo.

—¿Estás sugiriendo que se alojó en el hotel?

—Bueno, creo que merece la pena investigarlo.

Giuseppe miró el reloj.

—¿Cuándo empiezan a servir el desayuno?

—Lo sirven de seis a siete.

—Bien, en ese caso, ya han empezado. Vamos allá.

Pocos minutos después, los dos agentes entraban en la recepción del hotel. La chica los miró estupefacta.

—¿Dos señores madrugadores en busca de su desayuno?

—El desayuno puede esperar —advirtió Giuseppe—. Los huéspedes de la semana pasada. ¿Los tienes en fichas sueltas o en un registro?

La joven se puso nerviosa enseguida.

—¿Ha ocurrido algo?

—No, es una investigación rutinaria —la tranquilizó Stefan—. Nada que entrañe ningún peligro para el hotel. ¿Has tenido algún huésped extranjero durante las últimas semanas?

La muchacha reflexionó un instante.

—Bueno, hubo cuatro finlandeses que se quedaron dos noches, la semana pasada. El miércoles y el jueves.

—¿Nadie más?

—No.

Giuseppe recapacitó.

—En fin, puede que se alojase en otro lugar. Existen varias posibilidades para pasar la noche en esta zona.

Se volvió a la chica, antes de preguntar:

—Cuando cenamos aquí la semana pasada, había un hombre en el restaurante. ¿En qué idioma hablaba?

—En inglés. Pero era argentino.

—¿Y cómo lo sabes?

—Porque pagó con tarjeta de crédito. Y me mostró su pasaporte.

La joven se levantó y se metió en una habitación que había detrás de la recepción, para regresar al cabo de unos minutos con un recibo de Visa en la mano. Los dos hombres leyeron el nombre: Fernando Hereira.

Giuseppe gruñó satisfecho.

—Bien, pues ya lo tenemos —declaró—. Si es que es él.

—¿Estuvo aquí más veces? —quiso saber Stefan.

—No.

—¿Viste su coche?

—No.

—¿Te dijo de dónde venía? ¿O adónde iba?

—No. Era poco hablador, pero muy agradable.

—¿Podrías describir su aspecto?

La joven reflexionó antes de contestar. Stefan observó que se esforzaba por recordar.

—Yo no tengo muy buena memoria para las caras...

—Pero algo debes de recordar. ¿Se parecía a alguno de nosotros?

—No.

—¿Qué edad tenía?

—Sesenta, quizás.

—¿Y el pelo?

—Cano.

—¿Los ojos?

—No me fijé.

—¿Era grueso o delgado?

—No lo recuerdo. Pero no creo que fuese grueso.

—¿Qué ropa llevaba?

—Una camisa azul. Y una cazadora, creo.

—¿Recuerdas algún otro detalle?

—No.

Giuseppe se sentó en uno de los sillones marrones de la recepción con el recibo de la tarjeta Visa en la mano. Stefan lo acompañó. Habían dado las seis y veinticinco de la mañana del 12 de noviembre. A la semana siguiente, Stefan tenía que personarse en el hospital de Borås. Giuseppe bostezaba y se frotaba los ojos. Ambos hombres guardaban silencio.

En aquel momento, se abrió la puerta del pasillo que conducía a las habitaciones.

Stefan alzó la vista y se topó con la mirada de Veronica Molin.

25

Aron Silberstein vio cómo nacía el alba. Por un instante, le pareció estar de vuelta en Argentina. La luz era, en efecto, la misma que él había disfrutado en tantas ocasiones cuando el sol se alzaba sobre el horizonte y derramaba sus rayos sobre las llanuras al oeste de Buenos Aires. Pero, tras unos minutos, la sensación había desaparecido.

Se encontraba en las regiones montañosas de Suecia, cerca de la frontera con Noruega. Tras la malograda visita a Elsa Berggren, había regresado directamente a la casa de Frostengren. El hombre cuya presencia había descubierto desde detrás de la casa y al que se vio obligado a abatir y a neutralizar atemorizándolo era uno de los policías que se hallaban en el restaurante del hotel en el que había cenado una noche. Le costaba imaginarse qué estaría haciendo aquel hombre allí, a aquellas horas de la noche. ¿Estaría la casa de Elsa Berggren bajo vigilancia? Él había estado muy atento antes de llamar a la puerta.

Se obligó a sopesar la posibilidad de que hubiese sucedido algo cuya sola sospecha no soportaba. A considerar que hubiese apretado con demasiada violencia la garganta del policía y que el hombre hubiese muerto.

Condujo deprisa a través de la noche; no porque tuviese miedo de que alguien lo estuviese siguiendo, sino porque no podía contener ya más su deseo de beber alcohol. Había comprado vino y otros licores en Sveg, como si hubiese intuido la inminencia del colapso. A aquellas alturas, era consciente de que no podía pasar sin alcohol. El único límite que se sentía capaz de imponerse consistía en no abrir ninguna de las botellas hasta haber llegado a casa.

Cuando entró en el peor tramo de la carretera, que era también el último y que desembocaba en la casa de los Frostengren, ya habían dado las tres. Una densa oscuridad lo rodeaba mientras avanzaba a tientas hacia la puerta. Una vez en el interior de la cabaña, se apresuró a abrir una de las botellas de vino y, de un par de tragos, la dejó medio vacía.

Poco a poco, fue recuperando el sosiego. Se sentó a la mesa que había junto a la ventana, totalmente inmóvil, con la mente en blanco, y siguió bebiendo. Después, echó mano del teléfono y marcó el número de María. Se oía un carraspeo intermitente, pero su voz sonaba próxima, como si pudiese sentir su aliento a través del auricular.

—¿Dónde estás? —inquirió la mujer.

—Sigo aquí.

—¿Qué ves al otro lado de la ventana?

—Oscuridad.

—¿He acertado en mis sospechas?

—¿Cuáles son tus sospechas?

—Que no volverás nunca.

La pregunta lo llenó de inquietud. Antes de responder, dio otro trago a la botella de vino.

—¿Y por qué no habría de volver?

—No lo sé. Sólo tú sabes qué estás haciendo y por qué no estás aquí. Pero a mí no se me oculta que estás mintiéndome, Aron. No estás diciendo la verdad.

—¿Cómo que estoy mintiéndote?

—Ese viaje nada tiene que ver con el negocio de los muebles. Lo emprendiste por otra razón. Aunque ignoro cuál es. Tal vez hayas conocido a otra mujer. No sé. Sólo tú lo sabes. Y Dios.

Comprendió que María no había entendido lo que le había dicho durante la conversación anterior, que no era consciente de su confesión de que había matado a un hombre.

—No hay ninguna otra mujer. Y no tardaré en volver a casa.

—¿Cuándo será eso?

—Pronto.

—Sigo sin saber dónde estás exactamente.

—En la montaña. Hace frío aquí.

—¿Has empezado a beber de nuevo?

—Pero no mucho. Sólo para poder conciliar el sueño.

La comunicación se interrumpió. Cuando Aron volvió a marcar el número, ya no había línea. Volvió a intentarlo varias veces más, sin éxito.

Después, se sentó dispuesto a aguardar el amanecer. Había llegado el momento de la verdad. Y él lo sabía. Elsa Berggren pudo ver su rostro cuando le arrebató la capucha. Él no se lo esperaba en absoluto y echó a correr presa del pánico. Debería haber permanecido allí, haberse colocado de nuevo la capucha y haberla obligado a proporcionarle las respuestas que, estaba seguro, ella poseía. Pero se marchó de allí en precipitada carrera y se tropezó con el policía.

Pese a que había llenado su cuerpo de alcohol, fue capaz de pensar durante la larga espera hasta la llegada del alba. Antes de que la embriaguez se adueñase de él por completo, solía experimentar un momento de absoluta lucidez. Con los años, había aprendido cuánto y con qué rapidez podía beber para conservar el control sobre su pensamiento el máximo tiempo posible. Y, en aquellos momentos, tenía que pensar con claridad. Había llegado la hora.

Pensó que nada había resultado como él se lo había imaginado. A pesar de tanta planificación, de tanto detalle. Y todo por culpa de Abraham Andersson. O, más bien, por culpa de que lo hubiesen matado. No podía ser nadie más que Elsa Berggren. La cuestión era por qué. ¿Qué fuerzas malignas habría liberado él, al asesinar a Herbert Molin?

Siguió bebiendo sin dejar de mantener su embriaguez bajo control. Lo que más le costaba aceptar era que una mujer que rondaba los setenta hubiese podido cometer aquel asesinato en la persona de Abraham Andersson. ¿No habría tenido por lo menos un cómplice? Y, en tal caso, ¿quién sería? Claro que, si los policías creían que ella era la autora del crimen, ¿por qué no la habían detenido? No conseguía explicárselo, de modo que retomó su razonamiento desde el principio. Elsa Berggren le había dicho que ella ignoraba quién había matado a Abraham Andersson. Pero él no la creyó en ningún momento. Suponía que, cuando ella supo que Herbert Molin había sido asesinado, salió de su casa ya entrada la noche, se sentó al volante de su coche, se dirigió a la casa de Abraham Andersson y lo asesinó. ¿Habría sido una especie de venganza? ¿Acaso ella se había figurado que Andersson era el asesino de Molin? ¿Cuál sería la naturaleza, incomprensible para él, de la relación que unía a aquellas tres personas? Una relación que, sin duda, tampoco había pasado inadvertida para los policías. De hecho, aún conservaba la nota arrugada en cuyo reverso aparecían apuntados los tres nombres.

Pensó que la venganza era como un bumerán que había emprendido el camino de vuelta con su propia cabeza como objetivo. Se trataba de una culpa. Él no sentía nada por Herbert Molin. Él había obrado por un imperativo, una deuda que tenía pendiente con su padre. Pero Abraham Andersson no habría muerto si él no hubiese acabado a latigazos con la vida de Herbert Molin. La cuestión era si no tendría que considerar la venganza de la muerte de Andersson como otro deber.

Aquella noche, las ideas deambulaban a placer por su mente. De vez en cuando, salía para contemplar el cielo estrellado. Hacía frío, tenía frío. Se envolvió en una manta mientras esperaba. Pero ¿qué esperaba? No tenía la menor idea. Tal vez, que se cerrase un capítulo. Su rostro ya no era desconocido. Elsa Berggren lo había visto. La policía empezaría a encajar las piezas y a preguntarse dónde se escondía. Además, encontrarían su nombre en el recibo de la tarjeta de crédito. Aquello era lo único que había fallado en sus planes; que, de repente, se vio sin dinero en metálico. Los policías se lanzarían en su busca. Y darían por supuesto que él había matado también a Abraham Andersson. Y ahora que, por error, tal vez le hubiese quitado la vida a un policía, emplearían todos sus recursos para dar con él y detenerlo.

Una y otra vez le venía a la mente lo sucedido. ¿Había apretado la garganta del policía con demasiada fuerza? Cuando lo dejó y se marchó de allí, lo hizo convencido de que no era así. Pero ya no estaba tan seguro. Debería marcharse de allí lo antes posible, lo más lejos posible. Sin embargo, sabía que no sería capaz de hacerlo antes de haber logrado aclarar qué le había sucedido a Abraham Andersson. Sencillamente, no podía regresar a Buenos Aires sin haber obtenido la respuesta a sus preguntas.

El alba llegó por fin. Estaba cansado y cabeceaba en el sillón desde el que contemplaba las montañas. Pero no podía quedarse allí. Tenía que dejar la cabaña pues, de lo contrario, acabarían encontrándolo. Se puso de pie y empezó a dar vueltas por la casa. ¿Adónde podía ir? Salió a orinar al jardín. Poco a poco, iba clareando el día con aquella neblina grisácea que tanto le recordaba a la de Argentina. Si no hiciese tanto frío... Volvió a entrar en la casa.

Por fin, adoptó la decisión definitiva. Recogió sus pertenencias, las botellas de vino, las latas de conserva, el pan reseco. No se preocupó por el coche, que decidió dejar allí. Cabía la posibilidad de que lo encontrasen aquel mismo día, pero también de que le diese alguna ventaja. Poco después de las nueve, abandonó la cabaña y puso rumbo hacia la cima de la montaña. No había avanzado mucho cuando se detuvo y arrojó parte del equipaje. Después continuó, siempre hacia arriba. Estaba ebrio, tropezaba a menudo y caía y se magullaba el rostro contra las piedras del camino. Pero no cesó hasta perder de vista la cabaña de la que había partido.

Hacia las doce del mediodía, ya no podía más.

Al abrigo de un gran grupo rocoso, clavó los pernos de la tienda de campaña, se quitó los zapatos, extendió el saco de dormir y se tumbó con la botella de vino en la mano.

La luz que se filtraba por la tela de la tienda recordaba a una puesta de sol.

Mientras vaciaba poco a poco la botella, no dejaba de pensar en María. Y pensaba que, hasta entonces, no había alcanzado a comprender cuánto significaba para él.

Después, se acurrucó en el saco y se durmió.

Más tarde, despertó con la certeza de que había aún otra decisión que debía tomar.

*

Los policías habían acordado reunirse a las diez en el despacho de Erik Johansson. Pero antes, los técnicos ya habían acudido a la casa de Elsa Berggren y una patrulla canina había estado peinando la zona y la casa en busca de alguna pista del hombre que la había atacado a ella y también a Stefan. Éste había pasado varias horas durmiendo en el hotel, pero Giuseppe lo llamó y lo despertó poco después de las nueve para advertirle que él también debería asistir a la reunión.

—Estás involucrado en los asesinatos —observó—. Lo quieras o no. He estado hablando con Rundström. Y él también opina que debes participar. No de forma oficial, claro está. Pero no podemos seguir las reglas, tal y como está la situación.

—¿Alguna pista?

—El perro nos condujo directamente al puente. Creemos que el sujeto tenía su coche allí. Los técnicos esperan poder obtener buenas huellas de neumático. Después, ya veremos si coinciden con algunas de las que ya tenemos. Ya sabes que extrajimos algunas tanto de la casa de Herbert Molin como de la de Andersson.

—¿Has dormido algo?

—Tenemos mucho trabajo por delante. He conseguido que vengan cuatro tipos de Östersund, más otros dos hombres de Erik, que tenían excedencia. Hemos de llamar a un montón de puertas. Alguien tiene que haber visto algo, no puede ser de otro modo. Un hombre de piel oscura que habla inglés con acento extranjero... No se puede vivir sin hablar con la gente. Uno tiene que repostar combustible, comer, comprar cosas... *Alguien* tiene que haberlo visto. Tuvo que hablar con alguien, no hay duda.

Stefan le prometió que acudiría a aquella reunión. Aún le dolía la nuca. Se había duchado antes de acostarse. Mientras se vestía, pensó en el encuentro que, hacía varias horas, había tenido con Veronica Molin.

Habían desayunado juntos y Stefan le había referido lo sucedido durante la noche. Ella lo escuchó con atención, sin interrumpir con preguntas. Después, él sintió un mareo repentino que lo obligó a excusarse y a retirarse. Sin embargo, acordaron que se verían más tarde si él se recuperaba. Una vez en su habitación, Stefan se durmió enseguida.

Cuando la llamada de Giuseppe lo arrancó del sueño, la angustia del mareo había desaparecido. Se colocó ante el espejo y observó su rostro. Una sensación de irrealidad lo invadió al punto con violencia arrolladora. No pudo resistirlo y empezó a llorar. Arrojó una toalla contra el espejo y salió del cuarto de baño. «Estoy muriéndome», pensó. «Tengo cáncer; y eso no tiene cura. Así que me moriré sin haber cumplido los cuarenta.»

En ese momento, el teléfono sonó desde el bolsillo de la cazadora que había dejado en el suelo. Era Elena. De fondo, se oía el murmullo de muchas voces.

—¿Dónde estás? —inquirió ella.

—En mi habitación. ¿Y tú?

—En la escuela. De repente, tuve la sensación de que debía llamar.

—Todo está en orden. Te echo de menos.

—Ya sabes dónde me tienes. ¿Cuándo volverás a casa?

—Bueno, el 19 tengo que acudir al hospital, así que será antes de esa fecha.

—Anoche soñé que nos íbamos de viaje a Inglaterra. ¿Por qué no lo hacemos? Siempre he querido visitar Londres.

—¿Tenemos que decidirlo ahora mismo?

—No, sólo quería contarte mi sueño. Pensé que así tendríamos algún plan con el que soñar los dos.

—Pues claro que podemos ir a Londres. Si es que vivo el tiempo suficiente.

—¿Qué quieres decir con eso?

—No, nada. Es que estoy cansado. Y ahora tengo que asistir a una reunión.

—Creía que estabas de baja.

—Sí, pero me han pedido que participe.

—Ayer escribieron sobre los asesinatos en el diario *Borås Tidning*. Y había una fotografía de Herbert Melin.

—No, se llamaba Molin, Herbert Molin.

—Bueno, ahora tengo que irme. Llámame esta noche.

Stefan le prometió que así lo haría antes de dejar el teléfono sobre la mesa. «¿Qué sería yo sin Elena?», se preguntó. «Nada.»

Una vez reunidos, Rundström sorprendió a Stefan recibiéndolo con un amable apretón de manos. Erik Johansson se quitaba un par de botas de agua bastante sucias mientras un policía de la sección canina de Östersund preguntaba enojado si alguien llamado Anders había preguntado por él. Giuseppe dio unos toquecitos con el lápiz sobre la mesa para indicar que daba comienzo la reunión, que abrió con un breve pero claro resumen de los sucesos de la noche anterior.

—Elsa Berggren nos ha pedido que pospongamos la entrevista más exhaustiva que aún tenemos pendiente con ella hasta esta noche —informó para terminar—. Y creo que su petición puede considerarse juiciosa. Por otro lado, nos quedan por investigar muchos otros aspectos tan urgentes como ése.

—Pues sí, tenemos huellas de zapatos —apuntó Erik Johansson—. Tanto de la casa de Elsa como del jardín. Quienquiera que la atacase a ella antes de abatir a Lindman, no fue demasiado precavido. Y además tenemos huellas de zapatos de la casa de Herbert Molin y de la de Andersson. Ése es el primer dato que los técnicos quieren aclarar, para comprobar si hay alguna coincidencia. Bueno, eso, y las huellas de neumático, claro.

Giuseppe asintió.

—El perro olfateó una pista que conducía hasta el puente —intervino—. Pero ¿qué sucedió después?

El policía de la sección canina tomó entonces la palabra. Era un hombre de mediana edad cuya mejilla izquierda aparecía cruzada por una profunda cicatriz.

—Se enfrió enseguida.

—¿Algún hallazgo?

—No.

—Bueno —apuntó Erik Johansson—, por allí hay un aparcamiento que, en realidad, es una especie de ensanchamiento del arcén. Pero las huellas acabaron ahí. De modo que podemos concluir que el sujeto había dejado allí su coche. En especial, si tenemos en cuenta que es un lugar difícil de divisar cuando ha anochecido. Las farolas están mal ubicadas para iluminar justo esa zona. De hecho, no es infrecuente, sobre todo en verano, que la gente aparque allí el coche para darse unos besos...

Los hombres que ocupaban los asientos en torno a la mesa rompieron a reír.

—Y a veces también se producen situaciones bastante más complejas en ese mismo lugar —añadió el agente—. De esas que antes tenían lugar en apartados senderos del bosque y llenaban la jurisdicción de casos de paternidad dudosa.

—Bueno, como quiera que sea, alguien tiene que haber visto a ese individuo —atajó Giuseppe—. En el recibo de la tarjeta de crédito figuraba el nombre de Fernando Hereira.

—Acabo de hablar con Östersund —intervino Rundström que, hasta el momento, había permanecido en silencio dejando que Giuseppe dirigiese la reunión—. Realizaron una búsqueda en los registros generales y hallaron a un Fernando Hereira en Västerås. Fue acusado de trapichear con el impuesto sobre el valor añadido hace algunos años. Pero ahora tiene más de setenta, así que creo que podemos estar seguros de que no es el hombre que buscamos.

—Yo no sé español —confesó Giuseppe—. Pero el nombre de Fernando Hereira parece corriente.

—Sí, como el mío —apuntó Erik Johansson—. Aquí todo hijo de vecino se llama Erik; al menos los desgraciados de mi generación y nacidos desde aquí hasta Norrland.

—Ignoramos si es su verdadero nombre —prosiguió Giuseppe.

—Pediremos la búsqueda y captura a través de Interpol —adelantó Rundström—. Tan pronto como tengamos resultados claros de las huellas dactilares.

De repente, varios teléfonos empezaron a sonar a la vez. Giuseppe dejó su asiento al tiempo que proponía una pausa de diez minutos y le hacía seña a Stefan de que lo acompañase al pasillo. Se sentaron en la recepción de la casa de los ciudadanos. Giuseppe se quedó observando el colosal oso disecado.

—Yo vi un oso una vez —comentó meditabundo—. Cerca de Krokom. Había estado tras la pista de unos destiladores ilegales e iba de vuelta a Östersund. Recuerdo que iba pensando en mi padre mientras conducía. Durante varios años, creí que habría sido aquel italiano pero, cuando cumplí los doce, mi madre me contó que era un sinvergüenza de Ånge que se largó en cuanto supo que ella estaba embarazada. Y, de pronto, allí estaba el oso, en el arcén. Frené en seco y pensé: «¡Qué coño va a ser eso un oso! Será una sombra o una roca». Pero qué va, era un oso de verdad. Una hembra. La piel le brillaba en la noche. Me quedé mirándola más de un minuto, hasta que desapareció. Recuerdo que me dije: «Estas cosas no pasan. Y, si pasan, es una vez en la vida». Como cuando sacas repóquer en una partida. Dicen que a Erik le salió una vez, hace veinticinco años. En una ocasión en que no había más que cinco asquerosas coronas en el fondo y nadie tenía cartas.

Giuseppe se estiró al tiempo que bostezaba. Después, volvió a adoptar un tono grave.

—He estado cavilando sobre nuestra conversación —afirmó—. Y sobre aquello que decías de que teníamos que empezar a pensar en otro sentido y que nos enfrentamos a dos asesinos distintos. Reconozco que me cuesta aceptar la idea. Es demasiado inverosímil, demasiado propia de las grandes ciudades, no sé si me explico. Por aquí, en las zonas despobladas, las cosas suelen suceder de otro modo, algo más simple. Sin embargo, entiendo que hay muchos indicios que te dan la razón. De hecho, se lo comenté a Rundström esta mañana.

—¿Y qué te dijo?

—Es un pragmático, de esos que nunca creen nada, nunca adivinan, nunca se ocupan más que de los hechos. Y no hay que subestimarlo. Es rápido en detectar tanto las trampas como las posibilidades.

Unos niños pasaron camino de la biblioteca; el agente guardó silencio hasta que hubieron desaparecido, para luego proseguir:

—Yo he intentado trazar un mapa en mi cabeza —explicó Giuseppe cuando ya no se veía a los niños—. Un hombre que habla inglés con acento extranjero se presenta aquí y asesina a Herbert Molin. Esa historia que nos ha contado la hija sobre una mujer inglesa a la que le debía dinero no me la trago. Sin embargo, sí que puede ser, como tú propones y, sobre todo, después de haber leído ese horrendo diario, que el móvil se halle oculto en un tiempo pretérito, en los tiempos de la guerra. La brutalidad y la ira con que fue ejecutado el crimen sugieren un deseo de venganza. Y hasta ahí, puede que tengas razón. Porque, en ese caso, nos enfrentamos a un asesino que, se supone, debería haber cumplido su propósito. Pero resulta que se queda en el lugar del crimen. Y ahí es donde falla la hipótesis, a mi entender. Lo lógico sería que se largase como el rayo para quitarse de en medio.

—¿Habéis encontrado algún tipo de relación con Abraham Andersson?

—Nada. Los colegas de Helsingborg estuvieron hablando con su viuda. Abraham se lo contaba todo, según ella misma sostiene. Y, en alguna ocasión, le había mencionado el nombre de Herbert Molin. Al parecer, existía un abismo entre esos dos tipos. Uno interpretaba música clásica y, además, escribía canciones de moda para relajarse. El otro era un policía jubilado. Así que mucho me temo que no conseguiremos entender cuál es el denominador común a ambos hasta que no demos con el tipo que te golpeó. Por cierto, ¿qué tal va la garganta?

—Mejor, gracias.

Giuseppe se puso de pie.

—Abraham Andersson escribió una canción titulada *Créeme, soy una chica*. Erik reparó en el detalle. Y el asunto del seudónimo, «Siv Nilsson»... El hombre tenía en casa un disco de un grupo de música pop, los Fabians, creo. En fin, todo es de lo más curioso. Un día interpretaba a Mozart y al siguiente escribía un éxito comercial. Aunque, a decir de Erik, la canción era bastante mala. Pero, claro, tal vez la vida sea eso: un día Mozart; otro día, una birria de canción.

Regresaron a la sala donde los demás ya aguardaban. Sin embargo, la reunión no pudo reanudarse pues el teléfono de Rundström sonó antes de que empezaran. El comisario jefe escuchaba con una mano alzada.

—Han encontrado un coche de alquiler por Funäsdalen —informó una vez que hubo colgado el auricular.

Todos se acercaron al mapa que había fijado a la pared. Rundström señaló el lugar.

—Por aquí. Es una zona de cabañas. El coche estaba abandonado.

—¿Quién lo encontró? —quiso saber Giuseppe.

—Se llama Bertil Elmberg y es propietario de una cabaña en aquella zona. Fue a echarle un vistazo a su casa cuando vio que alguien había pasado por allí con el coche y, dada la época del año en que estamos, le llamó la atención. Después vio el coche. Y además, sospecha que han robado en la cabaña más próxima al lugar donde lo halló aparcado.

—¿Llegó a ver a alguien?

—No. No se atrevió a quedarse. Supongo que pensaba en lo sucedido a Molin y a Andersson. Pero, además, se percató de otro par de detalles. El coche había sido alquilado en Östersund. Había una pegatina en la luna posterior. Y, en el asiento trasero, había un periódico. Un periódico extranjero.

—Bien, pues nos vamos ahora mismo —propuso Giuseppe al tiempo que se ponía la cazadora.

Rundström le hizo una seña a Stefan.

—Será mejor que nos acompañes. Después de todo, casi lo viste... Si es que es nuestro hombre.

Giuseppe le pidió a Stefan que condujese, pues él tenía muchas llamadas que hacer durante el trayecto.

—No te preocupes de los límites de velocidad —ordenó Giuseppe—. Siempre, eso sí, que no nos salgamos de la carretera.

Stefan escuchaba la voz de Giuseppe. Un helicóptero venía de camino. Y más perros policía. Rundström llamó poco antes de que hubiesen llegado a Linsell. La dependienta de una tienda de Sveg le contó a un policía que, el día anterior, había vendido una capucha de lana.

—Pero la chica no recuerda el aspecto del comprador ni si dijo algo —suspiró Giuseppe—. En realidad, ni siquiera recuerda si era un hombre o una mujer. Tan sólo que vendió un gorro de mierda. De verdad, a veces la gente tiene los ojos en el culo.

Al norte de Funäsdalen un hombre los aguardaba al borde de la carretera. Se presentó como Elmberg. Permanecieron allí a la espera de la llegada de Rundström y de un coche más. Después, prosiguieron el viaje y, a unos pocos metros, se desviaron de la carretera principal.

El coche era un Toyota rojo. Ninguno de los policías era capaz de distinguir entre español, portugués e italiano. Stefan creía que el diario, que se llamaba *El País,* era italiano. Pero después, al ver el precio, concluyó que «Ptas.» debía de ser la forma abreviada de «pesetas» y que el periódico sería, por tanto, español. Continuaron la marcha a pie. La silueta de la cadena montañosa se desplegaba ante su vista. Había una casa solitaria en la falda de la montaña, una cabaña de madera, tal vez un viejo cobertizo rehabilitado. Rundström y Giuseppe hicieron una estimación y ambos coincidieron en que allí no podía haber nadie. Los dos iban, eso sí, armados y se acercaron a la entrada con gran cautela. Rundström llamó a gritos, pero nadie respondió. Volvió a gritar, pero sus palabras murieron en un eco desolador. Entonces, Giuseppe abrió la puerta de un tirón y pudieron entrar. Tras poco más de un minuto, Giuseppe volvió a salir y avisó a los demás de que la casa estaba vacía pero, señaló, alguien había estado allí. Aguardarían la llegada del helicóptero con la patrulla de perros policía. Los técnicos que se encargaban de examinar la casa de Elsa Berggren habían interrumpido su trabajo allí y estaban ya en camino.

El helicóptero apareció por el nordeste y aterrizó sobre una pequeña meseta situada al norte de la cabaña. Los de la sección canina comenzaron el trabajo con los perros. Después, el helicóptero levantó el vuelo y partió de allí.

Los agentes de la sección canina dejaron que los perros olfateasen durante un instante un vaso sucio que Giuseppe había sacado de la cocina.

Después, emprendieron la búsqueda, en dirección al norte.

Hacia la cima.

26

Giuseppe interrumpió la batida poco antes de que hubiesen dado las cinco. Para empezar, un banco de niebla les sobrevino rodando desde el oeste; después, la proximidad de la noche hizo el resto.

Habían empezado a ascender por la montaña hacia la una. Al mismo tiempo, habían puesto bajo vigilancia todos los accesos. Los perros perdieron el rastro en varias ocasiones, para recuperarlo al poco tiempo. Al principio, los animales se precipitaron hacia el norte pero no tardaron en desviarse por una cresta en dirección oeste y después retomar el rumbo al norte. Cuando, con el consentimiento de Rundström, Giuseppe decidió interrumpir la operación, se encontraban en una meseta de la sierra. Al principio, avanzaban en fila, aunque enseguida pasaron a dividirse por la cresta de la montaña. El terreno se presentó practicable en un primer momento y la subida no era demasiado abrupta. Stefan notó que estaba muy desentrenado, pero se negaba a rendirse o, al menos, a ser el primero en hacerlo.

No obstante, había algo más en aquella caminata por la montaña que la hacía especial. Al principio no fue más que una vaga intuición, casi inasible; después, la imagen de una evocación que, paulatinamente, se perfilaba mostrándose cada vez con mayor claridad.

Él había estado en la sierra con anterioridad. Se trataba de un recuerdo que había estado reprimiendo, algo que había sucedido cuando tenía siete u ocho años.

El verano tocaba a su fin, pocas semanas antes de que empezase la escuela. Su madre había estado fuera, de viaje; la hermana de ésta, que vivía en Kristianstad, se había quedado viuda de forma repentina y ella había ido a su lado para ayudarle. Un día, a su padre se le ocurrió que podían hacer el equipaje y emprender un pequeño viaje improvisado. Irían hacia el norte, acamparían y vivirían gastando poco. Del viaje en sí, Stefan no conservaba más que un vago recuerdo. Iba en el asiento trasero, con una de sus hermanas y todo el equipaje que su padre, por alguna razón, no había querido colocar en la baca del coche. Además, se pasó todo el trayecto luchando contra la sensación de mareo. A su padre no le gustaba verse obligado a detener la marcha para que alguno de los niños saliese a vomitar. No recordaba si él y sus hermanas lo habían conseguido: aquella parte de la aventura se había borrado para siempre de su memoria.

Él era el último de la fila. A treinta metros de su puesto, le seguía Erik Johansson que, de vez en cuando, respondía a alguna llamada por radio. A cada paso que daba, el recuerdo se hacía más patente.

Si tenía ocho años, habían pasado ya veintinueve. Sería en 1970. Agosto de 1970. De camino hacia las montañas, habían parado a pasar la noche, apiñados en la tienda, y Stefan recordaba que se vio obligado a pasar por encima de los demás para salir a orinar. Al día siguiente, llegaron a un lugar que, según ahora iba recordando, se llamaba Vemdalskalet. Montaron la tienda en la parte posterior de una vieja cabaña de madera que había a cierta distancia del hotel.

Le sorprendía que hubiese podido olvidar aquel viaje. Aquello significaba que, en otra ocasión, hacía ya muchos años, él había estado justo en aquellos parajes. ¿Por qué no había querido mantener el recuerdo en su memoria? ¿Qué había sucedido?

En su evocación del viaje había una mujer. Una mujer que había aparecido justo cuando acababan de montar la tienda de campaña. Su padre había descubierto su presencia al otro lado de la carretera y había acudido a su encuentro. Stefan y sus hermanas habían permaneci-

do en silencio mientras veían cómo su padre le estrechaba la mano y hablaba con ella, sin que ellos pudiesen oír la conversación. Stefan recordaba que él les había preguntado a sus hermanas si la conocían, pero ellas le contestaron con malos modos que mantuviese la boca cerrada. Aquella parte del recuerdo ahora lo hacía sonreír. Los primeros años de su vida se vieron marcados por aquella actitud de sus hermanas siempre altanera, siempre ordenándole que guardase silencio, siempre sordas a sus palabras y siempre con aquella mirada de desprecio que él interpretaba como indicio de la imposibilidad absoluta de participar en sus juegos, en su círculo, de que era demasiado pequeño, de ir siempre rezagado.

Pero ¿qué sucedió después? Su padre regresó en compañía de la mujer. Ella era mayor que él, tenía el cabello lacio y cano y vestía un uniforme de camarera blanco y negro. La mujer se parecía a alguien, pensó. Y, en ese preciso momento, comprendió que era Elsa Berggren. Aunque no fuese ella. Recordaba su sonrisa, pero también una expresión rígida, como de rechazo, en su rostro. Estuvieron charlando ante la tienda. Ella no pareció sorprendida por su llegada, de modo que la esperaba. Stefan recordaba un desasosiego indefinible ante la idea de que el padre no regresara a Kinna, de que su madre no volviese de Kristianstad. Pero, el resto del encuentro con la desconocida le vino de pronto a la memoria con total claridad. Su padre les había dicho que se llamaba Vera y que era de Alemania y ella les estrechó la mano a los tres. Primero a sus hermanas, después a él.

Stefan detuvo el paso. Erik Johansson, que caminaba a su izquierda, profirió una maldición cuando tropezó con una piedra y estuvo a punto de caer. El helicóptero sobrevoló el lugar con su rugido a poca altura y describió un amplio giro sobre el valle que se extendía bajo sus hélices.

En aquella ocasión, también ellos emprendieron paseos por la montaña. Aunque nunca demasiado largos, nunca lejos del hotel.

Reanudó la marcha. Quedaba aún otra puerta por abrir, se decía.
Algo había sucedido aquella noche de agosto extraordinariamente ca-
lurosa allá arriba, entre montañas. No recordaba dónde podrían estar
sus hermanas. Pero la mujer llamada Vera y su padre estaban sentados
en sendas sillas de acampada en el jardín de la cabaña. Y reían. A Ste-
fan no le gustó aquello y se alejó hacia la parte posterior de la casa. En-
contró allí una puerta, que abrió. No sabía si aquello le estaría permi-
tido, pero aun así entró en la casa de Vera, dos angostas habitaciones
de techo bajo. Había unas fotografías sobre un escritorio. Se esforzó por
distinguir bien lo que representaban. Una fotografía de boda. De Vera
con su marido, que vestía uniforme.

Ahora lo recordaba. Sí, lo recordaba a la perfección. El hombre ves-
tía un uniforme alemán, Vera, un vestido blanco, sonriente con una
guirnalda de flores en el pelo o tal vez fuese una corona de novia. Y, jun-
to a aquella instantánea, otra fotografía adornaba la mesa, con su mar-
co y protegida por un cristal. Era una fotografía de Hitler. En aquel pre-
ciso momento, se abrió la puerta delantera de la casa. Y allí apareció
Vera, junto con su padre. Ella gritó algo indignada, algo en alemán o
en un sueco germanizado tal vez. Pero su padre lo apartó de un tirón
del escritorio donde estaban las fotografías y le propinó una buena
bofetada.

El recuerdo se apagó al mismo tiempo que la bofetada estalló en su cara. Del viaje de regreso a Kinna no quedaba nada.
Ni siquiera la estrechez en el interior del coche ni el miedo al
mareo. Nada. Una foto de Hitler, una bofetada y nada más.

Stefan movió la cabeza lentamente. Hacía treinta años, su
padre había llevado a sus hijos a un hotel de montaña para verse con una mujer alemana. Bajo la superficie, como en una imagen superpuesta a otra, latía la época de Hitler con todo el peso
de su presencia. Tal y como le había asegurado Wetterstedt: nada
había desaparecido por completo, sólo había adoptado nuevas

apariencias, nuevas formas de expresión; pero el sueño de la supremacía de la raza blanca seguía vivo. Su padre había ido a visitar a una mujer llamada Vera. Y le dio una bofetada a su hijo porque éste vio algo que no debía ver.

¿Habría algo más? Rebuscó en su memoria. Pero, tras la bofetada, no había quedado más que una honda negrura. Sólo eso.

Retomó la marcha. El helicóptero describió otro círculo antes de desaparecer hacia el sur. Stefan paseó su mirada por las moles de piedra. Pero lo único que vio fueron dos fotografías sobre el escritorio de una estrecha habitación de techo bajo.

Después, se presentó la niebla y emprendieron la retirada. A eso de las seis, ya estaban de vuelta en la cabaña. El helicóptero dio una última batida tras haber recogido a dos agentes de la sección canina y se perdió hacia el nordeste en dirección a Östersund. El piloto se había llevado cestas con bocadillos y café. Rundström no cesaba de hablar por radio, cuando no lo hacía por teléfono. Stefan se mantenía apartado. Giuseppe escuchaba, sin dejar de tomar notas, a uno de los técnicos que había estado inspeccionando la casa. Después, se sirvió otra taza de café y se acercó a Stefan.

—Bueno, ya sabemos algunos detalles —afirmó.

Con mucho cuidado, dejó la taza sobre una piedra y hojeó su bloc de notas.

—El propietario de la cabaña se llama Knut Frostengren y vive en Estocolmo. Suele venir en verano, por Navidad y para Año Nuevo y alguna semana de marzo, para esquiar. Por lo demás, la casa está vacía. Al parecer, la heredó de algún pariente. Es decir, que alguien se ha metido aquí, la ha convertido en su cuartel general por un tiempo y, después, se ha marchado. El sujeto sabe que Elsa Berggren vio su rostro. Tampoco puede ignorar el riesgo de que nosotros, tras haber hecho encajar unas piezas con otras, hayamos llegado a la conclusión de que fue él quien birló mi cuenta del restaurante. Ese tipo ha hecho gala de una dosis de sangre fría que no debemos menospreciar. Sabe que iremos tras él. Sobre todo, después de haberos atacado a Elsa Berggren y a ti.

—Pero ¿adónde se dirige?

Giuseppe reflexionó un instante, antes de responder.

—Yo formularía la pregunta en otros términos: ¿por qué sigue aquí?

—Le falta algo por hacer.

—Ya, pero ¿qué?

—Quiere averiguar quién mató a Abraham Andersson. Pero eso ya lo hemos hablado.

Giuseppe negó con un gesto.

—No es sólo eso. Hay algo más. Creo que lo que quiere es asesinar al asesino de Abraham Andersson.

Giuseppe tenía razón. Aquello no tenía otra explicación. Aun así, Stefan tenía otra duda.

—¿Y por qué crees que es tan importante para él?

—Si conociéramos ese dato, sabríamos también el porqué de toda la historia.

Ambos permanecieron contemplando la niebla en silencio.

—Está escondiéndose —sostuvo Giuseppe—. Nuestro hombre de Buenos Aires es muy habilidoso.

Stefan lo miró perplejo.

—¿Cómo sabes que es de Buenos Aires?

Giuseppe sacó un papel del bolsillo, una página rasgada del suplemento de crucigramas del diario *Aftobladet*. Había algo escrito al margen, unos garabatos, cifras que luego habían sido tachadas con un bolígrafo.

—Cinco cuatro uno uno —leyó Giuseppe—. Cincuenta y cuatro es el prefijo de Argentina. Y once el de Buenos Aires. El periódico es del 12 de junio, de cuando Frostengren aún estaba aquí. Aseguró que solía guardar periódicos viejos para la chimenea. Pero los números los ha escrito otra persona. Y tuvo que ser Fernando Hereira. El diario que había en el coche es español, no argentino. Pero la lengua es la misma. Me imagino que debe de ser muy complicado encontrar prensa argentina en Suecia. Pero no lo es tanto encontrar prensa en español.

—¿No está el número de teléfono completo de Buenos Aires?

—No.

Stefan meditó un instante.

—Es decir, que se ha entretenido en llamar a Argentina desde la sierra. ¿No podemos localizar las llamadas?

—Estamos investigándolo. Pero Frostengren tiene una línea normal. No hay que marcar ningún código ni pedir ninguna conferencia. Si hubiese utilizado un teléfono móvil, habríamos podido localizar el número en la red de telefonía móvil.

Giuseppe se inclinó por su taza de café.

—A ratos se me olvida que no es un criminal lo que buscamos, sino dos —prosiguió el agente—. Dos hombres que han actuado con brutalidad extrema. Ya hemos empezado a forjarnos una idea de quién puede ser Fernando Hereira. Y de cómo se comporta. Pero ¿y el otro? El que mató a Abraham Andersson, ¿quién es?

El interrogante quedó sin respuesta en medio de la niebla. Giuseppe dejó a Stefan y se fue a hablar con Rundström y con el agente de la sección canina que se había quedado con ellos. Stefan miró al pastor alemán. El animal estaba agotado, tumbado en la tierra húmeda. Stefan se preguntó si los perros policía también podían desanimarse al no poder cumplir su cometido.

Media hora después, Giuseppe y Stefan regresaron a Sveg. Rundström permanecería en Funäsdalen con el policía de la sección canina y otros tres agentes. Conducían en silencio a través del bosque pero, en esta ocasión, fue Giuseppe quien llevó el coche. Stefan se percató de que su colega estaba exhausto.

A unas decenas de kilómetros de Sveg, el policía detuvo el coche en el arcén.

—No acabo de entenderlo —admitió de pronto—. ¿Quién pudo matar a Abraham Andersson? Es como si no hiciésemos más que raspar la superficie. En realidad, seguimos sin tener ni idea de qué tenemos entre manos. Un argentino que desaparece entre las montañas cuando lo que debería hacer es largarse de aquí lo antes posible. No es que *huya* hacia las montañas, sino que se oculta para poder regresar.

—Existe una posibilidad que no hemos contemplado —observó Stefan—. El hecho de que el hombre al que llamamos Fernando Hereira parece saber algo que nosotros ignoramos.

Giuseppe negó incrédulo con un gesto.

—De ser así, no se habría puesto una capucha para acribillar a Elsa Berggren con sus preguntas.

Tras un instante, ambos se miraron.

—¿Estamos pensando lo mismo? —adivinó Giuseppe.

—Tal vez —convino Stefan—. Que Fernando Hereira sabe o cree saber que fue Elsa Berggren quien asesinó a Abraham Andersson. Y que lo que quería era obligarla a confesarlo.

Giuseppe tamborileaba con los dedos sobre el volante.

—A decir verdad, bien podría ser que Elsa Berggren no nos hubiese dicho la verdad. Según ella, el hombre que irrumpió en su casa le preguntó quién había matado a Andersson, pero ¿cómo sabemos que no está mintiendo? Es igual de probable que el tipo le hubiese dicho algo totalmente distinto.

—Por ejemplo, «Yo sé que tú asesinaste a Abraham Andersson», ¿no es eso?

Giuseppe volvió a poner el motor en marcha.

—Seguiremos vigilando la sierra —resolvió—. En cuanto a Elsa Berggren, apretaremos las tuercas.

Prosiguieron, por tanto, rumbo a Sveg. Más allá del haz de luz de los faros, el paisaje se desvanecía. Justo cuando entraban en el jardín del hotel, sonó el teléfono de Giuseppe.

—Era Rundström —aclaró una vez concluida la conversación—. En efecto, el coche fue alquilado en Östersund, el 5 de noviembre. Por un tal Fernando Hereira, ciudadano argentino.

Los dos hombres salieron del coche.

—Ahora sí que lo tenemos —se animó Giuseppe—. Fernando Hereira se identificó con el carnet de conducir. Claro que puede que sea falso pero, supongamos, para simplificar, que no lo es. En ese caso, me inclino a pensar que estamos más cerca de él ahora que cuando lo perseguíamos por la sierra.

Stefan estaba cansado. Giuseppe dejó la maleta en recepción y se dispuso a salir.

—Te llamaré. ¿Piensas quedarte? —inquirió antes de marcharse.

—Un par de días más.

Giuseppe dejó caer su mano sobre el hombro de Stefan.

—He de reconocer que hacía mucho tiempo que no tenía la oportunidad de hablar con alguien como tú. Pero dime, sinceramente, si hubieras estado en mi lugar, ¿qué habrías hecho tú?

—Lo mismo.

Giuseppe rompió a reír.

—Eres demasiado considerado, ¿sabes? Pero yo sé recibir una crítica. ¿Y tú?

Dicho esto, se encaminó al coche sin aguardar respuesta. Stefan se quedó cavilando sobre la pregunta de Giuseppe mientras iba en busca de su llave. La chica que había en recepción era nueva o al menos Stefan no la había visto con anterioridad. Subió a la habitación y se echó en la cama. Pensó en llamar a Elena; pero antes tenía que descansar unas horas.

Despertó con la certeza de haber estado soñando. Una ensoñación caótica que no le dejó otra huella que el miedo al despertar. Miró el reloj. Las siete y cuarto. Debía apresurarse a bajar si quería llegar a tiempo para la cena. Además, tenía una cita con Veronica Molin.

La mujer lo esperaba en el comedor.

—Di unos toquecitos en tu puerta pero, como no contestabas, supuse que estarías dormido —explicó.

—Sí, ha sido una noche muy dura y un día muy largo. Y tú, ¿has comido ya?

—Yo tengo que comer siempre a la misma hora. Sobre todo con la comida que sirven aquí.

La camarera que se acercó a la mesa también era nueva. Y parecía nerviosa. A Stefan le dio la sensación de que Veronica Molin había presentado alguna queja.

Pidió el consabido filete de siempre. Veronica Molin bebía agua, pero él prefirió acompañar la cena con vino.

Ella lo observaba con una sonrisa.

—Nunca había conocido a un policía. Quiero decir, no tan de cerca.

—¿Y qué te parece la experiencia?

—Pues yo creo que, en el fondo, todo el mundo teme a los policías.

Se interrumpió para encender un cigarrillo.

—Mi hermano ha salido del Caribe y viene hacia aquí —prosiguió—. Trabaja en un crucero; bueno, creo que ya te lo había dicho, ¿no? Es cocinero. Cuando no está de crucero, vive en Florida. No lo he visitado más que una vez en mi vida, cuando fuimos a Miami a cerrar un negocio. Antes de una hora ya estábamos discutiendo. Aunque no recuerdo el motivo.

—¿Cuándo se celebrará el entierro?

—El martes a las once. ¿Piensas asistir?

—No lo sé.

En ese momento, le sirvieron la comida.

—¿Cómo es que puedes quedarte aquí tanto tiempo? —inquirió él—. Me dio la sensación de que no te resultaba muy fácil venir siquiera. Y ahora resulta que llevas ya bastante tiempo y parece que no tienes prisa por marcharte.

—Me quedo hasta el miércoles. Ni un día más. Después, tengo que partir.

—¿Adónde?

—Primero a Londres. Después, a Madrid.

—Verás, yo soy un simple policía, pero he de admitir que siento curiosidad por saber a qué te dedicas exactamente.

—En inglés suele llamarse *deal-maker*, o *broker*. Es lo que nosotros llamamos intermediario, la persona que se dedica a poner en contacto a otras interesadas en formalizar un contrato, en hacer un negocio, ya sabes.

—¿Puedo preguntarte qué se gana con un trabajo así?

—Pues, seguramente, mucho más que tú.

—Bueno, eso cualquiera.

Ella le dio la vuelta a una de las copas que había boca abajo y se la acercó.

—He cambiado de opinión.

Stefan le sirvió vino y, mientras brindaban, pensó que aquella mujer había empezado a mirarlo con otros ojos, con menos reserva que al principio.

—Hoy he estado en casa de Elsa Berggren. Luego comprendí que no había llegado en buen momento, pues me ha contado lo que sucedió anoche. Y lo que te ocurrió a ti. ¿Lo habéis atrapado?

—Aún no. Además, no soy yo quien tiene que hacerlo. Yo no formo parte del grupo de investigación.

—Pero, según creo, la policía sospecha que el hombre que te atacó es el asesino de mi padre, ¿no es cierto?

—Así es.

—He estado todo el día intentando llamar a Giuseppe Larsson. Después de todo, tengo derecho a saber cómo van las cosas. ¿Quién es ese sujeto?

—Creemos que se llama Fernando Hereira. Y que es argentino.

—Dudo mucho de que mi padre conociese a nadie de Argentina. ¿Cuál habría sido el móvil?

—Algún suceso que tuvo lugar durante la guerra.

Ella encendió otro cigarrillo. Stefan le miró las manos y sintió un intenso deseo de tomarlas entre las suyas.

—En otras palabras, que la policía no comparte mi hipótesis sobre la mujer de Inglaterra, ¿me equivoco?

—Bueno, no son incompatibles. Hemos de investigar con amplitud de miras y sin teorías preconcebidas. Es una de nuestras reglas básicas en estos casos.

—Ya sé que no debería fumar mientras estás cenando.

—No te preocupes. Ya tengo cáncer...

Ella lo miró inquisitiva.

—Perdona, ¿he oído bien?

—No, era una broma. Estoy completamente sano.

En el fondo, habría querido dejar la mesa, subir a su habitación y llamar a Elena. Pero algo lo retenía.

—Pues es una broma muy curiosa.

—Lo único que perseguía era ver cómo reaccionabas.

Ella ladeó la cabeza y entrecerró los ojos.

—No estarás intentando seducirme, ¿verdad?

Él vació la copa de un trago.

—Todos los hombres lo deben de hacer, ¿no? Supongo que eres consciente de lo hermosa que eres.

Ella movió la cabeza sin decir nada y apartó la copa cuando Stefan se disponía a servirle más vino. Pero él volvió a colmar la suya.

—¿De qué hablasteis Elsa Berggren y tú?

—Verás, ella estaba cansada. Lo que yo quería, ante todo, era conocer a una mujer que conocía a mi padre y que le había ayudado a encontrar la casa en la que después murió. No teníamos mucho que decirnos.

—La verdad es que he estado preguntándome por su relación con tu padre. Con independencia de que compartiesen la creencia en las ideas nazis.

—Bueno, ella lamentó la muerte de mi padre. Pero no me quedé mucho rato. Lo cierto es que no me gustó.

Stefan pidió café y coñac e indicó que le llevasen la cuenta.

—¿Dónde creéis que puede estar Fernando Hereira en este momento?

—En la sierra, tal vez. Pero sabemos que está por aquí.

—¿Cómo lo sabéis?

—Creo que quiere averiguar quién mató a Abraham Andersson.

—Sigo sin comprender qué podía tener ese hombre en común con mi padre.

—Nosotros también desconocemos ese detalle. Pero, tarde o temprano, se aclarará todo. Atraparemos a los dos asesinos y averiguaremos los dos móviles.

—Eso espero.

Stefan apuró el coñac y tomó un trago de café. Firmó la nota y ambos se pusieron de pie camino de la recepción.

—Si quieres, te invito a otra copa de coñac —propuso ella—. En mi habitación. Pero no abrigues ninguna esperanza.

—Hace ya mucho tiempo que dejé de esperar nada.

—Eso no me ha sonado muy sincero.

Atravesaron el pasillo. Ella abrió la puerta. Stefan se colocó tan cerca de ella como le fue posible, sin llegar a rozarla.

En el escritorio de la habitación había un pequeño ordenador con la pantalla encendida.

—Mi vida entera está aquí dentro —declaró Veronica Molin—. Y, si lo conecto a la línea telefónica, tengo acceso a cualquier lugar del mundo. Así, mientras llega el día del entierro, puedo seguir trabajando.

La mujer le sirvió una copa de coñac de una botella que había sobre la mesa; pero ella no lo acompañó. Stefan empezaba a notar el efecto del alcohol. Sintió que deseaba tocarla, desnudarla.

El teléfono, que sonó de repente en su bolsillo, vino a interrumpir el hilo de sus pensamientos. Adivinó que sería Elena y no contestó.

—Es un amigo —mintió—. Nada que no pueda esperar.

—¿No tienes familia?

Él negó con un gesto.

—¿Ni siquiera una novia? —insistió ella.

—Lo dejamos.

Él dejó la copa sobre la mesa y extendió una mano.

Ella estuvo observándola un buen rato, antes de corresponder.

—Puedes dormir aquí —lo invitó—. Pero no te hagas ilusiones: lo único que haremos será dormir juntos.

—Como te dije antes, no espero nada de nada.

Ella se desplazó un poco en el borde de la cama para quedar más cerca de él.

—Hacía mucho tiempo que no conocía a nadie que abrigase tantas esperanzas como tú —sentenció antes de levantarse y añadir—: No menosprecies mi capacidad de leer el pensamiento de las personas. Haz lo que quieras. Ve a tu habitación y vuelve dentro de un rato. Pero para dormir. Eso es todo.

Cuando se hubo duchado y estaba envuelto en la mayor de las toallas, volvió a sonar el teléfono. Era Elena.

—¿Por qué no me has llamado?

—Me quedé dormido. No me encuentro bien.

—Vuelve a casa. Te espero.

—Sí, dentro de unos días. Ahora necesito dormir. Si seguimos hablando, me desvelaré.

—Te echo de menos.

—Y yo a ti.

Así se despidieron y dieron por concluida la conversación.

«He mentido», se recriminó. «Hace un momento, llegué incluso a negar la existencia de Elena.

»Y lo peor de todo es que, en estos momentos, ni siquiera me importa.»

27

Cuando despertó a la mañana siguiente, Veronica Molin ya se había marchado. Pero la pantalla del ordenador seguía encendida y le mostraba un mensaje: «He salido. Espero que, cuando yo regrese, ya te hayas marchado. Me gustan los hombres que no roncan. Tú eres uno de ellos».

Stefan salió de la habitación envuelto en la toalla. Cuando subía la escalera, se topó con la limpiadora del hotel, que le dio los buenos días con una sonrisa. Ya en su habitación, se acurrucó en la cama. «Me emborraché», adivinó. «Y hablé con Elena, pero no recuerdo lo que dije; tan sólo que le mentí.» Se incorporó, quedó sentado en la cama y echó mano del teléfono. Tenía un mensaje. Elena lo había llamado. Sintió un alfilerazo en el estómago. Se tumbó de nuevo y se tapó la cabeza con la manta, como cuando era niño, para hacerse invisible. Se preguntó fugazmente si Giuseppe también tendría esa costumbre. ¿Y Veronica Molin? Ella, que ya estaba en la cama cuando él bajó de su habitación la noche anterior y que había rechazado inamovible todos sus intentos de acercamiento recordándole, con una palmadita en el hombro, que tenían que dormir. Él estaba muy excitado pero tuvo la sensatez suficiente para dejarla en paz.

Era la primera vez que le mentía a Elena. Pero ya estaba hecho y aún se preguntaba si, en el fondo, sentía algún remordimiento.

Decidió permanecer en la cama hasta las nueve. Entonces,

la llamaría. Hasta entonces, se quedaría allí con la cabeza cubierta por la manta fingiendo que no existía.

Dieron las nueve. Ella respondió enseguida.

—Estaba dormido —se excusó él—. Y no oí el teléfono. Esta noche he dormido como un tronco, como hacía mucho que no dormía.

—Algo me asustó. Tal vez algo que soñé, pero no sé qué fue.

—No te preocupes, todo está en orden, aunque estoy un tanto nervioso, claro. Los días pasan volando y pronto será 19.

—Todo irá bien, ya verás.

—Elena, yo tengo cáncer. Y cuando uno tiene cáncer, ha de contar con la eventualidad de que puede morir.

—Pero no fue eso lo que dijo la doctora.

—Ya, pero ella no puede saberlo. Nadie lo sabe.

—¿Cuándo volverás a casa?

—Pronto. El martes asistiré al entierro de Molin, así que supongo que volveré el miércoles. Ya te avisaré cuando salga.

—¿Me llamarás esta noche?

—Te llamaré.

La conversación lo había hecho transpirar. No le gustaba que mentir resultase tan fácil. Se levantó de la cama pues, si seguía remoloneando entre las sábanas, no se le pasaría la resaca. Se vistió y bajó a desayunar al comedor. Aquella mañana la chica era la de siempre y eso lo tranquilizó enseguida.

—Hoy vamos a cambiar el televisor de tu habitación —anunció la joven—. ¿Cuándo te viene bien?

—A cualquier hora. ¿Está en el hotel Giuseppe Larsson?

—No. Y creo que esta noche no ha dormido en su habitación. La llave sigue aquí. ¿Habéis detenido ya a alguien?

—No.

Había empezado ya a dirigirse hacia el comedor cuando se dio la vuelta para preguntar:

—¿Y Veronica Molin? ¿Está aquí?

410

—La vi salir cuando llegué esta mañana, a las seis.

Stefan pensó que tenía alguna otra pregunta que hacer, pero no recordaba cuál.

La resaca le producía náuseas. Se tomó un vaso de leche y se sentó a tomarse una taza de café. Entonces sonó el teléfono, que le trajo la voz de Giuseppe.

—¿Estás despierto?

—Más o menos. Estoy tomándome un café. ¿Y tú?

—He dormido unas horas en el despacho de Erik.

—¿Alguna novedad?

—No dejan de producirse novedades, la verdad. Aunque en Funäsdalen sigue habiendo niebla. Allí todo está como antes, según Rundström. En cuanto ceda la niebla, retomarán la búsqueda con el perro. Y, aparte de tomar café, ¿qué estás haciendo?

—Pues nada.

—De acuerdo, entonces me pasaré por ahí. He pensado que podrías acompañarme a hacer una visita.

Giuseppe irrumpió en el comedor diez minutos más tarde, sin afeitar y luciendo unas profundas ojeras, pero rebosante de energía. Se sirvió un café y fue a sentarse frente a Stefan. Llevaba en la mano una bolsa de plástico que dejó sobre la mesa.

—¿Te dice algo el nombre de Hanna Tunberg? —inquirió el colega.

Stefan hizo memoria pero terminó por decir que no.

—Fue la persona que descubrió el cadáver de Herbert Molin. La mujer que iba a hacerle la limpieza cada dos semanas.

—¡Ah, sí! Ya me acuerdo. Su nombre figuraba en los informes que estuve leyendo en tu despacho.

Giuseppe frunció el entrecejo.

—Parece que hace un siglo que estuviste allí —comentó el colega—. Cuando, en realidad, no hace más de dos semanas.

Dicho esto, le lanzó una mirada como si acabase de hacer

un descubrimiento apabullante acerca del curso del tiempo, del transcurso de la vida.

—Recuerdo que algo pasó con su marido, ¿no?

—Sí, sufrió una conmoción cuando vio el cadáver de Herbert Molin en el lindero del bosque. El caso es que mantuvimos un par de conversaciones más o menos exhaustivas con ella, de las que dedujimos que, en realidad, no conocía lo más mínimo a Herbert Molin, pese a trabajar para él. Según nos confesó, jamás la dejaba sola. Siempre la vigilaba. Además, no le permitía que limpiase en la habitación de invitados. Donde estaba el maniquí, ¿recuerdas? A ella le parecía un hombre engreído y desagradable. Pero pagaba bien.

Giuseppe dejó la taza sobre la mesa.

—El caso es que llamó esta mañana para comunicarnos que ya había tenido tiempo de recobrar la calma y reflexionar. Y que creía tener algo más que contarnos. De modo que pensaba ir a verla esta mañana y se me ocurrió que tal vez te gustase acompañarme.

—Desde luego.

Giuseppe abrió la bolsa de plástico y sacó una fotografía enmarcada. Representaba a una mujer de unos sesenta años de edad.

—¿Sabes quién es?

—No.

—Katrin Andersson. La esposa de Abraham Andersson.

—¿Y por qué la llevas contigo?

—Pues porque Hanna Tunberg me lo pidió. Quería ver cómo era la mujer de Abraham Andersson. Ignoro por qué. Pero, esta mañana, bien temprano, envié a un agente a Dunkärret para que la trajese.

Giuseppe apuró el café y se levantó.

—Hanna vive en Ytterberg —aclaró Giuseppe—. Vamos, no está lejos de aquí.

412

Era una casa antigua pero cuidada. Estaba bien situada y tenía vistas a las lomas del bosque. Cuando aparcaron el coche, un perro empezó a ladrar. En el jardín que se extendía ante la casa, una mujer los aguardaba junto a un tractor oxidado.

—Ahí la tienes, Hanna Tunberg —anunció Giuseppe—. La última vez que la vi, llevaba la misma ropa. Es de esa clase de personas en vías de extinción.

—¿Qué quieres decir?

—Sí, de las que se visten bien cuando van a entrevistarse con la policía. ¿Qué te apuestas a que ha horneado algún bizcocho?

Giuseppe exhibió una amplia sonrisa antes de salir del coche.

El agente le presentó a Hanna Tunberg a su colega. Le costaba determinar cuál sería su edad. Podía tener más de sesenta o poco más de cincuenta.

—He preparado café. Mi marido ha salido.

—Espero que no se haya marchado porque veníamos nosotros... —comentó Giuseppe.

—No, él es muy especial. No le entusiasman los policías, aunque es un hombre honrado, claro.

—No lo dudo —aseguró Giuseppe—. ¿Entramos?

En el interior de la casa olía a tabaco, a perro y a arándanos. Las paredes de la sala de estar aparecían cubiertas de cornamentas de alce, de tapices y de algunos cuadros que representaban diversos motivos relacionados con los bosques. Hanna Tunberg retiró su labor de punto, encendió un cigarrillo y dio una honda calada que le provocó un ataque de tos. Le silbaban los pulmones. Stefan observó que tenía las yemas de los dedos amarillas. La mujer fue a la cocina por el café y llenó las tazas. En el centro de la mesa había una bandeja de bollos.

—Bien, hablemos con calma, pues —comenzó Giuseppe—.

Decías que habías estado pensando y que tenías algo que contarnos, ¿no es así?

—Sí, claro. El caso es que, como comprenderás, no sé si es importante o no.

—No, claro. Eso nunca se sabe de antemano. Pero te escuchamos.

—Pues se trata de la mujer que solía visitar a Herbert Molin.

—¿Te refieres a Elsa Berggren?

—Eso es. En alguna que otra ocasión, sucedió que ella estaba allí cuando yo iba a limpiar. Y siempre se marchaba enseguida. A mí me parecía muy rara.

—¿En qué sentido?

—Impertinente. No puedo con la gente que se las da de importante. Herbert Molin era igual.

—¿Dijo algo que te hizo pensar que se comportaba de forma descortés?

—No, era sólo la sensación de que me miraba por encima del hombro.

—¿Porque eras limpiadora?

—Pues sí.

Giuseppe asintió.

—Estos bollos están buenísimos —la felicitó Giuseppe—. Pero continúa, por favor.

Hanna Tunberg seguía fumando, sin notar que la ceniza se le había caído sobre la falda.

—Fue la primavera pasada —continuó la mujer—. A finales de abril más o menos. Fui a la casa de Herbert para limpiar, como de costumbre. Pero él no estaba. Me resultó muy extraño, porque habíamos acordado el día y la hora.

Giuseppe la interrumpió alzando la mano.

—¿Siempre lo hacíais así? ¿Acordabais siempre de antemano el día y la hora a la que debías ir cada vez?

—Siempre. Él quería saberlo con exactitud. —Giuseppe asintió y le indicó que continuase–. Como decía, no estaba allí. Yo no sabía qué hacer, porque estaba segura de no haberme equivocado de día ni de hora. Siempre me lo llevaba anotado en la agenda.

–¿Qué ocurrió entonces?

–Pues me puse a esperar. Pero él no venía. Me subí a un viejo trineo para mirar por una de las ventanas. Pensé que tal vez estuviese enfermo. Pero no había nadie en la casa. Entonces me acordé de Abraham Andersson, con el que yo sabía que él tenía alguna relación.

La mano de Giuseppe se alzó de nuevo.

–¿Y cómo lo sabías?

–Porque él me lo aseguró una vez. «Yo aquí no conozco a nadie, salvo a Elsa y a Abraham», me dijo.

–¿Y qué pasó?

–Pensé que bien podía ir a su casa, puesto que sabía dónde vivía. Mi marido le arregló un arco de violín en una ocasión. Y es que mi marido vale para todo. En fin, que fui a su casa y llamé a la puerta. Abraham tardó bastante rato en abrir.

La mujer no había apagado el cigarrillo cuando ya tenía encendido el siguiente. Stefan empezaba a sentir náuseas a causa del humo.

–Era después del mediodía, a eso de las tres –prosiguió–. Pero él aún no se había vestido.

–¿Quieres decir que estaba desnudo? –inquirió Giuseppe atónito.

–He dicho que aún no se había vestido, no que estuviese desnudo. Si hubiera estado desnudo, lo habría dicho. ¿Vas a dejarme que lo cuente o piensas seguir interrumpiéndome todo el rato?

–A ver, me tomaré otro bollo y guardaré silencio –prometió Giuseppe–. Pero sigue, sigue.

–Bueno, pues llevaba pantalones, pero iba sin camisa. Y descalzo. Le pregunté si sabía dónde estaba Herbert. Me dijo que no y cerró la puerta. No me invitó a pasar. Y, claro está, yo supe enseguida por qué.

—Porque no estaba solo, ¿no es eso?

—Eso es.

—¿Y cómo lo sabes? ¿Acaso viste a alguien?

—No en aquel momento. Pero, de todos modos, lo sabía. Volví al coche, que había aparcado algo lejos de la entrada al jardín. Y, justo cuando estaba a punto de irme, me di cuenta de que había un coche aparcado detrás del garaje. Intuí al momento que no era el coche de Abraham.

—¿Y eso por qué?

—Qué sé yo. A veces uno tiene corazonadas sin saber por qué. ¿A ti no te pasa?

—Bien, y después, ¿qué hiciste?

—Pues estaba a punto de encender el motor y marcharme de allí cuando miré en el retrovisor y vi que alguien salía de la casa. Era una mujer. Pero cuando descubrió que yo seguía allí, volvió a entrar.

Giuseppe sacó la fotografía de Karin Andersson que llevaba en la bolsa y se la tendió a la mujer. La ceniza de su cigarro cayó enseguida sobre el cristal.

—No —declaró resuelta—. No era ella. Había mucha distancia, claro. Y no es fácil recordar a una persona a la que has visto en el espejo retrovisor. Pero estoy segura de que no era ella.

—Y entonces, ¿quién crees que era?

La mujer tardaba en contestar y Giuseppe repitió su pregunta.

—¿Quién crees tú que era?

—Elsa Berggren. Aunque no puedo afirmarlo.

—¿Por qué no?

—Todo sucedió muy deprisa.

—Pero a ella sí la habías visto antes, ¿verdad? Y, aun así, ¿no pudiste reconocerla bien?

—Te digo lo que pasó. Todo sucedió tan rápido... No la vería más que unos segundos. Ella salió, vio el coche, se sobresaltó y volvió a entrar en la casa.

—O sea, que no quería que la vieran, ¿no es así?

Hanna Tunberg lo miró con extrañeza.

—¿Y te parece raro, cuando salía de una casa donde había un hombre medio desnudo que, por si fuera poco, no era su marido?

—La memoria funciona como una cámara fotográfica —opinó Giuseppe—. Uno ve algo y la cabeza guarda la imagen. Quiero decir que, para recordar algo con claridad, no es indispensable haber estado viéndolo mucho tiempo.

—Ya, de acuerdo, pero hay fotografías con la imagen poco definida, ¿no?

—Veamos, ¿por qué no nos has contado todo esto antes?

—Porque no me acordé hasta ahora. Ya no tengo muy buena memoria, ¿sabes? Pero pensé que podría ser importante, si es que era Elsa Berggren. En ese caso, habría tenido que ver tanto con Herbert como con Abraham. Y, si no era ella, desde luego, tampoco era su esposa.

—Dices que no estás segura de que fuese Elsa Berggren. Pero sí lo estás de que no era Katrin Andersson, ¿cómo es eso?

—No sé, pero así es.

Hanna Tunberg sufrió otro ataque de tos carrasposa y apagó el cigarrillo en el cenicero con exasperación.

Después, respiró hondo y con dificultad, empezó a levantarse y, de pronto, a medio camino, cayó de bruces sobre la mesa. La cafetera se volcó. Giuseppe se levantó al mismo tiempo que ella caía al suelo. La puso boca arriba.

—No respira —declaró—. Llama para que venga una ambulancia.

Giuseppe empezó a hacerle el boca a boca mientras Stefan sacaba el teléfono del bolsillo.

Después, recordaría el suceso como en un movimiento a cámara lenta.

Giuseppe intentaba reanimar a la mujer que yacía en el suelo en tanto que un hilo de humo se elevaba hasta el techo desde el cenicero.

La ambulancia tardó en llegar media hora. Para entonces, Giuseppe se había dado por vencido. Hanna Tunberg estaba muerta. Fue a la cocina y se enjuagó la boca. Stefan pensó que había visto a personas muertas en muchas ocasiones con anterioridad. Fallecidos en accidente de tráfico, gente que se había suicidado o que había sido asesinada. Sin embargo, nunca había visto tan claro como en aquel momento hasta qué punto acechaba la muerte. De sostener un cigarrillo en la mano y responder «sí» a estar muerta, el tránsito a la muerte de aquella mujer había sido fulgurante.

Giuseppe salió al jardín a recibir la ambulancia.

—No tardó ni un segundo —les explicó a los hombres que comprobaban que Hanna Tunberg estaba, en efecto, muerta.

—En realidad, nosotros no debemos llevar personas fallecidas, pero tampoco podemos dejarla aquí, claro.

—Mi colega y yo somos policías. Y ambos somos testigos de que murió de muerte natural. Me encargaré personalmente de que se os haga llegar un informe.

La ambulancia desapareció. Giuseppe miró a Stefan con una expresión de resignación.

—Cuesta creerlo, la verdad. Que pueda suceder tan rápido... Aunque, por otro lado, es lo mejor que le puede pasar a uno.

—Sí, con tal de que no se presente demasiado pronto.

Salieron juntos al jardín, donde el perro no dejaba de ladrar y notaron que había empezado a llover.

—Dijo que su marido había salido, ¿no?

Stefan echó una ojeada a su alrededor y comprobó que no había ningún coche aparcado allí fuera. Las puertas del garaje estaban abiertas y el lugar, vacío.

—Supongo que habrá salido en coche.

—Bien, será mejor que esperemos, pero podemos hacerlo dentro.

Se sentaron en silencio. El perro seguía ladrando aunque, al fin, también el animal terminó por callar.

—¿Qué haces tú cuando tienes que comunicar una muerte? —quiso saber Giuseppe.

—Lo cierto es que jamás he tenido que hacer tal cosa. He acompañado a los colegas, pero siempre ha sido otro el encargado de dar la noticia.

—¿Sabes?, yo sólo me he planteado dejar la policía una vez en mi vida —confesó Giuseppe—. Hace siete años. Dos hermanas de cuatro y cinco años estaban jugando cerca de un pantano. El padre las había dejado solas un momento. Jamás supimos cómo sucedió, pero se ahogaron las dos. Y a mí me tocó ir con el cura a contárselo a la madre. El padre, como comprenderás, estaba destrozado. El hombre había salido con las niñas para que la madre pudiese preparar la fiesta de cumpleaños de la mayor con tranquilidad. En aquella ocasión, estuve a punto de dejarlo, te lo aseguro. Jamás, ni antes ni después, me ha vuelto a suceder.

El silencio transitaba por la habitación. Stefan miraba la alfombra sobre la que se había desplomado el cuerpo sin vida de Hanna Tunberg. La labor de punto seguía sobre la mesa que había junto a la silla; las agujas sobresalían del tejido. En aquel momento, sonó el teléfono de Giuseppe y ambos se sobresaltaron. Éste atendió la llamada. De pronto, la lluvia empezó a tamborilear ruidosamente contra los cristales de las ventanas. Concluyó la conversación, en la que apenas si había intervenido.

—Era de la ambulancia. Vieron al marido de Hanna por el camino y el hombre se fue con ellos. Ya no tenemos por qué esperar.

Ninguno de los dos se inmutó.

—En fin, jamás sabremos la verdad —vaticinó Giuseppe—. Un testigo se presenta y se atreve por fin a proporcionar información que arroje alguna luz sobre el caso, pero ¿habrá dicho la verdad?

—¿Y por qué lo dudas?

Giuseppe se colocó junto a la ventana a contemplar la lluvia.

—Yo no sé nada de Borås —replicó—. Salvo que es una ciudad, claro. Pero Sveg es un pueblo muy pequeño, de tan sólo un par de miles de habitantes. En todo Härjedalen viven menos personas que en cualquier localidad de las afueras de Estocolmo. Lo que significa que aquí resulta más difícil guardar los secretos.

Giuseppe se apartó de la ventana y se sentó en la silla que había ocupado Hanna Tunberg. Cuando se dio cuenta, se puso de pie de un salto.

—Tendría que habértelo dicho antes de venir. Creo que, simplemente, se me olvidó que no eres de aquí. Verás, esto es como con los ángeles, todos tienen un halo de rumores que los siguen adondequiera que van. Y Hanna Tunberg no era una excepción.

—Creo que no te entiendo.

Giuseppe miró fijamente el lugar de la alfombra donde, hacía unos minutos, yacía la difunta.

—Ya sé que no se debe hablar mal de los muertos pero, por otro lado, ¿qué hay de malo en ser curioso? La mayoría de la gente lo es. Y nuestro trabajo se basa precisamente en eso, hechos y curiosidad.

—¿Quieres decir que era una chismosa?

—Eso es lo que sostiene Erik. Y él siempre sabe lo que dice. Mientras ella hablaba, no dejé de pensar en ello ni un momento. Si hubiese vivido cinco minutos más, me habría dado tiempo de preguntarle. Ahora, ya no tiene remedio.

Giuseppe volvió junto a la ventana.

—Podríamos hacer un experimento —propuso—. Podemos aparcar un coche en el lugar donde ella nos dijo que había aparcado el suyo. Le pedimos a alguien que mire por el retrovisor mientras otra persona sale de la casa de Abraham Andersson, cuenta hasta tres y vuelve a entrar. Y te aseguro que, o bien se ve perfectamente a esa persona, o bien no se ve nada en absoluto.

—¿Estás diciendo que mintió?

—Bueno, sí y no. No creo que mintiese exactamente, pero sospecho que atisbó a alguien detrás de Abraham Andersson cuando éste le abrió la puerta; o mientras estuvo fisgoneando por alguna ventana. Jamás sabremos cómo fue.

—Pero tú crees que algo había, ¿no es eso?

—Eso creo. Ella quería decirnos algo que, en su opinión, podía ser importante, pero sin revelarnos cómo se había enterado.

Giuseppe lanzó un suspiro.

—Creo que estoy resfriándome. Me duele la garganta. Bueno, todavía no me duele, pero me dolerá. Y dentro de un par de horas, me entrará dolor de cabeza. ¿Nos vamos?

—Sí, pero permíteme una pregunta —lo retuvo Stefan—. O mejor, dos. ¿Qué implicaría el hecho de que la persona a la que Hanna vio hubiese sido en verdad Elsa Berggren? Y, si no era ella, ¿quién era entonces? ¿Y qué hacía allí?

—Son tres preguntas en realidad —corrigió Giuseppe—. Y todas importantes. Pero no vamos a buscarles respuesta a ninguna de las tres. Al menos, por ahora.

Se apresuraron hasta el coche bajo la lluvia. El perro se había cobijado en su caseta y seguía, mudo, su carrera. Era el segundo perro tristón con el que Stefan se topaba en muy poco tiempo. Se preguntó si el animal era capaz de comprender lo que acababa de suceder.

Justo antes de salir a la carretera principal, Giuseppe frenó hasta detener el coche.

—Tengo que llamar a Rundström. Pero sospecho que la niebla aún no ha cedido. Además, esta mañana oí en la radio que soplarían fuertes vientos.

Marcó el número mientras Stefan intentaba pensar en Elena. Pero, por más que se esforzaba, la única imagen que acudía a su mente era la de Hanna Tunberg. Y cómo la mujer luchaba por tomar aire antes de morir con un silbido.

Entre tanto, Rundström había contestado y Giuseppe lo había puesto al corriente de lo acontecido con Hanna Tunberg, antes de preguntarle sobre la niebla, el perro policía, el hombre de las montañas...

La conversación fue breve. Una vez concluida, Giuseppe dejó el teléfono y se tocó la garganta.

—Cada vez que me resfrío siento como si padeciese una enfermedad mortal. No hace ni una hora que la señora Tunberg murió ante nuestras narices y yo me preocupo por un simple resfriado.

—¿Y por qué ibas a preocuparte por una persona que está muerta?

Giuseppe lo miró sorprendido.

—No estoy pensando en ella —especificó—. Estoy pensando en mi propia muerte. La única que, en realidad, me interesa.

Entonces, Stefan dio un fuerte puñetazo contra el techo del coche. Ignoraba de dónde había surgido aquel acceso de ira.

—Tú te lamentas por un vulgar resfriado, mientras yo quizás esté muriéndome de verdad.

Dicho esto, abrió la puerta del coche y salió fuera, bajo la lluvia.

Giuseppe abrió también su puerta.

—Lo siento, lo dije sin pensar.

Stefan hizo una mueca.

—Bueno, ¿qué más da un cáncer o un dolor de garganta?

Volvió a sentarse en el coche. Giuseppe se quedó de pie bajo la lluvia.

Stefan miró a través de la ventanilla y de las gotas de lluvia. Las copas de los árboles se movían despacio. Tenía los ojos arrasados en lágrimas. Eran sus ojos los que estaban empañados, no el cristal.

Pusieron rumbo a Sveg. Stefan llevaba la cabeza apoyada contra la ventanilla e intentaba contar los árboles, se daba por vencido y volvía a empezar. Allí estaba Elena. Y Veronica. Pero a sí mismo no podía verse.

Cuando aparcaron ante el hotel habían dado ya las doce y media. Giuseppe dijo que tenía hambre. La lluvia persistía con su golpeteo sobre el techo del coche. Ambos apremiaron el paso hacia el interior con las cazadoras sobre la cabeza.

La chica de la recepción se puso de pie al verlos.

–Tienes que llamar a Erik Johansson. Ha estado intentando localizarte. Es urgente.

Giuseppe sacó el móvil del bolsillo y, al ver la pantalla del aparato, lanzó una maldición, pues lo había tenido apagado. Lo encendió y fue a sentarse en el sofá. Entre tanto, Stefan se puso a hojear un folleto que había sobre el mostrador de la recepción. «Viejas cabañas de pastores de Härjedalen.» En su recuerdo, la imagen de Hanna Tunberg muriendo seguía tan viva como hacía unas horas. La chica de la recepción buscaba un papel en uno de los archivadores. Giuseppe hablaba con Erik Johansson.

Stefan pensó que lo que más le apetecía en aquel momento era masturbarse. Se le antojaba, en efecto, como la única manera plausible de coronar la noche pasada. Y de expiar la traición contra Elena.

Giuseppe se levantó del sofá. Stefan notó enseguida que la conversación telefónica lo había llenado de inquietud.

–¿Ha ocurrido algo?

La muchacha los observó curiosa desde el mostrador. Stefan descubrió que trabajaba con un ordenador idéntico al que había en la habitación de Veronica Molin.

423

Giuseppe se llevó a Stefan al comedor, que en aquel momento estaba vacío.

—Es posible que el hombre de las montañas hallase un camino alternativo a través de la niebla, uno que no estuviese vigilado. Después, debió de robar algún coche que encontró por la carretera.

Stefan lo miraba sin comprender.

—Erik pasó por casa para comer y entonces se dio cuenta de que le habían robado —explicó Giuseppe—. Una pistola y una escopeta. Además de la munición necesaria y unos prismáticos. Ha debido de ocurrir hoy, esta misma mañana, muy temprano.

Giuseppe se palpó la garganta con los dedos.

—Es cierto que pudo haber sido otra persona. Pero ese individuo se ha quedado en la región, se ha atrevido a amenazar a Elsa Berggren y, aunque nosotros no sepamos qué es lo que busca, está claro que *quiere* algo. Un sujeto que da muestras de tal comportamiento puede, en un momento dado, caer en la cuenta de que tal vez vuelva a necesitar un arma, puesto que lo más probable es que se haya deshecho de las primeras, si es listo. Y, ¿quién tiene armas?, se habrá preguntado. Pues, por ejemplo, un policía.

—Pero, en ese caso, se supone que sabía que Erik Johansson se llama Erik Johansson y que es policía. Y, además, dónde vive. ¿Cómo y cuándo crees que pudo averiguar todo eso?

—No lo sé. Pero creo que ha llegado el momento de desandar parte del camino. En algún punto de esta investigación hemos pasado por alto algún detalle, algo que no hemos sabido entender.

Giuseppe se mordió el labio, antes de añadir:

—Empezamos buscando a un asesino que pretendía hacernos creer que había dos. Pero ahora me pregunto si, pese a todo, no se tratará de uno solo. Uno que haya enviado a su sombra con la misión de hacernos avanzar en el sentido equivocado.

424

28

A las dos y cuarto, comenzó la reunión en el despacho de Erik Johansson. Stefan había tenido sus dudas sobre si debía acompañarlos, pero Giuseppe insistió tanto que, al final, también acudió. Erik Johansson presentaba un aspecto cansado y parecía enojado cuando se dejó caer sobre la silla. Pero, ante todo, era evidente que estaba preocupado. Stefan se sentó junto a la pared, detrás de los demás. La lluvia había escampado y el sol, que ya empezaba a ponerse, se filtraba por la ventana abierta. Erik Johansson había puesto el altavoz del teléfono, de modo que la voz de Rundström se oyese en la sala pese a que la conexión era pésima. La niebla persistía en la zona noroeste de Härjedalen.

—Aquí no podemos movernos —resonó la voz de Rundström.

—¿Y los controles de las carreteras? —inquirió Erik Johansson.

—Los mantenemos, por ahora. Un noruego que conducía borracho se salió a la cuneta de puro miedo, al ver a tanto policía en la carretera. Además, llevaba una piel de cebra en el coche.

—¿Y eso por qué?

—¿Cómo quieres que yo lo sepa? De haberse tratado de una piel de oso, habría podido explicármelo. Pero, la verdad, no tenía ni idea de que hubiese cebras en Härjedalen.

La conexión se interrumpió unos segundos, pero se restableció enseguida.

—¡Quería haceros una pregunta sobre el robo de armas! —se oyó gritar a Rundström—. Ya sé de qué armas se trata; y también de cuántas. Pero ¿qué me decís de la munición?

—Dos cargadores para la pistola y doce balas para la escopeta.

—Esto no me gusta ni un pelo —confesó Rundström—. ¿Hay alguna pista?

Su voz aparecía y desaparecía constantemente.

—No había nadie en la casa —se excusó Johansson—. Mi mujer está en Järvsö, de visita en casa de nuestra hija. Y yo no tengo vecinos. La puerta del armario donde guardo las armas estaba forzada.

—¿No había huellas de pisadas? ¿Nadie ha visto un coche o algo por el estilo?

—No.

—Bueno, según el Instituto Sueco de Meteorología e Hidrología, la niebla se disipará pronto. Pero el sol no tardará en ponerse. Estamos discutiendo qué hacer después. Si es él quien ha robado las armas, no tiene ningún sentido que nos quedemos aquí, porque eso significa que se nos ha escapado.

Giuseppe se acercó al altavoz del teléfono.

—Hola, soy Giuseppe. En mi opinión, es demasiado precipitado retirar la vigilancia. Él no tiene por qué haber sido el autor del robo en casa de Erik. Lo que me gustaría saber es cuánta comida pudo haberse llevado el tal Hereira.

—Frostman asegura que tenía comida en la despensa, conservas y cosas así, pero no recuerda la cantidad exacta, por supuesto. Sin embargo, según él, el congelador estaba repleto. Dijo que merecía la pena dejarlo encendido con todas las bayas y la carne de alce que le regalan sus amigos.

—Pues no creo que el hombre al que estamos buscando pueda hacerse un asado de alce en una cocina de cámping. Tarde o temprano tendrá que bajar a algún pueblo para procurarse comida. Si no es él quien ha asaltado la casa de Erik.

—Tenemos bajo vigilancia las casas de montaña de la zona. En una de ellas vive un vejete solo, un tal Hudin, en una casa que se llama Högvreten. Según dicen, el hombre tiene noventa y cinco años y no se arredra fácilmente. El resto son casas de veraneo, de gente que viene a esquiar. No puede decirse que esto esté superpoblado.

—¿Algún otro dato?

—Nada por el momento.

La voz de Rundström desapareció en un carraspeo que cesó cuando Erik Johansson cortó la comunicación.

—¿No era Frostengren? —preguntó uno de los policías—. Me refiero al dueño de la cabaña. Su nombre no es Frostman, ¿verdad?

—Bueno, Rundström es malo para los nombres —le espetó Giuseppe irritado—. En fin, pasemos a revisar lo que tenemos. ¿Alguno de vosotros no conoce aún a Stefan Lindman? Es un colega de Borås que trabajó con Herbert Molin.

A Stefan le resultaban familiares todas las caras. De pronto, se preguntó qué dirían si se pusiese de pie y les contase que, dentro de unos días, empezaría a asistir a sesiones de radioterapia porque tenía cáncer. Pero, como es natural, no dijo nada.

Había un sinfín de detalles y de informes que clasificar. Giuseppe los apremiaba. No podían detenerse en minucias sin necesidad. Al mismo tiempo, tenía que tomar decisiones acerca de qué era importante y qué secundario. Stefan se esforzaba por concentrarse, pero por su mente sólo desfilaban imágenes de mujeres. Hanna Tunberg, que se levantaba de la silla para caer muerta al minuto. Veronica Molin, su mano y su espalda mientras dormía. Y también Elena. Sobre todo Elena. Se avergonzaba de haber negado su existencia ante Veronica Molin.

Se obligó a desechar aquellas ideas e intentó prestar atención a lo que decían los colegas sentados en torno a la mesa.

En aquel momento estaban hablando de las armas utilizadas en el asesinato de Herbert Molin. Tenían que haber salido de algún lugar. Puesto que podían suponer que Hereira había llegado a Suecia desde un país extranjero, también era necesario partir de la base de que había conseguido las armas en Suecia. Giuseppe tenía una lista de los robos de armas denunciados en los últimos meses. Le echó un vistazo rápido y la dejó a un lado. Ningún puesto de control de aduanas sueco tenía información alguna de que hubiese pasado ningún Fernando Hereira de Argentina.

—Ahora está en manos de la Interpol —informó Giuseppe—. Por lo que yo sé, el trato con los países suramericanos puede resultar fastidioso. Hace unos años, una chica de Järpe desapareció en Río de Janeiro. Y os aseguro que fue un infierno obtener información de la policía brasileña. Gracias a Dios, la joven volvió por sí misma. Al parecer, se había enamorado de un indio y había estado viviendo con él un tiempo en el corazón del Amazonas. Pero el amor se acabó. Y ahora es maestra de primaria y está casada con un hombre que trabaja en una agencia de viajes de Östersund. Dicen que tiene la casa llena de papagayos. —La breve digresión provocó cierto regocijo general que Giuseppe acalló con un gesto de la mano—. En fin, esperemos que el Fernando Hereira que buscamos termine por aparecer —atajó.

Dejaron a un lado la documentación ya revisada. Había un informe preliminar sobre la vida de Abraham Andersson que aún distaba mucho de estar listo. Hasta el momento, no habían encontrado nada que pudiese constituir un vínculo entre él y Herbert Molin. A la luz de los datos aportados por Hanna Tunberg, todos estuvieron de acuerdo en que deberían emplear más recursos en averiguar todo lo que pudiesen acerca del pasado de Andersson.

Stefan veía a Giuseppe debatiéndose contra su propia impaciencia. «Sabe que, en el momento en que pierda la calma, se convertirá en un mal policía», observó Stefan en silencio.

Después, estuvieron un momento comentando lo que le había sucedido a Hanna Tunberg. Erik Johansson les contó que, en su momento, la mujer había sido una de las promotoras del club de *curling* de Sveg, que en la actualidad cosechaba éxitos hasta en competiciones internacionales.

—Solían jugar en el parque próximo a la estación de tren —explicó el agente—. Recuerdo haberla visto ir a regar para que se formase hielo cuando empezaban los fríos en otoño.

—Y ahora está muerta —concluyó Giuseppe—. En fin, ha sido una experiencia muy desagradable, os lo aseguro.

—¿De qué murió? —quiso saber uno de los policías que, hasta aquel momento, no había dicho ni una palabra y que, según Stefan recordaba, era de Hede.

Giuseppe se encogió de hombros.

—Un ataque de apoplejía, o una trombosis cerebral. O tal vez el corazón. La mujer fumaba como un carretero. Pero lo último que hizo antes de fallecer fue contarnos esa historia sobre Elsa Berggren a la que creyó haber visto la pasada primavera en la casa de Abraham Andersson. Hanna Tunberg fue lo suficientemente sincera como para señalar que no estaba segura pero, si estaba en lo cierto, podemos extraer, como mínimo, dos conclusiones. En primer lugar, que ya tenemos el punto de unión entre Andersson y Molin. El eslabón es, por tanto, una mujer. Además, hemos de tomar en consideración el hecho de que, hasta la fecha, Elsa Berggren ha negado que ella conociese a Abraham Andersson más que de forma superficial.

Giuseppe extendió el brazo en busca de un archivador.

—Katrin Andersson, la viuda de Abraham, declaró durante una conversación con la policía de Helsingborg que jamás había oído el nombre de Elsa Berggren. Aseguró que su memoria para los nombres es excelente y que su marido jamás tuvo «ningún secreto para ella», textualmente.

Dicho esto, el agente cerró el archivador.

—Sin embargo, esto tal vez resulte ser una verdad a medias. De hecho, es algo que ya hemos oído antes.

—En cualquier caso, yo creo que no debemos precipitarnos

—advirtió Erik Johansson—. Hanna era una buena persona, desde luego. Pero tenía fama de fisgona. Y a ese tipo de gente le cuesta a veces distinguir entre la verdad y la ficción.

—¿Qué insinúas? —lo interrumpió Giuseppe enojado—. ¿Nos tomamos en serio su declaración o no?

—Quiero decir que tal vez no debamos tener por seguro que fue a Elsa Berggren a quien vio salir por la puerta de la casa de Abraham Andersson.

—Si es que fue así como sucedió, claro —objetó Giuseppe—. Yo me inclino a creer que ella se acercó a curiosear por una de las ventanas.

—En ese caso, el perro se habría puesto a ladrar.

Giuseppe tomó impaciente otro de los archivadores, en el que rebuscó sin hallar lo que le interesaba.

—Sé que he leído en algún lugar que, tras la muerte de Molin, Abraham Andersson tenía al perro dentro de la casa, algunas veces. Y quién sabe si no fue en una de esas ocasiones cuando Hanna vio lo que dijo que vio. Aunque algunos perros guardianes ladran incluso dentro de la casa, si oyen ruido fuera, claro.

—Bueno, como perro guardián no parecía muy despierto el animal —opinó Stefan—. Más bien parecía un perro cazador.

Erik Johansson no parecía muy convencido aún.

—¿Hay alguna otra circunstancia que los una? Ya sabemos que Elsa y Molin eran nazis. Si creemos la información que hemos recabado hasta el momento, eso es lo que ellos dos tenían en común. Que los dos estaban chiflados, vamos. Pero eran inofensivos. Y Andersson, ¿él también era nazi?

—Pues no, era militante del partido de centro —informó Giuseppe ceñudo—. Hubo una época en la que fue incluso concejal del Ayuntamiento de Helsingborg, aunque dejó su puesto a raíz del cisma producido por la asignación de subvenciones a la orquesta sinfónica. Pero no por ello abandonó el partido de centro. Creo que podemos estar seguros de que Abraham Andersson no sólo no tenía relación alguna con el pensamiento de esos desgraciados de neonazis, sino que era contrario por completo al mismo. Me pregunto qué habría pensado de haber sabido que tenía por vecino a un antiguo soldado de las Waffen-SS.

—Tal vez lo sabía —se oyó decir Stefan.

Giuseppe lo miró en medio del profundo silencio que se hizo en la sala.

—¿Cómo dices?

—No, quería sugerir que tal vez fuese provechoso darle la vuelta al razonamiento. Si Abraham Andersson hubiese descubierto que su vecino Herbert Molin y tal vez también Elsa Berggren eran nazis, se nos abriría la posibilidad de un auténtico eslabón.

—Ajá. ¿Que sería?

—Pues no lo sé. Pero Molin se había escondido en el bosque y se supone que lo que deseaba, a cualquier precio, era que su pasado continuase siendo un secreto bien guardado.

—¿Quieres decir que cabe la posibilidad de que Andersson lo hubiese amenazado con desvelar la verdad?

—Incluso podríamos hablar de extorsión. Herbert Molin había hecho lo indecible por desaparecer del mapa y ocultar su pasado. Algo lo tenía asustado. Lo más probable es que se tratase de una o varias personas. Que Abraham Andersson llegase a conocer su secreto constituiría una amenaza capaz de destruir su existencia. Elsa Berggren le había buscado la casa a Molin. Y, de pronto, se produjo una situación en la que él volvía a necesitar su ayuda.

Giuseppe negó con un gesto de duda.

—¿Tú crees que eso cuadra de verdad? Si Abraham Andersson hubiese sido asesinado antes que Herbert Molin, lo entendería. Pero ¿cuando Molin ya está muerto...?

—Tal vez Andersson fue la persona que ayudó al asesino a

dar con el paradero de Molin. Y, después, algo se torció. Claro que existe otra alternativa: que Elsa Berggren descubriese o considerase que Abraham era responsable de lo que le ocurrió a Herbert Molin. Y que decidiese vengarse.

Erik Johansson protestó resuelto.

—Eso no puede ser cierto. ¿Cómo habría podido Elsa, con sus setenta años más que cumplidos, arrastrar a Abraham Andersson hasta el bosque y amarrarlo a un árbol antes de dispararle? Eso es imposible. Además, tampoco tenía armas en su casa.

—Bueno, pero, como bien sabemos, las armas pueden robarse.

—Pues yo no me imagino a Elsa en el papel de asesina.

—No, ninguno de nosotros se la imagina. Y, sin embargo, tú y yo sabemos que las personas de apariencia más pacífica son capaces de cometer los crímenes más violentos.

Erik Johansson guardó silencio.

—En fin, lo que Stefan acaba de decir merece tenerse en cuenta —consideró Giuseppe—. Pero lo que hemos de hacer ahora no es especular, sino recabar más información sobre hechos comprobables. Por ejemplo, debemos averiguar qué se ve en el espejo retrovisor de un coche que está aparcado en el lugar en que Hanna Tunberg dijo que había estacionado el suyo. Ni que decir tiene que, después, tendremos que concentrarnos en la persona de Elsa Berggren sin perderle la pista, eso sí, a todo lo demás. Todos los presentes, creo yo, somos conscientes de que nos llevará mucho tiempo aclarar lo sucedido en esta región de los bosques. Lo que no significa que vayamos a tardar más tiempo del necesario. Con suerte lograremos atrapar al hombre de las montañas y nos enteraremos, por fin, de que él no sólo acabó con Molin sino también con Andersson.

Antes de dar por finalizada la reunión, llamaron otra vez a Rundström.

La niebla seguía espesa sobre las cimas de los montes.

Dieron las cuatro de la tarde y los agentes se marcharon a las tareas que cada uno tenía asignadas. Tan sólo Giuseppe y Stefan permanecieron en el despacho. El sol ya se había puesto. Giuseppe estaba sentado bostezando cuando, de improviso, rompió a reír.

—¡Oye!, no habrás visto ninguna bolera en tu deambular por Sveg, ¿verdad? Creo que eso es precisamente lo que necesitamos tú y yo en estos momentos.

—Ni siquiera he visto un cine...

Giuseppe señaló hacia la ventana.

—En la casa de los ciudadanos hay cine. Ahora están dando *Fucking Åmål*.* Es muy buena. Mi hija me obligó a acompañarla.

Giuseppe se sentó tras el escritorio.

—Erik está indignado. Y lo entiendo —admitió—. No es lo mejor que le puede pasar a un policía, que le roben las armas. Además, sospecho que Erik se olvidó de cerrar con llave la puerta de la calle. Aquí, en el campo, hay mucha gente que lo hace. O tal vez se dejó abierta alguna ventana. Lo cierto es que ha sido muy reservado a la hora de explicar cómo pudo entrar el ladrón.

—Dijo algo acerca de una ventana rota, ¿no?

—Sí, pero, en el peor de los casos, pudo romperla él mismo. Y tampoco podría garantizar que la compra de las armas fuese del todo legal, ¿sabes? Hay demasiadas armas en este país que no se custodian como exige la ley. También armas de caza.

Stefan abrió una botella de agua mineral que había sobre la mesa mientras Giuseppe seguía sus movimientos con la mirada.

---

* Coproducción sueco-danesa de 1998, dirigida por Lukas Moodyson, que trata de lo insulsa que puede resultar la existencia en un pueblo sueco, en este caso Åmål, situado al sudoeste de Suecia y a orillas del lago Vänern, a través de la vida de unas adolescentes. *(N. de la T.)*

—¿Qué tal te encuentras?

—No lo sé. Supongo que estoy mucho más asustado de lo que estoy dispuesto a admitir. —Dejó la botella sobre la mesa, antes de advertir—: Pero prefiero no hablar de ello. Me interesa más saber cuál será el próximo paso.

—Yo pienso pasarme la noche en este despacho. Quiero revisar una vez más algunos documentos... En mi opinión, la discusión mantenida hoy ha abierto nuevas vías. Me preocupa Elsa Berggren. No consigo encajarla en todo esto. Si Hanna Tunberg vio lo que dijo haber visto, ¿dónde la colocaría eso? Y, claro, Erik tiene razón al rechazar tu sugerencia. Resulta difícil imaginarse a una mujer de setenta años arrastrando a un hombre por el bosque y atándolo a un árbol antes de ejecutarlo sin más.

—En Borås había un viejo policía del grupo de homicidios llamado Fredlund —comentó Stefan—. Era bastante arisco, iracundo y algo lento, pero también era un brillante investigador. Un día en que estaba de un buen humor inusual hizo una observación que jamás olvidé: «Uno va caminando con una linterna en la mano con la que iluminar el sendero, para saber dónde ponemos los pies. Pero, de vez en cuando, conviene dirigirla hacia los lados, para saber dónde *no* ponemos los pies». Es cierto que no estoy muy seguro de lo que quería decir exactamente. Pero entiendo que su intención era ilustrar que debemos ir probando para ver dónde hemos de situar el centro. ¿Cuál es la persona más importante?

—Y, si aplicas esa interpretación tuya a nuestra situación, ¿qué sucede? Ya he hablado demasiado hoy. Necesito escuchar a alguien yo también.

—¿Puede existir alguna conexión entre el hombre de la montaña y Elsa Berggren? Su versión de los hechos y esa historia de que el sujeto la atacó no tiene por qué ser cierta. Después he llegado a pensar que tal vez fuese mi presencia lo que desencadenase los hechos. Ésa es, a mi entender, la primera cuestión. ¿Existe algún tipo de relación entre ella y Hereira? La segunda nos orienta en otro sentido: ¿hay alguna otra persona en este contexto, alguien que se oculta en el corazón del bosque y que aún no hemos conseguido identificar?

—¿Alguien que comparta las opiniones de Elsa Berggren y Herbert Molin? ¿Estás sugiriendo que hay una especie de red neonazi operando por aquí?

—Bueno, sabemos que existen.

—Es decir, que Hereira viaja hasta aquí para bailar un tango con Herbert Molin, lo que desencadena una serie de sucesos de los que podríamos destacar el hecho de que Elsa Berggren empiece a considerar que Abraham Andersson debe morir. Con este fin, consigue la intervención de la persona adecuada, a la que encuentra en esa oscura red que respalda toda la historia. ¿Es eso, más o menos, lo que planteas?

—Sí, y ya sé que suena bastante descabellado.

—Bueno, no *tan* descabellado, la verdad —puntualizó Giuseppe—. Lo tendré en mente cuando vuelva a machacar los archivadores esta noche.

Stefan regresó al hotel. La luz de la habitación de Veronica Molin estaba apagada. La chica de recepción trabajaba con su nuevo ordenador.

—¿Hasta cuándo te quedas? —quiso saber la joven.

—Hasta el miércoles. Si puede ser.

—Sí, hasta el fin de semana no estaremos al completo.

—¿Pilotos de pruebas?

—No, un grupo de profesionales del senderismo. Son de Lettland y vienen para entrenarse.

Stefan tomó su llave.

—¿Hay alguna bolera en Sveg?

—No —respondió ella perpleja.

—Ya, en fin, era sólo curiosidad.

Una vez en su habitación, se tumbó en la cama. Se decía que había algo extraño en la muerte de Hanna Tunberg.

Entonces, empezó a recordar. Las imágenes acudían desdibujadas y escurridizas a su mente. Y le costó interpretar su significado, darles cohesión.

Tenía cinco o seis años. Ignoraba dónde estarían sus hermanas o su madre. Él se encontraba solo en casa, con su padre. En su recuerdo era de noche. Estaba jugando en el suelo con un coche, detrás del sofá rojo de la sala de estar. El coche era de madera, azul y amarillo con una raya roja que indicaba lo veloz que podía llegar a ser. Su mirada se concentraba en la carretera invisible que él había trazado sobre la alfombra para su coche. Su oído registraba el crujir del papel de periódico. Un sonido familiar. Pero no del todo inofensivo. De hecho, sucedía que su padre leía a veces una noticia que lo ponía furioso. Y entonces destrozaba el periódico y gritaba «¡Socialistas de mierda!», y del periódico no quedaban más que jirones. Como las hojas caídas de un árbol que también crujían como el papel de periódico. Hasta que un viento huracanado las arrasaba y se llevaba al árbol en su torbellino. O al periódico. Iba conduciendo por una carretera que ascendía serpenteante por la ladera de una montaña. Aquello podía acabar mal. Sabía que su padre estaba sentado en el sillón de color verde oscuro que había junto a la chimenea. Dentro de unos minutos, alzaría la vista del periódico y le preguntaría a Stefan qué estaba haciendo. Sin cariño, sin interés siquiera. Tan sólo una pregunta para controlar que todo estaba en orden.

Pero, de repente, el crujido cesó y dio paso a un alarido y a un fuerte golpe. El coche se detuvo. Uno de los neumáticos de las ruedas traseras se había pinchado y se vio obligado a deslizarse, con sumo cuidado, desde el asiento del conductor para impedir que el coche se balancease y terminase cayendo al barranco.

Muy despacio, Stefan se incorporó y asomó la cabeza por encima del sofá. Su padre se había caído al suelo. Seguía sosteniendo el perió-

dico en la mano. Y no dejaba de gritar. Con suma precaución, Stefan se acercó al lugar donde yacía su padre. Pero, para no verse por completo desprotegido, se había llevado consigo el coche y no se animaba a soltarlo. En caso necesario, podría huir en él. Su padre lo miró con el temor pintado en el rostro. Tenía los labios azules. Se movían, articulaban palabras. «Yo no quiero morir así. Quiero morir derecho, como un hombre.»

El recuerdo se esfumó. Él no formaba ya parte del cuadro rememorado, sino que se encontraba fuera de él. ¿Qué sucedió después? Recordaba su miedo, el coche apresado en su mano, los labios violáceos de su padre. Después, su madre apareció por la puerta. Lo más probable era que sus hermanas estuviesen con ella. Pero no las recordaba. Allí sólo estaban él, su padre y su madre. Y un coche con una raya roja. Recordó la marca: Brio. Un coche de juguete de la marca Brio. Sus trenes eran mejores que sus coches pero, puesto que su padre le había regalado un coche, a él le gustaba el coche. Lo que su padre le regalaba era importante. Él habría preferido un tren. Pero el coche tenía una raya roja. Y ahora aparecía estrellado en un barranco.

Su madre lo apartó de un tirón, gritó y su grito inauguró un después muy confuso. Una ambulancia, el padre en una camilla, los labios menos violáceos. Y unas palabras que alguien debió de repetir varias veces pues, de lo contrario, él no las recordaría. Un ataque de apoplejía leve. Muy leve.

Las palabras de su padre, ésas sí las recordaba con total claridad. Yo no quiero morir así. Quiero morir derecho, como un hombre.

Como un soldado del ejército de Hitler, se dijo Stefan. Un soldado que marcha por un cuarto Reich que nadie aniquilará como aniquilaron el tercero.

Tomó la cazadora y salió de la habitación. En algún punto de todos aquellos recuerdos, se había dormido durante un rato. Ya eran las nueve. Salió a la calle pues no deseaba comer en el hotel. Cerca del puente, junto a una de las estaciones de servicio, había un quiosco de perritos, uno de esos que tienen dos ventanillas. Acompañó las dos salchichas con un puré de patatas mientras escuchaba los comentarios que unos adolescentes hacían acerca de un coche que estaba aparcado ante ellos. Después, continuó andando y pensando en qué estaría haciendo Giuseppe en aquel momento. Si aún seguiría con la cabeza hundida en los archivadores. ¿Y Elena? Se había dejado el teléfono en la habitación del hotel.

Atravesó el pueblo en sombras. La iglesia, algún que otro comercio, los locales vacíos, a la espera de que alguien los necesitase.

Cuando regresó al hotel, se detuvo ante la puerta de entrada. Vio que la joven de recepción estaba preparándose para marcharse a casa. Volvió a la calle para ver la fachada principal del hotel. Ya había luz en la habitación de Veronica Molin. Las cortinas estaban echadas, pero quedaba una rendija en el centro. La chica de la recepción desapareció calle arriba. Volvió a preguntarse por qué habría estado llorando aquel día. Pasó un turismo y, después, se puso de puntillas para poder ver por entre las cortinas.

Ella iba de azul marino. Quizá fuese un pijama de seda. Estaba sentada al ordenador, de espaldas a él, de modo que no podía ver qué estaba haciendo. A punto estaba de marcharse de allí cuando ella se levantó de pronto y desapareció de su campo de visión. Él se agachó enseguida. Después, volvió a mirar por encima del poyete de la ventana. La pantalla del ordenador estaba encendida. En el centro, había una marca, tal vez un logotipo. Al principio, no pudo distinguir de qué se trataba.

Pero, al cabo de un instante, lo reconoció enseguida.

Lo que relucía en la pantalla era una cruz gamada.

29

Fue como si hubiese sufrido una fuerte descarga eléctrica. Poco le faltó para caer de espaldas. Al mismo tiempo, un coche giró por la esquina del hotel. Stefan se marchó de allí, entró en el jardín del edificio contiguo, donde el periódico local tenía su redacción y sus oficinas. Hacía más de una semana que había abierto la puerta de un armario y se había encontrado con un uniforme de las SS. Después, descubrió que su propio padre, tras aquella apariencia de hombre honrado, había sido nazi y que incluso después de muerto pagaba un sucio dinero para mantener con vida una organización que, aunque tal vez no representase ya ningún peligro era, en su origen, una organización asesina. Y ahora veía atónito que Veronica Molin tenía una cruz gamada en la pantalla de su ordenador. Su primer pensamiento fue acudir de inmediato a su habitación y pedirle cuentas. Pero ¿cuentas de qué? Ante todo, por haberle mentido. No sólo sabía que su padre era nazi convencido, sino que ella también lo era.

Se obligó, no obstante, a calmarse, a actuar como un policía, a distinguir con claridad, mediante el análisis, lo que eran hechos de lo que no lo eran. Y entonces, en medio de aquella oscuridad, tras la redacción del periódico *Härjedalens* cuyas luces estaban apagadas, el curso de los acontecimientos, todo lo que había comenzado la mañana en que él, en la cafetería del hospital de Borås, leyese por casualidad que Herbert Molin había sido asesinado, ahora, de pronto, adoptaba una forma de coherencia lógica. Herbert Molin había dedicado sus últimos años a componer rompecabezas, así como a bailar con un maniquí y a soñar con un absurdo cuarto Reich. Y ahora se le antojaba que el rompecabezas del que Herbert Molin constituía una pieza clave se completaba en un segundo. La última pieza había encajado en su lugar, el móvil se había hecho evidente. Las ideas se arremolinaban en su mente; como si, en un pantano, se hubiesen abierto una serie de compuertas y él tuviese que decidir rápidamente hacia qué surcos dirigir toda aquella agua. Tenía que sujetarse bien, para no perder pie y verse arrastrado por la corriente.

Permaneció inmóvil. Algo brilló a sus pies y lo sobresaltó, pero no era más que un gato. El animal desapareció sinuoso y veloz cruzando el haz de luz de la farola.

«¿Qué es lo que tengo ante mi vista?», se preguntó. «Un modelo muy claro. Quizás incluso algo más. Algún tipo de conspiración.»

Comenzó a caminar, pues pensaba con más claridad cuando se movía. Dirigió sus pasos hacia el puente de la estación. Los juzgados a la izquierda, con todas las ventanas a oscuras. Por el camino se topó con tres señoras que canturreaban. Las damas se rieron, le dijeron «hola» al pasar y se fueron tarareando una canción de ABBA, *Some of us are crying*. Reconoció la melodía. Después, desaparecieron y él bajó a las vías del tren y se encaminó hacia el puente. Los raíles que ahora sólo utilizaba el tren que transportaba la turba y el tren del interior durante el verano, yacían como grietas abandonadas en el suelo de madera del puente. En la otra orilla del río, en la orilla de Elsa Berggren, se oía ladrar a un perro.

Se detuvo en medio del puente. El cielo estaba totalmente despejado, más frío. Tomó una piedra del suelo y la dejó caer en el agua.

Lo que debía hacer, en realidad, era ir a hablar con Giuseppe de inmediato. Pero tal vez fuese demasiado pronto. Necesitaba pensar. Tenía una ventaja y quería utilizarla. Veronica Molin no sabía que él había estado observándola a través de la rendija de las cortinas. La cuestión era si él podía en verdad utilizar aquella ventaja.

Le costaba contener la ira. Ella lo había engañado, le había mentido abiertamente. Incluso le había permitido compartir su cama, aunque no hubiese sido más que para dormir. Tal vez era ésa su intención, humillarlo.

Dejó el puente y regresó al hotel. No había más que una solución: tenía que hablar con ella. Junto a la recepción, había dos hombres jugando a las cartas que lo saludaron con un gesto y volvieron a concentrarse en su juego. Stefan se detuvo ante la puerta de la habitación de la mujer y dio unos toquecitos. De nuevo lo invadió la ira y tuvo el impulso de derribarla de una patada. Pero se limitó a dar unos golpecitos discretos. Y ella abrió enseguida. Por encima de su hombro, la pantalla del ordenador aparecía negra.

—Estaba a punto de irme a dormir —aclaró la mujer.

—Bueno, me temo que todavía no. Tenemos que hablar.

Ella lo invitó a entrar.

—Te advierto que esta noche quiero dormir sola.

—Ya, bueno, no he venido por eso. Pero, claro, me pregunto por qué querías que durmiera aquí. Cuando no iba a poder tocarte.

—Es lo que tú querías. Pero reconozco que hasta yo puedo sentir el peso de la soledad alguna vez.

Se sentó sobre el borde de la cama y, al igual que la noche anterior, subió las rodillas y se sentó sobre ellas. Él se sentía atraído por ella y su ira despechada no hacía sino acentuar la sensación.

Se sentó en la desvencijada silla.

—Bien, y ¿qué querías? ¿Hay alguna novedad? ¿El hombre de la montaña, habéis dado con él?

—No lo sé. Pero tampoco es ésa la razón por la que estoy aquí. Es por una mentira.

—¿Una mentira? ¿De quién?

—Tuya.

Ella entrecerró los ojos.

—No te entiendo. Y la verdad es que me impaciento enseguida cuando la gente no es capaz de ir al grano.

—Estupendo, en ese caso, iré al grano. Hace un rato, estabas sentada trabajando con el ordenador. Y en la pantalla había una cruz gamada.

A ella le llevó un instante comprender. Después, lanzó una mirada hacia la ventana y las cortinas.

—Exacto —concedió Stefan—. Miré por la ventana. Y se me puede acusar de haber estado fisgando. Pero no creas que lo hice porque pensaba que iba a verte desnuda. Sólo fue un impulso. Y entonces vi la cruz gamada.

La mujer seguía impertérrita.

—Sí, claro, es correcto. Hace un momento había una cruz gamada en la pantalla de mi ordenador. Era negra, sobre fondo rojo. Pero ¿cuál es la mentira?

—Pues que tú eres como tu padre. Aunque afirmaste lo contrario. Cuando mostrabas interés por ocultar su pasado era a ti misma, claro está, a quien querías proteger.

—Ajá, y ¿por qué?

—Porque tú también eres nazi.

—Ya. ¿Eso es lo que crees?

La mujer se levantó de la cama, encendió un cigarrillo y permaneció de pie.

—Pues no sólo eres un imbécil sino también un presuntuoso. Y yo que pensaba que tal vez fueses un policía por encima de lo normal... Pero ya veo que no. Tan sólo un insignificante imbécil.

—No conseguirás nada insultándome. Podrías incluso escupirme a la cara; no lograrías hacerme perder el control.

Ella volvió a sentarse sobre la cama.

–Bueno, en el fondo, tal vez haya sido lo mejor. Me refiero a que te hayas puesto a fisgonear. Así lo aclararemos enseguida.

–Te escucho.

La mujer apagó el cigarrillo a medio consumir.

–¿Qué sabes de ordenadores? ¿De Internet?

–Pues no mucho. Aunque, eso sí, estoy al corriente de que se cuecen con su ayuda muchos negocios que deberían erradicarse, como la pornografía infantil. Y, según tú, podías estar en contacto con todo el mundo desde tu ordenador, sin importar dónde te encontrases. Dijiste que tu vida estaba en ese ordenador.

Ella se sentó junto al aparato y le hizo una seña para que se acercase con la silla.

–A ver. Voy a llevarte de viaje –anunció–. Por el ciberespacio. Esa expresión sí que la habrás oído, supongo.

Dicho esto, pulsó una tecla y la pantalla empezó a temblar levemente antes de iluminarse. Ella siguió tecleando, aparecieron varias imágenes y campos de texto, hasta que la pantalla se tiñó de rojo. Poco a poco, apareció en negro la cruz gamada.

–Del mismo modo que el mundo real, también esta red mundial tiene su inframundo. En el que puedes encontrar lo que desees.

Ella volvió a teclear algo. La cruz gamada desapareció y, en su lugar, Stefan se encontró mirando boquiabierto a unas niñas asiáticas medio desnudas. La mujer pulsó de nuevo unas teclas y la imagen desapareció y dejó paso a una vista de la basílica de San Pedro de Roma.

–Aquí lo tienes todo –sintetizó–. Una herramienta maravillosa que nos permite buscar información dondequiera que estemos. En este momento, Sveg es el centro del mundo. Pero ese mundo tiene sus bajos fondos. Cantidades ingentes de información sobre dónde comprar armas, drogas, pornografía infantil. Todo está ahí.

De nuevo deslizó los dedos sobre el teclado y la cruz gamada volvió a aparecer.

—Y esto también. Muchas organizaciones nazis, algunas suecas, hacen públicas sus opiniones en la pantalla de mi ordenador. Yo intentaba comprender. Estaba buscando a las personas que en la actualidad se organizan en grupos de ideología nazi. Para saber cuántos son, cómo se llaman sus organizaciones, cómo piensan.

Siguió tecleando. Una imagen de Hitler. Sus dedos volvieron a pulsar las teclas y, de pronto, apareció una imagen de ella misma: «Veronica Molin. *Broker*».

Después, apagó el ordenador y la pantalla quedó a oscuras.

—Y ahora, quiero que te vayas —ordenó—. Sacaste una conclusión de una imagen que entreviste mientras me espiabas por la ventana. Y es posible que seas tan necio que sigas pensando que lo que hacía era adorar la cruz gamada. Tu grado de idiotez lo determinas tú mismo. Lo único que quiero es que te marches ahora mismo. Ya no tenemos nada más que decirnos.

Stefan no sabía qué responder. Ella parecía indignada, convincente.

—Si hubiese sido al contrario, ¿cómo habrías reaccionado tú?

—Habría preguntado antes de afirmar que me habías mentido.

Ella se levantó con gesto violento y abrió la puerta, expeditiva.

—Cierto que no puedo impedirte que asistas al entierro de mi padre. Pero no tengo por qué hablar contigo ni estrecharte la mano.

Lo sacó a empellones de la habitación y cerró de un portazo. Stefan regresó a la recepción. Los dos jugadores de cartas se habían marchado ya. Después, subió a su habitación mientras se preguntaba cómo había podido conducirse de aquel modo.

444

La salvación le vino bajo la forma de una llamada telefónica. Era Giuseppe.

—No estarías durmiendo, ¿verdad?

—No, más bien al contrario.

—Así que estás despabilado, ¿eh?

—No te imaginas cuánto.

Entonces, resolvió que bien podía contarle lo que había sucedido. Giuseppe se echó a reír cuando él hubo terminado su relato.

—Es peligroso husmear en las habitaciones de las chicas —ironizó—. Uno nunca sabe qué puede encontrarse allí.

—Me comporté como un idiota.

—Como todo el mundo, en alguna ocasión. Por fortuna, no todos al mismo tiempo.

—¿Sabías que puedes buscar información sobre todas las organizaciones nazis a través de Internet?

—Bueno, seguro que no todas. ¿Cómo dices que lo llamó ella, el inframundo? Pues yo creo que ahí también hay diversas dependencias. Y sospecho que las organizaciones verdaderamente peligrosas no se anuncian en Internet con nombre y dirección.

—¿Quieres decir que sólo podemos acceder a la superficie?

—Algo así.

Stefan sufrió un repentino ataque y comenzó a estornudar con violencia. Una vez, dos veces...

—Espero no haberte contagiado.

—¿Qué tal está tu garganta?

—Algo de fiebre, inflamada por la parte izquierda. La gente que se ve expuesta al espectáculo de tanto desastre, como es nuestro caso, se vuelve hipocondriaca.

—Yo creo que tengo de sobra con la realidad.

—Sí, ya lo sé. Lo que acabo de decir ha sido una torpeza por mi parte. Lo lamento.

—Bueno, ¿qué querías?

—En realidad, sólo alguien con quien hablar.

—¿Sigues en el despacho de Erik?

—Sí. Y tengo café.

—Voy enseguida.

Al pasar ante la fachada principal del hotel, echó una ojeada a la ventana de Veronica Molin. La luz seguía encendida. Pero la rendija de las cortinas había desaparecido.

Giuseppe lo aguardaba ante la puerta de la casa de los ciudadanos con un cigarrillo en la mano.

—¡Ah!, pero ¿tú fumas?

—Sólo cuando estoy muy cansado, para mantenerme despierto.

Partió el cigarrillo por la mitad y aplastó la parte encendida contra el suelo antes de entrar seguido de Stefan. El oso los vigilaba. El edificio estaba desierto.

—Me llamó Erik Johansson —reveló Giuseppe—. Es un hombre muy honrado. Me dijo que estaba tan abatido a causa del robo de sus armas que no tenía fuerzas para venir a trabajar esta noche. Que se tomaría un par de tragos y un somnífero. Supongo que no es una buena combinación, pero creo que hace bien.

—¿Alguna novedad de las montañas?

Ya habían llegado al despacho y, sobre la mesa, Stefan vio dos termos marcados con la leyenda «Municipio de Härjedalen». Giuseppe le ofreció una taza, que él rechazó con un gesto. En una bolsa de papel, había unos maltrechos bollos de crema.

—Rundström ha llamado varias veces. Y la central de Östersund. Uno de los helicópteros que solemos alquilar se ha estropeado. Así que mañana traerán otro de Sundsvall.

—¿Y el tiempo?

—Pues en estos momentos no hay niebla en las montañas. Han trasladado el cuartel general a Funäsdalen. Y en los controles de carretera no han obtenido más resultado que aquel noruego que conducía borracho. Al parecer, su abuela había sido misionera en África y, cuando regresó, se trajo una piel de cebra. En este mundo casi todo tiene una explicación. Pero Rundström está preocupado. Si, al final, mañana pueden reanudar la batida por la montaña y no lo encuentran, querrá decir que se ha escapado y que ha burlado nuestro cerco. Y que tal vez haya sido él quien haya robado en casa de Erik.

—¿Y si nunca subió a la montaña?

—No olvides que el perro detectó un rastro.

—Pudo volverse. Además, estoy pensando que lo más probable es que el individuo sea de Sudamérica y la montaña sueca en otoño le resultará demasiado fría.

Giuseppe se acercó al mapa fijado a la pared y, muy despacio, describió con el dedo un círculo en torno a Funäsdalen.

—La cuestión es por qué no se habrá marchado ya de la región. No dejo de hacerme esa pregunta. A mi juicio es una de las más importantes de todas las planteadas en esta investigación. Estoy convencido de ello. La única explicación que se me ocurre es que aún le quede algo por hacer. Algo le falta por completar. Y ésa es una idea que me tiene cada vez más preocupado. Se arriesga a que lo atrapemos y, aun así, se queda. Y puede que se haya equipado con un nuevo surtido de armas, lo que, hace un rato, me llevó a plantearme otra cuestión que no había surgido en la reunión.

—¿Dónde estarán las armas que utilizó en el asesinato de Herbert Molin?

Giuseppe se apartó del mapa.

—Nos planteamos la pregunta de dónde las habría sacado, pero no la de dónde las habría dejado. Y la circunstancia de que lo más probable es que se haya deshecho de ellas me desconcierta. ¿A ti qué te parece?

Stefan reflexionó un instante, antes de responder.

—Yo me figuro que se marcha. Que ha terminado. Se deshace de las armas, tal vez las entierra. Pero, después, algo ocurre. Regresa y comprende que necesita armas otra vez.

—Exacto, así lo veo yo también. Pero tampoco me aclaro del todo. Si nos cuestionamos que haya regresado para acabar también con la vida de Abraham Andersson, es indiscutible que tenía un arma. Y me parece muy extraño que haya huido dos veces. Y, si fue él quien robó en casa de Erik Johansson, también se habría deshecho de las armas dos veces. Eso no es normal. Por otro lado, sabemos que el sujeto lo planeó todo con detalle. Y tanto trasiego de armas apunta en otra dirección. ¿No será Elsa Berggren su objetivo? Estuvo preguntándole quién había matado a Abraham Andersson. Pero, que sepamos, no obtuvo ninguna respuesta. Insiste sin éxito, te descubre, te ataca y desaparece.

—¿Qué ocurre si nos hacemos la misma pregunta que él le formuló a Elsa?

—Sí, eso es precisamente lo que yo he estado haciendo toda la tarde.

Giuseppe señaló todos los archivadores que había esparcidos por el despacho.

—Ésa es la pregunta que he tenido en mente mientras revisaba los documentos más importantes del material. Incluso he llegado a preguntarme si su visita a Elsa Berggren no tendría por objetivo dejar una falsa pista y si no habría sido él mismo el asesino de Abraham Andersson. Pero, en ese caso, ¿por qué no se ha marchado? ¿A qué espera? ¿Que suceda algo más? ¿O será que va tras otra persona? Pero ¿quién?

—Ahí falta un eslabón —declaró Stefan despacio—. Una persona. La cuestión es si se trata de un asesino o de otra víctima.

Guardaron silencio. A Stefan le costaba concentrarse. Deseaba ayudar a Giuseppe, pero no podía dejar de pensar en Veronica Molin. Por si fuera poco, tendría que haber llamado a Elena. Miró el reloj. Ya habían dado las once y probablemente estaría dormida. Pero no tenía más remedio. Sacó el teléfono del bolsillo.

—Tengo que llamar a casa —le comunicó al colega antes de salir del despacho.

Se colocó junto al oso disecado con la absurda idea de que el animal podría, tal vez, protegerlo.

Elena aún permanecía despierta.

—Ya sé que estás enfermo. Pero me pregunto si eso te da derecho a tratarme así.

—He estado trabajando.

—No, no estás trabajando, estás de baja por enfermedad.

—Estoy hablando con Giuseppe.

—¿Y eso te impide llamarme por teléfono?

—No me di cuenta de que era tan tarde.

Se hizo el silencio.

—Bueno, está claro que tenemos que hablar. Pero ya lo haremos.

—Te echo de menos. En realidad, no sé por qué estoy aquí. Tal vez sea porque me asusta tanto que llegue el día de acudir al hospital, que no me atrevo a estar en casa. La verdad es que no tengo ni idea. Lo que sí sé es que te echo de menos.

—No será que has conocido a otra mujer, ¿verdad?

Stefan se asustó. Intensamente, momentáneamente.

—¿A quién iba a conocer aquí?

—Qué sé yo. A alguien más joven.

—Pues claro que no.

Se dio cuenta de que ella estaba abatida y de que su estado de ánimo lo hacía sentirse más culpable aún.

—Ahora mismo estoy junto a un oso disecado; que te manda un saludo.

Ella no respondió.

—¿Sigues ahí?

–Sí, aquí estoy. Pero me voy a la cama. Llámame mañana. Espero que al menos tú puedas conciliar el sueño.

Stefan volvió al despacho, donde halló a Giuseppe inmerso en la lectura de uno de los archivadores. Stefan se sirvió una taza de café tibio y el colega apartó el archivador. Tenía el cabello revuelto y los ojos enrojecidos.

–Elsa Berggren –anunció–. Quiero mantener otra conversación con ella mañana mismo. Y me llevaré a Erik como testigo. Aunque las preguntas las haré yo. Erik es demasiado blando. Incluso estoy por pensar que le tiene miedo.

–¿Qué crees que sacarás en claro?

–Precisamente, claridad. Esa mujer nos oculta algo.

Giuseppe se puso de pie para estirarse antes de proseguir:

–Una bolera. Le diré a Erik que hable con el concejal y le pregunte si no podrían montar aquí una pequeña bolera. Sólo para los policías que vengan de visita.

Dicho esto, volvió a adoptar un tono grave.

–¿Qué le preguntarías tú a Elsa Berggren? En realidad, ya casi sabes tanto de esta investigación como yo mismo.

Stefan guardó silencio durante cerca de un minuto, antes de pronunciarse.

–Supongo que intentaría averiguar si ella sabía que Erik tenía armas en casa, por ejemplo.

–Sí, claro, ésa es una buena idea –convino Giuseppe–. Intentar colocar a la señora en distintos puntos del contexto. Hasta que nos cuadre en alguno.

En ese momento, sonó el teléfono que había sobre el escritorio. Giuseppe tomó el auricular, escuchó sin hablar, se sentó y preparó su bloc de notas. Stefan le ofreció un bolígrafo que se había caído al suelo. Giuseppe asentía en silencio mientras miraba el reloj.

–Salimos ahora mismo –aseguró antes de colgar.

Stefan intuyó, por la expresión de su rostro, que algo grave había ocurrido.

–Era Rundström. Hace veinte minutos que un coche ha pasado a toda velocidad saltándose la valla de uno de los controles de carreteras. Los policías se salvaron de milagro.

Se acercó hasta el mapa y señaló con el dedo el lugar del suceso. Se trataba de un cruce de carreteras al sudeste de Funäsdalen. Stefan calculó que la distancia desde la casa de Frostengren hasta el cruce sería de unos veinte kilómetros.

–Era un turismo de color azul oscuro, quizás un Golf –continuó Giuseppe–. El conductor era un hombre. Su aspecto puede coincidir con la descripción que ya tenemos. Los agentes no tuvieron tiempo de captar demasiados detalles, claro. Pero es posible que sea nuestro hombre quien se ha saltado la valla. Y, en ese caso, se dirige hacia aquí. –Giuseppe volvió a mirar el reloj–. Si conduce rápido, lo tendremos aquí en un par de horas.

Stefan miró el mapa y señaló una de las salidas.

–Podría tomar este desvío.

–Sí, pero ya están trasladando todos los controles policiales de Funäsdalen. Piensan levantar un muro detrás de él. Pero aquí no hay vigilancia alguna. –Sacó el auricular, antes de comentar–: Espero que Erik no se haya ido a la cama aún.

Stefan se dispuso a esperar mientras Giuseppe hablaba con Erik Johansson sobre el control de carretera que debían organizar.

Giuseppe colgó moviendo la cabeza.

–Erik es un tipo estupendo –afirmó–. Acababa de tomarse el somnífero, pero me aseguró que se metería los dedos en la garganta para provocarse el vómito. Creo que se muere de ganas de atrapar a ese tipo. Y no sólo porque tal vez sea el tal Hereira el que le robó las armas.

–Pues a mí no me cuadra –objetó Stefan–. Cuanto más lo

pienso, menos verosímil me parece. ¿Cómo iba a robar en casa de Erik para después regresar a la montaña?

—No, aquí nada encaja, la verdad. Pero lo último que se me ocurriría es empezar a contar con un tercer implicado en todo esto. —Giuseppe se interrumpió a sí mismo antes de continuar—. Aunque, tal vez sea eso precisamente lo que ha sucedido. Y, en ese caso, ¿qué implicaría ese nuevo elemento?

—No lo sé.

—En fin. Quienquiera que sea la persona que se halla al volante de ese vehículo, puede ser la misma que tiene las armas. Y, de ser así, también puede empezar a utilizarlas en cualquier momento. De modo que mediremos bien las distancias y, si empieza a disparar, nos mantendremos alejados. —De nuevo adoptó un semblante grave, antes de añadir—: Tú eres policía. Y en estos momentos andamos muy escasos de personal. ¿Nos acompañas?

—Sí.

—Erik te traerá un arma.

—¡Vaya!, creía que se las habían robado todas.

Giuseppe exhibió una mueca.

—Bueno, verás, al parecer, además de su arma reglamentaria, tiene una extra que no parece que haya llegado a declarar... La guarda en el sótano.

El teléfono volvió a sonar y, de nuevo, le trajo la voz de Rundström. Giuseppe escuchaba sin pronunciar palabra.

—El coche es robado —anunció tras haber colgado el auricular—. Y, en efecto, era un Golf. Se lo llevaron de una gasolinera, en el centro de Funäsdalen. Un camionero presenció el robo. Según Rundström, es uno de los compañeros de póquer de Erik.

De pronto, sentía un gran apremio. Apartó los archivadores bajo los que había quedado enterrada su cazadora.

—Erik iba a movilizar a los dos agentes que hay en Sveg. No

puede decirse que seamos una legión imponente pero, desde luego, nos las arreglaremos para detener a ese Golf.

Tres cuartos de hora más tarde ya tenían montado el control a tres kilómetros al noroeste de Sveg. Aguardaban en silencio. Sólo se oía el rumor del bosque. Giuseppe hablaba con Erik Johansson en un susurro. El resto de los policías se atisbaban como siluetas sombreadas a un lado de la carretera.

Los faros de los coches policiales rasgaban la oscuridad.

30

El coche que esperaban no llegó jamás.

En cambio, otros cinco automóviles pasaron el control. Erik Johansson conocía a dos de los conductores. Los tres restantes eran desconocidos, dos mujeres que vivían al oeste de Sveg y que trabajaban como miembros de los servicios sociales, y un joven con gorro de piel que había estado visitando a unos familiares en Hede y que volvía al sur, donde vivía. Todos ellos tuvieron que abrir sus maleteros antes de poder seguir su camino.

La temperatura había vuelto a subir y un aguanieve que no tardaba en derretirse caía pertinaz. Puesto que no corría la menor brisa, cualquier sonido se oía a la perfección. Alguien a quien se le escapaba una ventosidad, una mano que golpeaba la puerta de uno de los vehículos...

Sobre el capó de uno de los coches de la policía habían desplegado un mapa que no tardó en mojarse y que se dispusieron a estudiar a la luz de las linternas. ¿Habrían cometido algún error? ¿No existiría, pese a su minucioso análisis, otra vía de escape? Sin embargo, por más que se esforzaron, no consiguieron detectar ninguna otra alternativa. Los controles se habían dispuesto donde correspondía. Giuseppe funcionaba como una especie de centralita telefónica unipersonal que mantenía el contacto con los distintos grupos que, aquella noche, se habían apostado en diversos puntos del bosque.

Stefan se mantuvo en todo momento en segundo plano. Erik Johansson le había prestado una pistola de una marca que le resultaba familiar. La nieve caía sobre su cabeza mientras pensaba en Veronica Molin, en Elena y, muy especialmente, en el 19 de noviembre. Aquella noche, le resultaba imposible determinar si la inmensidad del bosque y la oscuridad incrementaban su inquietud o, por el contrario, apaciguaban su espíritu.

Hubo incluso un instante en el que pensó que podría acabar con todo en unos segundos. En efecto, tenía un arma cargada en el bolsillo, de modo que bien podía disparar contra su propia sien y ya no tendría que volver a pensar en la radioterapia nunca más.

Nadie se explicaba adónde habría ido a parar el Golf. Stefan oía a Giuseppe hablar con los demás y comprobaba que su humor empeoraba por momentos.

Entonces, de repente, sonó el teléfono de Erik Johansson.

—Pero i¿qué dices?! —se lo oyó gritar.

Mientras hablaba, el agente hizo una seña para que volviesen a desplegar el mapa empapado y, fue tal la energía con que posó el dedo sobre un punto concreto, que perforó el papel. Después de repetir el nombre del lago Löten varias veces, concluyó la conversación.

—Un tiroteo —explicó—. Se desató hace un rato aquí, junto al lago Löten, a tres kilómetros de la salida hacia Hårdabyn. El que ha llamado es Rune Wallén. Él vive por allí. Tiene un camión y una excavadora. Dice que lo despertó un estallido. Su mujer también lo oyó. Entonces salió al jardín y volvió a oírlo. Asegura que contó hasta diez disparos. Es cazador, así que sabe perfectamente cómo suenan.

Erik Johasson miró el reloj y efectuó un cálculo mental.

—Según me dijo, le llevó unos quince minutos encontrar mi número de móvil. Los dos pertenecemos al mismo grupo de caza, así que sabía que lo tendría en algún cajón. Después, estuvo discutiendo con su mujer sobre qué hacer pues pensaba que, si me llamaba a estas horas, me despertaría. En fin, de todo ello se desprende que hace veinticinco minutos, como máximo, que se produjeron los disparos.

—Bien, en ese caso, reharemos los grupos —propuso Giuseppe—. Vamos a mantener este control. Pero algunos de nosotros y los agentes de los controles dispuestos más al norte debemos acudir al lugar. Sabemos que hay armas de por medio. Toda precaución es poca. No quiero ninguna intervención en solitario.

—¿No piensas dar la alarma general? —quiso saber Erik Johansson.

—Puedes apostarte lo que quieras a que sí —confirmó Giuseppe—. Tú mismo puedes encargarte de ello. Llama a Östersund y quédate a cargo del control de esta zona.

Giuseppe hizo una seña a Stefan:

—Tú y yo iremos a Löten. Llamaré a Rundström desde el coche.

—Tened cuidado —les advirtió Erik Johansson.

Pero Giuseppe no pareció oírlo. Permanecía inmóvil, con el rostro fantasmagórico a la luz vacilante de una linterna.

—¿Qué es lo que está pasando? —lanzó como para sí—. ¿Qué es lo que está pasando aquí, en realidad?

Stefan conducía en silencio. Giuseppe habló con Rundström y lo puso al corriente de la situación y de las medidas que había decidido adoptar. Concluida la conversación, dejó a un lado el teléfono.

—Puede que nos crucemos con algún coche, pero no nos detendremos. Simplemente, intentaremos ver de qué marca es y retener el número de matrícula.

Les llevó treinta y cinco minutos cubrir la distancia que los separaba del lugar indicado por Rune Wallén. Durante el trayecto, no vieron ningún coche. Stefan condujo despacio y se detuvo cuando Giuseppe se lo ordenó. El agente levantó la mano y señaló: a medio camino hacia la cuneta, había un Golf de color azul oscuro.

—Retrocede unos metros —ordenó Giuseppe—. Pero apaga las luces.

A aquellas alturas, había dejado de nevar y a su alrededor reinaba un denso silencio. Giuseppe y Stefan se habían apresurado a apartarse del coche agazapados y con las armas preparadas, cada uno a un lado de la carretera. Seguían atentos a cualquier ruido y se esforzaban por distinguir alguna silueta en la oscuridad. Stefan fue incapaz de calcular después cuánto tiempo permanecieron así hasta que, al fin, oyeron el ronroneo lejano de un coche que se aproximaba. La luz de los faros inundó la oscuridad y el coche de la policía se detuvo. Giuseppe encendió su linterna y comprobó que era el propio Rundström, en compañía de otro agente que, según Stefan recordaba, se llamaba Lennart Backman, quienes se aproximaban a la parte posterior del Golf azul. Stefan cayó de pronto en la cuenta de que había habido un futbolista muy admirado por él que tenía el mismo nombre, Lennart Backman; pero fue incapaz de recordar si pertenecía al equipo de Hammarby o al AIK.

—¿Habéis visto algo? —gritó Rundström.

Su voz resonó por todo el bosque.

—El coche parece estar vacío —observó Giuseppe—. Pero, en realidad, no nos hemos acercado aún.

—¿Quién está contigo?

—Lindman.

—Bien, tú y yo nos aproximaremos al automóvil, mientras los otros dos aguardan donde están —resolvió Rundström.

Stefan se mantenía alerta con el arma preparada al tiempo que sostenía la linterna para iluminar el camino de Giuseppe. Él y Rundström se acercaban al Golf con cautela, cada uno por un lado.

—¡Aquí no hay nada! —exclamó Giuseppe—. Moved los coches, para que veamos mejor.

Stefan movió el coche y enfocó los faros hacia el Golf.

Rune Wallén no se había equivocado. El vehículo azul oscuro tenía agujeros de bala. En la luna delantera había tres orificios, el neumático anterior izquierdo estaba perforado, al igual que el capó.

—Parece que los disparos se hicieron de frente —opinó Rundström—. Tal vez desde una posición lateral.

Iluminaron el coche y Giuseppe señaló unas manchas.

—Eso puede ser sangre.

La puerta del conductor estaba abierta. Enfocaron el suelo con las linternas, pero no detectaron restos de sangre. Giuseppe dirigió el haz de luz hacia el interior del bosque.

—La verdad es que no entiendo qué está pasando. No entiendo nada de nada —admitió abatido.

Formaron una cadena y avanzaron precedidos del danzar de luces de las linternas sobre árboles y arbustos. Pero no hallaron a nadie por allí. Se adentraron otros cien metros aproximadamente, hacia el corazón del bosque, hasta que Giuseppe decidió que debían regresar a los coches. A lo lejos, desde el este, se oía cada vez más próximo el lamento de las sirenas.

—Ya vienen con el perro policía —observó Rundström cuando ya estaban todos de vuelta sobre la calzada.

Las llaves seguían en el contacto. Giuseppe abrió el maletero, en el que hallaron varias latas de conserva y un saco de dormir. Los dos colegas se miraron.

—Un saco de dormir azul marino, de la marca Alpin —advirtió Rundström.

Rebuscó en su memoria un número de teléfono que marcó al instante.

—Inspector de la brigada judicial Rundström —se presentó cuando atendieron la llamada—. Disculpa que os despierte a estas horas, pero ¿no tenías un saco de dormir en la cabaña? ¿De qué color era?

Rundström asintió. El color coincidía: azul marino.

—¿De qué marca era?

El inspector seguía escuchando.

—¿Recuerdas si había en la despensa alguna lata de conserva de salchichas de la marca Bullens Pilsnerkorv?

Frostengren pareció extenderse en ofrecer una respuesta detallada.

—Bien, eso es todo —aseguró Rundström a modo de despedida—. Gracias por tu colaboración. Bueno, pues ya sabemos algo más. Pese a que estaba medio dormido, Frostengren supo decirme que su saco de dormir no es de la marca Alpin. Aunque eso no tiene por qué significar nada; puede que Hereira llevase sus propios utensilios. Sin embargo, lo de las latas de conserva sí que coincide.

Todos comprendieron en el acto lo que aquello significaba. Fernando Hereira había escapado al círculo de controles huyendo por la montaña.

El coche de policía apareció a gran velocidad, apagó la sirena y frenó en seco. Uno de los técnicos, al que Stefan ya había visto con anterioridad, salió del automóvil. Rundström le ofreció una síntesis de lo sucedido.

—Dentro de unas horas tendremos luz del día —apuntó Giuseppe—. Hemos de conseguir que nos envíen algunos agentes de seguridad ciudadana porque, aunque esta zona esté poco poblada, siempre hay tráfico por esta carretera.

Stefan ayudó al técnico a levantar la cinta policial en torno al coche acribillado. Volvieron a mover los coches, de modo que los faros no iluminasen sólo el Golf que estaba medio volcado en la cuneta, sino también la carretera y el lindero del bosque. Giuseppe y Rundström se apartaron para que los técnicos pudiesen comenzar su labor. Con una seña, llamaron a Stefan.

—A ver, ¿qué hacemos ahora? —inquirió Giuseppe—. Si hemos de ser sinceros, ninguno de nosotros comprende lo ocurrido.

—Bueno, los hechos son los hechos —sentenció Rundström impaciente—. El hombre al que perseguíamos por la montaña logró escapar a nuestra vigilancia. Después, roba un coche. Y ahora, alguien ha preparado una sorpresa apareciendo en su camino y disparando varias veces contra su coche en medio de la carretera. Por cierto, que ese alguien tira a matar, puesto que parecía apuntar al parabrisas. Supongo que podemos descartar la posibilidad de que él mismo saliese del coche y le disparase. Hereira debió de tener una suerte increíble. Si es que ahora no yace medio muerto en el bosque, claro. Puede que exista un rastro de sangre que nosotros no hayamos advertido. Por cierto, ¿ha estado nevando aquí? En Funäsdalen había varios milímetros de nieve.

—Aguanieve durante una hora, poco más.

—Bien, el agente de la sección canina no tardará en llegar —los animó Rundström—. Salió en su coche particular y, ¡cómo no!, se le pinchó una rueda por el camino. Pero yo creo que Hereira se ha librado de ésta. La mancha del asiento no parece fruto de una herida de envergadura. Si es que es una mancha de sangre.

Dicho esto, se acercó hasta el lugar donde trabajaba el técnico para averiguarlo.

—Puede ser sangre —declaró cuando hubo regresado—. Pero también chocolate.

—¿Tenemos algún esquema horario? —quiso saber Giuseppe que, por lo general, parecía hacerse esa pregunta también a sí mismo.

—Tú me llamaste a las cuatro y tres minutos —afirmó Rundström.

—Lo que significa que el drama tuvo lugar entre las tres treinta y las tres cuarenta y cinco.

Entonces, de repente, todos parecieron tener la misma idea.

—Los coches... —comenzó a razonar Giuseppe—. Por nuestro control pasaron dos poco antes de que Rune Wallén llamase y nos contase lo de los disparos.

Los tres colegas comprendieron al punto lo que aquello significaba. La persona que había efectuado los disparos podía haber sido una de las que pasaron el control. Giuseppe miró a Stefan.

—¿Quién iba en los dos últimos coches que pasaron?

—En el primero iba una mujer. Erik la conoce.

Giuseppe asintió.

—Y después de ella, pasó otro coche que iba a bastante velocidad. ¿Qué era, un Ford?

—Sí, un Ford Escort rojo —precisó Stefan.

—Lo conducía un hombre joven que llevaba un gorro de piel. Iba hacia el sur tras haber visitado a unos parientes en Hede. La hora puede encajar. Primero agujerea este coche y después pasa nuestro control.

—¿No le pedisteis el permiso de conducir?

Giuseppe negó con gesto desolado.

—Y el número de matrícula, ¿lo tenemos?

Giuseppe llamó a Erik Johansson y le expuso la situación. Aguardó unos minutos hasta que volvió a guardar el teléfono en el bolsillo.

—A, be, be, trescientos tres. Por desgracia, Erik no está seguro de las cifras. Se le mojó el bloc de notas y la tinta se había corrido. Me temo que no lo están llevando demasiado bien.

—Bien, daremos la orden de búsqueda de ese coche ahora mismo —decidió Rundström—. Ford Escort rojo, a, be, be, trescientos tres o algo así. Hemos de dar con el propietario a la voz de ya. Ya hablaremos de esto con Erik más tarde.

—Sí, bueno, pero entretanto vamos a intentar dilucidar qué ha ocurrido —propuso Giuseppe—. Aquí está surgiendo un mar de preguntas sin respuesta. Aunque sólo sea por que no se nos escape ningún detalle decisivo. Por ejemplo, ¿cómo podía saber alguien que Fernando Hereira pasaría en un Golf azul oscuro, precisamente por esta carretera y precisamente esta noche? ¿Y quién se expone a colocarse en medio de la carretera para matarlo?

Rundström y Giuseppe volvieron a los teléfonos al tiempo que Stefan tomaba también el suyo sin saber, no obstante, a quién llamar. El coche del agente de la sección canina, con otros dos policías y el pastor alemán *Dolly* llegaron por fin. El perro olfateó un rastro de inmediato y los agentes desaparecieron hacia el corazón del bosque. De improviso, en medio de una de sus conversaciones telefónicas, Rundström estalló en un ataque de ira.

—¡Estupendo! ¡Los ordenadores del registro de tráfico no funcionan! —exclamó—. ¿Por qué tiene que ir todo mal siempre?

—¿Avería o interferencias en la línea?

Giuseppe hablaba con Rundström y con alguien de la central de alarmas de Östersund al mismo tiempo.

—No, están actualizando la base de datos y han pensado hacerlo de noche. Creen que estarán otra vez operativos dentro de una hora.

El técnico pasó por allí tras haber ido a su coche a ponerse las botas de goma.

—¿Has encontrado algo? —inquirió Giuseppe.

—He encontrado de todo. Ya os llamaré si doy con algo que pueda ser importante.

Dieron las seis. Seguía reinando la noche. Los policías y el perro volvieron del bosque.

—El animal ha perdido el rastro —explicó el agente de la sección canina—. Además, está cansada. No podemos forzarla sin límite, así que tendremos que traer más perros.

Mientras Rundström hablaba por teléfono, Giuseppe volvió a desplegar el mapa.

—Lo cierto es que no tiene muchas opciones entre las que escoger. Se encontrará con dos carreteras de grava. El resto, es territorio salvaje. Así que tendrá que elegir una de las dos.

Giuseppe arrugó el mapa con desgana y lo arrojó al interior del coche. Rundström estaba al teléfono enojado con alguien que «no comprendía la gravedad de la situación». Giuspeppe se llevó a Stefan al otro lado de la carretera.

—A ver, tú que sabes pensar —comenzó—. Y que, por si fuera poco, no tienes que cargar con la responsabilidad de lo que ocurra. Tú puedes ayudarnos diciéndonos qué conclusiones crees que deberíamos sacar de todo esto.

—Bueno, la cuestión más importante ya la has mencionado tú —observó Stefan—. ¿Cómo podía saber alguien que Hereira iba a pasar por aquí esta noche?

Giuseppe lo miró largo rato, antes de pronunciarse. Los dos colegas quedaban iluminados por las luces de los faros de uno de los coches policiales.

—¿Crees que hay más de una respuesta a esa pregunta?

—Lo dudo.

—Es decir, que quien disparó estuvo en contacto con Hereira, ¿no es eso?

—Es la única posibilidad que se me ocurre. O bien de forma directa, o bien a través de alguien que actuaba como enlace entre ambos.

—Y, según tú, esa persona se oculta apostada en la carretera con la determinación irrevocable de asesinarlo, ¿cierto?

—Yo no veo otra explicación plausible. A menos que exista un soplón entre los policías, alguien que le reveló que estábamos organizando controles y dónde.

—Eso no parece lógico.

De pronto, Stefan recordó la sensación que había experimentado la noche anterior, aquel presentimiento de que alguien iba siguiéndolo, que lo vigilaban. Pero nada dijo al respecto.

—En fin, desde luego, no cabe duda de que tenemos que encontrar a Hereira e identificar al hombre que conducía el Ford. ¿Lograste verle la cara?

—El gorro de piel se la ocultaba.

—Pues Erik tampoco recuerda su aspecto. Ni si hablaba algún dialecto, ya sabes. Aunque tampoco es seguro que Erik lo hubiese notado, claro. Ha vomitado el somnífero, pero a mí me da la impresión de que no está muy despabilado esta noche.

De repente, sin previo aviso, Stefan sufrió un fuerte mareo. Y se vio obligado a agarrarse de Giuseppe para no caer.

—¿Estás bien?

—No lo sé. De pronto, todo empezó a darme vueltas.

—Tienes que regresar a Sveg. Yo me ocuparé de que alguien te lleve. Al parecer, Erik no es el único que no está en forma esta noche.

Stefan notó que Giuseppe estaba preocupado de verdad.

—¿Crees que vas a desmayarte?

Stefan negó con un gesto. No quería admitir que podía desplomarse en el suelo en cualquier momento.

Al final, el propio Giuseppe lo llevó a Sveg. Ambos recorrieron el trayecto en silencio. Ya empezaba a clarear el día y la nieve había dejado de caer, aunque las nubes seguían amenazantes sobre sus cabezas. Stefan notó, medio ausente, que el sol había salido hacia las ocho menos cuarto. Giuseppe giró para acceder al hotel.

—¿Cómo te encuentras?

—Como tú. Una noche sin pegar ojo. En cuanto descanse un poco, me sentiré mejor.

—¿Y no crees que lo mejor sería que volvieras a Borås?

—No, todavía no. Me quedaré hasta el miércoles, como había planeado. Además, siento curiosidad por saber si han podido relacionar la matrícula con su propietario.

Giuseppe llamó a Rundström.

—No, los ordenadores siguen sin funcionar. Me pregunto si no tienen la información impresa en papel. O si no hacen copias de seguridad.

Stefan abrió la puerta del coche y salió despacio. El miedo lo trituraba por dentro. «¿Por qué no soy capaz de confesarlo?», se preguntó. «¿Por qué no me atrevo a decirle a Giuseppe que es el miedo lo que me hace temblar?»

—Bueno, vete a descansar. Ya te llamaré.

Giuseppe desapareció en su coche. Cuando Stefan entró, vio que la chica de la recepción estaba sentada ante el ordenador.

—¡Vaya! ¡Mira que eres madrugador! —exclamó en tono jovial.

—Ya, o todo lo contrario —le espetó él en tono desabrido, antes de tomar su llave y subir a su habitación.

Se sentó en el borde de la cama y llamó a Elena, que ya estaba en la escuela. Le contó lo sucedido, que había estado despierto toda la noche y que se sentía mareado. Ella le preguntó cuándo pensaba regresar. Entonces, él le contestó elevando el tono de voz, incapaz de contener su enojo, y le dijo que lo decidiría cuando hubiese dormido.

Cuando despertó era ya la una y media. Pero permaneció un rato en la cama, con la mirada fija en el techo.

Una vez más, había soñado con su padre. Habían estado remando en una canoa de dos plazas. En algún punto, delante de ellos, había una catarata. Él había intentado advertir a su padre de que debían dar la vuelta antes de que la corriente cobrase tanta fuerza que los arrastrase consigo hasta el precipicio. Pero su padre no le respondió. Cuando Stefan miró hacia atrás, vio que no era su padre quien ocupaba la otra pla-

za de la canoa, sino el abogado Jacobi. Estaba desnudo por completo
con el pecho cubierto de algas. Después, el sueño se desintegró en la nada.

Se incorporó y comprobó que se le había pasado el mareo.
Se sentía hambriento. No obstante, la curiosidad era aún más intensa, de modo que marcó el número de Giuseppe, pero la línea
estaba ocupada. Se dio una ducha antes de volver a intentarlo.
Pero el colega seguía hablando. Al vestirse, se dio cuenta de que
no le quedaba ya más ropa interior limpia. Una vez más, llamó
a Giuseppe. En esta ocasión, el colega respondió con un rugido.

—Soy Stefan.

—¡Vaya!, creí que sería un periodista de Östersund. Lleva
persiguiéndome toda la mañana. Erik cree que es Rune Wallén
quien les ha soplado lo del tiroteo. Y si es así, pienso montarle
un pollo. El jefe de policía también está hecho una hidra y no
deja de preguntar qué está ocurriendo. Como todos, claro.

—¿Cómo van las cosas?

—Verás, localizamos el número de matrícula. A, be, be, cero,
cero, tres. Erik se equivocó en una cifra.

—¿Quién es el propietario?

—Un individuo llamado Anders Harner. Su dirección es un
apartado de correos de Albufeira, en el sur de Portugal. Uno de
los policías de Hede sabía exactamente dónde estaba pues, al
parecer, ha estado allí de vacaciones. El problema es ahora que
el tal Anders Harner tiene setenta y siete años. Y el que conducía el coche no era ningún anciano. Ninguno de nosotros tiene
tan mala vista.

—Podía ser su hijo o algún familiar.

—O alguien que había robado el coche. Estamos investigándolo. Pero lo que parece evidente es que, en este caso, nada va
a resultar sencillo.

—Yo creo que es más exacto decir que estaba muy bien
planeado. ¿Tenéis alguna pista sobre el paradero de Fernando
Hereira?

466

—Hemos tenido tres perros recorriendo la zona y, al final, también vino el helicóptero de Sundsvall. El resultado es, hasta la fecha, nulo. No hay ni rastro. Lo cual es muy extraño. Pero, y tú, ¿cómo te encuentras? ¿Has podido dormir?

—Sí, ya se me pasó el mareo.

—A mí me entró cargo de conciencia, la verdad. He perdido la cuenta de la cantidad de normas que estoy contraviniendo por el simple hecho de haberte involucrado en todo esto. Pero, sobre todo, no debería haber olvidado que estás enfermo.

—Bueno, lo hago porque quiero.

—Por cierto, los técnicos creen que las armas utilizadas anoche pudieron ser las de Erik. Al menos, existe la posibilidad.

Stefan bajó a comer. Después, se sintió algo mejor, aunque seguía cansado, de modo que regresó a su habitación. Había en, el techo una mancha que parecía un rostro. «El rostro del abogado Jacobi», se dijo. «Me pregunto si sigue vivo.»

En ese momento, alguien llamó a la puerta. Cuando abrió, vio con asombro que era Veronica Molin.

—Espero no molestar.

—No, en absoluto.

—Quería pedirte disculpas. Mi reacción de ayer noche fue desmedida.

—Bueno, fue culpa mía. Me comporté torpemente.

Quería invitarla a entrar, pero el montón de ropa sucia estaba en medio del suelo. Y, además, olía a cerrado.

—Esto está bastante sucio —se excusó.

Ella sonrió.

—Mi habitación no lo está.

La mujer miró el reloj, antes de continuar:

—He quedado en recibir a mi hermano en el aeropuerto de Östersund dentro de cuatro horas exactamente, así que podemos charlar un rato.

Él tomó su cazadora y la siguió escaleras abajo. Mientras caminaba tras ella, se vio obligado a controlarse para no alargar la mano y tratar de acariciarla.

En su habitación, el ordenador estaba apagado.

—Estuve hablando con Giuseppe Larsson. Tuve que sacarle con sacacorchos lo que sucedió anoche. De lo que me contó, deduje que tú estarías en el hotel.

—Ya. Y, ¿qué te contó?

—Pues lo del tiroteo. Y que aún no habéis atrapado al hombre al que perseguís.

—La cuestión es si la policía estará buscando a un hombre o si son dos o incluso tres los culpables.

—¿Por qué no se me informa de lo que ocurre?

—Por lo general, los policías quieren trabajar sin que los molesten. Ni los periodistas ni los familiares. En especial cuando aún no se sabe con exactitud qué ha pasado. Y, sobre todo, *por qué* ha pasado.

—Yo me resisto a aceptar el hecho de que mi padre haya muerto a causa de su pasado nazi. Por algo que tal vez hizo cuando era un soldado alemán. La guerra terminó hace más de cincuenta años. Así que sigo pensando que su muerte guarda relación con la mujer de Escocia, la que tal vez se llame Monica.

Stefan resolvió en un impulso, sin saber bien por qué, revelarle lo que había descubierto en el apartamento de Wetterstedt en Kalmar. Quizá porque ambos tenían el mismo secreto común: sus padres habían sido nazis. Le refirió el hallazgo aunque sin revelarle cómo lo descubrió ni mencionar el hecho de que había allanado la morada del artista y que había dado con la información por pura casualidad. Le habló de la red, de la fundación que se hacía llamar Bienestar de Suecia y sobre todos los vivos y muertos que contribuían a la financiación de la organización.

—Aún es mucho lo que ignoro —concluyó—. Es posible que esa organización sea una ínfima parte de algo de enormes proporciones. No soy tan ingenuo como para creer que está fraguándose una conspiración neonazi a escala mundial. Lo único que sé es que las ideas nazis siguen vivas. Cuando todo esto haya pasado, hablaré con mi jefe en Borås. Creo que la policía secreta debe investigar el asunto.

Ella lo había escuchado con suma atención y en silencio. Cuando él hubo concluido, opinó:

—Creo que haces bien. Yo en tu lugar haría lo mismo.

—Se trata de combatir el absurdo, no sé si me entiendes. Aunque esa gente no haga otra cosa que andar por la vida paseando un sueño imposible, también transmiten un montón de disparates.

Ella miró el reloj.

—Sí, ya sé que has de ir a recoger a tu hermano —comprendió Stefan—. Pero contéstame a una pregunta, por favor. ¿Por qué me dejaste dormir en tu cama?

Ella posó la mano sobre el ordenador.

—Te dije que este aparato contiene toda mi vida. Pero, como comprenderás, ésa no es toda la verdad.

Stefan miró fijamente la mano sobre el ordenador. Y registró sus palabras. Aquella imagen quedó grabada en su cerebro.

Ella retiró la mano y la imagen se esfumó.

—En fin, ya me voy. ¿A qué hora se celebrará mañana el funeral?

—A las once.

Él se dio la vuelta hacia la puerta pero, cuando estaba a punto de abrirla, sintió la mano de ella sobre su brazo.

—Tienes que ir a buscar a tu hermano —le recordó él.

En ese momento, el teléfono empezó a sonar en su bolsillo.

—¿No vas a contestar?

Él sacó el teléfono y comprobó que era Giuseppe.

—¿Dónde estás?

—En el hotel.

—Ha sucedido algo de lo más extraño.

—Cuéntame.

—Elsa Berggren llamó por teléfono a Erik. Quiere que vayamos a buscarla.

—Y eso, ¿por qué?

—Tiene la intención de confesarse autora del asesinato de Abraham Andersson.

Eran las tres y veinticinco minutos.

Lunes, 15 de noviembre.

31

A las seis Giuseppe llamó a Stefan para pedirle que acudiese al despacho de Erik Johansson. Cuando salió del hotel, soplaba el viento y hacía frío. Junto a la iglesia se detuvo en seco y se dio la vuelta. Un coche pasó por la carretera de Fjällvägen y, poco después, uno más. Le pareció haber divisado una sombra junto al edificio que había justo enfrente de la escuela, pero no estaba seguro. Siguió hasta la casa de los ciudadanos, ante cuya puerta lo aguardaba Giuseppe. Los dos colegas entraron en el despacho. Stefan se dio cuenta de que había dos sillas más que en ocasiones anteriores. «Una será la de Elsa Berggren», razonó. «Y la otra para su abogado, claro.»

—En estos momentos van camino de Östersund —reveló Giuseppe—. Está detenida y mañana ingresará en prisión. Erik la acompañó.

—¿Qué fue lo que dijo?

Giuseppe señaló el reproductor de cintas que había sobre la mesa.

—La cinta con el interrogatorio también va camino de Östersund, pero puse dos cintas y pensé que tú podrías escuchar la copia. Te quedarás solo, nadie vendrá a molestarte. Yo tengo que ir a comer algo y a descansar un rato.

—Si quieres, puedes usar mi habitación del hotel.

—No, gracias, el sofá que hay ahí fuera será suficiente.

—Pero, en realidad, no tengo por qué escuchar la cinta. Puedes contármelo tú.

Giuseppe se sentó en la silla de Erik Johansson. Se rascaba la frente con intensidad, como si le hubiese entrado un picor repentino.

—La verdad es que prefiero que lo escuches.

—¿Se confesó culpable?

—Sí.

—¿Y el móvil?

—Escúchala. Y después me dices qué opinas.

—¿Acaso dudas de su confesión?

—Yo ya no sé qué pensar. Por eso quiero que la escuches tú y me digas qué te parece.

Giuseppe se levantó pesadamente de la silla.

—Seguimos sin rastro de Hereira —se lamentó—. Y tampoco hemos encontrado el Ford rojo. Ni al hombre que disparó. Pero ya nos ocuparemos de eso más tarde. Estaré de vuelta dentro de dos horas.

Dicho esto, se puso la cazadora.

—Ella estaba sentada en esta silla —señaló el colega—. Hermansson, su abogado, en esa otra. Ella misma lo llamó esta mañana y, cuando fuimos a buscarla, él ya había llegado.

Giuseppe se marchó y cerró la puerta tras de sí. Stefan puso el reproductor. Enseguida oyó el carraspeo de un micrófono que alguien cambiaba de lugar. Después, se oyó la voz de Giuseppe.

GIUSEPPE LARSSON: Empezamos este interrogatorio diciendo que es el día 15 de noviembre de 1999 y las quince cero siete horas. Tiene lugar en la comisaría de policía de Sveg. Se hace cargo del mismo el inspector de homicidios Giuseppe Larsson; en presencia del agente Erik Johansson. Se interroga a Elsa Berggren a petición propia, y acompañada de su abogado, Sven Hermansson. Como introducción creo que ya vale.

Empezamos, pues, las preguntas. ¿Podrías indicar tu nombre y demás datos personales?

ELSA BERGGREN: Me llamo Elsa Maria Berggren y nací en Tranås el 10 de mayo de 1925.

GL: ¿Podrías hablar más alto?

EB: Sí, me llamo Elsa Maria Berggren y nací en Tranås el 10 de mayo de 1925.

GL: Gracias. ¿El número de identidad?

EB: Veinticinco, cero, cinco, diez, cero, dos, veintiuno.

GL: Gracias. *(Nuevo carraspeo del micrófono, una tos, una puerta que se cierra.)* Veamos, si te acercas un poco más al micrófono... ¿Serías tan amable de explicar lo ocurrido?

EB: He venido para confesar que fui yo quien mató a Abraham Andersson.

GL: Quieres decir que deseas confesar que lo mataste con premeditación, ¿es eso?

EB: Así es.

GL: Lo que a su vez significa que fue un asesinato.

EB: Sí.

GL: ¿Te has asesorado con tu abogado antes de hacer esta declaración?

EB: No hay nada sobre lo que asesorarse. He venido a confesar que yo lo maté con premeditación y alevosía. Se dice así, ¿no?

GL: Sí, así solemos decirlo.

EB: Pues bien, eso es lo que he venido a hacer, confesar que yo asesiné a Abraham Andersson con premeditación y alevosía.

GL: Espero que comprendas que estás confesándote culpable de asesinato.

EB: ¿Cuántas veces he de repetirlo?

GL: ¿Por qué lo mataste?

EB: Amenazaba con hacer público el hecho de que el hombre que acababa de ser asesinado en la vecindad había sido nacionalsocialista. Y yo no podía consentir tal cosa. Además, me amenazó con hacer otro tanto conmigo y desvelar mis convicciones políticas. Y, por si fuera poco, estuvo haciendo chantaje.

GL: ¿Te chantajeaba a ti?

EB: A Herbert Molin. Le exigía una cantidad de dinero todos los meses.

GL: ¿Cuánto tiempo duró esa situación?

EB: Empezó a los pocos años de que Herbert se mudase aquí. Durante ocho o nueve años, más o menos.

GL: ¿Se trataba de grandes sumas?

EB: No lo sé. Para Herbert seguro que era mucho dinero.

GL: ¿Cuándo tomaste la decisión de matarlo?

EB: No puedo decir la fecha exacta. Pero, cuando Herbert murió, Abraham se puso en contacto conmigo y me exigió que siguiese pagándole pues, de lo contrario, me delataría a mí también.

GL: ¿Qué ocurrió entonces?

EB: Un día vino a mi casa sin llamar con antelación. Se comportó de un modo impertinente. Quería dinero. Y creo que fue entonces cuando lo decidí.

GL: ¿Qué decidiste?

EB: ¿Por qué he de repetirlo?

GL: Decidiste matarlo, ¿no?

EB: Exacto.

GL: ¿Qué pasó después?

EB: Pues que lo maté pocos días más tarde. ¿Podrían traerme un vaso de agua?

GL: Por supuesto... (*Otro chisporroteo del micrófono, alguien se levantó, después volvió la voz. Stefan recreaba la escena con total claridad. Erik, sentado junto a la mesa sobre la que habría unos vasos y una botella de agua mineral de la que le servía...*) En otras palabras, que lo asesinaste.

EB: Eso es lo que estoy confesando desde que llegué.

GL: ¿Podrías contarnos cómo sucedió?

EB: Una noche, fui a su casa. Me había llevado la escopeta y lo amenacé con matarlo si no dejaba de chantajearme. Pero él no creyó que estuviese hablando en serio. Entonces, lo obligué a salir al bosque, muy cerca de la casa, y le disparé.

GL: ¿Le disparaste?

EB: Justo en el corazón.

GL: O sea, que tienes una escopeta, ¿no?

EB: ¡Dios! ¿Qué querías que llevase, una ametralladora? Ya he dicho que llevaba una escopeta.

GL: Y, ¿tienes el arma y la correspondiente licencia en tu casa?

EB: No tengo licencia. La compré en Noruega hace unos años y la introduje en Suecia de forma ilegal.

GL: Bien. ¿Dónde está ahora el arma?

EB: En el fondo del Ljusnan.

GL: ¿Quieres decir que, tras haberle disparado a Abraham Andersson, arrojaste el arma al río?

EB: Claro, no iba a arrojarla antes de dispararle, ¿no?

GL: No, claro. De todos modos, he de pedirte que contestes a mis preguntas con toda la claridad posible y que prescindas de hacer comentarios innecesarios.

(Aquí intervino una voz de hombre. Stefan comprendió que se trataba de Sven Hermansson y, ante su sorpresa, comprobó que el abogado hablaba con un pronunciado acento de Småland, difícil de comprender. No obstante, pudo saber que el abogado consideraba que su cliente no estaba respondiendo de forma inadecuada. Stefan no pudo oír la réplica de Giuseppe, pues volvieron a cambiar de sitio el micrófono.)

GL: ¿Podrías decirnos desde dónde arrojaste el arma?

EB: Desde el puente de Sveg.

GL: ¿Cuál de los dos?

EB: El viejo.

GL: ¿Por qué lado?

EB: Por la orilla que da al centro del pueblo. Me coloqué en el centro del puente.

GL: ¿Lanzaste el arma o, más bien, la arrojaste en el agua?

EB: No estoy muy segura de cuál es la diferencia. En realidad, puede decirse que la *dejé caer* en el río.

GL: Bien, permíteme que aborde otro tema ahora. Hace unos días, te atacó en tu domicilio un enmascarado que deseaba saber quién había matado a Abraham Andersson. ¿Te gustaría modificar ahora alguna de las declaraciones que hiciste entonces al respecto?

EB: No.

GL: ¿No será una invención tuya, para despistarnos?

EB: Sucedió exactamente como lo conté entonces. Además, el agente de Borås, ese tan paliducho, ¿cómo se llama?..., ¿Lindgren? Él también resultó atacado junto a mi casa.

GL: Lindman, sí. ¿Se te ocurre alguna explicación plausible para lo que ocurrió? ¿Por qué el hombre que te atacó quería saber quién había matado a Abraham Andersson?

EB: Tal vez se sintiese culpable por alguna razón, no sé.

GL: ¿Por qué iba a sentirse culpable?

EB: Porque pensaba que el asesinato de Herbert guardaba relación con el de Abraham Andersson.

GL: Y resulta que tenía razón, ¿no es así?

EB: Pues sí, pero ¿quién es ese hombre? Y, ¿qué sabía?

GL: ¿Fue entonces, tal vez, cuando decidiste venir a confesar?

EB: Sí, claro, eso también influyó.

GL: Bien, dejaremos ese asunto, por ahora. Volvamos a lo que ocurrió en el jardín de Abraham Andersson. Has dicho, textualmente, pues anoté tus palabras, que «lo obligaste a salir hasta el lindero del bosque, junto a la casa, y le disparaste», ¿no es así?

EB: Sí.

GL: ¿Podrías describir los acontecimientos con detalle?

EB: Le puse la escopeta contra la espalda y lo obligué a avanzar. Ya en el bosque, nos detuvimos. Después me coloqué ante él y le pregunté una última vez si había comprendido que iba en serio. Él se echó a reír. Y entonces disparé.

(Se hizo un nuevo silencio. La cinta seguía rodando. Alguien tosía, quizás el abogado. Stefan comprendió. Allí había algo que no encajaba. Era de noche y estaba oscuro. ¿Cómo podían ver? Además, Abraham Andersson estaba atado a un árbol cuando murió. La policía daba por supuesto que aún vivía cuando lo amarraron. Stefan sospechaba que Giuseppe empezaba a preguntarse el porqué de la confesión de Elsa Berggren y sobre cómo seguir adelante con el interrogatorio. Con toda probabilidad, el colega estaría rebuscando en su memoria los detalles que habían publicado en los periódicos y aquellos otros que sólo la policía conocía.)

GL: Es decir, que le disparaste de frente.

EB: Eso es.

GL: ¿Podrías decirme desde qué distancia, más o menos?

EB: Unos tres metros.

GL: ¿Y él no se movió ni intentó huir?

EB: Supongo que no creía que yo iba a disparar.

GL: ¿Recuerdas a qué hora fue?

EB: A eso de la medianoche.

GL: Es decir, que estaba oscuro.

EB: Sí, pero yo me había llevado una linterna que él sostenía cuando caminábamos hacia el bosque.

(Otra pausa, más breve esta vez. Elsa Berggren había aclarado la primera de las cuestiones que inquietaban a Giuseppe.)

GL: ¿Qué ocurrió cuando le hubiste disparado?

EB: Me acerqué a comprobar que estaba muerto. Y lo estaba.

GL: ¿Qué hiciste después?

EB: Lo amarré al árbol que había al lado. Me había llevado una cuerda de tender ropa, claro.

GL: O sea que, después de matarlo, lo ataste al tronco del árbol, ¿no es así?

EB: Sí.

GL: ¿Por qué lo hiciste?

EB: En aquel momento no tenía la menor intención de confesarme culpable. Y quería que pareciese otra cosa.

GL: ¿Que pareciese qué?

EB: Una ejecución, tal vez. En lugar de un asesinato cometido por una mujer.

(«Ahí está la respuesta a la segunda cuestión», se dijo Stefan. «Pero Giuseppe no termina de creerla.»)

EB: Tengo que ir al baño.

GL: Bien, aprovecharemos para hacer una pausa. Son las quince horas y treinta y dos minutos. Erik te mostrará el camino.

De nuevo en la sala, volvieron a poner en marcha la grabadora y retomaron el interrogatorio. Giuseppe se remontó al principio, repitiendo cada pregunta aunque deteniéndose más y más en los detalles. «El procedimiento clásico», concluyó Stefan. «Giuseppe está cansado, lleva varios días trabajando sin parar, pero controla lo que oye paso a paso.»

La cinta se detuvo. A las diecisiete horas y dos minutos, Giuseppe puso punto final. Lo último que dijo fue la única conclusión que podía sacar de aquel testimonio.

GL: Bien, en ese caso, creo que podemos dejarlo aquí. Y resulta entonces que tú, Elsa Berggren, has confesado que el 3 de noviembre, poco después de la medianoche, asesinaste de un disparo a Abraham Andersson de un modo consciente y premeditado junto a su finca de Dunkärret. Nos has explicado cómo sucedió y que el móvil fue el chantaje a que os sometía tanto a Herbert Molin como a ti misma. Además, has confesado haber arrojado el arma al Ljusnan desde el viejo puente del ferrocarril, ¿es esto correcto?

EB: Lo es.

GL: ¿Deseas cambiar algún punto de tu confesión?

EB: No.

GL: Y el letrado Hermansson, ¿desea hacer alguna declaración?

SH: No.

GL: Dadas las circunstancias, estás detenida y serás conducida a la comisaría de Östersund. El fiscal determinará tu encarcelamiento. El señor letrado Hermansson puede explicártelo todo. ¿Hay algo que quieras añadir?

EB: No.

GL: Lo que has declarado aquí, ¿es la verdad?

EB: Toda la verdad.

GL: En ese caso, damos por finalizado el interrogatorio.

Stefan se puso de pie para estirar la espalda. Hacía bochorno en la sala. Entreabrió la ventana y apuró el agua de una botella medio vacía que había sobre la mesa. Pensaba en lo que acababa de oír. Sentía la necesidad de caminar un poco. Giuseppe estaba durmiendo por allí cerca, así que le dejó una nota sobre la mesa. «Paseo corto de ida y vuelta entre los puentes. Stefan.»

Caminaba deprisa, pues tenía frío. El sendero que discurría junto al río estaba iluminado. De nuevo tuvo la sensación de que alguien iba siguiéndolo. Se detuvo y se dio la vuelta, pero allí no había nadie. Aunque tal vez hubiese sido una sombra que se retiró a tiempo del sendero. «Son figuraciones mías», se tranquilizó. «Ahí no hay nadie.» Prosiguió el paseo hacia el puente desde el que Elsa Berggren declaró haber dejado caer el arma al agua. No la arrojó, la dejó caer... ¿Habría dicho la verdad? Así debía de ser, pues nadie, siendo inocente, confiesa la autoría de un crimen; a menos que existan razones muy poderosas para proteger al verdadero culpable. Y, en esas ocasiones, solía tratarse de un menor, se decía. De hecho, los padres suelen asumir los delitos de sus hijos. Pero ¿de no ser ése el caso? Ya en el puente, intentó imaginarse el arma en el fondo del agua. Después, empezó a volver sobre sus pasos. Una pregunta se le había escapado a Giuseppe, reflexionó Stefan. ¿Por qué había elegido precisamente aquella mañana para confesar? ¿Por qué no ayer o mañana? O, ¿sería otro el motivo por el que había decidido hacerlo?

Al llegar a la casa de los ciudadanos, pasó ante la parte posterior del edificio. La ventana seguía entreabierta. Giuseppe ya estaba en el despacho, donde hablaba por teléfono con Rundström, según pudo oír. La biblioteca aún estaba abierta, así que entró en la sala de lectura para ver si tenían el diario *Borås Tidning*. Pero no era así. Volvió, pues, a la comisaría, pero Giuseppe seguía hablando con Rundström. Permaneció de pie en la puerta, observando la ventana. Entonces, contuvo la respiración. Acababa de entrar de la calle y, desde allí, pudo oír lo que decía Giuseppe. Cerró la ventana y salió de nuevo hasta la parte posterior. Ahora ya no se oía nada. Regresó a la comisaría, donde Giuseppe estaba a punto de terminar la conversación con Rundström. Stefan abrió la ventana y el colega lo miró inquisitivo.

—¿Puede saberse qué estás haciendo?

—Acabo de descubrir que todo lo que se dice en este despacho puede oírse desde la calle, con todo detalle, si la ventana está entreabierta. Y, si es de noche, cualquiera puede apostarse junto a la ventana sin que nadie lo vea.

—¡Ah!, ¿sí?

—Bueno, un presentimiento. De una posibilidad...

—¿La de que alguien hubiese estado escuchando nuestras conversaciones?

—Seguro que no son más que figuraciones mías.

Giuseppe cerró la ventana.

—Por si acaso —comentó con una sonrisa—. Bien, ¿qué te ha parecido su confesión?

—¿Decía el periódico que estaba amarrado a un árbol?

—Sí, pero nada de la cuerda de tender ropa. Además, estuve hablando con uno de los técnicos que habían inspeccionado el lugar y me aseguró que pudo haber ocurrido tal y como ella lo describió.

—Entonces, ¿es ella?

—Los hechos son los hechos. Pero seguro que tú notaste mi reticencia.

—Ya, pero, si no fue ella, estará protegiendo al asesino. ¿Por qué?

Giuseppe hizo una mueca de abatimiento.

—Tenemos que considerar resuelto este asesinato. Tenemos a una mujer que lo ha confesado y, si mañana encontramos el arma en el río, no tardaremos en comprobar si los disparos fueron efectuados con esa arma.

Giuseppe estaba sentado jugueteando con uno de sus puros a medio fumar.

—Hemos mantenido una guerra en muchos frentes a la vez durante los últimos días. Espero que podamos dar por cerrado uno de sus episodios.

—¿Por qué crees que decidió confesar hoy, precisamente?

—No lo sé. Tendría que habérselo preguntado. Pero supongo que, sencillamente, tomó una determinación. Hasta es posible que tenga tanto respeto por nuestro trabajo que comprendió que acabaríamos descubriéndola, tarde o temprano.

—¿Y tú crees de verdad que la habríamos descubierto?

Giuseppe lo miró fijamente.

—Bueno, nunca se sabe. De vez en cuando, hasta la policía sueca atrapa a un delincuente.

En aquel momento, se oyeron unos golpecitos en la puerta y un joven entró en el despacho con una pizza. Giuseppe pagó la cuenta y se la guardó en el bolsillo. El chico desapareció.

—Esta vez, me guardaré de arrugarla y arrojarla al cenicero. ¿Sigues creyendo que era Hereira quien estaba sentado en el comedor del restaurante aquella noche? ¿Y que fue él quien se llevó la cuenta?

—Es posible.

Giuseppe abrió la caja.

—Esto es lo más continental que tiene Sveg —declaró—. La pizzería. Y aunque el servicio a domicilio no es habitual, si tienes buenos contactos, consigues que te las traigan. ¿Quieres comer? A mí no me dio tiempo antes; me quedé dormido enseguida.

Giuseppe cortó la pizza con una regla.

—Los policías suelen engordar con facilidad —observó Giuseppe—. El estrés y el desorden en las comidas. En cambio, nuestra tasa de suicidios no es muy alta. Los médicos son peores en ese sentido. Eso sí, nosotros presentamos un índice elevadísimo de mortalidad por enfermedades cardiovasculares. Lo cual no deja de ser bastante lógico.

—Bueno, yo tengo cáncer, así que tal vez pueda constituir una excepción —ironizó Stefan.

Giuseppe lo miró con un trozo de pizza en la mano.

—¡La bolera! —exclamó de pronto—. ¡Qué cojones, la bolera te curará, ya verás!

Stefan no pudo por menos de echarse a reír.

—Si sólo con oír la palabra bolera te pones a reír... En realidad, yo creo que a tu cara no le sienta nada bien esa expresión grave.

—¿Qué fue lo que dijo Elsa Berggren de mí...? Ah, sí, «ese policía paliducho de Borås», ¿no?

—Sí, eso fue lo único divertido de cuanto dijo. Si quieres conocer mi sincera opinión, creo que Elsa Berggren es una persona horrible. No me gustaría que fuera mi madre.

Los dos colegas comieron en silencio. Giuseppe dejó la caja de pizza con los restos encima de la papelera.

—De vez en cuando nos llega alguna información —confesó al tiempo que se limpiaba la boca—. El problema es que no suele ser la información adecuada. Por ejemplo, la delegación de la Interpol en Buenos Aires ha enviado un informe muy peculiar sobre un Fernando Hereira que está en la cárcel con cadena perpetua por un delito de tanto abolengo como la falsificación de moneda. Y me preguntan si es él el hombre que buscamos. ¿Qué se te ocurre que les conteste? Puedo decirles que si llegamos a probar que el hombre se ha clonado, podremos tomar en serio esa información, quizás.

—¿Es verdad eso?

—Por desgracia. Pero, si tenemos la paciencia suficiente, tal vez nos envíen algo que merezca la pena. Nunca se sabe.

—Y el Ford rojo, ¿qué hay de eso?

—Ni rastro. Como de su conductor. Aún no hemos conseguido dar con el propietario, ese tal Harner. Según los datos de que disponemos, se mudó a vivir a Portugal, lo que podemos considerar con cierto escepticismo, si tenemos en cuenta que aparece como propietario de un coche en Suecia. La brigada judicial de la capital está investigándolo. Y han declarado una alarma de búsqueda nacional. Tarde o temprano habrá novedades. Rundström es un tipo muy tozudo.

Stefan intentó sintetizar mentalmente el estado de la cuestión. Su cometido en aquella investigación, si es que tenía alguno, era hacer preguntas que pudiesen serle útiles a Giuseppe.

—Supongo que querrás que los medios de comunicación publiquen cuanto antes que ya tenemos al asesino de Abraham Andersson, ¿no?

Giuseppe lo miró atónito.

—¿Por qué iba yo a querer tal cosa? Si nuestra hipótesis sobre el retorno de Hereira es cierta, la difusión de la noticia lo haría desaparecer. Recuerdas que su regreso a los bosques podía estar relacionado con el asesinato de Andersson, ¿verdad? No olvides que fue a exigirle una respuesta a Elsa Berggren. Yo creo que ella nos dijo la verdad; al menos sobre ese punto. Claro que tenemos que indagar más a fondo sobre todo esto. Pero lo primero que haremos mañana, en cuanto amanezca, será intentar encontrar el arma.

—Ya, bueno, pero otra persona pudo matar a Andersson con un arma que, o bien el asesino o bien Elsa Berggren arrojasen o dejasen caer después al río, como ella dijo.

—¿Quieres decir que ella confesó para obtener así nuestra protección?

—No sé lo que quiero decir. Sólo intento hacer más preguntas desde otros ángulos.

Entonces, recordó una duda que, de vez en cuando, le había rondado la cabeza, aunque nunca la había llegado a formular.

—Oye, ¿por qué no tenéis un fiscal? —inquirió—. Al menos, yo no he oído el nombre siquiera.

—Se llama Albert Lövander —declaró Giuseppe—. Dicen que en su juventud fue un excelente atleta de salto de altura, casi de elite. Ahora se dedica principalmente a sus nietos. Claro que tenemos fiscal, no creas que desarrollamos nuestras investigaciones al margen del reglamento. Pero Lövander y Rundström son como dos viejos mulos de carga bien adiestrados: hablan dos veces al día, por la mañana y por la noche. Sólo que Lövander no se inmiscuye en nuestro trabajo.

—Ya, pero habrá dado algunas directrices, ¿no?

—Que sigamos como hasta ahora.

Habían dado ya las nueve y cuarto. Giuseppe llamó a casa. Stefan salió y se quedó junto al oso disecado para llamar a Elena.

—¿Dónde estás?

—Con el oso.

—Hoy estuve mirando en un gran mapa de Suecia que hay en el colegio, para ver dónde te encuentras.

—Tenemos una confesión. Creo que podemos considerar resuelto uno de los crímenes. El asesino es una mujer.

—¿Qué había hecho?

—Matar a un hombre que hacía chantaje. Y ella le disparó.

—No sería el que apareció amarrado a un árbol, ¿verdad?

—Sí.

—No hay mujer capaz de hacer tal cosa.

—¿Por qué no?

—Las mujeres suelen defenderse, no atacar.

—Bueno, no creo que sea tan sencillo.

—¿Ah, no? ¿Qué es lo que pasó?

Stefan no tenía ganas de explicárselo todo.

—Pero dime, ¿cuándo vuelves?

—Ya te lo he dicho.

—¿Has pensado sobre nuestro viaje a Londres?

Stefan lo había olvidado por completo.

—No, pero lo haré. La verdad es que me parece una buena idea.

—¿Qué estabas haciendo ahora?

—Hablar con Giuseppe.

—¿No tiene familia?

—¿Por qué me haces esa pregunta? Precisamente, está hablando con su mujer.

—Si te hago una pregunta, ¿me contestarás con sinceridad?

—¿Por qué no iba a hacerlo?

—¿Sabe Giuseppe que existo siquiera?

—Eso creo.

—¿Que lo crees?

—Supongo que he mencionado tu nombre. O por lo menos me habrá oído hablar contigo.

—Bueno, de todos modos, agradezco que me hayas llamado. Pero no vuelvas a llamar hasta mañana, que esta noche tengo que acostarme temprano.

Concluida la conversación, Stefan regresó al despacho. Giuseppe también había terminado de hablar con su mujer y se limpiaba las uñas con un clip uno de cuyos extremos había abierto a tal efecto.

—Verás, lo de la ventana entreabierta... He estado pensando en lo que dijiste. Es una idea muy seductora la de que haya habido alguien escuchando a hurtadillas nuestras conversaciones. Intentaba recordar cuándo ha estado abierta y cuándo cerrada. Pero es imposible.

—Tal vez habría que preguntarse qué información se ha comentado en este despacho exclusivamente...

Giuseppe se miraba las manos.

—La decisión sobre los controles de carretera se tomó aquí —recordó tras un instante—. Y aquí hablamos de un individuo que se suponía partía de Funäsdalen en dirección sudeste.

—¿Estás pensando en el Ford rojo y en el hombre que efectuó los disparos?

—No, estoy pensando en lo que comentamos de que tal vez tuviésemos una fuga de información; y que esa fuga bien podría deberse a la ventana entreabierta.

Stefan terminaba de convencerse.

—Verás, durante las últimas veinticuatro horas, he experimentado varias veces la sensación de que alguien andaba siguiéndome —confesó—. La sensación de que una sombra me iba a la zaga. Y de pasos en la acera. Pero, claro, no estoy seguro.

Giuseppe no hizo comentario alguno, sino que se puso de pie y se acercó hasta la puerta.

—Acércate a la pared —le ordenó—. Sin dejar de hablar conmigo, mira por la ventana cuando yo haya apagado la luz.

Stefan obedeció. Giuseppe empezó a hablar de la grosella,

por qué las de color negro estaban mucho más ricas que las rojas. Stefan estaba ya junto a la ventana. Giuseppe apagó la luz. Stefan intentó penetrar la oscuridad con la mirada, pero todo eran tinieblas. Giuseppe volvió a encender la luz y regresó junto al escritorio.

—¿Has visto algo?

—No.

—Pero eso no significa que no hubiese nadie ahí fuera. O que no hayan estado escuchándonos antes. Sin embargo, poco o nada podemos hacer por evitarlo.

Después, apartó dos bolsas de plástico pequeñas que había sobre un archivador. Una de ellas cayó al suelo.

—El técnico olvidó aquí las bolsas —comentó—. Contienen unos papeles y otros restos que encontró en la carretera, a pocos metros del Golf azul.

Stefan se inclinó a recoger la bolsa que había caído al suelo y comprobó que, en el interior, había un recibo de una estación de servicio de Shell. Estaba muy sucio y apenas si era legible. Giuseppe lo seguía con la mirada. Stefan acercó la bolsa con el papel y pudo leer el texto. Era de una gasolinera de Söderköping. Muy despacio, dejó la bolsa sobre la mesa mientras miraba a Giuseppe. Las ideas se arremolinaban en su mente.

—Elsa Berggren no mató a Abraham Andersson —sentenció—. Esto es algo de mucha envergadura, Giuseppe. Elsa Berggren no lo mató. Y, ciertamente, creo que alguien ha estado escuchando lo que decíamos en esta habitación.

32

La nieve volvía a caer de nuevo. Giuseppe se acercó a la ventana a mirar el termómetro. Un grado bajo cero. Se sentó y observó a Stefan que, después, recordaría aquel instante como un breve lapso de tiempo claro y revelador en que algo hizo girar de forma repentina el curso de los acontecimientos. Los componentes eran, se le antojaba, los copos de nieve que habían empezado a caer, Giuseppe con los ojos enrojecidos por el cansancio y la historia en sí, lo que había sucedido en Kalmar, el descubrimiento que hizo cuando asaltó el apartamento de Wetterstedt. Recordó que, hacía tan sólo unas horas, se lo había contado a Veronica Molin. Ahora era Giuseppe quien, con gran atención, escuchaba el relato. ¿Se sorprendió ante lo que oía? Stefan fue incapaz de percibir reacción alguna en la expresión de su rostro.

Era un todo al que deseaba acceder. Aquel mugriento recibo de la estación de servicio Shell en Söderköping se presentaba como una llave que, por fin, abría todas las cerraduras. Pero, para poder extraer alguna conclusión, tenía que revelar toda la historia, no sólo una parte.

¿Qué fue lo que comprendió cuando tomó la bolsa de plástico que, del escritorio atestado de papeles, había caído al suelo? Fue como si se hubiese producido una detonación muda, como si hubiese atravesado un muro que constituía los límites de algo hasta entonces reducido que ahora se presentaba en toda su dimensión. Aunque anduvieran a tientas en las tinieblas tras de un asesino que tal vez se llamase Fernando Hereira y fuese argentino, toda la investigación se había desarrollado en el ámbito local. En efecto, buscaban la solución en Härjedalen. Pero ahora, aquellos muros artificiales que habían levantado se vinieron abajo gracias a aquel recibo que, como un proyectil, atravesó su frágil construcción y les permitió así verlo todo más claro, por fin.

Alguien se había detenido en Söderköping a repostar el depósito de un Ford Escort rojo propiedad de un individuo llamado Harner que tenían un apartado de correos en Portugal. Después, alguien había atravesado Suecia y se había detenido en una carretera comarcal al oeste de Sveg para disparar contra un coche que venía de las montañas. Pese a que rasparon la suciedad del recibo, no les fue posible distinguir la fecha, aunque sí la hora, las veinte horas doce minutos. Según Giuseppe, los técnicos podrían resolver el problema de la fecha, cosa que les pidieron que hiciesen de inmediato.

Alguien sale, pues, de Kalmar hacia Härjedalen. Por el camino, en Söderköping, para a poner gasolina antes de proseguir el viaje. Intenta matar a un hombre que, con total probabilidad, es el responsable del asesinato de Herbert Molin. Ni Stefan ni Giuseppe creían en las casualidades. En algún lugar del maremágnum nazi, en el inframundo en que se encontraban Wetterstedt y la organización secreta denominada Bienestar de Suecia, la visita de Stefan había generado desasosiego. No podían estar seguros de que hubiese sido Stefan quien había entrado indebidamente en el apartamento de Wetterstedt. ¿O tal vez sí? Stefan recordó de nuevo cómo la puerta del portal se había cerrado cuando dejó el apartamento, y la sensación de que alguien lo vigilaba; la misma, por otra parte, que había experimentado durante los últimos días. «Dos sombras invisibles pueden llegar a formar una sombra visible», le había dicho a Giuseppe. «Es decir, que es posible que la sombra que me vigilaba allí pudo ser la misma que ha estado siguiéndome aquí estos días.» La conclusión a la que Stefan pretendía llegar era que, en realidad, sus hipótesis habían sido más acertadas de lo que se habían atrevido a imaginar. Todo se trataba, en el fondo, de aquel mundo soterrado en el que los viejos nazis habían encontrado nuevo aliento, en el que la vieja y la nueva locura se habían unido. Alguien se había entrometido en aquel mundo de sombras y había asesinado a Herbert Molin. Aquello había minado la tranquilidad de los antiguos nazis como una sacudida repentina, «las cucarachas empezaron a salir arrastrándose», como Giuseppe diría más tarde. ¿Quién era, en realidad, el enemigo de aquellos nazis? ¿Sería el hombre que había asesinado a Herbert Molin? ¿Significaba aquello que Abraham Andersson sabía algo más, al margen de las ideas de Herbert Molin y de Elsa Berggren, que sabía de la existencia de la organización, que había amenazado con sacarla a la luz y quizás incluso algo de más envergadura aún? Jamás hallarían la respuesta. Pero un Ford Escort había llenado el depósito en una gasolinera de Söderköping y había llegado hasta Härjedalen conducido por un hombre cuya intención era matar a alguien. Y Elsa Berggren había decidido, de repente, cargar con la responsabilidad de un asesinato que, con toda probabilidad, no había cometido. Ahí empezaba a aclararse el asunto y comenzaba a vislumbrarse alguna conclusión. Existía, en efecto, una organización, a la que incluso el padre de Stefan, mucho después de su muerte, seguía pagando un tributo. Herbert Molin había pertenecido a ella, al igual que Elsa Berggren. Aunque no Abraham Andersson, que, no obstante, de algún modo había adivinado su existencia. Se trataba en apariencia de un hombre amable que tocaba el violín en la orquesta sinfónica de Helsingborg, era miembro del partido de centro y, además, escribía inocentes canciones de moda con el seudónimo de Siv Nilsson. Pero, bajo aquella superficie inocente, se escondía un sujeto que guardaba más de un as en la manga, que chantajeaba, amenazaba y trataba de imponer sus exigencias, indignado, tal vez, ante la idea de tener por vecino a un nazi irredento.

Media hora después, Stefan llegaba al final de su razonamiento.

—¿Qué ocultaría Abraham Andersson en su madriguera? Nos será imposible hacernos una idea clara de todo lo que sabía pero, fuese lo que fuese, está claro que era demasiado.

La nieve caía ahora abundante y Giuseppe enfocó el flexo hacia la ventana de modo que iluminase la oscuridad.

—La nieve ha estado como a la espera durante una semana. Hasta que se ha decidido a caer de verdad. Puede que se derrita o que cuaje sobre las aceras, quién sabe. Los inviernos son siempre largos en esta región, pero también imprevisibles.

Mientras reflexionaban, tomaban café. La casa de los ciudadanos estaba desierta y la biblioteca, cerrada.

—Creo que ha llegado la hora de regresar a Östersund —resolvió Giuseppe—. Lo que me has contado ha terminado de convencerme de que la policía secreta debe tomar cartas en este asunto.

—¿Y la información que te he proporcionado...? —inquirió Stefan temeroso.

—Bueno, siempre puedo decir que la fuente es anónima —lo tranquilizó Giuseppe—. No creas que pienso buscarte un lío porque asaltaras el apartamento de un viejo nazi.

Dieron las diez y cuarto. Los dos hombres se dedicaron a revisar desde diversos ángulos la situación en que se encontraban, desplazando las piezas clave de un lugar a otro. Hacía tan sólo unas horas, Elsa Berggren había interpretado un papel protagonista en el caso. Ahora, al menos de momento, había vuelto a los bastidores. En primer plano seguían, desde luego, Fernando Hereira y el hombre que había llenado el depósito de un Ford Escort en Söderköping antes de seguir su viaje hacia el norte.

De pronto, se oyó el golpetazo de la puerta. Erik Johansson entró dando zapatazos contra el suelo y con el escaso cabello lleno de copos de nieve.

—He estado a punto de salirme de la carretera —confesó al tiempo que se sacudía la nieve de la cazadora—. Derrapé y por poco me estrello.

—Si es que conduces demasiado deprisa.

—Sí, será eso.

—¿Qué ha pasado en Östersund?

—Lövander pedirá mañana la prisión preventiva. Vino a la comisaría y estuvo escuchando la cinta. Me llamó al coche.

—¿Dijo Elsa Berggren algo más?

—No, no pronunció una palabra durante todo el trayecto hasta Östersund.

Giuseppe se había levantado de la silla del escritorio que ahora ocupaba, entre bostezos, Erik Johansson. Giuseppe le habló del recibo de la gasolinera y de sus conclusiones. El agente compuso como pudo una historia en la que Stefan había sabido, por fuentes anónimas, de la existencia de la fundación Bienestar de Suecia. El interés de Erik Johansson fue creciendo a medida que el relato avanzaba.

—Estoy de acuerdo —convino una vez que Giuseppe hubo concluido—. Todo esto es muy curioso. Y, desde luego, hemos de recurrir a la policía secreta. Si resulta que tenemos por ahí una organización que se declara nazi y que se dedica a matar gente, Estocolmo debería involucrarse en el asunto cuanto antes. Lo cierto es que en Suecia se ha producido ya más de un episodio con ese sello últimamente. Mientras, nosotros seguiremos intentando localizar el Ford rojo.

—¡Ah! pero ¿no estaban en ello los de Estocolmo?

Erik abrió su maletín, y sacó de él unos faxes.

—Han localizado a Anders Harner. Dice que el coche es suyo pero asegura que está estacionado en Estocolmo, en el garaje de alguien llamado Mattias Sundelin. Aquí tengo el número de teléfono.

Erik Johansson marcó el número y puso el manos libres. Los tonos resonaron en el despacho hasta que se oyó una voz de mujer.

—Hola, quería hablar con Mattias Sundelin.

—¿De parte de quién?

—Soy Erik Johansson, de la policía de Sveg.

—¿Y dónde está eso?

—En Härjedalen, pero esto ahora no tiene ninguna importancia. ¿Está o no ahí Mattias Sundelin?

—Un segundo.

Los tres agentes aguardaron.

—¿Sí? —se oyó enseguida preguntar a un hombre de voz empañada.

—Hola, soy Erik Johansson, de la policía de Sveg. Se trata de un Ford Escort rojo con número de matrícula a, be, be, cero, cero, tres. El propietario, alguien llamado Anders Harner, asegura que lo tienes estacionado en tu garaje, ¿es eso cierto?

—Pues claro que sí.

—O sea, que el coche está en tu casa, ¿no?

—Bueno, en casa no. En un garaje del centro. Yo me dedico a eso: alquilo plazas de garaje.

—Pero entonces tú sabes que el coche está allí en estos momentos, ¿no?

—Bueno, la verdad, me es imposible controlar todos los coches que hay. Tengo noventa plazas de garaje, como comprenderás... Pero ¿por qué tanta pregunta?

—Necesitamos localizar el coche. ¿Dónde tienes el garaje?

—En el barrio de Kungsholmen. Puedo comprobarlo mañana mismo.

—No —se opuso Erik—. Necesitamos saberlo ya.

—¿Y por qué tanta prisa?

—Bueno, en este momento no hay tiempo para explicaciones. Has de ir allí ahora mismo y comprobar si el coche está en su sitio.

—¿Ahora?

—Exacto, ahora.

—Es que he bebido vino. Si me paran, me retirarán el permiso de conducir.

—¿No hay nadie más que pueda hacer esta comprobación? De lo contrario, tendrás que tomar un taxi.

—Bueno, puedes llamar a un chico que se llama Pelle Niklasson. Espera, que aquí tengo su número.

Erik Johansson anotó el número, le dio las gracias y colgó el auricular. Después, marcó de nuevo y Pelle Niklasson atendió la llamada. Erik volvió a hacer las mismas preguntas acerca del Ford rojo.

—No recuerdo si lo vi hoy o no. Tenemos noventa coches en régimen de aparcamiento permanente.

—Pues necesitamos saber ahora mismo si el coche está allí o no.

—Oye, que estás llamando a Vällingby. No querrás decir que tengo que ir al centro a estas horas, ¿verdad?

—Pues sí. Si quieres un coche de policía podría ir a buscarte...

—Pero ¿ha pasado algo?

Erik Johansson lanzó un suspiro.

—Las preguntas las hago yo, no tú. ¿Cuánto tardarás en llegar hasta allí y comprobar si el coche está en su sitio?

—Unos cuarenta minutos. ¿De verdad que no podéis esperar hasta mañana?

494

—De verdad. Anota el número de teléfono de la comisaría y llama en cuanto lo hayas averiguado.

Al otro lado de los cristales de la ventana seguía nevando. Los agentes aguardaron impacientes hasta que, treinta y siete minutos después, llamó Pelle Niklasson.

—Sí, soy Erik Johansson.

—¿Cómo lo sabías?

—¿Cómo sabía qué?

—Que el coche no estaba...

Giuseppe y Stefan se acercaron de un salto al altavoz.

—O sea, ¿que lo han robado?

—Pues no lo sé. Se supone que es imposible que alguien robe un coche de este aparcamiento.

—¿Podrías explicarte algo mejor?

—Este garaje es bastante caro, entre otras cosas, porque ofrece un alto grado de seguridad, lo que significa que ningún coche puede salir de aquí sin que controlemos quién se lo lleva.

—En otras palabras, que habrá algún registro, ¿no?

—Sí, en el ordenador. Pero yo no conozco el programa. En realidad, sólo me encargo del mantenimiento. Los que se encargan del registro son los otros muchachos.

—¿Mattias Sundelin?

—No, él es el jefe, así que no hace nada.

Pelle Niklasson apenas si podía ocultar su enojo.

—A ver, entonces, ¿a quién te refieres?

—Pues a los otros empleados. Somos cinco, aparte de la señora de la limpieza. Y el jefe, claro. Alguno de ellos debe de saber cuándo se llevaron el coche, pero ahora no sabría cómo localizarlos.

Stefan alzó la mano:

—Pídele que te envíe sus datos por fax.

—¿Están ahí sus datos?

—Pues sí, por aquí estarán.

El hombre se puso a buscar y, al cabo de un rato, volvió al auricular.

—A ver, he encontrado unas copias de sus permisos de conducir.

—¿Tenéis ahí aparato de fax?

—Bueno, el fax sí que lo entiendo. Pero no puedo enviar nada sin la aprobación de Sundelin.

—Él ya está al corriente. Y no tenemos tiempo que perder —lo apremió Erik Johansson en tono autoritario antes de darle el número de fax.

El fax de color negro estaba fuera del despacho, en el pasillo. Erik Johansson comprobó que había línea y se dispuso a esperar.

El aparato emitió un soniquete y expulsó un papel que contenía cuatro fotocopias de permisos de conducir. El texto apenas si era legible, los rostros no eran más que negros borrones. El aparato se detuvo y regresaron al despacho. Sobre el alféizar de la ventana había ya una capa de nieve. Fueron pasándose las fotocopias y Erik Johansson anotó los nombres de los cuatro empleados. Klas Herrström, Simon Lukac, Magnus Holmström y Werner Mäkinen. Leyó los nombres en voz alta, uno tras otro.

Stefan no oyó el cuarto nombre, pues su atención se había detenido en el tercero. Con la fotocopia en la mano, contuvo la respiración. Del rostro no se apreciaba más que una silueta sin rasgos. Pero estaba seguro.

—Creo que ya lo tenemos —anunció despacio.

—¿Quién?

—Magnus Holmström. Lo conocí en Öland, durante mi visita a Emil Wetterstedt.

Giuseppe no había mencionado la visita de Stefan a Wetterstedt más que de pasada cuando le reveló a Erik Johansson lo que habían sabido por el colega. Pero Erik lo recordaba.

—¿Estás seguro?

Stefan se puso de pie y se acercó al flexo con la fotocopia en la mano.

—Es él. Estoy seguro.

—¿Quieres decir que fue él quien intentó matar a tiros al conductor del Golf azul?

—Lo único que digo es que conocí a Magnus Holmström en Öland, y que es un nazi.

Un denso silencio invadió el despacho.

—Bien, es hora de llamar a Estocolmo —resolvió Giuseppe—. Tendrán que ir al aparcamiento y conseguir una fotografía de este sujeto. Pero ¿dónde estará a estas alturas?

En aquel momento, sonó el teléfono. Pelle Niklasson quería saber si habían recibido el fax.

—Sí, gracias, ya lo tenemos —repuso Erik Johansson—. Uno de los empleados se llama Magnus Holmström, ¿no es así?

—Sí, Maggan.

—¿Maggan?

—Bueno, así lo llamamos.

—¿Tienes su dirección?

—No creo, empezó aquí hace poco.

—Ya, pero supongo que sabéis dónde viven vuestros empleados, ¿no?

—Bueno, voy a ver. Pero no soy yo quien se encarga de la administración, ¿eh?

El hombre tardó en volver casi cinco minutos.

—Aquí tenemos la dirección de su madre en Bandhagen, calle de Skeppstavägen, siete A, pero no hay ningún número de teléfono.

—¿Cuál es el nombre de pila de la madre?

—No lo sé. Bueno, ¿puedo irme ya a casa? A mi mujer le sentó como un tiro que tuviese que irme a estas horas.

—Pues llámala y dile que aún tardarás un rato. Tendrás que esperar hasta que te llame algún agente de Estocolmo.

—Pero, vamos a ver, ¿qué es lo que está pasando?

—Has dicho que Magnus Holmström es relativamente nuevo en el puesto, ¿no?

—Sí, lleva sólo unos meses. ¿Ha hecho algo?

—¿Qué impresión te ha causado a ti?

—¿A qué te refieres?

—Si hace bien su labor, si tiene alguna costumbre extraña, si hay algún rasgo de su carácter especialmente acusado, cuándo fue el último día que estuvo en el trabajo...

—Es bastante discreto y poco hablador. La verdad es que no sé bien cómo calificarlo. Pidió libre el pasado lunes y aún no ha vuelto.

—Muy bien, entonces espera hasta que la policía de Estocolmo te llame.

Cuando Erik Johansson colgó el auricular, Giuseppe ya había llamado a la jefatura de Estocolmo. Stefan estaba ocupado en localizar el número de teléfono pero, según el servicio de información telefónica, no había ningún Holmström en la dirección indicada. Siguió intentándolo por ver si encontraba algún número de móvil a nombre de Magnus Holmström y con el mismo número de identidad, pero no consiguió nada.

Veinte minutos después, los teléfonos dejaron de sonar. Erik Johansson puso café. Seguía nevando, pero los copos eran ahora menos abundantes. Stefan miró por la ventana. El suelo aparecía cubierto de un manto blanco. Giuseppe había ido a los servicios y tardó quince minutos en regresar.

—Mi estómago no aguanta este ritmo —se lamentó—. Se me atasca por completo. No he ido al baño como Dios manda desde anteayer.

Se tomaron el café mientras aguardaban. Poco después, un agente de guardia de Estocolmo llamó para comunicarles que no habían localizado a Magnus Holmström en la dirección de Bandhagen. Su madre, que se llamaba Margot, les explicó que hacía varios meses que no veía a su hijo, que solía ir a casa de vez en cuando, mientras ella estaba en el trabajo, para recoger el correo. La mujer ignoraba dónde vivía el joven. Pero el agente de la capital les aseguró que seguirían buscando durante la noche.

Giuseppe llamó a Östersund para hablar con el fiscal Lövander. Erik Johansson se sentó a escribir algo al ordenador. Stefan recordó de pronto el de Veronica Molin que, según ella misma, contenía toda su vida. Se preguntó si ella y su hermano habrían partido a Sveg con la nevada o si habrían pasado la noche en Östersund. Giuseppe concluyó la conversación con el fiscal.

—Bien, esto está en marcha —anunció—. Lövander ha entendido perfectamente la situación, así que ahora la orden de búsqueda nacional no afecta sólo al Ford rojo, sino también a un individuo llamado Magnus Holmström, que puede estar armado y es peligroso.

—Deberíamos preguntarle a su madre si está al corriente de las ideas políticas de su hijo —apuntó Stefan—. Y qué tipo de correspondencia suele recibir. Tal vez tenga un ordenador en casa de su madre y recibe correo electrónico, ¿no?

—Ya, pero si no vive allí... —vaciló Giuseppe—. Es extraño que el correo postal le llegue a casa de su madre si él vive en otra dirección. Aunque, bien mirado, tal vez sea lo normal entre los jóvenes cuando se independizan y van mudándose de la casa de un amigo a la de otro y viven realquilados. Así que seguro que tiene una dirección de Hotmail.

—A mí me da la impresión de que lo que quiere es quitarse de en medio —opinó Erik—. Oye, ¿alguien sabe cómo poner un tipo de letra más grande en la pantalla?

Giuseppe le mostró cómo hacerlo.

—Tal vez debiéramos buscarlo en Öland —sugirió Stefan—. Después de todo, fue allí donde lo conocí. Y el coche había repostado en Söderköping...

Giuseppe se golpeó la frente indignado.

–¡Joder! Es que estoy agotado –rugió–. Lógico, teníamos que haber pensado en ello mucho antes.

Se lanzó al teléfono para hacer una nueva llamada, pero le llevó una eternidad localizar al mando de Estocolmo con el que había hablado minutos antes. Mientras esperaba, Stefan le indicó cómo llegar a la casa de Wetterstedt en Öland.

Cuando Giuseppe colgó el auricular, era ya la una y media. Erik Johansson seguía escribiendo. Ya casi había dejado de nevar. Giuseppe miró el termómetro.

–Tres grados bajo cero. No se derretirá. Por lo menos, hasta mañana.

Después miró a Stefan.

–Tengo la sensación de que esta noche no habrá mucho movimiento. Ya estamos en marcha. Un buzo se sumergirá mañana temprano en el río en busca del arma. Y lo mejor que podemos hacer hasta entonces es dormir, creo yo. Me quedaré en casa de Erik. No soporto otra noche de hotel.

Erik Johansson apagó el ordenador.

–Bueno, en cualquier caso, hemos dado un gran paso adelante –declaró–. Ahora son dos las personas a las que buscamos. Y, de una de ellas, conocemos hasta el nombre. En mi opinión, eso supone un avance.

–Tres –corrigió Giuseppe–. En realidad, son tres las personas a las que buscamos.

Nadie lo contradijo.

Stefan se puso la cazadora antes de salir de la casa de los ciudadanos. Ya en la calle, sintió que la nieve, bajo sus pies, era blanda y amortiguaba cualquier ruido. Aún caía algún que otro copo. De camino al hotel se detuvo varias veces y se dio la vuelta, pero no vio sombra alguna tras de sí. La ciudad dormía. Tampoco había luz en la ventana de Veronica Molin. Volvió a preguntarse si ella y su hermano habrían pasado la noche en Östersund. El entierro no se celebraría hasta las once del día siguiente, de modo que tendrían tiempo suficiente de llegar a Sveg a buena hora, si es que habían decidido quedarse en la ciudad. Ya en el interior del hotel, vio que los dos hombres de la noche anterior estaban allí otra vez, jugando a las cartas, pese a lo avanzado de la hora. Cuando Stefan pasó ante ellos, los hombres asintieron a modo de saludo. Ya era demasiado tarde para llamar a Elena, quien, suponía, estaría dormida. Se quitó la ropa, se dio una ducha y se fue a la cama pensando en Magnus Holmström. «Discreto», recordó que había dicho de él Pelle Niklasson. Seguro que podía dar esa impresión, si se lo proponía. Pero Stefan había observado otra característica. Era, con toda certeza, un hombre joven, frío, peligroso. No le cabía la menor duda de que hubiese sido Magnus Holmström quien había intentado asesinar a Hereira. La cuestión era si no habría acabado también con la vida de Abraham Andersson. Lo que seguía constituyendo un misterio para él era qué habría movido a Elsa Berggren a cargar con aquella culpa. Claro que podía ser cierta su versión y que ella fuese culpable. Pero Stefan se negaba a creerlo. En cambio, sí que podía imaginar que Magnus Holmström le hubiese revelado los detalles que no habían figurado en la prensa como, por ejemplo, el de la cuerda de tender ropa.

«El conjunto de los acontecimientos se presenta ahora más claro», resolvió para sí. «No está completo, aún faltan bastantes piezas. Pero ahora ya tenemos una visión más profunda.»

Apagó la luz. La idea del inminente entierro le rondaba la mente. Después, se decía, Veronica Molin regresaría a aquel mundo del que él lo ignoraba todo.

El timbre del teléfono lo hizo emerger a la superficie de la conciencia. Medio dormido, llegó a trompicones hasta el aparato que tenía en el bolsillo de la cazadora. Era Giuseppe.

—¿Te he despertado?

501

—Pues sí.

—Vaya, no sabía si llamar... Pero pensé que te gustaría saberlo.

—¿Qué ha pasado?

—La casa de Herbert Molin está ardiendo. Erik y yo salimos hacia allá ahora mismo. Recibimos la alarma hace un cuarto de hora. El conductor de un quitanieves que pasaba por allí vio el fulgor de las llamas en el interior del bosque.

Stefan se restregó los ojos.

—¿Estás ahí? —inquirió Giuseppe.

—Sí, sí.

—Por lo menos, no tenemos que preocuparnos de que nadie resulte herido. La casa está destruida y abandonada.

En ese momento, se produjeron interferencias que interrumpieron la comunicación y, con ella, la voz de Giuseppe dejó de oírse. Al cabo de unos minutos, el agente volvió a llamar.

—Bueno, sólo quería que lo supieras.

—¿Qué crees que significará el incendio?

—Lo único que se me ocurre es que alguien conociese la existencia del diario de Herbert Molin, pero no que tú ya lo hubieses encontrado. En fin, te llamaré si hay novedades.

—O sea, que en tu opinión es provocado, ¿no?

—Yo no sé qué opinar. La casa estaba ya prácticamente destrozada. Claro que las causas pueden ser naturales. Según Erik, aquí en Sveg tienen un buen jefe de bomberos, un tal Olof Lundin. Al parecer, siempre ha podido establecer la causa de un incendio. En fin, ya hablaremos más tarde.

Stefan dejó el teléfono sobre la mesa. La luz que se filtraba por la ventana se reflejaba sobre la nieve. Trató de reflexionar a fondo acerca de la noticia que Giuseppe acababa de darle. Las ideas iban y venían en su mente, pero se acomodó en la cama dispuesto a conciliar el sueño de nuevo.

Era como si ya estuviese subiendo la pendiente que lo conduciría

al hospital. Estaba pasando por delante de la escuela de Bäckängssko-
lan. Y llovía. O tal vez fuese aguanieve lo que caía. En cualquier caso,
no llevaba un calzado adecuado y se había vestido de traje para la
ocasión. Los zapatos negros que había comprado el año anterior y que
apenas si había utilizado..., debería haberse puesto un par de botas
o, al menos, los marrones con suela de goma. Ya llevaba los pies em-
papados.

No logró dormirse. Había demasiada luz en la habitación.
Se levantó para echar las persianas. Y, entonces, vio algo que lo
sobresaltó.

Abajo, en el jardín, había un hombre. Una sombra débilmente iluminada. Alguien que observaba su ventana. Stefan llevaba una camiseta blanca y pensó que tal vez pudiesen verlo
pese a que la luz de la habitación estaba apagada. La sombra permanecía inmóvil. Stefan contuvo la respiración. De repente, el
hombre alzó los brazos, como si alguien estuviese apuntándole
con un arma. Se le antojó un gesto de sumisión.

Después, se dio la vuelta y desapareció a toda prisa.

Stefan se preguntaba si no habrían sido figuraciones suyas,
pero las huellas del hombre habían quedado grabadas en la
nieve.

Se vistió a toda prisa, se metió las llaves en el bolsillo y salió de la habitación a la carrera. La recepción estaba desierta.
Los dos jugadores de cartas se habían marchado, aunque habían
dejado las cartas esparcidas sobre la mesa. Stefan echó a correr
hacia la calle, donde todo estaba a oscuras. Oyó el ruido, apartado e ilocalizable, de un motor que se alejaba hasta desaparecer. Se detuvo en seco y echó un vistazo a su alrededor. Después, se acercó al lugar en el que había visto al hombre. Las
huellas de pisadas se veían con toda claridad en la nieve. Se marchó por donde había venido, en dirección a la parte del jardín
del hotel que daba a la calle de la tienda de muebles.

Stefan observó las pisadas. Parecían seguir un modelo. Por

fin, cayó en la cuenta de que ya había visto aquello con anterioridad.

El hombre que había estado mirando desde allí hacia su ventana había grabado el paso básico del tango sobre la nieve reluciente y recién caída.

La última vez que Stefan había visto aquellas pisadas, estaban teñidas de sangre.

33

Pensó que debería llamar a Giuseppe.

Era lo único sensato.

Pero algo se lo impedía. Aún le parecía demasiado irreal, las pisadas en la nieve, el hombre al que vio de pie bajo su ventana, levantando los brazos en señal de sumisión.

Se tanteó el bolsillo para comprobar que llevaba el teléfono y comenzó a seguir las huellas. Justo ante el jardín del hotel, la línea de pisadas se mezclaba con unas huellas de perro. El animal había girado para cruzar la calle no sin antes dejar una mancha amarilla. En Sveg no abundaban los paseantes nocturnos, de modo que Stefan no tenía más que una pista humana que seguir. Unas huellas de pasos derechos y decididos que se dirigían al norte, por delante de la tienda de muebles y hacia la estación de tren. Miró a su alrededor, pero no había un alma, ni sombras pululando por allí, tan sólo las huellas en la nieve. Ante la pastelería Nya, el hombre se había detenido y se había girado. Después, cruzó la calle y prosiguió hacia el norte, giró más tarde hacia el oeste, en dirección al edificio de la estación, vacío y a oscuras a aquellas horas. Stefan aguardó antes de continuar hasta que hubo pasado el turismo que se acercaba.

Ya junto al edificio de la estación, se detuvo vacilante. Las huellas continuaban por delante de una de las fachadas, en dirección a las vías y al andén. Si estaba en lo cierto, en aquellos momentos iba tras la pista del hombre que había asesinado a

Herbert Molin. Y más que asesinado, lo había torturado, lo había azotado hasta la muerte para después arrastrarlo a un tango sangriento. Por primera vez en todo el tiempo, se le ocurrió pensar que aquel hombre podía, ciertamente, ser un loco. Y que todo aquello que él y sus colegas habían intentado interpretar como algo racional y de bien meditada crueldad pudiera ser, en contra de las apariencias, todo lo contrario, la locura pura y simple. Volvió sobre sus pasos hasta colocarse bajo la luz de una farola y marcó el teléfono de Giuseppe, pero éste comunicaba. «Ya habrán llegado al lugar del incendio», calculó. «Y Giuseppe estará refiriéndoselo a alguien, tal vez a Rundström.» Se dispuso, pues, a esperar sin dejar de observar la estación de ferrocarril. Al cabo de un rato, volvió a marcar el número, pero seguía ocupado. Minutos más tarde, lo intentó por tercera vez. Una voz de mujer lo informó de que, por el momento, era imposible ponerse en contacto con el número solicitado y le pedía que volviese a intentarlo transcurridos unos minutos. Entonces, se guardó el teléfono en el bolsillo mientras se esforzaba por tomar una decisión. Resolvió seguir por la vía que conducía hacia el sur, en dirección a la calle de Fjällvägen. Dejó atrás una gran nave, giró y se halló de pronto en medio de las vías del tren. A lo lejos, se distinguía el edificio de la estación. Continuó por entre las sombras que inundaban el otro lado de la zona ferroviaria y se acercó con suma cautela al edificio de la estación desde el lado opuesto. En una vía auxiliar, había un viejo vagón de mercancías. Stefan lo rodeó por detrás. Aún no estaba tan cerca como para ver por dónde seguían las pisadas en la nieve. Se colocó en un extremo del vagón de mercancías y escrutó la oscuridad que se extendía ante sí.

La nieve amortiguaba el ruido. De ahí que no oyese al hombre que se le acercaba por detrás con el brazo en alto en dirección a su nuca.

Stefan cayó inconsciente sobre el suelo cubierto de nieve.

Abrió los ojos a una oscuridad compacta. La nuca le bombeaba de dolor y enseguida recordó lo sucedido. El vagón de mercancías, sus intentos de distinguir el edificio de la estación en medio de la oscuridad... Después, el rayo. Y, a partir de ahí, desconocía los hechos. Sabía que ya no estaba en la calle. Estaba sentado en una silla. Intentó mover los brazos, pero le fue imposible. Tampoco las piernas, pues estaba amarrado y, por si fuera poco, tenía una especie de venda en los ojos.

El pánico lo invadió de repente.

Había sido capturado y conducido a algún lugar por el hombre cuyo rastro él había seguido en la nieve. Había hecho precisamente lo que, como policía, nunca debe hacerse; se había entregado a una empresa en solitario, sin el apoyo de sus colegas. Notó que el corazón le latía acelerado. Giró la cabeza, pero el dolor le asestó una cuchillada en la nuca. Prestó atención en la negrura, en tanto que se preguntaba cuánto tiempo habría estado inconsciente.

Se sobresaltó asustado. Alguien respiraba muy cerca de él.

¿Dónde se hallaba? Estaba en una casa, pero ¿dónde? Reconocía el olor de la habitación, aunque le resultaba imposible identificarlo.

Tenía el convencimiento de haber estado allí con anterioridad.

Pero ¿dónde estaba?

Un resplandor atravesó la venda. Seguía sin poder ver nada en absoluto, pero sabía que habían encendido la luz de la habitación. Contuvo el aliento al percibir el sordo golpeteo de unos pasos. «Hay una alfombra», se dijo. «Y el suelo vibra bajo los pies, así que se trata de una casa vieja con el suelo de madera. Ya sé, estoy seguro: yo ya he estado aquí antes.»

Entonces, un hombre empezó a hablarle en inglés con un

fuerte acento. La voz procedía de algún lugar a su izquierda. Una voz áspera, instrumento de unas palabras pronunciadas con lentitud cansina. El acento era muy llamativo.

—Siento haber tenido que golpearle. Pero usted y yo teníamos que vernos.

Stefan no replicó. Si el hombre que le hablaba estaba desquiciado, cualquier cosa que dijese podría ser peligrosa. El silencio era, por el momento, su única protección.

—Ya sé que es usted policía —prosiguió la voz—. Aunque poco importa cómo lo he averiguado.

El hombre calló, como queriendo ofrecer a Stefan la posibilidad de responder. Esperaba.

—Estoy cansado —confesó la voz—. Ha sido un viaje demasiado largo. Y quiero volver a casa. Pero necesito la respuesta a algunas preguntas. Además, hay alguien con quien deseo hablar. Veamos, tan sólo le pido que conteste a esta pregunta: ¿quién soy yo?

Stefan intentaba interpretar correctamente lo que oía. No las palabras, sino su trasfondo. El hombre que le hablaba daba una impresión de calma absoluta, de no estar nervioso ni indignado.

—Le agradecería que me respondiese —insistió la voz—. No tema, que nada le ocurrirá. Es sólo que no puedo dejarle ver mi rostro. ¿Quién soy yo?

Stefan comprendió que tenía que contestar, que la pregunta no admitía espera.

—Lo vi en la nieve, bajo mi ventana del hotel. Alzó los brazos y dejó en la nieve las mismas huellas que en la casa de Herbert Molin.

—Así es. Yo lo maté. Tuve que hacerlo. Durante todos estos años, me figuré que dudaría. Pero no fue así. Aunque tal vez me arrepienta en mi lecho de muerte, quién sabe.

Stefan notó que estaba empapado en sudor. «Quiere hablar»,

concluyó para sí. «Y yo necesito tiempo para descubrir dónde estoy y qué puedo hacer.» Pensaba además en lo que acababa de decir la voz, «durante todos estos años». Y a eso debía aferrarse, a preguntas sencillas sobre el pasado.

—Comprendo que ha de estar relacionado con la guerra —comenzó—. Con hechos acontecidos hace ya mucho tiempo.

—Herbert Molin mató a mi padre.

Las palabras surgieron con un sosiego total, muy despacio, una tras otra. «Herbert Molin mató a mi padre.» Stefan no dudó ni por un instante de que Fernando Hereira, o cualquiera que fuese su verdadero nombre, decía la verdad.

—¿Qué pasó?

—En la impía guerra de Hitler murieron millones de personas. Pero cada muerte es una sola, cada horror tiene un rostro propio.

La voz guardó silencio. Stefan se mantenía a la espera. Intentaba extraer la información más reveladora de todo lo que aquel hombre había dicho hasta el momento. «Durante todos aquellos años», en la guerra, y ahora ya sabía que Fernando Hereira había vengado a su padre. Además, había mencionado un viaje que era ya «demasiado largo». Y, tal vez lo más importante, «además, hay alguien con quien deseo hablar». «Alguien que no soy yo», dedujo Stefan. «Pero ¿quién?»

—Ellos ahorcaron a Josef Lehmann —declaró la voz de repente—. Hacia el otoño de 1945. E hicieron bien, puesto que él había matado de forma horrible a un sinfín de personas; había desplegado toda su crueldad en distintos campos de concentración. Pero tendrían que haber colgado también a su hermano, Waldemar Lehmann. Él era aún peor. Dos hermanos, dos monstruos que servían a su señor arrancando gritos de dolor a sus semejantes. Y uno de ellos fue castigado con una soga al cuello, mientras que el otro desapareció y, gracias a esa incomprensible tolerancia de los dioses, podría seguir con vida en estos momentos. A mí me ha parecido verlo por la calle en alguna ocasión. Pero no sé cómo es. No había fotografías suyas. Él fue más precavido que su hermano Josef. Y gracias a ello se salvó. Además, él disfrutaba más encargando a otros la ejecución de las perversidades. Él se dedicaba, en efecto, a instruir a otros para que llegasen a ser monstruos. Él formaba a los peones de la muerte.

Se oyó un sollozo, un suspiro tal vez. El hombre que le hablaba volvió a moverse. Stefan ya había oído aquel ruido con anterioridad. Una silla, o quizás un sofá que rechinaba justo de aquel modo. Aunque él no recordaba haberlo ocupado nunca.

De pronto, se asustó. Acababa de comprenderlo.

Había estado sentado con anterioridad en aquella misma silla a la que ahora estaba amarrado.

—Quiero irme a casa —prosiguió la voz—. Volver a lo que queda de mi vida. Pero, antes, he de saber quién mató a Abraham Andersson. Y también quiero saber si tengo parte de culpa de que él muriese. Es cierto que no está en mi mano cambiar los hechos. Pero, a partir de ahora y hasta mi muerte, puedo encenderle una vela a la santa Virgen y pedirle perdón.

—Usted circulaba en un Golf azul —intervino Stefan—. De pronto, alguien salió a la carretera y le disparó. Se libró, aunque no sé si salió del todo ileso. Pero puede que quien le disparase sea la misma persona que mató a Abraham Andersson.

—Vaya, sabe muchas cosas —observó la voz—. Pero, claro, es su deber, puesto que es policía. Y hará lo posible para detenerme, aunque ahora es al revés y soy yo quien lo ha atrapado a usted. Verá, no estoy herido. Y, la verdad, tuve suerte. Salí del coche y me escondí en el bosque sin que me alcanzase ningún disparo y allí me mantuve durante toda la noche, hasta que me atreví a seguir caminando.

—Pero tenía que disponer de un coche...

—Pienso pagar por el coche que quedó destrozado por los disparos. Enviaré el dinero en cuanto llegue a casa.

—Quiero decir después. ¿No tenía coche?

—Lo encontré en el garaje de una casa que estaba en el lindero del bosque. No sé si lo han echado de menos, pues la casa parecía abandonada.

Stefan percibió cierta impaciencia en la voz del hombre y comprendió que tenía que ser más cauto con lo que decía. Oyó el tintineo de una botella, el ruido al desenroscar un tapón. Unos tragos. «Pero sin copa», adivinó Stefan. «Está bebiendo de la botella.» Un suave aroma a alcohol inundó la habitación.

Después, el hombre le contó lo sucedido hacía ya cincuenta y cuatro años. Una historia breve, sencilla, clara y espeluznante.

—Waldemar Lehmann era un maestro en el arte de torturar a las personas. Un buen día, Herbert Molin entró en su vida. A decir verdad, no tengo claros todos los detalles. Por otro lado, hasta que no conocí a Höllner no comprendí quién había matado a mi padre. Pero lo que pude averiguar a partir de entonces fue suficiente para hacerme ver que era necesario y justo acabar con la vida de Herbert Molin.

El tintineo se dejó oír nuevamente, el perfume a alcohol, nuevos tragos. «Este hombre terminará emborrachándose», concluyó Stefan. «¿Y si pierde el control sobre sus actos?»

Se agudizó el temor y sintió como si estuviese subiéndole la fiebre.

—Mi padre era profesor de baile. Un hombre pacífico que amaba el trabajo de enseñar a las personas a bailar. En especial a los que eran jóvenes y tímidos. Un día, Herbert Molin acudió a él en calidad de alumno. Al parecer, había llegado a Berlín con una semana de permiso. Jamás supimos quién le había dado el nombre de mi padre. Comoquiera que sea, se convirtió en su alumno. Tenía especial interés en el tango. Cada vez que tenía permiso, venía a Berlín, no recuerdo cuántas veces. Pero sí al joven soldado, al que veía con frecuencia. Casi puedo ver su rostro ante mí y, cuando por fin localicé a Herbert Molin, lo reconocí enseguida.

El hombre se levantó y el crujido volvió a oírse. De pronto, Stefan lo reconoció. Pero lo recordaba de la casa de Öland en la que se encontró con Emil Wetterstedt. «¿Estaré volviéndome loco?», se preguntó desesperado. «Si estoy en Härjedalen, es imposible que el ruido sea de Öland...»

La voz reemprendió su relato, ahora desde la derecha. El hombre se había sentado en otra silla que no crujía. De algún modo, otro recuerdo despertó en su memoria. En efecto, también reconocía la silla que no crujió. Tenía que caer en la cuenta de dónde se encontraba.

—Yo tenía doce años. Mi padre impartía sus clases en casa. Cuando en 1939 empezó la guerra, le arrebataron su estudio de danza. Un día, de repente, alguien plantó una estrella de David sobre la puerta. Él jamás habló del asunto. De hecho, nadie lo mencionó. Veíamos cómo nuestros amigos eran obligados a huir, mientras nosotros nos quedábamos. Y todo gracias a mi tío, el masajista de Hermann Göring, que constituía una especie de protección invisible para mi familia. Nadie podía hacernos daño. Hasta que Herbert Molin apareció y se convirtió en alumno de mi padre.

La voz se quebró. Stefan se esforzaba febrilmente por caer en la cuenta de dónde se encontraba. Debía saberlo, antes de encontrar el modo de liberarse. El hombre que había con él en la habitación era imprevisible; había asesinado a Herbert Molin, lo había torturado y se había comportado exactamente igual que las personas de las que ahora hablaba.

El hombre retomó su historia.

—Yo solía asomarme a la habitación en la que mi padre daba sus clases. En una ocasión, nuestras miradas se cruzaron. Y aquel joven soldado sonrió. Recuerdo que me gustó. Un hombre joven que sonreía enfundado en su uniforme. Yo creía que era alemán, puesto que nunca dijo una palabra. No podía ni imaginar que era de Suecia. Ignoro qué sucedió después. Pero sé que se convirtió en uno de los secuaces de Waldemar Lehmann. De algún modo, Lehmann debió de averiguar que Herbert Molin asistía a clases de baile con uno de aquellos odiosos judíos que aún quedaban en Berlín y que tenían la desfachatez de comportarse como personas normales, libres, iguales. También desconozco cómo se las arregló para hacer cambiar a Herbert Molin, aunque Waldemar Lehmann era un aventajado alumno del diablo. Y logró transformar a Herbert Molin en un monstruo. Así, una tarde, el joven soldado acudió a su clase. Yo solía sentarme en el vestíbulo a escuchar lo que sucedía en aquella habitación, donde mi padre había dispuesto los muebles contra las paredes, con el fin de tener espacio para sus clases. Las cortinas eran rojas y el suelo de parquet brillante y ajado a un tiempo. Desde allí, yo podía oír la voz afable de mi padre y sus instrucciones, «pie izquierdo, pie derecho...», y la espalda, que siempre debía estar recta. De pronto, el gramófono dejó de sonar y se hizo un profundo silencio. En un principio creí que se habrían tomado un descanso. Después, la puerta se abrió y Herbert Molin salió a toda prisa del apartamento. Yo pude ver sus pies y sus zapatos de baile cuando se marchó. En condiciones normales, mi padre salía enjugándose el sudor del rostro con una sonrisa. Pero en aquella ocasión, el silencio era absoluto. Entré en la sala. Mi padre estaba muerto. Herbert Molin lo había estrangulado con su propio cinturón.

Stefan percibió la continuación como un prolongado grito de dolor.

—¡Lo había estrangulado con su propio cinturón! Y le había metido en la boca un disco hecho añicos. La etiqueta estaba llena de sangre, pero pude distinguir que era un disco de tangos. Después, durante toda mi vida, anduve buscando al hombre que le hizo aquello a mi padre. Y cuando, por una extraña casualidad, conocí a Höllner, comprendí y pude saber quién había sido el asesino. Descubrí que quien había matado a mi padre era un sueco, un hombre que ni siquiera tenía por qué servir a Hitler y menos aún permitir que los judíos fuesen el blanco de aquel odio inexplicable y absurdo. Aquel hombre judío que le había ayudado a superar su timidez enseñándole a bailar. Ignoro qué pudo hacer Lehmann con Herbert Molin, qué veneno le inoculó, qué herramientas del odio le proporcionó. Ni cómo llegó a participar de aquel puro despropósito nazi. Pero tanto daba. Aquel día, él había venido a nuestra casa no para bailar, sino para matar a mi padre. Fue un asesinato tan brutal, tan horrendo que, de hecho, es indescriptible. Allí yacía mi padre, muerto con su propio cinturón clavado en la garganta. Pero no era él el único difunto, sino también su mujer, mi madre y yo y mis hermanos. Todos nosotros morimos con el mismo cinturón. Aunque seguimos con vida. Mi madre tan sólo unos meses, hasta que consiguió organizarlo todo para que mis hermanos y yo abandonásemos el país. Aquél fue el último favor que mi tío logró sacarle a Göring. Una vez estuvimos a salvo en Suiza, mi madre se quitó la vida y hoy sólo quedo yo. Ninguno de mis hermanos sobrepasó la treintena. Mi hermano murió alcoholizado, mi hermana se suicidó y yo fui a parar a Suramérica. Estuve buscando a aquel hombre, al joven soldado que había asesinado a mi padre. En realidad, creo que por eso me fui a Suramérica, puesto que muchos nazis se habían refugiado allí. Hasta que lo encontré al fin, un anciano que se había refugiado en el bosque. Y lo maté, le di una última clase de baile. Pero cuando estaba a punto de regresar a casa, alguien acabó con la vida de su vecino. Ahora me pregunto si yo soy culpable también de esa muerte.

Se hizo el silencio. Stefan aguardaba la continuación mientras pensaba en el nombre que Fernando Hereira había mencionado, Höllner, pues su encuentro debió de ser decisivo.

—¿Quién era Höllner?

—El mensajero que siempre esperé. Un hombre que, una noche y de forma fortuita, acudió al mismo restaurante de Buenos Aires en el que yo me encontraba. Al principio, cuando comprendí que era emigrante alemán, temí que fuese uno de los nazis refugiados en Argentina. Pero después supe que siempre había renegado de Hitler.

Fernando Hereira volvió a callar. Stefan esperaba.

—Cuando pienso en el pasado, todo me parece demasiado sencillo —prosiguió—. Höllner procedía, como yo, de Berlín. Y mi tío también había sido masajista de su padre desde mediados de la década de los treinta. Mi tío había llegado a hacerse imprescindible para Göring, que siempre sufría tremendos dolores articulares debidos a su abuso de la morfina y no soportaba a ningún otro masajista, más que a mi tío. Ése fue uno de los puntos de partida. El otro fue un hombre llamado Waldemar Lehmann, que había torturado y asesinado a mucha gente en distintos campos de concentración. Su hermano era igual, pero a éste lo colgaron el otoño de 1945. En cambio, nunca dieron con Waldemar. Desapareció en el caos posterior a la guerra y jamás consiguieron atraparlo, pese a que hubo tanta gente que lo intentó. Ocupaba un lugar destacado en muchas de las listas de criminales de guerra que encabezaba Bormann. A Eichmann sí que lo pillaron, pero a Waldemar Lehmann, jamás. Uno de los que los perseguía era un mayor inglés llamado Stuckford. Ignoro el porqué de ese interés suyo, pero estuvo en Alemania en 1945 y seguro que vio las crueldades cometidas en los campos de concentración cuando los abrieron. Además, estuvo presente cuando colgaron a Josef Lehmann. Durante sus investigaciones posteriores, el tal mayor Stuckford obtuvo cierta información según la cual, cuando la guerra se acercaba a su final, un soldado sueco se había convertido en uno de los más fervientes seguidores de Waldemar Lehmann e, inducido por éste, había cometido en la persona de su profesor de baile un brutal asesinato.

En este punto, Fernando Hereira calló, como si necesitase reunir fuerzas para hacer discurrir su relato hasta el fin.

—Mucho después de la guerra, Höllner y Stuckford se conocieron en una conferencia sobre la caza de criminales de guerra. Ambos repudiaban decididamente el nazismo y su conversación los llevó a hablar del desaparecido Waldemar Lehmann. Así supo Höllner del cruel asesinato de un profesor de baile de Berlín, al igual que el nombre del asesino, un sueco llamado Mattson-Herzén, lo que se había sabido gracias a la confesión de otro nazi deseoso de comprar su libertad durante uno de los numerosos interrogatorios que Stuckford había organizado después de la guerra. Y Höllner me lo contó todo. Además, también me puso al corriente de que, de vez en cuando, Stuckford visitaba Buenos Aires.

Stefan oyó que Fernando Hereira volvía a echar mano de la botella. Sin embargo, la dejó de nuevo sobre la mesa sin haber tomado un solo trago.

—En la siguiente visita de Stuckford, me vi con él en su hotel. Le conté la verdad, que yo era el hijo del profesor de baile asesinado. Un año después de nuestro encuentro, más o menos, recibí una carta de Inglaterra en la que Stuckford me informaba de que el soldado llamado Mattson-Herzén, el asesino de mi padre, se había cambiado el nombre por el de Molin, y que seguía vivo. Jamás olvidaré aquella carta. Y pensar que aquel hombre siempre aparecía con una sonrisa en los labios cuando acudía a las clases de mi padre... Stuckford me ayudó, a través de sus contactos, a seguirle la pista hasta estos bosques.

En este punto, la voz volvió a callar. «Éste es el final del relato», intuyó Stefan. «Claro que tampoco hace falta que continúe. Ya conozco la historia y ahora tengo ante mí a un hombre al que no puedo ver, pero del que sé que ha vengado a su padre. Así que teníamos razón al pensar que el asesinato tenía su origen en una guerra que terminó hace ya tantos años.»

Stefan pensó también que Fernando Hereira le había compuesto el rompecabezas que él tenía incompleto. Resultaba irónico que Herbert Molin hubiese pasado sus últimos años de vida componiendo rompecabezas, siempre acompañado de aquel miedo suyo.

—¿Ha comprendido lo que acabo de contarle?

—Sí.

—¿Tiene alguna pregunta que hacerme?

—Sobre eso, no. Pero sí me gustaría saber por qué trasladó al perro.

El hombre no comprendió la pregunta y Stefan volvió a formularla.

—Mató al perro de Molin y, después, cuando Abraham Andersson murió, se llevó a su perro.

—Ah, bueno, quería indicarles que estaban equivocados, que yo no había matado al otro hombre.

—¿Y por qué habría de ayudarnos el perro a comprenderlo?

La respuesta fue sencilla y convincente.

—Cuando decidí cómo hacerlo, yo estaba muy ebrio. En realidad, aún me pregunto cómo pude hacerlo sin que nadie me viese. De todos modos, trasladé al perro para crear desconcierto en sus mentes. Aún ignoro si lo conseguí.

—Bueno, lo cierto es que empezamos a formularnos otras preguntas.

—Ya. En ese caso, logré mi objetivo.

—Cuando llegó, se instaló en una tienda de campaña, junto al lago, ¿no es así?

—Sí.

Stefan notó que ya no había impaciencia en su voz. Hereira estaba ya totalmente tranquilo. Y tampoco se oía el tintineo de la botella. Hereira se puso de pie y el suelo vibró de nuevo.

Se colocó detrás de la silla que ocupaba Stefan y el miedo que, por un instante, había cedido, volvió a acentuarse. Stefan recordó las manos de aquel hombre en torno a su garganta y pensó que ahora estaba atado a la silla: si quería estrangularlo, él no podría oponer la menor resistencia.

La voz volvió a sonar desde la izquierda. La silla crujió de nuevo. Y Stefan continuó intentando localizar la habitación en su memoria.

—Yo pensaba que todo aquello moriría —irrumpió de nuevo la voz—. Todo aquel horror nacido de aquella época. Pero las ideas del cerebro deforme de Hitler siguen vivas. Tienen otros nombres, pero las mismas ideas, la misma maligna concepción de que, si ellos lo ven necesario, pueden matar a un pueblo entero. Con las nuevas técnicas, los ordenadores, las redes internacionales..., todos esos grupos pueden trabajar juntos. Ahora, todo está en los ordenadores.

Stefan escuchaba con atención; recordó que Veronica Molin había dicho lo mismo, casi palabra por palabra, *todo está en los ordenadores.*

—Y así, siguen destrozando vidas —continuó la voz—. Y seguirán cultivando su odio contra las personas que tienen otro color de piel, otras costumbres, otros dioses.

De pronto, Stefan tomó conciencia de hasta qué punto aquel sosiego de Hereira era una falsa ilusión. Aquel hombre estaba a punto de estallar en un acceso que podía abocarlo a un nuevo ataque violento. «Después de todo, mató a Herbert Molin», recordó Stefan. «Y a mí intentó estrangularme, me golpeó y ahora me tiene aquí atado a esta silla. A menos que me ataque por detrás, yo soy más fuerte que él. Yo tengo treinta y siete años y él más de setenta. Y no puede soltarme, puesto que sabe que lo detendré. Ha atacado a un policía. Y ése es un delito muy grave, tanto en Suecia como en Argentina.»

Stefan tomó plena conciencia de que aquel hombre podía

matarlo. Acababa de contarle lo que había sucedido, había confesado, así que, ¿qué le cabía hacer ya? Huir, sólo eso. Y la cuestión era qué haría con el policía al que había retenido.

«Claro que no he visto su rostro», continuó reflexionando el agente. «Y, mientras no lo haga, puede dejarme aquí y marcharse. Tengo que impedir que me quite la venda de los ojos.»

—¿Quién intentó matarme en la carretera? —preguntó el hombre, que parecía impacientarse de nuevo.

—Un joven neonazi llamado Magnus Holmström.

—¿Es sueco?

—Sí.

—Y yo que creía que éste era un país decente... Sin nazis. Salvo los viejos, los que pertenecen a la generación de Hitler y aún están vivos. Los que aún se refugian en sus madrigueras.

—Bueno, hay una nueva generación. No son muchos, pero los hay.

—No me refiero a los jóvenes de cabezas rapadas sino a los que sueñan sueños de sangre, a los que planean genocidios y añoran la hegemonía de la raza blanca.

—Magnus Holmström es uno de ellos.

—¿Lo han capturado?

—Aún no.

Nuevo silencio, nuevo tintineo al abrir la botella.

—¿Fue ella quien lo envió tras de mí?

«¿De quién habla?», se preguntó Stefan que, no obstante, cayó pronto en la cuenta de que sólo existía una posibilidad: Elsa Berggren.

—No lo sabemos.

—Pero, ha de haber un móvil, ¿no?

«Veamos, ve despacio», se conminó. «No debes decir demasiado, ni demasiado poco, sólo lo adecuado. Aunque ¿qué es lo adecuado? Este hombre quiere saber si es culpable del otro asesinato, lo cual es, naturalmente, un hecho. Cuando mató a Herbert Molin, puso en marcha un mecanismo. Las cucarachas huyeron en todas direcciones. Y ahora quieren volver al refugio, quieren que alguien restituya el orden que existía antes de que el desconcierto estallase en los bosques.»

Había muchos detalles que seguía sin comprender. Se le antojaba que aún le faltaba un eslabón, como si todo dependiese de un factor invisible que no hubiese logrado descubrir. Ni él, ni tampoco Giuseppe. Nadie, en realidad.

Pensó en la casa de Herbert Molin, que ardió en llamas en medio del bosque. Y le pareció una pregunta inofensiva.

—¿Prendió fuego a la casa de Herbert Molin?

—Sí; supuse que la policía iría al lugar del incendio. Pero esperaba que tú no lo hicieras. Y no me equivoqué. Te quedaste en el hotel.

—¿Por qué yo y no alguno de los demás policías?

El hombre no respondió. Stefan pensó que había cometido un error; que, pese a sus precauciones, había transgredido una frontera peligrosa. Esperó sin dejar de buscar en su mente angustiada la posibilidad de escapar, de resolver la situación, de salir de la habitación en que estaba atado. Pero, para lograrlo, antes debía saber dónde se encontraba.

De nuevo se oyó el soniquete de la botella. Después, oyó que el hombre se levantaba. Stefan prestó atención, pero ya no notaba las vibraciones de las pisadas en el suelo. El silencio era absoluto. ¿Habría salido el hombre de la habitación? Stefan aguzó el oído, pero el hombre parecía haber desaparecido.

De pronto, un reloj empezó a dar la hora y, en ese preciso momento, supo dónde se encontraba. Aquello era la casa de Elsa Berggren; aquél era su reloj. Lo había oído la primera vez que la visitó. Y también había oído ese sonido tan particular cuando fue allí acompañando a Giuseppe.

Entonces, el hombre arrancó la venda del rostro de Stefan. Sucedió tan rápido, que no tuvo tiempo de reaccionar. En efecto, se encontraba en la sala de estar de Elsa Berggren, y en la misma silla en la que se había sentado la primera vez. El hombre estaba detrás de él. Stefan giró la cabeza con cautela.

Fernando Hereira estaba muy pálido. Tenía barba de varios días y los párpados inferiores marcados por bolsas violáceas. El cabello gris despeinado. Era un hombre delgado. La ropa, pantalón oscuro y cazadora azul, bastante sucia. La cazadora tenía, además, un descosido en el cuello. Calzaba zapatillas de deporte. Así que aquél era el hombre que había estado viviendo en una tienda junto al lago para matar a Herbert Molin con la mayor crueldad imaginable antes de arrastrarlo consigo en un tango sangriento. Era, además, el hombre que había atacado a Stefan en dos ocasiones, la primera en que cerca estuvo de estrangularlo y la segunda hacía apenas una hora, con un fuerte golpe en la nuca.

El reloj había dado la media, las cinco y media de la mañana. Stefan calculó que había estado inconsciente más tiempo del que creía. Sobre la mesa, ante el hombre, había una botella de coñac. Pero ninguna copa. El hombre tomó un trago antes de mirar a Stefan.

—¿Qué castigo van a imponerme?

—No lo sé. Será el tribunal quien lo decida.

Fernando Hereira movió la cabeza en gesto resignado.

—Nadie me comprenderá. Dígame, ¿existe la pena de muerte en este país?

—No.

Fernando Hereira echó otro trago y dejó la botella sobre la mesa con mano vacilante. «Está borracho», concluyó Stefan. «Está empezando a perder el control de sus movimientos.»

—Hay una persona con la que me gustaría hablar —continuó Fernando Hereira—. Me gustaría explicarle a Veronica, la hija de Herbert Molin, por qué maté a su padre. Stuckford me contó en su carta que Molin tenía una hija. Tal vez haya más hijos, pero yo quiero hablar con ella. Debe de estar aquí, puesto que su padre ha sido asesinado, ¿no?

—Sí, el entierro será hoy.

Fernando Hereira se sobresaltó.

—¿Hoy?

—Así es. Su hijo también ha venido. Lo enterrarán a las once.

Nuevo silencio. Fernando Hereira se escrutaba las manos.

—Ya, bueno, pero yo sólo quiero hablar con ella —insistió—. Y ella podrá explicárselo después a quien desee. Quiero contarle por qué lo hice.

Stefan comprendió que tal vez fuese aquélla la oportunidad que necesitaba.

—Veronica Molin ignoraba que su padre fuese nazi. Y está indignada desde que se enteró. Así que creo que ella lo comprenderá, si se lo cuenta como a mí.

—No he dicho más que la verdad.

El hombre tomó un trago más.

—La cuestión es si me dará el tiempo que necesito. Si le dejo marchar para que se ponga en contacto con Veronica Molin, ¿lo hará?, ¿me dejará el margen de tiempo que necesito, antes de detenerme?

—¿Y cómo sé que no la tratará a ella del mismo modo que a su padre?

—No tiene modo de saberlo pero, por otro lado, ¿por qué iba yo a atacarla a ella? No fue ella quien mató a mi padre.

—Pero a mí sí me atacó.

—Ya, pero no tuve otro remedio. Aunque lo siento, por supuesto.

—¿Y cómo ha pensado organizar el encuentro?

—Voy a dejarle ir. Y yo esperaré aquí. Pronto serán las seis. Usted va a hablar con Veronica Molin y le explica dónde estoy. Cuando ella se haya marchado, usted y los demás policías podrán venir a arrestarme. Ya sé que nunca volveré a casa. Me quedaré aquí y moriré en una cárcel sueca.

Fernando Hereira se ausentó en sus pensamientos. ¿Estaría diciendo la verdad? Stefan sabía que no podía darlo por supuesto.

—Comprenderá que no puedo permitir que Veronica Molin venga aquí sola —advirtió Stefan.

—¿Por qué no?

—Usted ya ha dado sobradas muestras de que no se lo piensa dos veces antes de recurrir a la violencia. Su petición es inapropiada.

—Pues quiero verla a solas. Le aseguro que no le pondré la mano encima.

De repente, el hombre dio un puñetazo sobre la mesa y Stefan sintió que el temor volvía a hacer presa en él.

—¿Qué ocurrirá si no acepto?

Hereira lo observó largamente antes de contestar:

—Yo soy un hombre pacífico y, aun así, me he comportado de forma violenta con mis semejantes. No sé qué puede ocurrir. Puede que lo mate, puede que no.

Stefan sabía que no podía aceptar aquel trato pero, al mismo tiempo, sospechaba que si no le presentaba a Hereira una alternativa aceptable, podría suceder cualquier cosa.

—Puedo darle el tiempo que pide —convino—. Y puede hablar con ella por teléfono.

Stefan observó un rayo de cólera en los ojos de Hereira. El hombre estaba cansado, pero en modo alguno resignado a ceder.

—Eso ya es mucho —insistió Stefan—. Le doy el tiempo y la posibilidad de hablar con ella, aunque por teléfono. Comprenderá que, como policía, no tengo autoridad para hacer este tipo de concesiones.

—¿Puedo confiar en usted?

—No creo que tenga elección.

Hereira dudó un instante, se levantó y soltó la cinta adhesiva que mantenía a Stefan atado a la silla.

–Bien, supongo que hemos de confiar el uno en el otro –resolvió–. No queda otra salida.

Stefan se sentía mareado mientras avanzaba hacia la puerta. Tenía las piernas entumecidas y le dolía la nuca.

–Bien, esperaré a que llame –aseguró Hereira–. Puede que necesite una hora más o menos. Después, podrá contarles a sus colegas dónde estoy.

Stefan cruzó el puente. Antes de abandonar la casa, había anotado el número de teléfono de Elsa Berggren. Se detuvo un instante en el lugar donde, dentro de escasas horas, un buzo empezaría a buscar el arma que tal vez descansase en el fondo del río. Pese a que estaba agotado, se esforzó por pensar con claridad. Fernando Hereira había cometido un asesinato, pero había en él algo de ruego, algo auténtico, cuando le aseguró que sólo deseaba hablar con la hija de Herbert Molin e intentar que comprendiese y quizá conseguir su perdón. Volvió a preguntarse si ella y su hermano se habrían quedado a pasar la noche en Östersund pues, en tal caso, se vería obligado a llamar a varios hoteles hasta dar con ella.

Cuando llegó al hotel, eran las seis y media y fue derecho a llamar a la puerta de Veronica Molin. La mujer abrió con tal rapidez que él retrocedió sobresaltado. Ya estaba vestida y, al fondo, entrevió la pantalla del ordenador encendida.

–Tengo que hablar contigo. Ya sé que es muy temprano. Como estaba nevando, pensé que tal vez os hubieseis quedado en Östersund.

–Mi hermano no vino.

–¿Cómo que no?

–Cambió de idea. Me llamó y me dijo que no quería asistir al entierro. Yo llegué anoche, bastante tarde. ¿Qué es eso tan urgente?

Stefan empezó a caminar hacia la recepción y ella lo siguió. Ambos tomaron asiento y él empezó sin más preámbulo a exponerle lo sucedido durante la noche y todo lo que ahora sabía acerca de Fernando Hereira, el asesino de su padre que, en casa de Elsa Berggren, esperaba que ella lo llamase y tal vez le concediese su perdón.

—En realidad, quería hablar contigo en persona —explicó—. Pero, como es lógico, no pude aceptarlo.

—No tengo miedo —declaró ella después de transcurridos unos minutos—. No obstante, tampoco me habría prestado a tal encuentro. ¿Alguien más lo sabe?

—Nadie.

—¿Ni siquiera tus colegas?

—No.

Ella guardó silencio un instante sin dejar de observarlo.

—Bien, hablaré con él. Pero prefiero estar sola durante la conversación. Cuando haya terminado, llamaré a tu puerta.

Stefan le dio el papel con el número de teléfono y la dejó sola antes de dirigirse a su habitación. Cuando abrió la puerta, pensó que ya habría llamado a Hereira. Stefan miró el reloj. Dentro de veinte minutos, llamaría a Giuseppe para informarlo de dónde estaba Hereira.

Entró en el baño y, al darse cuenta de que el papel higiénico se había terminado, bajó a recepción.

Entonces, la vio a través de la ventana. Veronica Molin estaba en la calle y parecía apresurada.

Se detuvo en seco intentando comprender. Las ideas cruzaban su mente en torbellino. No le cabía la menor duda de que Veronica Molin iba a verse con Fernando Hereira. Tenía que haberlo supuesto. Algo que, en realidad, era lo contrario de lo que él había creído.

«Algo había en su ordenador», reflexionó. «Algo que ella dijo o que yo mismo pensé sin tener muy claro qué implicaba exactamente.» El desasosiego crecía como una ola gigantesca que, de repente, se alzase ante él. La chica de la recepción bajaba la escalera camino del comedor. Al verla, le espetó acuciante:

—¡Dame la llave de la habitación de Veronica Molin!

Ella lo miró inquisitiva.

—Acaba de salir.

—Ya. Por eso necesito la llave.

—Lo siento, pero no puedo dártela.

Stefan dio un puñetazo sobre el mostrador.

—¡Soy policía! —rugió—. ¡Te digo que me des la llave!

La joven obedeció y tomó la llave del tablero de la pared. Él se la arrebató, echó a correr por el pasillo en dirección a la habitación de la mujer y abrió la puerta.

Veronica Molin no había apagado el ordenador. La pantalla seguía parpadeando. Él la observó con horror.

De repente, lo vio claro.

Comprendió cómo encajaba todo.

Y, sobre todo, tomó conciencia de hasta qué punto había estado equivocado.

34

Pasaban unos minutos de las siete. Aún estaba oscuro. Stefan corría y, en varias ocasiones, estuvo a punto de resbalar en la nieve y caer de bruces. Debería haber comprendido mucho antes aquello que ahora le resultaba del todo evidente, lo que se le antojaba sencillo e indiscutible. Pero había sido demasiado perezoso. O tal vez el temor ante lo que lo aguardaba en el hospital dentro de tan sólo unos días se le había impuesto y le había impedido pensar. «Debería haberlo comprendido cuando Veronica Molin me llamó y me pidió que volviese», se recriminó. «¿Por qué no sospeché entonces? Todas estas preguntas que me hago ahora eran obvias ya entonces.»

Llegó al puente. Aún era de noche y Giuseppe y el buzo seguían sin dar señales de vida. ¿Cuánto tiempo tardó la casa de Herbert Molin en quedar reducida a cenizas? Sacó el teléfono y volvió a marcar el número de Giuseppe. La misma voz de mujer le contestó impasible que volviese a intentarlo más tarde. Poco faltó para que arrojase el teléfono al fondo del río, donde también, hacía tan sólo unos días, alguien había dejado caer el arma.

Después, divisó a un hombre que venía caminando por el puente. A la luz de una de las farolas que bañaba el puente vio de quién se trataba. En una ocasión, durante uno de sus primeros días en Sveg, se había tomado un café en la cocina de aquel hombre. Rebuscó el nombre en su memoria. Aquel hombre no había hecho en su vida un viaje más allá de Hede... Eso es, Björn Wigren. También él había reconocido a Stefan.

—¡Vaya! ¿Aún sigues aquí? —preguntó el recién llegado con sorpresa—. Creía que ya te habrías ido. Pero, para que lo sepas, Elsa no ha matado a nadie; eso es imposible.

Stefan se preguntó cómo Björn Wigren habría sabido que Elsa hubiese sido detenida y conducida a Östersund. Aunque aquella pregunta carecía de sentido en aquel momento. En cambio, se le ocurrió que Björn Wigren bien podía ayudarle.

—Dejemos el asunto de Elsa para otra ocasión —propuso—. Ahora necesito que me ayudes.

Stefan rebuscó en sus bolsillos sin hallar papel y lápiz.

—¿Tienes algo con lo que escribir?

—No, pero si es importante puedo ir a mi casa. ¿Qué pasa?

«Su grado de curiosidad es tremendo», consideró Stefan al tiempo que miraba a su alrededor. Estaban justo en el estribo del puente.

—A ver, ven aquí —ordenó.

Ambos caminaron hasta el punto en el que las vías y el puente convergían. Había un montículo en el que la nieve estaba impecable. Stefan se sentó en cuclillas y, con el dedo, se puso a escribir algo sobre el frío tablero.

«La casa de Elsa. Veronica. Peligrosa. Stefan.»

Después, se puso de pie y preguntó.

—¿Ves lo que he escrito?

Björn Wigren leyó en voz alta.

—¿Qué significa esto?

—Significa que te quedarás aquí hasta que la policía venga con un buzo. Uno de los agentes se llama Giuseppe Larsson, o quizá Rundström, aunque también puede que sea Erik Johansson, al que ya conoces, el que se presente. Les mostrarás esto, ¿me has comprendido?

—¿Qué significa?

—Nada que necesites saber en este momento. Pero para la policía sí es importante. Has de quedarte aquí hasta que lleguen.

Stefan se esforzaba por adoptar un tono autoritario.

—Te quedarás aquí —repitió—. ¿Lo has entendido?

—Sí, pero comprenderás que tenga curiosidad... ¿Tiene algo que ver con Elsa?

—Ya lo sabrás, en su momento. Ahora, lo más importante es que comprendas que esto es vital y que le prestarás un gran servicio a la policía.

—Sí, claro, me quedaré. Había salido a dar mi paseo matutino.

Stefan dejó a Björn Wigren y echó a correr de nuevo por el puente mientras intentaba marcar el número de emergencia de la policía. La misma voz de mujer le pidió que volviese a intentarlo más tarde, lo que lo hizo lanzar una maldición antes de volver a guardarlo en el bolsillo. Ya no podía esperar más. Se desvió a la izquierda y se detuvo ante la casa de Elsa Berggren. Se esforzaba por conservar la calma. «Sólo hay una solución», se dijo. «Que consiga actuar de la forma más convincente posible; que me las arregle para dar la impresión de que no sé nada. Veronica Molin debe seguir pensando que soy el mismo idiota que he demostrado ser hasta ahora.»

Recordó la noche que pasó junto a ella. Lo más probable es que la mujer se hubiese levantado cuando él se quedó dormido y hubiese subido al piso de arriba a registrar su habitación. Por eso lo habría dejado dormir en su cama. Y él no había tenido la perspicacia suficiente de entrever aquella treta. Se había comportado como un vanidoso engreído y, por si fuera poco, desleal y falso para con Elena. Y Veronica Molin había sabido utilizar su debilidad.

Sin embargo, admitía que no podía reprochárselo.

Atravesó la verja rodeado de un silencio absoluto. Una débil pincelada de luz atravesaba por el este el negro cielo que coronaba las lomas del bosque. Finalmente, llamó a la puerta. Fernando Hereira echó un cauto vistazo a través de la cortina que cubría el cristal de la puerta de entrada. Stefan experimentó enseguida el mayor alivio, al ver que nada le había sucedido. Cuando estuvo en la habitación de Veronica Molin, aún se sentía preocupado por que le sucediese algo *a ella*. Sin embargo, al ver lo que había en la pantalla de su ordenador, todo cambió de forma radical, de modo que, a partir de aquel momento, Fernando Hereira pasó a ser el objeto de su preocupación. De nada le servía pensar que aquél era un encuentro entre una mujer y el hombre que había asesinado a su padre. Fernando Hereira tenía tanto derecho como cualquier otra persona a ser juzgado por un tribunal.

El hombre le abrió la puerta y Stefan vio que tenía los ojos empañados.

—Es demasiado pronto —le recriminó con impaciencia.

—No importa. Puedo esperar.

La puerta de la sala de estar estaba entreabierta, pero Stefan no podía ver a la mujer. Por un instante, sopesó la posibilidad de revelarle la verdad a Fernando Hereira de inmediato; pero decidió dejarlo para más tarde pues se le ocurrió que ella podía estar escuchando detrás de la puerta. Sabía que Veronica Molin era capaz de cualquier cosa y estaba decidido a alargar aquella reunión tanto como fuese posible, de modo que Giuseppe y los demás agentes llegasen a tiempo.

Stefan le indicó con un gesto que iría al baño.

—Vengo enseguida —aclaró—. ¿Qué tal va la cosa?

—Tal y como yo esperaba —aseguró Hereira con voz cansada—. Me escucha. Y parece que me comprende, pero no sé si podrá perdonarme.

El hombre volvió a la sala de estar con paso vacilante y Stefan se encerró en el baño. Aún le quedaba lo peor, aún debía enfrentarse a la mirada de Veronica Molin y convencerla de que continuaba en la misma ignorancia que hacía poco más de media hora. Por otro lado, pensaba, no era muy probable que ella sospechase que él había comprendido de repente algo que no había sido capaz de entender con anterioridad.

Volvió a marcar el número de Giuseppe. Al oír la misma voz de mujer que le pedía que volviese a intentarlo más tarde estuvo a punto de sufrir un ataque de ansiedad. Tiró de la cadena, salió del baño, se acercó a la puerta de entrada y tosió ruidosamente mientras dejaba la cerradura abierta antes de dirigirse a la sala de estar.

Veronica Molin, que estaba sentada en la misma silla a la que él había estado amarrado, lo miró y él correspondió animándola con un gesto.

—Si no habéis terminado, puedo esperar fuera —advirtió en inglés.

—Prefiero que te quedes —aseguró ella.

Fernando Hereira asintió en señal de que a él tampoco le importaba que Stefan se quedase.

Eligió, como al azar, la silla que se hallaba más próxima a la puerta. Desde aquel lugar podría, además, ver a través de la ventana que quedaba a la espalda de los dos interlocutores.

Veronica Molin siguió observándolo con mirada inquisitiva. Y él tomó conciencia de que, en efecto, ella lo había mirado siempre del mismo modo, como intentando ver su interior.

Stefan decidió que lo mejor sería no evitar su mirada, aunque sin dejar de repetir para sí: «No sé nada, no sé nada».

La botella seguía sobre la mesa y Stefan comprobó que Hereira se había bebido la mitad de su contenido. Sin embargo, la había apartado a un lado y le había puesto el tapón. El anciano empezó a hablar sobre el hombre llamado Höllner y al que había conocido en un restaurante de Buenos Aires y que, por casualidad, supo darle la información necesaria sobre el hombre que había asesinado a su padre. Fernando Hereira refería la historia con todo lujo de detalles, sin omitir ningún dato sobre cuándo y dónde se había visto con Höllner y sobre el modo en que él había terminado por comprender que Höllner, como enviado por un poder superior, le proporcionaría la información que necesitaba. Stefan pensó que, en efecto, lo mejor que podía hacer era prolongar su historia tanto como pudiese; necesitaba a Giuseppe, pues no podía manejar la situación él solo.

Entonces, se sobresaltó con un respingo.

Ni Fernando Hereira ni Veronica Molin parecían haber notado nada pero, al otro lado de los cristales de la ventana que había detrás de la mujer, se había dejado ver un rostro. El rostro de Björn Wigren. Stefan vio de reojo que el hombre se asomaba de nuevo. La curiosidad de aquel tipo no conocía límites pues no había podido resistir la tentación de abandonar el puente.

Una vez más atisbó su rostro por la ventana. Stefan comprendió que Wigren no se había dado cuenta de que él lo había descubierto. «¿Qué estará viendo, en realidad?», se preguntó. «A tres personas que, en una misma habitación, se entregan a una conversación no demasiado excitante, desde luego. Es posible, además, que alcance a ver la botella de coñac sobre la mesa, pero ¿qué "peligro" podría entrañar aquella situación? Ninguno. Seguro que está preguntándose por la identidad del hombre, y quién sabe si vio a Veronica Molin el día en que ésta visitó a Elsa Berggren. Debe de estar pensando que este tipo del sur al que se topó durante su paseo matutino es un loco. Por otro lado, debe de tenerlo en ascuas por qué nos encontramos en la casa de Elsa Berggren cuando ella no está; y cómo hemos entrado, claro.»

A Stefan le costaba lo indecible controlar su irritación. Dudaba mucho de que ni Giuseppe ni ninguno de los demás policías descubriese el texto que él había escrito sobre la nieve en el estribo del puente. Y Björn Wigren no estaría allí para mostrárselo.

El rostro desapareció y Stefan rogó en silencio que a Björn Wigren se le ocurriese regresar, pues, en ese caso, aún habría una posibilidad de obtener ayuda. Pero, al cabo de un instante, el rostro volvió a hacer su aparición aunque, esta vez, lo hizo en otra ventana, en la que se hallaba a la espalda de Fernando Hereira. Stefan era consciente de que así aumentaba el riesgo de que Veronica Molin girase la cabeza y lo descubriese.

En ese momento, sonó un teléfono móvil. Stefan creyó que era el suyo, pero la señal no era la misma. Veronica Molin tomó el bolso que había dejado junto a la silla, sacó el teléfono y atendió la llamada. «Quienquiera que sea la persona que la ha llamado, nos ha dado algo más de tiempo», celebró Stefan. «Y tiempo es justamente lo que más necesito.» Pero al menos, el rostro de Björn Wigren no volvió a aparecer.

Stefan empezaba a abrigar nuevas esperanzas de que, pese a todo, el hombre hubiese regresado con la intención de cumplir la misión que él le había encomendado.

Veronica Molin escuchaba al teléfono sin pronunciar palabra. Después, apagó el aparato y lo dejó en el bolso.

Pero, cuando volvió a sacar la mano, llevaba en ella una pistola.

Se alzó de su asiento muy despacio y se apartó de la silla unos pasos, hasta colocarse de modo que tanto Stefan como Fernando Hereira quedaban en su campo de tiro. Stefan contenía la respiración. Hereira, por su parte, no pareció comprender enseguida qué era lo que la mujer sostenía en la mano. Cuando comprendió que se trataba de un arma, hizo amago de ir a levantarse él también, pero cambió de idea al ver que ella alzaba la pistola, antes de mirar a Stefan.

—Ha sido una estupidez —declaró—. Tanto por tu parte como por la mía.

Ahora dirigía el arma hacia Stefan, sosteniéndola con las dos manos, sin el menor titubeo.

—La chica de la recepción acaba de decirme que has tomado la llave y has entrado en mi habitación. Y, claro está, sé bien que no llegué a apagar el ordenador...

—No sé de qué me hablas.

Stefan era consciente de lo absurdo que sería negar los hechos. Pero necesitaba ganar tiempo. Volvió a mirar de reojo hacia la ventana, pero Björn Wigren no estaba ya. Aún le quedaba la esperanza pero, en esta ocasión, ella lo descubrió y, sin bajar el arma, se acercó hasta la ventana más próxima. Sin embargo, no parecía haber nadie allí fuera.

—No será que no has venido solo, ¿verdad? —inquirió ella.

—¿Y a quién iba a traer conmigo?

Ella permaneció junto a la ventana. Stefan pensó que aquel rostro que tan hermoso le había parecido antes se le antojaba ahora feo y severo.

—No tiene sentido mentir —prosiguió ella al tiempo que se apartaba de la ventana—. Sobre todo, cuando es un arte que no se domina.

Fernando Hereira no dejaba de mirar el arma que la mujer sostenía entre sus manos.

—No lo entiendo —admitió—. ¿Qué está pasando aquí?

—Simplemente, que Veronica Molin no es la persona por la que se ha hecho pasar. Es posible que invierta una parte de su tiempo en los negocios. Pero también se dedica a promover las ideas nazis en todo el mundo.

Fernando Hereira lo miró inquisitivo.

—¿Las ideas nazis? —preguntó atónito—. ¿Acaso ella también lo es?

—Bueno, como buena hija de su padre.

—Tal vez sea mejor que yo misma se lo explique a este señor que ha asesinado a mi padre —lo interrumpió Veronica Molin.

Hablaba despacio y con gran claridad en un inglés impecable, como alguien convencido de tener toda la razón. Y lo que decía era para Stefan tan terrible como evidente. Herbert Molin había sido un héroe para su hija, una persona a la que ella siempre había admirado y cuya huella siempre había querido seguir. Sin embargo, también había sido muy crítica con sus ideas políticas, que le parecían obsoletas. Ella, en cambio, pertenecía a una nueva generación que adaptaba los ideales de supremacía absoluta del más fuerte y la visión sobre los superhombres y los infrahombres a la realidad en la que se desenvolvía. Les habló sobre el poder desnudo e ilimitado y acerca del derecho de la minoría más fuerte a dominar a los débiles y a los pobres a los que se refería con términos de desprecio llamándolos inútiles, infrahombres, masas pobres, chusma, basura... Describía un mundo en el que era evidente la aniquilación de las personas de los países pobres. Condenaba así a todo el continente africano, con excepción de los contados países en los que imperaba el brazo férreo de un dictador. África era un continente al que había que dejar desangrarse, que no debía recibir el menor apoyo, sino quedar aislado hasta su extinción. Su mundo estaba dominado por el convencimiento de que los nuevos tiempos de redes electrónicas ofrecían a la gente como ella la ventaja y los instrumentos necesarios para consolidar su soberanía sobre el resto de la humanidad.

Stefan la escuchaba sin poder evitar tacharla de loca. En efecto, aquella mujer creía ciegamente en lo que decía con una convicción de raíces bien profundas que le impedía comprender hasta qué punto todo aquello, cuanto decía, no eran más que despropósitos, absurdos, un sueño que jamás llegaría a ver cumplido.

—Tú mataste a mi padre —afirmó para coronar su discurso—. Tú lo mataste y, por esa razón, yo voy a matarte a ti. Comprendo que no querías marcharte sin saber qué le había sucedido a Abraham Andersson. Bien, era un hombre insignificante que llegó a conocer el pasado de mi padre. Y eso significó su muerte.

—¿Quieres decir que tú lo mataste?

Fernando Hereira acababa de comprenderlo todo. Stefan tenía ante sí a un hombre que no había terminado de salir de una pesadilla para verse inmerso en otra nueva.

—Bienestar de Suecia forma parte de una red internacional —explicó Veronica Molin—. Y yo soy uno de sus jefes, un agente invisible que se mantiene en la retaguardia; y también soy miembro del reducido grupo de personas que dirigen las operaciones del nacionalsocialismo a escala mundial. No resultó complicado ejecutar a Abraham Andersson para asegurarnos de que jamás revelaría cuanto sabía de nosotros. Hay mucha gente dispuesta a cumplir una orden sin hacer preguntas, sin la menor vacilación.

—¿Cómo se las arregló para averiguar que tu padre era nazi?

—En realidad, fue a través de Elsa. Una desafortunada coincidencia. Elsa tiene una hermana que, durante muchos años, fue miembro de la orquesta sinfónica de Helsingborg. Cuando Abraham decidió mudarse a Sveg, ella le contó que tenía una hermana nacionalsocialista que vivía aquí. Así que empezó a espiarla, primero a ella, después a mi padre. Cuando decidió chantajearlo, firmó su sentencia de muerte.

—Fue Magnus Holmström, ¿no es así? —siguió indagando Stefan—. Le ordenaste matar a Abraham Andersson. ¿Fuiste tú misma, o fue él, quien arrojó el arma al río después de matarlo? Y, después, obligasteis a Elsa Berggren a declararse culpable, ¿no? No la habréis amenazado de muerte a ella también, ¿verdad?

—Bueno, ya veo que algo sabes, pero no te servirá de mucho.

—Ya, y ¿qué piensas hacer?

—Pues, matarte, claro. Pero antes he de ajusticiar al hombre que acabó con la vida de mi padre.

«¡Ajusticiar!», exclamó Stefan para sí. «Esta mujer no está en su sano juicio. Está completamente loca.» Si Giuseppe no se presentaba, se vería obligado a intentar quitarle el arma él solo, pues no podía contar con recibir ningún tipo de ayuda de Fernando Hereira, que había bebido demasiado. Y confiar en que podría convencerla de que abandonase tampoco tenía sentido. Ahora, eso sí, era consciente de que se encontraba ante una persona que había perdido el juicio y que no dudaría ni un segundo en disparar si él intentaba atacarla.

«Tiempo», se repetía sin cesar. «Lo que necesito es tiempo.»

—No conseguirás escapar —aseguró entonces.

—Por supuesto que sí —repuso ella—. Nadie sabe que estamos aquí. Y nadie me impedirá dispararle al hombre que mató a mi padre antes de dispararte a ti. Después, lo arreglaré todo de modo que parezca que tú le disparaste antes de suicidarte. A nadie le resultará extraño que un policía con cáncer se suicide, sobre todo, después de haber cometido un homicidio involuntario. El arma no los conducirá hasta mí. Y yo me iré de aquí a la iglesia, donde el funeral por mi difunto padre se oficiará dentro de unas horas. A nadie se le pasará siquiera por la cabeza la idea de que una hija que va a enterrar a su padre invierta un rato de esa mañana en acabar con la vida de dos personas. Así que me colocaré junto al féretro y desempeñaré el papel de hija doliente cuando, en realidad, me sentiré muy feliz al pensar que mi padre ha sido vengado antes de ser sepultado.

De pronto, Stefan oyó un ruido apenas perceptible a su espalda. Y supo enseguida de qué se trataba. En efecto, estaban abriendo la puerta de entrada. Giró entonces la cabeza muy despacio y vio que Giuseppe entraba en el vestíbulo. Sus miradas se encontraron durante un segundo. Giuseppe se movía sin hacer el menor ruido y, en sus manos, sostenía un arma. «Así que, en tan sólo unos segundos, la situación ha cambiado por completo. Pero he de contarle lo que está pasando», resolvió Stefan.

—Es decir, que crees que vas a matarnos uno tras otro, con esa pistola que llevas en la mano, y que podrás escapar sin más, ¿no es eso?

La mujer se puso tensa enseguida y aguzó el oído.

—¿Por qué gritas?

—No, estoy hablando exactamente igual que antes.

Ella negó con un gesto y se desplazó de modo que pudiese ver el vestíbulo, pero Giuseppe no estaba ya allí. «Estará detrás de la puerta», concluyó Stefan. «Y es imposible que no me haya oído.»

Veronica Molin permanecía inmóvil, a la escucha.

Stefan pensó que se asemejaba a un animal en la noche, confiado en su capacidad auditiva.

Después, todo sucedió muy deprisa. Ella empezó a moverse de nuevo por la habitación hacia la puerta, en esta ocasión. Stefan sabía que no dudaría en disparar, pero él estaba demasiado lejos como para poder alcanzarla antes de que ella se hubiese dado la vuelta para dispararle. Y, a tan corta distancia, no fallaría. Entonces, justo cuando ella había llegado a la puerta, él levantó la lámpara que había sobre la mesa y la lanzó con todas sus fuerzas contra una de las ventanas. El cristal se hizo añicos. Al mismo tiempo, se lanzó sobre Fernando Hereira, al que derribó junto con el sofá. Y allí en el suelo, al lado de Hereira, la vio girarse aún con el arma apuntándole. Y entonces, disparó. Stefan cerró los ojos y acertó a pensar que iba a morir justo antes de que el proyectil saliese despedido hacia él con estrépito. Sintió la sacudida del cuerpo de Fernando Hereira. La sangre fluía por su frente. Después, otro estallido. Cuando Stefan comprobó que tampoco en esta segunda ocasión lo había alcanzado el disparo, miró hacia arriba justo a tiempo de ver cómo Giuseppe se desplomaba en el suelo. No había ni rastro de Veronica Molin. La puerta de entrada estaba abierta de par en par. Fernando Hereira se lamentaba, pero el disparo no había hecho más que rozarle la sien. Stefan se levantó, echó a correr y tropezó con el sofá derribado antes de llegar a donde se hallaba Giuseppe que, tendido en el suelo y boca arriba, presionaba con ambas manos un punto situado entre el cuello y el hombro derecho. Stefan se arrodilló a su lado.

—Creo que no es para tanto —lo animó Giuseppe.

El agente estaba muy pálido, a causa del dolor y la conmoción.

Stefan se incorporó y fue al baño a buscar una toalla, que aplicó sobre el hombro herido.

—Llama para pedir ayuda y ve tras ella —le ordenó el inspector.

Stefan marcó el número de emergencias desde el teléfono de Elsa Berggren. Giuseppe lo oyó gritar al teléfono y, mientras el colega hablaba, vio que Fernando Hereira se ponía de pie y se desplomaba en un sillón. La telefonista de la policía de Östersund prometió que enviaría ayuda inmediata.

—Estoy bien, no te preocupes —insistió Giuseppe—. Así que no esperes más. Vete tras ella. ¿Está en sus cabales?

—Pues no. Es tan nazi como su padre, sólo que tal vez algo más fanática.

—Bien, seguro que eso lo explica todo —adivinó Giuseppe—. Aunque en estos momentos no sé bien qué hay que explicar.

—Ahora será mejor que no hables ni te muevas.

—Sí, bueno. Quizá sea mejor que esperes hasta que lleguen los refuerzos —se corrigió Giuseppe—. No puedo pensar con claridad. Quédate aquí hasta que vengan. Es peligrosa y será mejor que no vayas en su busca tú solo.

Pero Stefan había tomado ya el arma de Giuseppe y estaba resuelto a marcharse. Aquella mujer le había disparado, había intentado matarlo. Y la sola idea lo encolerizaba. No sólo lo había engañado, no sólo había intentado matarlo a él, a Fernando Hereira y a Giuseppe. Si los acontecimientos se hubiesen producido de un modo algo distinto, en el suelo de la sala de estar de Elsa Berggren habría habido tres cadáveres en lugar de dos heridos leves y una persona ilesa. En el preciso momento en que Stefan tomó el arma de Giuseppe, lo hizo como un enfermo de cáncer que no pensaba permitir que le arrebatasen la posibilidad de someterse al tratamiento adecuado para curarse.

Cuando Stefan salió de la casa, Björn Wigren estaba junto a la verja y, al verlo, echó a correr; pero Stefan le ordenó vociferando que se detuviese.

Las mandíbulas de Björn Wigren se movían incontroladas en expresión de temor y sus ojos se abrieron de par en par. «Debería atizarle», se dijo Stefan. «Su curiosidad ha estado a punto de matarnos a todos.»

—¿Hacia dónde se fue? —rugió—. ¿En qué dirección?

Björn Wigren señaló la calle que conducía por el río hasta el puente nuevo.

—¡Quédate donde estás! —le ordenó—. No te muevas. Los policías y la ambulancia ya están en camino. Explícales que es aquí donde se produjo el tiroteo.

Björn Wigren asintió sin pronunciar palabra y sin hacer preguntas.

Stefan echó a correr, pero la calle estaba desierta. En la ventana de una de las casas que había a la orilla del río vio un rostro que observaba con interés. Él intentaba descubrir el rastro de Veronica Molin en la nieve, pero ésta aparecía pisoteada y llena de huellas de neumáticos. Se detuvo y le quitó el seguro a la pistola antes de seguir adelante. La luz del amanecer era aún demasiado tenue y unas nubes enormes y pesadas parecían pender de un cielo ensombrecido. Cuando llegó al puente, volvió a detener su marcha. No veía a Veronica Molin por ninguna parte. Se esforzaba por pensar qué habría hecho la mujer. No tenía coche y había sucedido algo que ella no había previsto. Se había dado a la fuga y se veía obligada a recurrir a alguna solución provisional. Así que, ¿qué se le ocurriría hacer en tal situación? «Buscará un coche», resolvió. «Eso es lo que hará, claro, intentará apropiarse de un coche. No creo que se atreva a regresar al hotel. Ya sabe que he visto lo que había en su ordenador, aunque no fuese más que lo que en ese momento tenía en la pantalla: la cruz gamada y, debajo, una carta en la que alude a la inmortalidad de los ideales nazis. Y sabe también que ya no importa lo más mínimo qué pueda ocultar en ese ordenador. Ha intentado asesinar a tres personas y no le queda más que una alternativa: intentar escapar o rendirse y entregarse. Pero no lo hará.»

Continuó avanzando hasta cruzar el puente. Al otro lado había una estación de servicio en la que todo parecía tranquilo, pues sólo vio a unos clientes repostando. Stefan se detuvo y miró a su alrededor. Si alguien hubiese intentado robar un coche a punta de pistola, el ambiente sería muy distinto, no tan relajado. Se esforzó por imaginarse qué estaría pensando ella, pero seguía persuadido de que la mujer estaría buscando un coche.

De repente, una señal de alarma empezó a sonar en su interior. ¿Estaría equivocado? De hecho, tras la apariencia de una persona fría y ecuánime había descubierto a un ser desquiciado y fanático, lo que lo llevó a considerar si la persona a la que perseguía no habría reaccionado de un modo muy distinto al que él suponía. En ese momento, vio la iglesia que tenía a su izquierda. ¿Qué había dicho...? «Mi padre ha sido vengado antes de ser enterrado.» Su mirada seguía clavada en el templo.

¿Sería posible? No estaba seguro, pero nada perdía con intentarlo. En la lejanía, se oían los lamentos de las sirenas. Stefan echó a correr en dirección a la iglesia. Al ir a entrar, se dio cuenta de que la puerta principal estaba entreabierta y se puso en guardia enseguida. Con suma cautela, empujó la pesada hoja que rechinó levemente, pero no la abrió más de lo necesario para poder pasar y apostarse veloz junto a uno de los muros del porche. El aullido de las sirenas había cesado, dado el grosor de los muros del templo. Abrió una de las puertas de acceso a la nave principal con mucho cuidado. Al final del pasillo central había un féretro. El de Herbert Molin, sin duda. Se puso en cuclillas y asió el arma de Giuseppe con ambas manos. Allí no había nadie. Avanzó agazapado, intentando protegerse tras la última fila de bancos. El silencio era absoluto. Por encima del espaldar del banco y sin bajar la guardia, echó un vistazo rápido, pero no se la veía por ninguna parte. Empezó a pensar que se habría equivocado y que bien podía salir de la iglesia y seguir buscando fuera cuando, de improviso, percibió un leve ruido procedente del coro. No supo determinar lo que lo habría provocado, pero supo enseguida que había alguien en la sacristía, tras el retablo del altar. Aguzó el oído, mas el ruido no se dejó oír de nuevo. Sin duda, había cometido un error. Aun así, no quería dejar la iglesia sin antes haberse asegurado de que estaba desierta. Avanzó, pues, con extrema precaución, por el pasillo central, aún agachado y con el arma preparada. Cuando hubo alcanzado el féretro, se detuvo de nuevo a escuchar. Alzó la mirada hacia el retablo. La figura de Jesús levitaba suspendida en el aire mientras que un soldado romano se perfilaba en primer plano y en respetuosa genuflexión. No se oía el menor ruido en el interior de la sacristía. Continuó avanzando por delante del altar y se detuvo a escuchar otra vez, pero todo seguía en silencio.

Después, alzó el arma y se preparó para entrar. La descubrió demasiado tarde. Veronica Molin estaba junto a un alto bargueño que se erguía contra la pared contigua a la puerta. Inmóvil y con el arma apuntándole directamente.

—Suelta la pistola —le ordenó.

Hablaba en voz baja, como en un susurro. Él se inclinó despacio y dejó el arma de Giuseppe sobre el suelo de mármol.

—Ni siquiera en la iglesia puedes dejarme en paz —le reprochó—. Ni siquiera el día en que van a enterrar a mi padre.

Deberías pensar en tu propio padre. Yo no lo conocí pero, al parecer, fue un buen hombre fiel a sus ideales. Una lástima que no lograse transmitírtelos a ti.

—¿Te lo contó Emil Wetterstedt?

—Es posible. Pero eso ya no tiene la menor importancia.

—Ya. Y ¿qué piensas hacer ahora?

—Matarte.

Era la segunda vez que la oía pronunciar las mismas palabras aquella mañana. Sin embargo, era como si ya no tuviese fuerzas para sentir miedo. La única esperanza que le quedaba era convencerla para que se entregase o que se produjese una situación en la que él pudiese desarmarla.

Entonces, cayó en la cuenta de que existía una tercera posibilidad. En efecto, él se encontraba aún junto a la puerta, de modo que si ella relajaba por un instante su atención, le daría tiempo de lanzarse hacia atrás y desaparecer en la nave principal de la iglesia. Allí podría, sin duda, ocultarse entre las filas de bancos y quizás incluso salir de nuevo a la calle.

—¿Cómo supiste que estaba aquí?

La mujer seguía hablando con la misma voz susurrante. Pero Stefan observó que ya no sostenía la pistola con la misma firmeza. El arma apuntaba ahora más bien hacia abajo, hacia sus piernas, en lugar de al pecho, como antes. «Está a punto de desmoronarse», concluyó al tiempo que, con gran cautela, desplazaba el peso de su cuerpo a la pierna derecha.

—¿Por qué no te rindes ya? —preguntó él.

Ella no contestó más que con un gesto negativo de la cabeza.

Entonces, se produjo el instante que él esperaba. La mano con la que Veronica Molin sostenía el arma descendió mientras ella volvía la cabeza para mirar por una de las ventanas. Él se abalanzó sobre la puerta tan rápido como pudo y empezó a correr por el pasillo central temiendo, en todo momento, oír el disparo que acabaría con él por la espalda. De pronto, tropezó con una arruga del borde de la alfombra y cayó de bruces. Al desplomarse, se golpeó el hombro con uno de los bancos de madera.

En ese momento, se oyó el disparo que, no obstante, dio en el banco, muy cerca de donde él se hallaba. El eco del proyectil resonó como un trueno. Después, un segundo disparo y el más profundo silencio. Oyó un golpe seco a su espalda y, cuando se dio la vuelta para ver qué era, la vio tendida ante el féretro de su padre. El corazón de Stefan latía con violencia. ¿Qué habría sucedido? ¿Se habría pegado un tiro? Entonces oyó la voz alterada y chillona de Erik Johansson, que estaba junto al órgano de la iglesia.

—¡No te muevas! ¡Quédate como estás! Veronica Molin, ¿me oyes? ¡Quédate donde estás!

—No va a moverse —gritó Stefan.

—¿Estás herido?

—No.

Erik Johansson volvió a gritar y el eco de su voz invadió el interior de la iglesia.

—Veronica Molin. No te muevas. Mantén los brazos extendidos.

Ella seguía sin moverse. La escalera que conducía al órgano retumbó y Erik Johansson apareció en el pasillo. Stefan se incorporó con cuidado. Ambos se acercaron al cuerpo inmóvil. El agente le tomó la mano.

—Está muerta —aseguró—. Le has dado en el ojo.

Erik Johansson tragó saliva con cara de abatimiento.

—Pero si apunté a las piernas... Yo no tengo tan mala puntería.

Se acercaron entonces al cuerpo y comprobaron que Stefan tenía razón. El proyectil le había atravesado el ojo izquierdo. Junto al cuerpo sin vida, en la base de la columna de piedra que sostenía la pila bautismal, se apreciaba claramente la huella de un disparo.

—Una carambola —declaró—. El disparo pasó a su lado, pero la bala rebotó y la mató.

Erik Johansson no daba crédito. Stefan sabía cómo se sentía, pues suponía que era la primera vez que el policía disparaba contra un semejante. Ahora ya lo había hecho y la persona a la que había intentado alcanzar en una pierna estaba muerta.

—No podía terminar de otro modo —lo animó Stefan—. No le des más vueltas. Pero ya ha pasado. Ahora ya ha pasado todo.

En ese momento se abrieron las puertas de la iglesia. Un sacristán aterrorizado los observaba atónito. Stefan le dio una palmadita en el hombro a Erik Johansson y se acercó al hombre que acababa de entrar en la iglesia para explicarle lo sucedido.

Cuando, media hora más tarde, Stefan llegó a la casa de Elsa Berggren, se encontró con que Rundström estaba allí. Giuseppe iba camino del hospital de Östersund. Pero Fernando Hereira había desaparecido. Cuando el personal de la ambulancia se llevó a Giuseppe en la camilla, éste les explicó que el hombre que estaba con él se había esfumado sin que él se diese cuenta.

—Lo atraparemos —aseguró Rundström.

—Yo no estaría tan seguro —repuso Stefan dudoso—. En realidad, no sabemos cómo se llama y puede que tenga varios pasaportes. Hasta ahora, ha sido muy habilidoso a la hora de esconderse de nosotros.

—¿No estaba herido?

—Bueno, un arañazo en la frente.

En ese momento, entró en la sala de estar un hombre en chándal. Llevaba en la mano una escopeta llena de fango y la dejó sobre la mesa.

—La encontré nada más sumergirme en el punto indicado. ¿Es verdad que ha habido un tiroteo en la iglesia?

Rundström hizo un molinete con la mano.

—Ya te lo explicaré después —afirmó.

Dicho esto, se puso a observar el arma.

—Me pregunto si el fiscal podrá acusar a Elsa Berggren por sus mentiras —confesó pensativo—. Aunque haya sido ese tal Magnus Holmström quien mató a Abraham Andersson y arrojó la escopeta al río. Por cierto que, al parecer, también provocó el incendio. Prendió fuego a la casa de Molin en varios puntos.

—Fernando Hereira dijo que había sido él quien provocó el incendio, pero imagino que sería para despistar aún más a la policía.

—Bueno, he de admitir que hay muchos aspectos de este caso que me resultan incomprensibles —comentó Rundström—. Giuseppe está en el hospital y Erik en la iglesia, después de haber matado de un disparo a Veronica Molin. Así que sólo tú, Stefan Lindman, un agente de Borås, puedes explicarme lo que ha sucedido en mi distrito policial esta mañana.

Stefan pasó el resto del día en el despacho de Erik Johansson. La conversación que mantuvo con Rundström se prolongó durante varias horas, dadas las muchas interrupciones que sufrieron. Pero a las dos menos cuarto de la tarde, Rundström recibió una llamada por la que le anunciaron que Magnus Holmström había sido detenido en Arboga aquella misma mañana, en el Ford Escort. El inspector acompañó a Stefan hasta el hotel. Los dos colegas se despidieron en la recepción.

—¿Cuándo te marchas?

—Mañana. Pero me iré en avión.

—Procuraré que te lleven al aeropuerto.

Stefan le tendió la mano.

—En fin, todo este asunto ha sido muy extraño —se lamentó Rundström—. Pero tengo la certeza de que llegaremos a comprender la mayor parte de los hechos. No todos, claro. Pero sí la mayoría. Eso no suele pasar. Siempre queda alguna laguna. O, al menos, lo suficiente como para encarcelar a los culpables.

—Pues yo tengo el presentimiento de que no será fácil dar con Fernando Hereira —advirtió Stefan.

—¿Sabes que fumaba cigarrillos franceses? —comentó Rundström—. ¿Recuerdas la colilla que hallaste junto al lago y que le entregaste a Giuseppe?

Stefan asintió, pues la recordaba muy bien.

—Sí, estoy de acuerdo contigo —convino después—. Siempre quedan lagunas. Por ejemplo, la de la identidad de una persona de Escocia llamada M.

Rundström se marchó. Stefan cayó en la cuenta de que, con total probabilidad, él no habría leído el diario de Herbert Molin. La chica de la recepción estaba pálida en su puesto.

—¿Metí la pata? —inquirió temerosa.

—Pues sí. Pero ya pasó todo. Me marcho mañana, así que te quedarás sola con los pilotos de pruebas y los deportistas del Báltico.

Aquella noche cenó en el hotel y, después, llamó a Elena para avisarle de cuándo llegaría. Estaba a punto de meterse en la cama, cuando llamó Rundström para comunicarle que Giuseppe se encontraba bien, dadas las circunstancias. La herida era grave, pero la vida del colega no corría peligro. En cambio, el estado de Erik Johansson era mucho más alarmante. Había sufrido una conmoción. Rundström lo informó asimismo, para concluir, de que la policía secreta había tomado cartas en el asunto.

—Será una bomba en los medios de comunicación —opinó—. Hemos descubierto un asunto muy feo. Y las cucarachas salen disparadas de sus escondites en todas direcciones. De hecho, ya hay indicios de que esa red nazi tiene un alcance que nadie sospechaba. Así que puedes estar satisfecho, al menos, los periodistas no van a acosarte como a nosotros.

Stefan permaneció largo rato tumbado en la cama, pero despierto. Se preguntaba qué habría sido del entierro. En cualquier caso y sobre todo, lo que le impedía conciliar el sueño eran los recuerdos de su padre.

«Jamás conseguiré comprender a mi padre», concluyó. «Como tampoco podré perdonarlo jamás, aunque esté muerto y enterrado hace ya tiempo. Nunca tuvo el valor de mostrarse como era ante mí o ante mis hermanas. Y ahora sé que mi padre adoraba la maldad.»

La mañana del día siguiente, un vehículo condujo a Stefan al aeropuerto de Frösön. Poco antes de las once, su avión aterrizaba a trompicones en el aeropuerto de Landvetter. Elena lo esperaba y, al verla, sintió una alegría inmensa.

Dos días después, el 19 de noviembre, una densa mezcla de aguanieve caía sobre Borås mientras Stefan subía la pendiente que conducía hasta el hospital. Se sentía muy tranquilo y capaz de superar aquello a lo que debía enfrentarse.

Lo primero que hizo fue tomarse un café en la cafetería del hospital. Sobre una silla, había algunas revistas del día anterior, ya manoseadas. Las portadas pregonaban las noticias de lo sucedido en Härjedalen, pero también hablaban de la sección sueca de una red internacional de organizaciones nazis. El jefe de la policía secreta sueca se había pronunciado. «Un descubrimiento temible de algo que va mucho más allá y que es mucho más peligroso que los grupos neonazis dominados por los cabezas rapadas que, hasta ahora, eran los únicos relacionados con la crueldad fascistoide.»

Stefan dejó a un lado las revistas. Eran las ocho y diez minutos.

Se puso en pie y se dirigió a la sección donde sabía que lo aguardaban.

Se preguntaba qué habría sido de Fernando Hereira, adónde habría ido, pues aún no lo habían detenido.

Stefan deseaba con todas sus fuerzas que hubiese logrado regresar a Buenos Aires para fumarse sus cigarrillos franceses en paz.

En efecto, consideraba que hacía ya muchos años que había pagado el crimen que había cometido.

La mañana del domingo 9 de abril, Stefan fue a buscar a Elena muy temprano. De camino a Norrby, desde la calle de Allégatan donde él vivía, se dio cuenta de pronto de que iba tarareando una cancioncilla. Era incapaz de recordar la última vez que le había ocurrido algo semejante. Asimismo, tampoco sabía, al principio, qué era lo que tarareaba. «Alguna melodía de hace ya mucho tiempo», se dijo mientras atravesaba las calles vacías. Después, recordó que se trataba de una canción que su padre solía interpretar al banjo, *Beale Street Blues*. Stefan recordó también que su padre le había dicho que aquella calle existía de verdad, seguramente en varias ciudades norteamericanas pero, desde luego, en Memphis.

«Recuerdo su música», reflexionó para sí. «Pero mi padre, su rostro y sus opiniones absurdas han empezado a palidecer y a confundirse con la oscuridad. Regresó de las sombras para contarme quién era de verdad y ahora yo he conseguido relegarlo allí de nuevo. A partir de ahora, sólo pienso recordarlo a través de las canciones que han permanecido en mi memoria. Tal vez eso me ayude a perdonarlo. Para las mentes nazis, los africanos, su música, sus tradiciones y su forma de vivir eran sinónimo de barbarie. Los africanos no eran sino personas de menos valor. Pese a que el americano Jesse Owens fue el más grande atleta de las Olimpiadas de Berlín en 1936, Hitler se negó a estrecharle la mano porque era negro. Pero mi padre amaba el *blues*, una música típicamente negra. Y jamás lo ocultó. Tal vez sea ésa la grie-

551

ta que presentaba su muro, la que yo debo indagar: que no se entregó por completo a la maldad y al desprecio por el ser humano. Nunca sabré si estoy en lo cierto. Pero, después de todo, nadie me impide creerlo así, si así lo deseo.»

Elena lo aguardaba ante el portal. Durante el trayecto hacia el aeropuerto de Landvetter, fueron hablando de a quién de los dos le hacía más ilusión aquel viaje, si a Elena, que apenas había salido de Borås, o a Stefan que, tras su última conversación con los médicos, había empezado a creer que, en efecto, podía vencer el cáncer ya desde las primeras sesiones de radioterapia y tras la operación que siguió al tratamiento. La cuestión no se vio resuelta pues no era, claro está, más que un juego.

Aterrizaron en Londres, en el aeropuerto de Gatwick, adonde habían volado con British Airways, a las siete y treinta y cinco minutos. Elena, que tenía pánico a los aviones, se aferró a su brazo cuando el avión empezó a rebotar contra la pista de aterrizaje para después cobrar altura y desaparecer por las vías de navegación aérea que discurrían al norte de Kungsbacka. Cuando atravesaban la gruesa capa de nubes, Stefan experimentó una repentina sensación de libertad. Durante seis meses, había vivido un temor que lo corroía por dentro y que nunca o casi nunca, lo dejaba respirar. Ahora, aquel temor había desaparecido. Sabía que no podía tener por cierto que estuviese o que fuese a permanecer totalmente sano para siempre y su médico le había advertido de que debería seguir acudiendo a las revisiones periódicas durante cinco años. Pero también le había recomendado que empezase otra vez a llevar la misma vida de siempre y que no se dedicase a buscar síntomas, que no cultivase el miedo que lo había atenazado durante tanto tiempo. Y ahora, sentado en aquel avión, sintió como si, de verdad, se atreviese a echar a andar, a correr alejándose de aquel pavor y en dirección a algo que durante tanto tiempo había esperado.

Elena lo miró intrigada.

—¿En qué piensas?

—En algo que llevo más de medio año sin atreverme a creer.

Ella le tomó la mano, sin decir nada. Durante un instante, Stefan creyó que rompería a llorar pero, al final, logró contenerse.

Aterrizaron en Gatwick y, tal y como habían acordado, se separaron en cuanto hubieron pasado el control de pasaportes. Elena pasaría dos días en Londres, de visita en casa de un pariente lejano de Cracovia que tenía una tienda de ultramarinos en uno de los muchos barrios de la ciudad. Stefan, por su parte, pasaría a la terminal de vuelos nacionales para continuar su viaje.

—Sigo sin comprender por qué has de marcharte —se quejó Elena.

—Verás, después de todo, soy policía. Y tengo que seguir el curso de los acontecimientos hasta el final.

—Pero, si ya han detenido al culpable... Al menos, a uno de ellos. Y la mujer está muerta, ¿no? Ya sabéis por qué sucedió todo, ¿qué más quieres averiguar?

—Siempre quedan lagunas. Tal vez no sea más que curiosidad pura y simple. Algo que tan sólo guarda una relación indirecta con mi trabajo de policía.

Ella le dedicó una mirada inquisitiva.

—Según los periódicos, un policía recibió un balazo. Y a otro lo amenazaron de muerte. Me pregunto cuándo te decidirás a contarme que fuiste tú el policía amenazado... ¿Cuánto tiempo he de esperar?

Stefan no respondió, sino que alzó los brazos en gesto indolente.

—Veamos, no sabes por qué has de continuar este viaje —prosiguió la mujer—. Y eso es todo, ¿no? ¿Por qué no me cuentas la verdad, ni más ni menos?

—Digamos que estoy intentando aprender. Pero te aseguro

que te he dicho la verdad: lo que quiero es abrir la última puerta, para ver qué se oculta tras ella.

La siguió con la mirada hasta que hubo desaparecido entre el gentío que discurría hacia las puertas de salida. Después, se encaminó a la terminal de vuelos nacionales. La melodía de la mañana retornó a su mente. El avión despegó a la hora prevista, a las diez y veinticinco y, según pudo oír entre el carraspeo del altavoz, el vuelo tendría una duración de dos horas escasas. Cerró los ojos y no despertó hasta que las ruedas del aparato rebotaron contra la pista de aterrizaje del aeropuerto de Inverness, en Escocia. Cuando caminaba hacia el viejo edificio del aeropuerto, sintió lo despejado que estaba el aire, el mismo que recordaba de Härjedalen. En torno a Sveg, las colinas de los bosques estaban dispuestas formando un anillo de calor y sombras. Aquí, el paisaje era bien distinto. Altas y escabrosas montañas se alzaban al norte, a lo lejos, en tanto que el resto aparecía cubierto de campos y páramos y el cielo se le antojaba muy próximo. Recogió la llave del coche que había alquilado, algo nervioso ante la idea de que debía conducir por la izquierda, y puso rumbo a Inverness. La carretera era muy estrecha y se enojó al comprobar que la palanca de marchas se atascaba. Consideró incluso la posibilidad de volver y reclamar un coche en mejor estado, pero no lo hizo. En efecto, no pensaba recorrer muchos kilómetros, sólo hasta Inverness, ida y vuelta, además de alguna excursión, tal vez.

El hotel en el que la agencia de viajes le había reservado habitación para dos noches se llamaba Old Blend y estaba en el centro de la ciudad. Le costó bastante localizarlo. Lo logró, finalmente, no sin antes haber originado cierto caos en varias rotondas y haber obligado a los demás conductores a frenar en seco en más de una ocasión. De modo que respiró aliviado cuando, por fin, pudo aparcar el coche ante la entrada del hotel, constituido por un edificio de tres plantas en ladrillo de color rojo oscuro. Pensó que, una vez más, aunque esperaba fuese la última, debía alojarse en un hotel en su búsqueda de las circunstancias y los porqués del asesinato de Herbert Molin. Ahora sabía qué había sucedido y había tenido la oportunidad de conocer al hombre que había matado a Molin, aunque ignoraba dónde se encontraría aquel individuo que, tal vez, se llamase Fernando Hereira. Hacía unos días, Giuseppe lo había llamado desde Östersund para informarlo de que ni las pesquisas de la policía sueca ni las de la Interpol habían dado el menor resultado. Según el colega, el sujeto se encontraría ya, con total probabilidad, en algún país de Suramérica, bajo otro nombre, el suyo. Giuseppe albergaba serias dudas de que lograsen dar con él algún día. Por otro lado, si conseguían localizarlo, las autoridades suecas no obtendrían jamás su extradición. Giuseppe le prometió que lo mantendría al corriente de posibles novedades. Después, le preguntó cómo se encontraba y se alegró al oír los resultados de las últimas pruebas.

—¿Qué te había dicho yo? —rió Giuseppe—. Estuviste a punto de morir de pena. En mi vida he visto a nadie tan abatido como tú.

—Bueno, ya, pero tal vez tampoco hayas conocido a tanta gente con una sentencia de muerte al cuello. *En el interior* del cuello, para ser exactos. Aunque, por otro lado, a ti te han pegado un tiro en el hombro.

Giuseppe adoptó un tono grave.

—A menudo me pregunto si tiró a matar. Recuerdo el brillo en su mirada. En el fondo, prefiero creer que sólo quería herirme, pero supongo que no era así.

—¿Cómo te encuentras ahora?

—Aún siento algo de rigidez en el hombro, pero va mejorando.

—¿Y qué me dices de Erik Johansson?

—Pues me han dicho que estaba pensando en pedir la jubilación anticipada. Le ha afectado mucho. Lo vi hace unos días y hasta ha adelgazado.

Giuseppe lanzó un suspiro en el auricular.

—En fin, podría haber terminado mucho peor.

—Pienso llevar a Elena a una bolera, ¿sabes? Y, cada vez que derribe los bolos, pensaré en ti.

—Cuando Herbert Molin murió, no teníamos ni idea de lo que nos esperaba —comentó Giuseppe—. Y ahora sabemos que hemos descubierto un asunto de envergadura. No sólo una red de organizaciones nazis, sino más aun, el hecho de que el fascismo está vivo, aunque sea bajo nuevas formas.

Para concluir, intercambiaron algunas palabras sobre Magnus Holmström. El juicio empezaría la semana siguiente. Holmström había optado por guardar silencio, pero las pruebas en su contra eran más que suficientes para declararlo culpable e imponerle una larga condena.

Ya había pasado todo. Pero aún quedaba por esclarecer un eslabón que Stefan quería investigar y sobre el que nada le había dicho a Giuseppe. Un eslabón que se hallaba allí, en Inverness. Por más que los intentos de Veronica Molin de hilvanar una serie de mentiras para aclarar el porqué del asesinato de su padre hubiesen fracasado —ésa había sido, de hecho, su única representación fallida de aquellas semanas de otoño—, existía, pese a todo, una persona que, en el diario de Herbert Molin, ocultaba su identidad tras la letra eme. Stefan le había pedido ayuda a un policía de homicidios llamado Evelyn, que había servido en Borås durante muchos años. Juntos, habían logrado encontrar los protocolos y los listados de nombres de la visita que unos representantes de la policía inglesa hicieron a Borås en noviembre de 1971. Hallaron incluso una fotografía que adornaba la pared de una de las salas de archivos. La instantánea había sido tomada ante el edificio de la comisaría. Olausson aparecía en ella, junto con cuatro policías ingleses, dos de los cuales eran mujeres. La mayor de las dos se llamaba Margaret Simmons. Stefan se preguntaba a menudo cuánto sabría Veronica Molin acerca de la visita de su padre a Escocia. Tal vez para ponerlo sobre una falsa pista, ella no había mencionado el nombre de Margaret, sino que, según dijo, la mujer se llamaba Monica.

Herbert Molin no aparecía en la foto, pero había participado en la acogida de los colegas extranjeros, sin duda. Entonces, en noviembre de 1971, conoció a la mujer llamada Margaret y, un año después, fue a verla a Escocia y la incluyó en las escuetas anotaciones de su diario. Juntos pasearon durante largas horas por Dornoch, cerca de la costa al norte de Inverness. Stefan no había decidido aún si iría a aquel lugar sólo para verlo. Pero Margaret Simmons se había mudado de allí tras su jubilación en 1980. Sin hacer demasiadas preguntas, Evelyn le ayudó a seguirle la pista a aquella mujer. Por fin un día, a principios de febrero, cuando él ya había empezado a creer que podría sobrevivir a la enfermedad y volver al trabajo, Evelyn lo llamó para, en tono de triunfo, darle una dirección y un número de teléfono de Inverness.

De modo que allí estaba. No tenía más planes ni había pensado qué hacer una vez en Escocia. ¿La llamaría por teléfono o sería mejor ir directamente a su casa y llamar a la puerta? Margaret Simmons tenía ochenta años. Cabía la posibilidad de que estuviese cansada y enferma y de que en modo alguno desease recibir su inopinada visita.

Entró en la recepción, donde un hombre de voz poderosa lo recibió y le dio la bienvenida. Le habían asignado la habitación número 12, que estaba en el último piso, sin ascensor, tan sólo una escalera chirriante. Mientras avanzaba sobre un sendero de mullidas alfombras, oyó voces procedentes de un televisor. Dejó la maleta en el suelo y se acercó a la ventana. Abajo, en la calle, el fluir del tráfico emitía su sordo rugido pero, si alzaba la vista, se extendían ante él el mar, las montañas, el cielo. Sacó del minibar dos botellitas de whisky que vació de sendos tragos, de pie junto a la ventana. La sensación de libertad había crecido. «Estoy regresando», se dijo. «Voy a sobrevivir a esta pesadilla. Cuando sea viejo, recordaré este periodo como un episodio que, en lugar de dar fin a mi vida, la cambió por completo.»

Llegó la noche. Había decidido aguardar hasta el día siguiente antes de llamar a Margaret Simmons. Una fina lluvia se posaba sobre la ciudad. Salió en dirección al puerto siguiendo al azar la línea de los muelles. De pronto, notó que lo embargaba una extraña impaciencia. Deseaba empezar a trabajar de nuevo cuanto antes. No había perdido nada más que tiempo pero ¿qué era el tiempo en realidad? Una respiración inquieta, mañanas que discurrían hacia tardes que se tornaban noches y nuevos días... No sabía qué responderse. Las caóticas semanas vividas en Härjedalen cuando buscaban, al principio, a un asesino, después a dos, se le antojaban irreales. Después, los días que sucedieron al 19 de noviembre, cuando a las ocho y cuarto de la mañana entró en la consulta para iniciar sus sesiones de radioterapia..., ¿qué visión tenía ahora de aquel periodo? ¿Cómo lo caracterizaría si tuviese que escribirse una carta a sí mismo, por ejemplo? En esos días, el tiempo se detuvo. Lo había vivido como si su cuerpo hubiese sido una cárcel. Y no recuperó la capacidad de sentir el tiempo hasta que, ya mediado enero, salió de todo aquello, de la radioterapia y de la operación; lo sintió de nuevo como algo que transcurría, que quedaba atrás para nunca más volver.

Se paró a comer en un restaurante que quedaba cerca del hotel. Acababan de traerle la carta cuando lo llamó Elena.

—¿Cómo te va en Escocia?

—Bien, pero no es fácil conducir por la izquierda.

—Pues aquí está lloviendo.

—Como aquí.

—¿Qué estás haciendo ahora?

—Pues iba a cenar.

—Y tu misión, ¿has empezado con ello?

—No, tenía pensado empezar mañana.

—Vendrás cuando me prometiste que lo harías, ¿verdad?

—¿Por qué no iba a hacerlo?

—Cuando estabas enfermo, desapareciste de mi lado. Y no quiero que vuelva a ocurrir.

—No, cumpliré lo prometido.

—Esta noche voy a cenar comida polaca con algunos parientes a los que no he visto en mi vida.

—¡Vaya!, me gustaría estar contigo.

Ella rompió a reír.

—¡Qué mal mientes! Saluda a Escocia de mi parte.

Después de la cena, prosiguió su paseo. Los muelles, el puerto, las calles del centro. Se preguntaba adónde se dirigía en realidad. El destino de su viaje estaba en su interior.

Aquella noche, durmió un sueño profundo.

Al día siguiente, se levantó muy temprano. Aún seguía lloviznando sobre Inverness. Después de desayunar, marcó el número que le había proporcionado Evelyn. Pero fue un hombre quien atendió la llamada.

—Simmons.

—Hola, me llamo Stefan Lindman y quería hablar con Margaret Simmons.

—¿A propósito de qué?

—Verá, soy sueco. Y ella visitó mi país en una ocasión en la década de los setenta. Yo no la conocí entonces, pero un colega mío que es policía me habló de ella.

—Mi madre no está en casa. ¿Desde dónde llama?

—Desde Inverness.

—Hoy está de excursión en Culloden.

—¿Dónde queda eso?

—Culloden es un antiguo campo de batalla situado a las afueras de Inverness. Fue el escenario de la última batalla militar en suelo británico, en 1745. ¿No estudian ustedes historia en Suecia?

—Pues sí, pero no tanto sobre Escocia.

—La batalla no duró ni media hora. Los escoceses se desangraron, los ingleses aniquilaron a cuantos se cruzaban en su camino. Mi madre suele ir a pasear a ese lugar tres o cuatro veces al año. Primero visita el museo. A veces pasan una película. Dice que le gusta oír las voces de los muertos desde el fondo de la tierra, porque así se prepara para su propia muerte.

—¿Cuándo volverá a casa?

—Esta noche, pero suele irse a la cama enseguida. ¿Cuánto tiempo se quedará el policía sueco en Inverness?

—Hasta mañana por la tarde.

—Pues llame mañana por la mañana. ¿Cuál era su nombre? ¿Steven?

—Stefan.

Ahí concluyó la conversación. Stefan resolvió que no esperaría hasta el día siguiente, así que bajó a recepción y pidió que le explicasen cómo llegar a Culloden. El hombre asintió con un gesto de aprobación.

—Es el día idóneo para visitar el lugar. Hoy tenemos el mismo tiempo que cuando tuvo lugar la famosa batalla. Niebla, alto grado de humedad, el viento no sopla demasiado...

Stefan subió al coche y salió de Inverness. En esta ocasión le resultó más fácil circular por las rotondas. Se desvió de la carretera principal y siguió los indicadores. En el aparcamiento había dos autobuses y algunos turismos privados. Stefan contempló las llanuras. Cada doscientos o trescientos metros se erguían mástiles con banderas de color rojo y amarillo. Supuso que marcaban el lugar en que habían estado apostados los dos ejércitos. A lo lejos se divisaban las montañas y el mar. Pensó que los caudillos habían elegido un escenario muy hermoso para la muerte de sus soldados.

Sacó la entrada para el museo. Varios grupos de colegiales susurraban por las galerías mientras miraban las figuras que, vestidas de soldados, reproducían violentas escenas bélicas. Buscó con la mirada a Margaret. La fotografía que había visto tenía casi treinta años pero, aun así, estaba seguro de que podría reconocerla. Sin embargo, no la halló en el museo. Salió a la calle, donde soplaba un viento racheado, e intentó localizarla en el propio campo de batalla. La llanura estaba desierta y no se alzaban sobre ella más que los postes con las banderas rojas y amarillas que aleteaban en rítmico repiqueteo contra sus mástiles. Volvió al interior del museo. Los alumnos estaban a punto de entrar en una sala de audiciones y él los siguió. Una vez dentro, se apagaron las luces y se iluminó una gran pantalla. Avanzó a tientas hasta un banco de la primera fila y tomó asiento. La cinta que iban a mostrar tenía una duración de treinta minutos y los efectos de sonido eran espectaculares. Cuando la proyección hubo concluido, él permaneció sentado. Los colegiales se agolpaban a la entrada y ya empezaban a elevar el tono de voz y a alborotar demasiado cuando uno de sus maestros los mandó guardar silencio con un gesto severo.

Stefan miró a su alrededor. Allí estaba ella, en la última fila. La reconoció en el acto. Llevaba una gabardina negra y, al levantarse, se apoyó en su paraguas bien atenta a dónde ponía el pie. Stefan aguardó y ella le lanzó una mirada cuando pasó ante él. Esperó hasta que la mujer hubo abandonado la sala y empezó a seguirla. No había ya ni rastro de los colegiales. Una mujer tejía sola tras un mostrador en el que podían comprarse postales y recuerdos. Desde el café contiguo, se oía el ruido de una radio y el tintineo de la porcelana.

Stefan se acercó a la salida. Margaret Simmons se dirigía pendiente abajo hacia el muro que rodeaba el campo de batalla y él la siguió. Pese a que llovía, la mujer no abrió el paraguas. El viento soplaba con demasiada violencia. Stefan esperó hasta que ella hubo abierto la cancela y desapareció tras el muro. Entonces la siguió, fascinado ante el hecho de que tantos niños alborotadores hubiesen podido desaparecer sin dejar ni rastro. La mujer iba por uno de los senderos que serpenteaban por la llanura. Él la siguió despacio seguro de haber hecho lo correcto. Quería saber por qué Herbert Molin habría escrito sobre ella en su diario. «Ella constituyó la gran excepción», reflexionó. «Allí estaba el relato de cómo él había pasado la frontera hacia Noruega, comía helado mientras observaba a las jóvenes de Oslo y los años terribles en que sirvió como soldado de las Waffen-SS. Los años que lo deformaron y lo convirtieron en un vulgar mercenario de Waldemar Lehmann. Y, entre esos episodios, el viaje a Escocia.» Si no recordaba mal, el pasaje más largo de todo el diario, más incluso que las cartas que enviaba a casa desde el frente. Stefan no tardaría en darle alcance a la mujer para, tal vez, averiguar lo último que necesitaba saber sobre Herbert Molin.

A lo largo del sendero, a intervalos irregulares se veía, aquí y allá, una lápida. Pero no honraban la memoria de ningún soldado en particular, sino de los diversos clanes cuyos miembros habían sido aniquilados por la artillería inglesa. «Aquí tenemos a Margaret Simmons, caminando por un campo de batalla», se dijo. «También Herbert Molin pasó unos años de su vida en un campo de batalla. Pero no sucumbió en él, ni víctima de los cañones ni tampoco del fuego de las armas. Fue asesinado por alguien que anduvo buscándolo hasta localizarlo en una finca solitaria en Härjedalen.»

Margaret se detuvo y él la vio inclinarse sobre una de las lápidas que había junto al sendero. Stefan se paró también. Ella lo miró un instante antes de seguir su paseo. Él fue siguiéndola por el campo de batalla, un policía sueco que aún no había cumplido los cuarenta perseguía, a treinta metros escasos de distancia, a una mujer inglesa que también había sido policía y que ahora invertía su tiempo en prepararse para la muerte.

Llegaron al centro del lugar, entre las banderas rojas y amarillas. Entonces, ella dejó de caminar y se volvió hacia él pero, en esta ocasión, no retiró la mirada, sino que se quedó allí, esperándolo. Stefan observó que iba muy maquillada, que era de baja estatura y muy delgada. La mujer golpeó irritada el extremo del paraguas contra el suelo.

—¿Está siguiéndome? ¿Quién es usted?

—Me llamo Stefan Lindman y soy de Suecia. Soy policía, como lo fue usted.

Ella se retiró de la cara un mechón de pelo que le molestaba.

—Me figuro que ha estado usted hablando con mi hijo. Es la única persona que sabe que estoy aquí.

—Sí, fue muy amable.

—Bien, ¿y qué quiere?

—Una vez, hace ya mucho tiempo, usted visitó una ciudad sueca llamada Borås. No es una ciudad grande: dos iglesias, dos plazas y un río de aguas sucias. Usted la visitó hace veintiocho años, el otoño de 1971. Con ocasión de aquella visita, conoció a un agente llamado Herbert Molin. Al año siguiente, él fue a verla a Dornoch.

La mujer lo observaba en silencio.

—Me gustaría poder continuar con mi paseo —se limitó a decir—. Estoy intentando habituarme a la idea de la muerte.

Dicho esto, reemprendió la marcha sin más. Stefan la alcanzó y se puso a su lado.

—Por el otro lado —advirtió la mujer—. Prefiero que no haya nadie en el lado izquierdo.

Stefan cambió de lado.

—¿Está muerto Herbert? —inquirió de repente.

—Sí, está muerto.

Ella asintió.

—Es lo que pasa cuando uno llega a viejo. La gente se cree que lo único que queremos saber los viejos es cuándo se muere alguien. La gente puede hacer el idiota sin ser consciente de ello.

—Herbert Molin murió asesinado.

Al oírlo, la anciana se sobresaltó y detuvo su marcha. Stefan creyó por un instante que se desplomaría, pero la mujer se repuso y continuó.

—¿Qué sucedió? —inquirió al cabo de un rato.

—Se vio atrapado por su pasado. Lo mató un hombre que deseaba vengarse por algo que Herbert Molin había hecho durante la guerra.

—¿Atraparon al culpable?

—No.

—¿Por qué no?

—Bueno, se escapó. Ni siquiera sabemos cómo se llama. Tenía pasaporte argentino a nombre de Fernando Hereira y parece ser que vive en Buenos Aires. Pero hemos de dar por supuesto que su verdadero nombre es otro.

—¿Y qué había hecho Herbert Molin?

—Había asesinado a un profesor de baile judío cuando estuvo en Berlín.

La mujer se detuvo una vez más y contempló el campo de batalla.

—Sepa usted que la batalla que aquí se libró fue una muy

particular. En realidad, no puede decirse que fuese una batalla, pues duró muy poco tiempo.

La mujer acompañó su explicación de gestos de su mano:

—Nosotros, los escoceses, estábamos en aquel lado; en ese otro, los ingleses que nos disparaban con sus cañones. Los escoceses morían por cientos. Cuando, por fin, emprendieron el ataque contra los ingleses, era ya demasiado tarde. En menos de media hora, el campo de batalla apareció cubierto de miles de muertos y heridos. Los mismos que hoy yacen aquí.

Margaret Simmons retomó la marcha.

—Herbert Molin escribió un diario —intervino Stefan—. La mayor parte de su contenido trataba sobre la guerra. Él fue uno de los nazis que luchó voluntario con Hitler. Claro que eso ya lo sabrá usted, supongo.

La mujer no respondió. El paraguas golpeaba el suelo con determinación.

—Yo encontré el diario envuelto en un impermeable en la casa en la que fue asesinado. El diario, fotografías y algunas cartas. Lo único que en él aparecía relatado con prolijidad era el viaje que emprendió a Dornoch la primavera de 1972. En aquellas páginas, explica que se dedicó a dar largos paseos con M.

Ella lo miró perpleja.

—¿Así que no escribió mi nombre completo?

—No, sólo M., nada más.

—Ya. Y ¿qué decía?

—Que daban ustedes largos paseos.

—¿Y qué más?

—Nada.

La mujer continuó caminando sin decir nada. Stefan aguardaba su reacción, hasta que se detuvo de nuevo.

—Aquí mismo cayó un pariente mío —explicó la anciana—. Yo estoy medio emparentada con el clan de los MacLeod, aunque ahora me llame Simmons, que es mi apellido de casada.

Dirá usted que es imposible que yo sepa si fue aquí exactamente donde murió Angus MacLeod. Pero resulta que he decidido que sí, que fue aquí exactamente y en ningún otro lugar.

—Verá, yo..., he estado preguntándome qué fue lo que sucedió —la interrumpió Stefan.

Ella pareció sorprendida al responder:

—Pues que se había enamorado de mí. Lo cual era, como comprenderá, una soberana tontería. ¿Qué, si no, quería usted que sucediese? Los hombres son cazadores por naturaleza; nada importa si han decidido derribar a una fiera o a una mujer. Ni siquiera era bien parecido. Y había engordado. Además, yo estaba casada. El día que me llamó y me dijo que acababa de llegar a Escocia casi me muero del susto. Aquélla fue la única ocasión en la que le mentí a mi marido. Cada vez que me veía con él, le decía que me quedaba haciendo horas extraordinarias. Intentó convencerme para que me fuera con él a Suecia.

En aquel punto, alcanzaron uno de los límites del campo de batalla, con lo que la mujer emprendió el regreso por un sendero que discurría junto a un muro de piedra de escasa altura. Cuando llegaron al punto de partida, la cancela del muro, ella volvió a mirar a Stefan.

—Yo suelo tomar el té a esta hora. Después, vuelvo a salir. ¿Me acompaña?

—Encantado.

—Herbert sólo tomaba café. ¿Se imagina? ¿Cómo iba yo a vivir con un hombre que despreciaba el té?

Entraron en la cafetería, donde un grupo de jóvenes ataviados con las tradicionales faldas escocesas conversaban en voz baja. Margaret escogió una mesa situada junto a la ventana, desde la que se veía todo el campo, hasta Inverness e incluso el mar.

—A mí no me gustaba —afirmó de improviso con voz decidida—. Se pegaba a mí como una lapa, pese a que yo le había explicado desde el principio que su viaje era un sinsentido. Yo ya tenía un marido. Y tenía bastante con él, puesto que bebía demasiado. Pero era el padre de mi hijo y eso era lo más importante. Le dije que fuera sensato y que se volviera a Suecia. Y creí que me había hecho caso, hasta que un buen día, volvió a llamar a la comisaría. Me asustaba la idea de que viniese a mi casa para hablar conmigo, así que decidí acceder a volver a verlo. Y entonces me lo contó.

—¿Que era nazi?

—Que lo *había sido*. No era un cretino, así que sabía perfectamente que yo había vivido la brutalidad de Hitler aquí, en Gran Bretaña, durante los bombardeos aéreos. Me aseguró que estaba arrepentido.

—¿Y usted lo creyó?

—No sé. A mí sólo me importaba que se marchase.

—Pero siguió dando paseos con él, ¿no es así?

—Bueno, empezó a ver en mí un padre confesor. Juraba y perjuraba que todo había sido un error de juventud. Recuerdo que, a veces, temía que se pusiese de rodillas allí mismo, donde nos encontrásemos. En realidad, aquello era terrible. Quería que yo lo perdonase, como si hubiese sido un sacerdote o una emisaria de todos aquellos que habían sufrido los horrores de Hitler.

—¿Qué le dijo usted?

—Que podía escucharlo, pero que su conciencia no era cosa mía.

En aquel momento, los hombres de las faldas escocesas se pusieron de pie y salieron de la cafetería. Había empezado a llover con más intensidad y las gotas de lluvia golpeaban el cristal de la ventana. La mujer lo miró fijamente, antes de preguntar:

—Pero, entonces, no era verdad, ¿me equivoco?

—¿El qué?

—Que se había arrepentido de todo.

—Estoy convencido de que fue nazi hasta su muerte. Estaba atemorizado, aterrado por lo que había sucedido en Alemania. Pero jamás abandonó sus ideas. Incluso se las transmitió a su hija, que también está muerta.

—¿Qué le ocurrió?

—Recibió un disparo en un tiroteo con la policía en el que poco faltó para que me matase a mí.

—Yo soy una mujer muy anciana —señaló la mujer—. Y tengo tiempo. O quizá no. Pero me gustaría oír la historia desde el principio. A estas alturas, resulta que Herbert Molin empieza a interesarme.

Después, una vez que Stefan había emprendido su viaje de regreso a Londres, donde lo esperaba Elena, y ya sentado en el avión, pensó que al contarle la historia a Margaret en la cafetería del museo de Culloden, entendió verdaderamente lo que había sucedido durante aquellas semanas de otoño en Härjedalen. Entonces lo vio todo a una nueva luz: el tango de sangre, los restos de la tienda junto a las oscuras aguas del lago. Pero, sobre todo, se vio a sí mismo, al que fue en aquellos días, un ser inquieto que se movía como una sombra nerviosa en los aledaños de una extraña investigación de asesinato. Mientras le refería la historia a Margaret, se vio a sí mismo como una pieza más del juego que era él, sin serlo, que era otro hombre con el que ya no deseaba tener nada que ver.

Cuando hubo terminado el relato, ambos permanecieron en silencio largo rato mirando cómo la lluvia, poco a poco, empezaba a remitir. Ella no hizo ninguna pregunta acerca de lo que él acababa de contarle, sino que lo escuchó sentada acariciándose la barbilla con sus delgados dedos. Aquel día no había muchos visitantes en el museo, de modo que las camareras de la cafetería, ociosas, leían revistas o folletos de viajes.

—Ya ha dejado de llover —observó ella—. Ha llegado el momento de mi segundo paseo entre los muertos. Me gustaría que me acompañase también en esta ocasión.

El viento, que había soplado del norte, empezaba ahora a arrollar desde el este. La mujer eligió esta vez otro camino, como si quisiese cubrir en su recorrido todo el campo de batalla.

—Yo tenía veinte años cuando estalló la guerra —comentó—. Por aquel entonces, vivía en Londres. Recuerdo el otoño funesto de 1940, cuando sonaba la alarma y uno sabía que, aquella noche, alguien iba a morir, aunque nunca sabía si sería uno mismo. Recuerdo que yo solía pensar que era el Mal mismo quien nos rondaba. Que no eran aviones los que nos sobrevolaban en la oscuridad, sino que eran unos diablos provistos de afiladas garras los que dejaban caer las bombas sobre nosotros. Después, mucho después, cuando me convertí en policía, comprendí que, en realidad, no existían personas malvadas, malvadas de espíritu, no sé si me explico. Sino que eran las circunstancias las que las hacían expresar aquella maldad.

—Me pregunto cómo se vería Herbert Molin a sí mismo.

—¿Se refiere a si se consideraba un ser malvado?

—Sí.

La mujer reflexionó un instante, antes de responder. Se habían detenido tras un elevado túmulo que se alzaba fuera del territorio del campo de batalla, para que ella pudiese atarse el zapato. Él quiso ayudarle, pero ella se negó.

—Herbert se veía como una víctima —explicó—. Al menos, cuando se confesó ante mí. Aunque ahora entiendo que todo era falso. En aquella ocasión no fui capaz de descubrirlo. Lo único que me preocupaba era que se sintiese tan enamorado que se pusiese a gritar bajo mi ventana.

—¿Y no llegó a hacerlo?

—No, ¡gracias a Dios!

—¿Qué le dijo cuando se despidieron?

—«Adiós.» Sólo eso. Tal vez intentó besarme, no lo recuerdo. Pero yo me sentí feliz de verlo desaparecer.

—Y, después, ¿nunca volvió a saber de él?

—Jamás, hasta hoy, cuando usted ha venido a contarme esa extraña historia.

Por segunda vez, habían ganado el límite del campo de batalla y emprendieron el regreso.

—Nunca me creí que el nazismo hubiera muerto con Hitler, claro —prosiguió la mujer—. Hoy existen, como entonces, personas con pensamientos malévolos, que desprecian al ser humano, racistas. Sólo que existen con otros nombres, actúan según otros métodos. En la actualidad, no se libran batallas entre ejércitos, pero el odio hacia aquellos a los que desprecian adquiere otras formas de expresión, más solapadas. Como desde abajo, por así decirlo. Este país, por ejemplo, o Europa misma, está a punto de estallar en mil pedazos por dentro a causa de su desprecio por la debilidad, por el furor contra los refugiados, por el racismo. Por todas partes lo veo y me pregunto si, en el fondo, tenemos capacidad para oponer la resistencia necesaria.

Stefan abrió la cancela, pero ella no lo acompañó.

—Me quedaré un poco más. Aún no he terminado mi charla con los muertos. Su relato ha sido muy interesante pero, claro está, aún no ha respondido a la pregunta que he estado haciéndome todo el tiempo.

—¿Qué pregunta?

—¿Por qué ha venido hasta aquí?

—Por curiosidad. Quería saber quién se ocultaba tras la letra eme que aparecía en el diario. Quería saber por qué Herbert Molin había emprendido aquel viaje a Escocia.

—¿Sólo eso?

—Sí, sólo eso.

Ella volvió a retirarse el mechón de pelo del rostro, con una sonrisa.

—Buena suerte —le deseó.

—Buena suerte, ¿con qué?

—Bueno, tal vez algún día encuentre a Aron Silberstein, al hombre que mató a Herbert Molin.

—¿Quiere decir que él le contó lo sucedido en Berlín?

—Verá, él me habló de su miedo. Me dijo que el hombre que había sido su profesor de baile en Berlín tenía un hijo llamado Aron. Herbert temía la venganza y creía que aquel niño la llevaría a cabo. Recordaba bien al pequeño Aron. A decir verdad, creo que Herbert soñaba incluso con él por las noches. Y tengo la sensación de que fue él quien, al final, logró localizarlo y matarlo.

—¿Aron Silberstein?

—Sí, tengo buena memoria. Ése fue el nombre que mencionó entonces. Ahora creo que será mejor que nos despidamos. Tengo que volver con mis muertos. Y usted ha de regresar con los vivos.

La anciana se le acercó y le dio una palmadita en la mejilla. Después, Stefan la vio marcharse hacia el campo de batalla con paso decidido. La siguió con la mirada hasta que hubo desaparecido. Con su figura, se marcharon también los recuerdos de lo acontecido el otoño anterior. En algún rincón de la comisaría de policía de Östersund estaba aquel diario envuelto en un impermeable. Y las fotografías y las cartas. Él había conocido, por fin, a Margaret Simmons. Y ella le había hablado del viaje a Escocia de Herbert Molin, además de revelarle el nombre de la persona que se hacía llamar Fernando Hereira.

Entró en el museo y compró una postal. Sentado en un banco, le escribió a Giuseppe:

«Giuseppe,

»Escocia es muy hermosa, aunque no deja de llover. El hombre que asesinó a Herbert Molin se llama Aron Silberstein.

571

»Saludos,

»Stefan».

Abandonó Culloden y regresó a Inverness. El hombre de la recepción le prometió que enviaría la postal.

El resto del tiempo que pasó en Inverness fue una larga espera. Retomó su largo paseo, cenó en el mismo restaurante que el día anterior y, por la noche, estuvo un buen rato hablando con Elena. La echaba de menos y, ahora, ya no le costaba el menor esfuerzo decírselo.

El día siguiente, tomó su vuelo a Londres. Fue en taxi desde Gatwick hasta el hotel en el que ella se alojaba. Se quedaron en la ciudad tres días más, antes de regresar a Borås.

El lunes 17 de abril, Stefan volvió al trabajo. Lo primero que hizo fue visitar la sala del archivo en una de cuyas paredes colgaba la fotografía de la visita de la policía inglesa en 1971. Retiró la fotografía de la pared y la guardó en una caja, con otras instantáneas de las visitas que había recibido la policía de Borås.

Volvió a dejar la caja en su lugar, bien oculta en un rincón.

Después, respiró hondo.

Y se marchó dispuesto a retomar su trabajo, que tanto había añorado.

Colofón

Este relato es una novela, lo que implica que no describo en él sucesos, personas ni entornos tal y como son o han sido. En efecto, me he tomado aquí ciertas libertades, he desplazado cruces de carretera, he pintado las casas de otro color y, muy especialmente, he elaborado series ficticias de cursos de acontecimientos allí donde ha sido necesario, y siempre lo es. Otro tanto puede decirse de los personajes descritos en el libro. Dudo mucho de que exista algún agente de homicidios en Östersund que se llame Giuseppe, por ejemplo. Quiere ello decir, por tanto, que nadie debe sentirse aludido ni directamente representado. No obstante, es imposible evitar del todo el parecido con seres reales pero, de darse el caso, hemos de pensar que se trata de pura coincidencia.

No obstante, el sol sale en Härjedalen hacia las ocho menos cuarto en el mes de noviembre, de modo que, en medio de todas las construcciones ficticias, pueden hallarse un buen número de inequívocas verdades.

Lo cual ha sido, por supuesto, la intención primordial.

Henning Mankell, Gotemburgo, septiembre de 2000

MAXI
TUSQUETS
EDITORES